DR. JOE DISPENZA

AUTOR *BEST-SELLER* DO NEW YORK TIMES

COMO SE TORNAR SOBRENATURAL

Pessoas comuns realizando o extraordinário

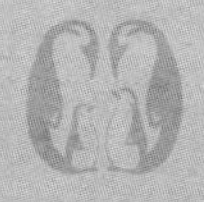

Prefácio de Gregg Braden

Título original: Becoming Supernatural

Como se tornar sobrenatural

12ª edição: Julho 2024

Autor:
Joe Dispenza

Tradução e preparação de texto:
Lúcia Brito

Revisão:
Ana Grillo

Diagramação:
Jéssica Wendy

Capa:
Adaptada do projeto original
de John Dispenza

Imagens internas:
John Dispenza

Foto da página 336:
Steve Alexander

DADOS INTERNACIONAIS DE CATALOGAÇÃO NA PUBLICAÇÃO (CIP)

Dispenza, Joe

Como se tornar sobrenatural : pessoas comuns realizando o extraordinário / Joe Dispenza ; tradução de Lúcia Brito. -- Porto Alegre: CDG, 2020.

424 p.

ISBN: 978-65-5047-051-7

1. Medicina energética 2. Mente e corpo 3. Saúde - Cuidados I. Título II. Brito, Lúcia

20-2875 CDD 615.851

Angélica Ilacqua - Bibliotecária - CRB-8/7057

Produção editorial e distribuição:

contato@citadel.com.br
www.citadel.com.br

COMO SE TORNAR SOBRENATURAL

Pessoas comuns realizando o extraordinário

Dr. Joe Dispenza

Tradução:
Lúcia Brito

Elogios para

COMO SE TORNAR
SOBRENATURAL

"Dr. Joe Dispenza é médico, cientista e místico dos tempos modernos. Com um estilo simples, direto e fácil de entender, combina em um único livro as descobertas que alteraram os paradigmas da ciência quântica e os profundos ensinamentos que praticantes do passado dedicaram a vida toda a dominar."

– do prefácio de Gregg Braden, autor de

Human by Design e *A matriz divina*, *best-sellers* do *New York Times*

"Sou fã do trabalho do Dr. Joe Dispenza há muito tempo. Em *Como se tornar sobrenatural*, você vai aprender exatamente como pode transcender as limitações de seu passado – inclusive desafios de saúde – e criar literalmente um novo corpo, uma nova mente e uma nova vida. Essa informação é empolgante, incrivelmente prática e transformadora."

– Christiane Northrup, médica, autora de

Goddesses Never Age, *best-seller* do *New York Times*

"Neste livro provocante, fascinante, o Dr. Joe Dispenza mostra que somos muito mais que nossa mente linear. Como um guia sábio, o Dr. Dispenza leva os leitores além da consciência comum para a compreensão do campo quântico infinito da consciência além dos sentidos e além do espaço e tempo. Recomendo este livro a todos que queiram explorar a extraordinária natureza de consciência e cura."

– Judith Orloff, médica, autora de

The Empath's Survival Guide

"Uau! Se você algum dia teve que acreditar em milagres, mas precisou de um pouco de ciência para dar uma esclarecida em suas esperanças, este livro é para você. O Dr. Joe oferece *insights* extraordinários e instruções passo a passo poderosas e lúcidas para viver de um modo sobrenatural."

– Dr. David R. Hamilton, autor de

How Your Mind Can Heal Your Body

"Li muitas coisas, mas o livro do Dr. Dispenza me deixou fascinada. É inovador, uma revelação incrível na medicina mente-corpo. Bravo!"

– Dra. Mona Lisa Schulz, autora de

Heal Your Mind e *All Is Well*

Outros livros do Dr. Joe Dispenza

Você é o placebo

– O poder de curar a si mesmo

Quebrando o hábito de ser você mesmo

– Como desconstruir a sua mente e criar uma nova

Para meu irmão John,
que sempre foi um verdadeiro místico.

Sumário

Prefácio

Ao longo da história humana há incontáveis relatos sobre pessoas que tiveram experiências que as lançaram além dos limites do que era considerado possível. Desde os dois séculos e meio de vida de Li Ching-Yuen, o praticante de artes marciais que nasceu em 1677, viveu 256 anos, teve quatorze esposas e mais de duzentos filhos antes de morrer em 1933, à cura espontânea de uma série de doenças documentada pelo Institute of Noetic Sciences (Instituto de Ciências Intelectuais) em 3,5 mil referências de mais de oitocentos jornais em vinte idiomas, a evidência claramente nos diz que não somos o que nos disseram no passado e menos ainda o que nos permitimos imaginar.

À medida que a aceitação do potencial humano expandido ganha força, a questão deixa de ser "O que é possível na vida?" e passa a ser "Como fazer isso? Como despertar nosso extraordinário potencial na vida diária?" A resposta para essas perguntas forma a base deste livro.

O Dr. Joe Dispenza é médico, cientista e místico dos tempos atuais. Também é um sintetizador de informações com uma visão que vai além dos limites de uma única disciplina científica. Extraindo informação de vários campos da ciência sólida, como epigenética, biologia molecular, neurocardiologia e física quântica, Joe cruza as fronteiras tradicionais que no passado separavam pensamento científico e experiência humana. Com isso, abre a porta para um novo e arrojado paradigma de autofortalecimento – uma forma de pensar e viver com base no que sentimos ser possível em nossa vida, bem como no que aceitamos como fato científico. A nova fronteira de potencial realizado está redefinindo o que significa ser um humano plenamente apto e capacitado. E é uma fronteira promissora para todo mundo, de donas de casa, estudantes e trabalhadores gabaritados a cientistas, engenheiros e profissionais da saúde.

O motivo para um apelo tão amplo é que o trabalho de Joe hoje se compara a um modelo testado que professores usaram com sucesso durante séculos com seus alunos. A ideia é simples: quando temos a experiência direta de um potencial maior, isso nos liberta para aceitá-lo em nossa vida diária. O livro que você tem em mãos é o primeiro manual a fazer justamente isso: nos conduz em uma jornada passo a passo para a realização de nosso maior potencial de corpo, saúde, relacionamentos e propósito de vida e permite que a façamos no nosso ritmo.

Foi nas paredes de uma caverna no platô tibetano que vi por mim como esse modelo foi usado por um dos grandes mestres iogues do passado para libertar os alunos de suas crenças limitadas. O legado do ensinamento persiste até hoje, preservado na rocha nativa que foi lar e sala de aula do mestre oito séculos atrás.

* * *

Na primavera de 1998, liderei um grupo de peregrinação pelas terras altas do Tibete Ocidental. A rota nos levou diretamente à caverna isolada do poeta, místico e iogue do século 11 Ujetsun Milarepa, conhecido em seu tempo simplesmente como Milarepa.

Ouvi falar no lendário iogue pela primeira vez quando era aluno de um místico sikh que se tornou meu professor de ioga na década de 1980. Estudei por anos o mistério que cercava a vida de Milarepa; como ele, filho de uma família privilegiada, escolheu renunciar aos bens materiais; as brutais e trágicas circunstâncias da perda da família e de pessoas amadas para a violência em massa; e como sua vingança e subsequente sofrimento o levaram ao retiro no alto das montanhas do Himalaia, onde descobriu seu extraordinário potencial como um iogue dedicado. Quis ver o lugar onde Milarepa desafiou as leis da física para demonstrar para si e seus alunos que somos confinados apenas pelos limites de nossas crenças. No 19º dia da minha jornada, tive essa oportunidade.

Depois de me habituar à baixíssima umidade e à altitude superior a 4,5 mil metros do nível do mar, fui parar no lugar onde Milarepa esteve diante de seus alunos oitocentos anos antes. Com o rosto a poucos centímetros da parede da caverna, olhei diretamente para o mistério não resolvido que cientistas modernos nunca conseguiram explicar ou repetir. Foi naquele exato local que Milarepa ergueu o braço na altura do ombro, tocou na rocha, e sua mão adentrou a parede como se a pedra não existisse. Quando fez isso, a rocha sob sua mão se tornou mole e maleável, cedendo à pressão. O resultado foi uma impressão perfeita da mão esquerda do iogue na pedra para que seus alunos na época e ao longo dos séculos vissem. Apontando as lanternas para as paredes e o teto da caverna, pudemos ver outras impressões da mão, revelando que Milarepa tinha oferecido essa demonstração mais de uma vez.

Ao abrir a palma da mão e pressioná-la dentro da impressão, pude sentir meus dedos aninhados no molde do iogue, precisamente na posição que a mão dele tinha assumido oito séculos atrás. O encaixe era tão perfeito que qualquer dúvida que eu pudesse ter sobre a autenticidade da marca desapareceu rapidamente. Foi uma sensação inspiradora e de humildade ao mesmo tempo. Meus pensamentos voltaram-se na hora para o homem Milarepa. Quis saber o que se passou com ele ao tocar a pedra. Em que estava pensando? Talvez mais importante, o que estava sentindo? Como desafiou as "leis" físicas que dizem que mão e pedra não podem ocupar o mesmo lugar ao mesmo tempo?

Como se lesse minha mente, o guia tibetano respondeu às perguntas antes que eu pudesse fazê-las. "A meditação do *geshe* [grande professor] ensina que ele é parte da rocha, não distinto dela. A rocha não pode contê-lo. Para o *geshe*, a caverna representa um local de experiência, não uma barreira limitadora. Nesse local ele é livre e pode se mover como se a rocha não existisse." As palavras do guia fizeram todo sentido. Quando os alunos de Milarepa viram o professor fazer uma coisa que as crenças tradicionais diziam não ser possível, ficaram diante do mesmo dilema que encaramos hoje quando optamos por nos libertar de crenças limitadoras.

O dilema é o seguinte: o pensamento acatado por familiares, amigos e pela sociedade dos alunos considerava o mundo em termos de limites e fronteiras. Isso incluía a crença de que a parede de uma caverna é uma barreira para a carne de um corpo humano. Porém, quando Milarepa afundou a mão na pedra, seus alunos viram que havia exceções para essa "lei". A ironia é que as duas formas de ver o mundo estão absolutamente corretas. Tudo depende de como escolhemos pensar em nós em um dado momento.

Quando pus a mão sobre a impressão que o iogue deixou para seus alunos muito tempo atrás, me perguntei: somos confinados na vida de hoje pelas mesmas crenças limitantes que os alunos de Milarepa enfrentavam em seu tempo? Caso sim, como despertar o poder para transcender nossas crenças limitantes?

Descobri que, quando uma coisa é verdadeira na vida, essa verdade aparece de muitas maneiras. Por isso, não é surpresa que a documentação científica das descobertas de Joe em sala de aula nos leve à mesma conclusão a que Milarepa e místicos chegaram ao longo dos séculos – o universo "é" como é, que nossos corpos "são" como são, e as circunstâncias de nossa vida são como são por causa da consciência e do que pensamos sobre nós mesmos em nosso mundo. Contei a história de Milarepa para ilustrar esse princípio aparentemente universal.

A chave para o ensinamento do iogue é a seguinte: quando experimentamos por nós mesmos, ou vemos em outra pessoa alguma coisa que um dia pensamos ser impossível, nos libertamos de nossas crenças para transcender tais limitações em nossa vida. Precisamente por isso o livro que você está segurando tem o potencial de mudar sua vida, mostrando-lhe como aceitar o futuro com que você sonha como a realidade atual, de modo que seu corpo acredite que está acontecendo "agora". Assim você descobre como colocar em movimento uma cascata de processos emocionais e psicológicos que refletem a nova realidade. Os neurônios no cérebro, os neuritos sensoriais do coração e a química do corpo se harmonizam para refletir o novo pensamento, e as possibilidades quânticas da vida são rearranjadas para substituir as circunstâncias indesejadas do passado pelas novas circunstâncias que você aceitou como o presente.

Esse é o poder deste livro.

Com um estilo simples, direto e fácil de entender, Joe Dispenza combina em um único livro as descobertas que alteraram os paradigmas da ciência quântica e os profundos ensinamentos que praticantes do passado dedicaram a vida toda a dominar – e nos mostra como nos tornarmos sobrenaturais.

— Gregg Braden

Autor de *Human by Design* e *A matriz Divina*, *best-sellers* do *New York Times*

Introdução

Prepare-se para se tornar sobrenatural

Entendo que escrever este livro é um risco para mim e minha reputação. Há certas pessoas no mundo – inclusive algumas na comunidade científica – que podem chamar meu trabalho de pseudociência, especialmente depois do lançamento de *Como se tornar sobrenatural*. Antes eu me preocupava com a opinião dos críticos. No começo da carreira, sempre eu escrevia pensando nos céticos, tentando ter certeza de que aprovariam meu trabalho. Em algum nível, achava que era importante ser aceito por essa comunidade. Mas um dia, diante de uma plateia em Londres enquanto uma mulher segurava o microfone e contava como tinha superado sua doença, como havia se curado com as práticas sobre as quais escrevi em outros livros, tive uma epifania.

Ficou muito claro que os céticos e cientistas rígidos apegados a suas crenças sobre o que era possível não iam gostar de mim nem do meu trabalho por mais que me esforçasse. Tão logo fiz essa constatação, soube que estava desperdiçando muita energia vital. Perdi o interesse em convencer aquele grupo particular, em especial aqueles que estudam o normal e o natural, sobre o potencial humano. Eu estava totalmente apaixonado por uma coisa que era tudo menos normal e queria estudar o sobrenatural. Ficou muito claro que eu deveria desistir dos esforços fúteis para convencer aquela comunidade de alguma coisa e em vez disso direcionar minha energia para a parte da população que acredita em possibilidades e quer ouvir o que tenho para compartilhar.

Que alívio foi abraçar essa ideia e desistir de qualquer tentativa de fazer alguma diferença naquele outro mundo. Enquanto ouvia aquela doce senhora em Londres, que não era monja, freira, acadêmica ou estudiosa, percebi que, ao contar sua história para a plateia, ela ajudava outras pessoas a ver partes de si mesmas. Os que ouviam sua jornada podiam acreditar que seria possível para eles fazer a mesma coisa. Cheguei a um estágio de vida em que não me incomodo com nada do que digam sobre mim; com certeza tenho defeitos, mas agora sei, mais que nunca, que estou fazendo diferença na vida das pessoas. Digo isso com total humildade. Trabalhei durante anos simplificando informações científicas complexas para que as pessoas as aplicassem na própria vida.

Nos últimos quatro anos, meu grupo de pesquisadores, minha equipe e eu percorremos um longo caminho para medir, registrar e analisar cientificamente transformações na biologia das pessoas para provar ao mundo que indivíduos comuns podem fazer o incomum. Neste livro não se trata só de cura, embora inclua histórias de pessoas que fizeram mudanças importantes na saúde e reverteram doenças, junto com as ferramentas de que você precisa para fazer o mesmo. Essas conquistas estão se tornando bem comuns em nossa comunidade de estudantes. O material que você está prestes a ler existe fora das convenções e no geral não é visto ou entendido pela maioria do mundo. O conteúdo deste livro é baseado em uma evolução de ensinamentos e práticas que culminaram na capacidade de nossos alunos de mergulhar mais fundo no aspecto mais místico desses conhecimentos. E, é claro, espero que faça a ponte entre o mundo da ciência e o mundo do misticismo.

Escrevi este livro para levar o que sempre pensei ser possível a um novo nível de compreensão. Quero demonstrar ao mundo que podemos criar uma vida melhor para nós e que não somos seres lineares vivendo vidas lineares, mas seres dimensionais vivendo vidas dimensionais. Espero que a leitura deste livro o ajude a entender que você já tem dentro de si, latente, toda a anatomia, química e fisiologia de que precisa para se tornar sobrenatural, esperando para ser despertada e ativada.

No passado hesitei em falar sobre esse aspecto da realidade por temer que pudesse dividir o público com base em crenças pessoais. Porém, há muito tempo eu queria escrever este livro. Ao longo dos anos tive experiências místicas riquíssimas, que me transformaram para sempre. Esses eventos internos influenciaram quem sou hoje.

Quero apresentar esse mundo de dimensão e mostrar algumas mensurações e estudos que fizemos em nossas oficinas avançadas pelo mundo. Comecei a coletar dados de nossos alunos nessas oficinas porque testemunhamos mudanças significativas na saúde, e eu sabia que eles estavam mudando sua biologia durante as meditações – em tempo real.

Temos milhares e milhares de varreduras cerebrais que provam que essas mudanças não foram apenas imaginadas, mas de fato aconteceram no cérebro. Vários alunos que avaliamos realizaram as mudanças em quatro dias (duração de nossas oficinas avançadas). As equipes científicas que montei registraram varreduras cerebrais usando análise quantitativa de eletroencefalograma (EEG) antes e depois das oficinas, bem como medições em tempo real durante as meditações e práticas. Não fiquei apenas impressionado com as mudanças, mas também chocado com o quanto foram drásticas.

O cérebro de nossos alunos funciona de forma mais sincronizada e coerente depois da participação em retiros avançados pelo mundo. O sistema nervoso mais organizado os ajuda a ter muita clareza sobre o futuro que podem criar, e eles conseguem se ater à intenção, independentemente das condições no ambiente externo. Quando o cérebro trabalha direito, eles trabalham direito. Apresentarei dados científicos que mostram o quanto o cérebro dos alunos melhorou em poucos dias, o que significa que você pode fazer o mesmo por seu cérebro.

No fim de 2013, algo misterioso começou a acontecer. Começamos a ver registros de varreduras cerebrais que intrigavam os pesquisadores e neurocientistas que iam aos nossos eventos estudar meu trabalho. A elevada quantidade de energia no cérebro que registrávamos enquanto alguns alunos praticavam certas meditações nunca fora registrada até então. No entanto, aquelas leituras incomuns estavam aparecendo muitas e muitas vezes.

Quando entrevistávamos os participantes, eles contavam que a experiência subjetiva durante a meditação era muito real e mística e que mudava profundamente sua visão do mundo ou melhorava sua saúde de forma drástica. Compreendi que naqueles momentos os participantes viviam experiências transcendentais no mundo interno da meditação que eram mais reais do que qualquer coisa que já houvessem experimentado no mundo exterior. Nós estávamos capturando objetivamente as experiências subjetivas.

Isso agora se tornou um novo normal para nós; na verdade muitas vezes podemos prever quando as grandes amplitudes de energia vão ocorrer no cérebro, baseados em certos indicadores e sinais que vemos há anos. Nestas páginas, quero desmistificar o que é uma experiência interdimensional, bem como dar informações sobre a ciência, a biologia e a química dos órgãos, sistemas e neurotransmissores que fazem isso acontecer. Espero proporcionar um mapa para você criar essas experiências por si.

Também registramos mudanças impressionantes na variabilidade da frequência cardíaca (VFC). Sabemos que isso ocorre quando o aluno abre o coração e mantém emoções elevadas, como gratidão, inspiração, alegria, bondade, reconhecimento e compaixão, que fazem o coração bater de modo coerente, isto é, no ritmo, em ordem e equilíbrio. Sabemos que são necessárias uma intenção clara (um cérebro coerente) e uma emoção elevada (um coração coerente) para começar a mudar a biologia de viver no passado para viver no futuro. A combinação de mente e corpo, pensamentos e sentimentos, também parece influenciar a matéria. É assim que você cria realidade.

Então, se você vai acreditar para valer em um futuro que imagina com todo o coração, vamos garantir que seu coração esteja aberto e plenamente ativado. Por que não se aperfeiçoar e fazer disso uma habilidade mediante a prática e o *feedback* quantitativo?

Criamos uma parceria com o HeartMath Institute (HMI), um grupo de pesquisadores sagazes com sede em Boulder Creek, Califórnia, que nos ajudou a medir as respostas de milhares de nossos participantes. Queremos que nossos alunos desenvolvam a capacidade de regular seu estado interno independentemente das condições do ambiente externo e que saibam quando estão criando coerência cardíaca e quando não. Em outras palavras, quando medimos as mudanças internas, podemos dizer a uma pessoa que ela criou um padrão mais equilibrado na medição cardíaca, que está fazendo um ótimo trabalho e deve continuar exatamente assim. Ou podemos informar que ela não está fazendo qualquer mudança biológica e então dar as instruções apropriadas e oferecer várias oportunidades de prática para se aprimorar no processo. O *feedback* é para isso; nos informa quando estamos fazendo a coisa certa e quando não estamos.

Quando conseguimos mudar um sentimento ou pensamento dentro de nós, podemos ver mudanças do lado de fora; quando observamos que fizemos certo, prestamos atenção ao que fizemos e fazemos de novo. Essa ação cria um hábito construtivo. Ao demonstrar como outras pessoas executam esses feitos, quero mostrar o quanto você pode ser poderoso.

Nossos alunos sabem como influenciar o sistema nervoso autônomo (SNA), que mantém a saúde e o equilíbrio cuidando automaticamente de todas as funções corporais, enquanto temos liberdade de escolha para viver a vida. É esse sistema subconsciente que nos dá saúde e que dá vida ao corpo. Quando sabemos como ter acesso a esse sistema, podemos não só melhorar a saúde, mas também transformar comportamentos, crenças e hábitos autolimitadores indesejados em outros mais produtivos. Vou apresentar alguns dados que coletamos durante anos.

Também ensinamos aos nossos alunos que, quando criam coerência cardíaca, o coração cria um campo magnético mensurável que se projeta além do corpo. Esse campo magnético é uma energia, e essa energia é uma frequência, e toda frequência transmite informação. A informação transmitida por essa frequência também pode ser uma intenção ou um pensamento capaz de influenciar o coração de outra pessoa em um local diferente, levando-o à coerência e ao equilíbrio. Vou mostrar provas de que um grupo de pessoas sentadas em uma sala pode influenciar outro grupo sentado a alguma distância na mesma sala para entrar em coerência cardíaca exatamente ao mesmo tempo. A evidência mostra claramente que somos ligados por um campo invisível de luz e informação que influencia a nós e os outros.

Sendo assim, imagine o que pode acontecer quando todos nós fazemos isso ao mesmo tempo para mudar o mundo. É exatamente o que pretendemos como uma comunidade de indivíduos apaixonados por fazer a diferença no futuro da Terra, das pessoas e das outras formas de vida que a habitam. Criamos o Projeto Coerência, no qual milhares de pessoas se reúnem exatamente na mesma hora do mesmo dia para aumentar a frequência do planeta e de todos que vivem aqui. Parece impossível? De jeito nenhum. Mais de 23 artigos revistos por pares e mais de cinquenta projetos de reuniões para a paz mostram que tais eventos podem reduzir incidentes de violência, guerra, crimes e acidentes de trânsito e, ao mesmo tempo, fomentar o crescimento econômico.[1] Meu desejo é mostrar a ciência de como você pode contribuir para mudar o mundo.

Também medimos a energia na sala durante nossas oficinas e observamos como ela muda quando se tem uma comunidade de 550 a 1.500 pessoas elevando a energia juntas e criando coerência cardíaca e cerebral. Vimos mudanças significativas repetidas vezes. Embora não seja aprovado pela comunidade científica nos Estados Unidos, o instrumento usado para as medições foi reconhecido em outros países, inclusive na Rússia. Em todos os eventos, somos surpreendidos e nos maravilhamos com a quantidade de energia que certos grupos conseguem demonstrar.

Também avaliamos o campo invisível de energia vital do corpo de milhares de alunos para determinar se eles podem elevar o próprio campo de luz. Afinal, tudo em nosso universo material está sempre emitindo luz e informação, inclusive você. Quando vive em modo de sobrevivência sob o peso dos hormônios do estresse (como a adrenalina), você suga esse campo invisível de energia e o transforma em química; ao fazer isso, o campo em torno de seu corpo encolhe. Descobrimos um equipamento muito avançado que pode medir a emissão de fótons (partículas de luz) para determinar se uma pessoa está construindo ou reduzindo seu campo de luz.

Quando mais luz é emitida, há mais energia e, portanto, mais vida. Quando uma pessoa tem menos luz e informação ao redor do corpo, ela é mais matéria e, portanto, emite menos energia vital. Pesquisas abrangentes provam que as células do corpo e vários sistemas se comunicam não só pelas interações químicas que conhecemos, mas também por um campo de energia coerente (luz) que transmite uma mensagem (informação) que faz o ambiente dentro e em volta da célula dar instruções a outras células e sistemas biológicos.[2] Medimos a quantidade de energia vital emitida pelo corpo de nossos alunos devido às mudanças internas que fizeram por praticar nossas meditações, e quero mostrar quais mudanças podem ser criadas em apenas quatro dias ou menos.

Outros centros no corpo, além do coração, também estão sob controle do sistema nervoso autônomo – eu os chamo de centros de energia. Cada um tem frequência própria, intenção ou consciência própria, as próprias glândulas, os próprios hormônios, a própria química, um pequeno cérebro individual próprio e também a própria mente singular. Você pode influenciar esses centros a funcionar de forma mais equilibrada e integrada. Para isso, precisa antes aprender a alterar as ondas cerebrais para poder penetrar em seu sistema operacional subconsciente. A chave é mudar de ondas cerebrais beta (nas quais o cérebro pensante está constantemente analisando e dedicando muita atenção ao mundo exterior) para ondas cerebrais alfa (que indicam que você está tranquilo e dando mais atenção ao mundo interior). Ao reduzir de maneira consciente a velocidade de suas ondas cerebrais, você pode programar mais prontamente o sistema nervoso autônomo. Alunos que realizaram minhas várias práticas de meditação ao longo dos anos aprenderam a alterar suas ondas cerebrais, bem como a aguçar o tipo de foco que deve estar presente por tempo suficiente para produzir efeitos mensuráveis. Descobrimos um instrumento que pode medir essas mudanças, e vou mostrar parte da pesquisa.

Também medimos vários marcadores biológicos relacionados à alteração na expressão do gene (processo conhecido como mudança epigenética). Neste livro, você vai aprender que não é prisioneiro de seus genes, que a expressão de genes é mutável – quando você começa a pensar, agir e sentir diferente. Durante nossos eventos, os alunos abandonam a vida que conhecem por quatro ou cinco dias para passar esse tempo em um ambiente que não os faça lembrar de quem pensam ser. Separam-se das pessoas que conhecem, das coisas que têm, dos comportamentos automáticos que demonstram na vida diária, dos lugares a que vão rotineiramente e então começam a alterar o estado interno com quatro tipos de meditação – caminhando, sentado, em pé e deitado. Em cada uma delas, aprendem a se tornar outra pessoa.

Sabemos que isso é verdade porque nossos estudos mostram mudanças significativas na expressão gênica de nossos alunos, e eles relatam mudanças significativas na saúde. Ao conseguirmos mostrar resultados mensuráveis que provam a uma pessoa que ela realmente alterou neurotransmissores, hormônios, genes, proteínas e enzimas apenas por meio do pensamento, ela consegue justificar melhor seus esforços e provar para si que está mesmo se transformando.

À medida que eu compartilhar essas ideias neste livro, conduzindo-o pelo processo e explicando a ciência por trás do trabalho que estamos fazendo e o porquê, você vai receber muita informação detalhada. Mas não se preocupe, vou rever conceitos-chave em diferentes capítulos. Faço isso de propósito, para lembrá-lo do que já aprendeu, de forma que possamos construir um modelo maior de compreensão naquele momento. Às vezes, o material que apresento pode ser difícil. Ensino esse conteúdo a plateias há anos, sei que pode ser muita coisa. Vou rever e lembrar o que você aprendeu para que não seja necessário voltar as páginas em busca de informação, embora você possa revisar os capítulos anteriores caso sinta necessidade. É claro que toda essa informação vai prepará-lo para a transformação pessoal. Então, quanto mais você entender os conceitos, mais facilmente conseguirá se render às meditações no fim da maioria dos capítulos, usando-as como ferramentas para realizar sua experiência pessoal.

O que este livro contém?

No Capítulo 1, conto três histórias que oferecem uma compreensão básica do que significa tornar-se sobrenatural. Na primeira história, você vai conhecer uma mulher chamada Anna, que desenvolveu várias doenças graves por causa de um trauma que a mantinha ancorada ao passado. As emoções do estresse ativavam seus genes, e os hormônios correspondentes criavam condições de saúde muito difíceis. É um relato muito duro. Escolhi intencionalmente essa história e incluí todos os detalhes para demonstrar que, por pior que as coisas fiquem, você tem o poder de mudá-las, como fez essa mulher incrível. Anna aplicou muitas meditações deste livro para modificar sua personalidade e se curar. Para mim, ela é o exemplo vivo da verdade. Mas não é a única que continuou se superando todos os dias até se tornar outra pessoa. Ela integra um grupo de alunos que fizeram a mesma coisa, e, se eles podem, você também pode.

Compartilho ainda duas de minhas histórias pessoais, experiências que me modificaram em nível muito profundo. Este livro é tanto sobre aspectos místicos quanto sobre cura e criação de novas oportunidades na vida. Compartilho essas histórias porque quero prepará-lo para o que é possível quando deixamos o domínio do espaço-tempo (o mundo newtoniano sobre o qual aprendemos nas aulas de ciências do ensino médio) e ativamos a glândula pineal, de forma a podermos passar para o domínio do tempo-espaço (o mundo quântico). Muitos dos nossos alunos tiveram experiências místicas e interdimensionais semelhantes, que pareciam tão reais quanto a realidade material.

Como a segunda metade do livro mergulha na física, neurociência, neuroendocrinologia e até na genética de como isso acontece, espero que essas histórias aticem sua curiosidade, agindo como provocações para abrir sua mente para o que é possível. Existe um futuro você - um você que já existe no eterno momento presente - tentando atrair a atenção do seu eu mais familiar que está lendo este livro. Esse futuro você é mais amoroso, mais evoluído, mais consciente, mais presente, mais bondoso, mais exuberante, mais centrado, mais decidido, mais conectado, mais sobrenatural e mais inteiro. É esse eu que espera você mudar sua energia para se equiparar à dele no cotidiano, a fim de que você possa encontrar seu futuro você, que na verdade existe no eterno agora.

O Capítulo 2 aborda um dos meus assuntos favoritos. Eu o escrevi para você poder compreender plenamente o que significa estar no momento presente. Uma vez que todos os potenciais da quinta dimensão conhecida como quantum (ou campo unificado) existem no eterno momento presente, a única maneira de você criar uma nova vida, curar o corpo ou mudar seu futuro previsível é ir além de si mesmo.

Esse momento elegante, que testemunhamos em milhares de leituras cerebrais, chega quando uma pessoa enfim abre mão da lembrança de si por algo maior. Muita gente passa a maior parte da vida escolhendo viver a mesma rotina de modo inconsciente ou romantiza o passado de forma automática, sentindo a mesma coisa todos os dias. O resultado é que programam o cérebro e o corpo para estarem em um futuro previsível ou em um passado conhecido, sem nunca viver o momento presente. É preciso praticar para chegar lá, mas o esforço sempre vale a pena. Encontrar o ponto exato do generoso momento presente vai exigir que você exercite uma vontade maior que todos os seus programas automáticos, mas vou incentivá-lo a cada passo do caminho.

O capítulo começa com uma revisão básica de alguns princípios científicos, de modo a estabelecermos uma terminologia comum para desenvolver modelos de compreensão ao longo do livro. Vou deixar tudo bem simples. É preciso falar sobre funcionamento do cérebro (isto é, da mente), células e redes nervosas, diferentes partes do sistema nervoso, substâncias químicas, emoções e estresse, ondas cerebrais, atenção, energia e alguns outros assuntos para você chegar aonde quer ir. Preciso estabelecer a linguagem para explicar por que fazemos o que fazemos antes de ensinar como fazê-lo nas meditações que aparecem no livro. Se quiser informações mais explícitas e profundas, sugiro que leia um de meus livros anteriores (como *Quebrando o hábito de ser você mesmo* e *Você é o placebo*).

O Capítulo 3 é a introdução ao mundo quântico, à quinta dimensão. Quero que você entenda que existe um campo invisível de energia e informação além do domínio tridimensional de espaço e tempo e que temos acesso a ele. De fato, quando você está no momento presente e entra nesse domínio que existe além dos sentidos, está pronto para criar sua realidade pretendida. Quando consegue tirar toda a atenção de seu corpo, das pessoas de sua vida, dos objetos que possui, dos lugares onde vai e até do próprio tempo, você literalmente esquece da identidade formada por viver como um corpo nesse espaço e tempo.

É nesse momento que você, como pura consciência, entra no domínio chamado de campo quântico, que existe além desse espaço e tempo. Você não pode entrar nesse lugar imaterial com seus problemas, seu nome, seus horários e rotinas, seu sofrimento ou suas emoções. Não pode entrar como um alguém – deve entrar sem identidade. De fato, assim que você sabe como levar sua consciência do conhecido (o mundo físico material) para o desconhecido (o mundo imaterial das possibilidades) e fica confortável lá, pode mudar sua energia para combinar com a frequência de qualquer potencial que já existe no campo quântico. (Alerta de *spoiler*: na verdade, todos os futuros potenciais existem lá, por isso você pode criar o que quiser.) Quando ocorrer um alinhamento vibracional entre sua energia e a do potencial escolhido no campo unificado, você atrairá essa experiência. Vou mostrar como tudo isso funciona.

O capítulo termina com a breve descrição de uma meditação que desenvolvi para ajudar na experiência real do quântico. Daqui em diante, cada capítulo terminará com a breve descrição de uma meditação. Se quiser um acompanhamento para minhas orientações, você pode comprar o CD ou baixar o áudio dessas meditações no meu site, drjoedispenza.com. É claro que você também pode experimentar qualquer meditação deste livro por conta própria, sem ouvir uma gravação. Para isso disponibilizei descrições detalhadas gratuitas com os passos de cada uma dessas meditações em drjoedispenza.com/bsnmeditations.

Se for meditar sozinho, recomendo que ouça música enquanto medita. O melhor tipo é sem vocais, e prefiro melodias lentas e hipnóticas. É melhor usar música que o impeça de pensar e não invoque lembranças. Você vai encontrar uma relação de músicas sugeridas em meu website.

No Capítulo 4, apresento uma das meditações mais populares em nossa comunidade. Ela é chamada de Bênção dos Centros de Energia. Os centros são controlados pelo sistema nervoso autônomo. Vou ensinar a programar esses centros para a saúde e o bem maior durante a meditação. Se você praticou minhas meditações do nível introdutório, nas quais coloca a atenção em diferentes partes do corpo e no espaço ao redor, quero que saiba que todo o treinamento foi para essa meditação. Essa prática o ajudou a aguçar a capacidade de focar a atenção e alterar as ondas cerebrais, de forma a conseguir entrar no sistema operacional do sistema nervoso autônomo. Lá você pode programar o sistema operacional com as ordens certas para se curar, equilibrar sua saúde e melhorar sua energia e sua vida.

No Capítulo 5, apresento uma respiração que usamos no começo de muitas meditações. Essa respiração permite que você altere sua energia, envie uma corrente elétrica por seu corpo e crie um campo eletromagnético mais poderoso. Como explicarei, a energia da maioria das pessoas fica armazenada no corpo porque este foi condicionado a ser a mente ao longo de anos pensando, agindo e sentindo da mesma maneira. É esse processo – relacionado a viver no modo de sobrevivência – que faz a maior parte da energia criativa ficar enraizada no corpo. Precisamos extrair essa energia do corpo e enviá-la de volta ao cérebro, onde ficará disponível para um propósito maior do que a mera sobrevivência.

Vou explicar a fisiologia da respiração para que você possa colocar mais intenção por trás dela quando começar a se libertar do passado. Quando começar a liberar toda essa energia de volta ao cérebro, você vai aprender a recondicionar o corpo a uma nova mente. Vou mostrar como ensinar o corpo emocionalmente a viver na realidade futuro-presente, em vez de na realidade passado-presente, onde passamos a maior parte do tempo. A ciência diz que o ambiente envia sinais para o gene. Como as emoções são os produtos químicos finais de experiências no ambiente, quando você adota emoções elevadas em suas medições, não só eleva a energia do corpo, como também começa a sinalizar para novos genes de novas maneiras – à frente do ambiente.

Não há nada melhor do que uma ou duas boas histórias. No Capítulo 6, dou exemplos de alunos que se dedicaram às meditações dos capítulos anteriores. Esses casos devem servir de ferramentas didáticas para ajudá-lo a compreender plenamente o material apresentado até aqui. A maioria das pessoas sobre as quais vai ler não é diferente de você – são pessoas comuns que fizeram o incomum. Outro motivo para compartilhar essas histórias é que você pode se identificar pessoalmente. Assim que pensar "se elas podem, eu também posso", você vai acreditar mais em si naturalmente. Sempre digo à nossa comunidade: "Quando você escolhe provar a si mesmo o quanto é poderoso, não tem ideia de quem ajudará no futuro". Essas pessoas são a prova de que isso é possível para você.

No Capítulo 7, introduzo o significado de criar coerência cardíaca. A exemplo do cérebro, o coração funciona de modo organizado quando estamos realmente presentes, quando conseguimos manter estados emocionais elevados e quando nos sentimos suficientemente seguros para nos abrir completamente às possibilidades. O cérebro pensa, mas o coração sabe. Esse é o centro da unicidade, da integridade e da consciência de unidade. É onde os opostos se encontram, representando a união de polaridades. Pense nesse centro como sua conexão com o campo unificado. Quando ele é ativado, você pode ir de estados de egoísmo a estados de altruísmo. Quando consegue manter estados internos independentemente das condições no ambiente externo, você domina o ambiente. É preciso prática para se aperfeiçoar em manter o coração aberto; se você conseguir, ele continuará batendo por mais tempo.

O Capítulo 8 compartilha outra atividade favorita que desenvolvemos em nossas oficinas avançadas: combinar um caleidoscópio com vídeos chamados Mind Movie, que nossos alunos fazem de seu futuro. Usamos o caleidoscópio para induzir um transe porque em transe você fica mais sugestionável à informação. Sugestionabilidade é a capacidade de aceitar, acreditar e render-se a informações sem nenhuma análise. Se você faz isso de maneira apropriada, é possível programar a mente subconsciente. Portanto, faz sentido que, ao usar o caleidoscópio para alterar suas ondas cerebrais – com os olhos abertos, em vez de fechá-los em meditação –, você consiga baixar o volume da mente analítica para abrir a porta entre a mente consciente e a mente subconsciente.

Quando acompanha tudo isso com o Mind Movie – com cenas de você mesmo ou imagens de como quer que seja o futuro –, você se programa nesse novo futuro. Muitos alunos criaram vida nova e oportunidades maravilhosas ao se dedicar a fazer o Mind Movie e depois assisti-lo com o caleidoscópio. Alguns já estão no terceiro Mind Movie, porque tudo dos dois primeiros já aconteceu.

No Capítulo 9, introduzo a meditação caminhando. Essa meditação envolve ficar em pé e caminhar. Considero essa prática uma ferramenta valiosa para ajudar a adentrarmos literalmente em nosso futuro. Muitas vezes podemos fazer uma incrível meditação sentada e entrar em contato com alguma coisa maior que nós, porém, quando abrimos os olhos e recobramos os sentidos, ficamos novamente inconscientes e voltamos a uma série de programas inconscientes, reações emocionais e atitudes automáticas. Desenvolvi essa meditação porque quero que nossa comunidade seja capaz de personificar a energia de seu futuro – e fazer isso de olhos abertos, tanto quanto fechados. Com a prática, você pode começar a pensar naturalmente como uma pessoa rica, a agir como um ser ilimitado e a sentir uma alegria expansiva pela existência, pois instala os circuitos e condiciona o corpo a se tornar essa pessoa.

O Capítulo 10 traz outro conjunto de estudos de caso para elevar seu nível de compreensão com alegorias. Essas histórias fascinantes vão ajudar a ligar os pontos para você ouvir a informação de outro ângulo e ler sobre pessoas que a experimentaram. Espero que elas o inspirem a praticar com mais convicção, certeza e confiança, de forma que possa experimentar a verdade por si.

O Capítulo 11 abre sua mente para o que é possível no mundo interdimensional além dos sentidos. Em momentos tranquilos, é comum perceber minha mente divagando para o lado místico, um dos meus assuntos favoritos. Amo aquelas experiências transcendentais tão lúcidas e reais que não consigo voltar às atividades de costume porque sei demais. Durante esses eventos interiores, o nível de consciência e energia é tão profundo que, quando volto aos meus sentidos e à minha personalidade, penso naturalmente comigo mesmo, "entendi tudo errado". O "tudo" a que me refiro é a realidade como ela é, não como fui condicionado a perceber que seja.

Nesse capítulo, conduzo você em uma jornada a partir do domínio espaço-tempo, onde o espaço é eterno e experimentamos o tempo ao nos movermos pelo espaço, para o domínio tempo-espaço, onde o tempo é eterno e experimentamos o espaço (ou espaços, ou várias dimensões) ao nos deslocarmos através do tempo. Isso vai desafiar sua compreensão da natureza de realidade. Só posso dizer que, se aguentar firme, você vai chegar lá. Pode ser preciso algumas leituras para entender plenamente, mas à medida que estuda o material e o contempla, sua contemplação constrói circuitos no cérebro e o prepara para a experiência.

Ao ultrapassar suas associações com o mundo material, você entra no campo unificado, repleto de infinitas possibilidades, onde existem sistemas biológicos para pegar a energia além da vibração da matéria e transformá-la em imagens no cérebro. É aí que entra a glândula pineal, assunto do Capítulo 12. Pense na pineal, uma pequena glândula empoleirada na área central posterior do cérebro, como uma antena que pode converter frequências e informação em imagens nítidas. Quando ativa a glândula pineal, você tem uma experiência sensorial plena sem os seus sentidos. Esse evento interno será mais real para você mentalmente, enquanto estiver de olhos fechados, do que qualquer experiência externa passada. Em outras palavras, para se perder por completo na experiência interior, ela tem que ser tão real que você esteja lá. Quando isso acontece, a pequena glândula transforma melatonina em metabólitos muito poderosos que provocam esse tipo de experiência. Vamos estudar as propriedades da pineal, e você vai aprender a ativá-la.

O Capítulo 13 apresenta uma de nossas mais recentes atividades, o Projeto Coerência. Quando vimos tantos alunos entrando em coerência cardíaca no mesmo instante, no mesmo dia, durante a mesma meditação, percebemos que eles estavam afetando uns aos outros em termos não locais, ou seja, energeticamente e não fisicamente. A energia que emitiam na forma de emoções elevadas transmitia a intenção de que um bem maior acontecesse a todos reunidos na sala. Imagine um grande grupo elevando sua energia e colocando nessa energia a intenção de que vidas sejam enriquecidas, corpos sejam curados, sonhos se realizem, futuros se concretizem e o elemento místico se torne comum em nossa vida.

Quando vimos como nossos alunos conseguiam abrir o coração uns dos outros, percebemos que era hora de começar a fazer meditações globais para ajudar a mudar o mundo. Milhares e milhares de pessoas do mundo inteiro se juntaram para participar da transformação e cura do planeta e das pessoas que o habitam. Afinal, não estamos trabalhando para transformar o mundo em um lugar melhor? Vou ensinar como tudo isso funciona - e me refiro a ciência. Muitos estudos revisados por pares sobre o poder de projetos de reuniões pela paz foram publicados para provar que isso funciona; então, em vez de só estudar história, por que não fazer história?

O livro termina com o Capítulo 14, que traz alguns estudos de caso inusitados sobre experiências místicas impressionantes de pessoas enquanto realizavam essas práticas interiores. Mais uma vez, compartilho para que você possa ver que até as aventuras mais místicas podem ser suas, se você trabalhar nisso.

Então, está pronto para se tornar sobrenatural?

turnos, sonhos se realizam, futuros se concretizam e o elemento místico se torne comum em nossa vida.

Quando vimos como nossos alunos conseguiam sentir o coração uns dos outros, percebemos que era hora de começar a fazer meditações globais para ajudar a mudar o mundo. Milhares e milhares de pessoas do mundo inteiro se juntaram para participar da transformação e cura do planeta e das pessoas que o habitam. Afinal, não estamos trabalhando para transformar o mundo em um lugar melhor? Vou ensinar como tudo isso funciona — e há a ciência por trás. Muitos estudos revisados por pares sobre o poder de projetos de reuniões pela paz foram publicados para provar que isso funciona; então, em vez de só estudar a história, por que não fazer história?

O livro termina com o Capítulo 14, que traz alguns estudos de caso ilustrados sobre experiências místicas impressionantes de pessoas enquanto realizavam essas práticas introdutórias. Mais uma vez, compartilho para que você possa ver que até as aventuras mais místicas podem ser suas, se você trabalhar nisso.

Então, está pronto para se tornar sobrenatural?

Capítulo 1

Abra a porta para o sobrenatural

Com o fim da primavera e o primeiro vislumbre do verão se aproximando, o que de início parecia uma típica tarde de domingo em junho de 2007 tornou-se tudo, menos típico, para Anna Willems. A porta balcão da sala de estar para o jardim estava escancarada, e as cortinas brancas diáfanas dançavam à brisa suave, que trazia para dentro de casa os aromas do jardim. Raios de sol brilhavam em torno de Anna, confortavelmente reclinada. Um coro de pássaros cantava e gorjeava lá fora, e Anna ouvia ao longe a melodia de risadas infantis e o barulho de água da piscina de um vizinho onde elas brincavam. O filho de Anna, de 12 anos, lia um livro deitado no sofá, e ela ouvia a filha de 11 cantando e brincando no quarto no andar cima.

Psicoterapeuta, Anna era gerente e membro do conselho de uma grande instituição psiquiátrica em Amsterdã, cujos lucros anuais somavam mais de dez milhões de euros. Ela sempre punha em dia a leitura profissional nos fins de semana, e naquele domingo estava reclinada em sua poltrona de couro vermelho, lendo um artigo. Mal sabia Anna que o que parecia o mundo perfeito para qualquer um que olhasse para sua sala de estar naquele dia se tornaria em minutos um pesadelo.

Anna se sentia um pouco distraída; notou que a atenção não estava totalmente focada no material que tentava estudar. Deixou a publicação de lado e fez uma pausa, indagando-se de novo aonde o marido fora. Ele tinha saído de casa cedo naquela manhã, enquanto ela tomava banho. Sem dizer aonde ia, simplesmente desaparecera. As crianças contaram que o pai tinha se despedido com um grande abraço em cada uma antes de sair. Anna ligou para o celular do marido muitas vezes, mas ele não retornou as chamadas. Tentou mais uma vez, sem resultado. Definitivamente alguma coisa estava errada.

Às 15h30, tocaram a campainha; ao abrir a porta, Anna viu dois policiais do lado de fora.

"Sra. Willems?", perguntou um deles. Quando ela confirmou que era a Sra. Willems, os policiais perguntaram se poderiam entrar para conversar. Preocupada e um pouco confusa, Anna concordou. Então deram a notícia: naquela manhã, o marido tinha pulado de um dos prédios mais altos do centro da cidade. A queda obviamente fora fatal. Anna e os dois filhos ficaram em choque, incrédulos.

Anna parou de respirar por um momento, quando arfou e engoliu o ar, e começou a tremer incontrolavelmente. Aquele momento pareceu congelar no tempo. Com os filhos paralisados e em choque, Anna tentou esconder a dor e o estresse pelo bem deles. De repente, uma dor intensa explodiu em sua cabeça, e ao mesmo tempo ela sentiu um doloroso e profundo vazio no estômago. Pescoço e ombros se enrijeceram instantaneamente, enquanto a mente pulava frenética de pensamento em pensamento. Os hormônios do estresse haviam tomado conta, Anna estava no modo de sobrevivência.

Como os hormônios do estresse assumem o comando

Do ponto de vista científico, viver em estresse é viver no modo de sobrevivência. Quando percebemos uma circunstância estressante que nos ameaça de algum modo (e cujo desfecho não podemos prever ou controlar), um sistema nervoso primitivo chamado sistema nervoso simpático entra em ação, e o corpo mobiliza uma enorme quantidade de energia em resposta ao estressor. Fisiologicamente, o corpo recorre de maneira automática aos recursos de que vai precisar para enfrentar o perigo.

As pupilas se dilatam para enxergarmos melhor, os ritmos cardíaco e respiratório se aceleram para podermos correr, lutar ou fugir, maior volume de glicose é liberado na corrente sanguínea para disponibilizar mais energia para as células, o fluxo sanguíneo é desviado dos órgãos internos para as extremidades, para podermos nos mover rápido se necessário. O sistema imunológico é acionado, depois desligado, enquanto adrenalina e cortisol encharcam os músculos, fornecendo uma descarga de energia para fugir ou enfrentar o estressor. A circulação desloca-se do cérebro anterior racional para o cérebro posterior, por isso temos menor capacidade para pensar de forma criativa e contamos mais com o instinto para uma reação instantânea.

No caso de Anna, a notícia estressante do suicídio do marido lançou cérebro e corpo no estado de sobrevivência. Em curto prazo, todos os organismos podem tolerar condições adversas lutando, se escondendo ou fugindo de um estressor iminente. Todos nós somos equipados para lidar com explosões de estresse de curta duração. Quando o evento se encerra, o corpo normalmente retoma o equilíbrio em horas, elevando seus níveis de energia e restaurando os recursos vitais. Porém, quando o estresse não termina em algumas horas, o corpo não retorna ao equilíbrio. Na verdade, nenhum organismo suporta viver em modo de emergência por extensos períodos.

Por causa do cérebro grande, os humanos são capazes de pensar em seus problemas, lembrar acontecimentos do passado e até prever situações futuras extremas, ativando assim cascatas de substâncias químicas do estresse só com o pensamento. Podemos arrancar cérebro e corpo de sua fisiologia normal apenas pensando sobre um passado bem conhecido ou tentando controlar um futuro imprevisível.

Todos os dias Anna revivia aquele acontecimento sem parar. O que ela não percebia é que seu corpo não sabia diferenciar o acontecimento original, que havia criado a resposta de estresse, da lembrança do acontecimento, que criava as mesmas emoções que a experiência real vez após vez. Anna produzia a mesma química no cérebro e no corpo, como se o acontecimento estivesse acontecendo de novo. Com isso, o cérebro conectava o evento no banco de memórias continuamente, e o corpo experimentava emocionalmente a mesma química do passado umas cem vezes por dia, pelo menos. Ao recordar a experiência repetidamente, Anna sem querer ancorou cérebro e corpo no passado.

Emoções são as consequências químicas (ou *feedback*) de experiências passadas. Quando os sentidos registram informações vindas do ambiente, grupos de neurônios se organizam em redes. Quando esses grupos congelam-se em um padrão, o cérebro cria um produto químico que é então enviado para todo o corpo. Esse produto químico é chamado de emoção. Lembramos melhor de acontecimentos quando conseguimos recordar os sentimentos que provocaram. Quanto mais forte o quociente emocional de qualquer acontecimento, bom ou ruim, mais forte a mudança em nossa química interna. Quando notamos uma mudança interna significativa, o cérebro presta atenção a quem ou o que causa a mudança fora de nós e tira uma fotografia da experiência externa. Isso é chamado de memória.

Portanto, a memória de um acontecimento pode ser neurologicamente gravada no cérebro, e a cena fica congelada no tempo na massa cinzenta, como aconteceu com Anna. A combinação de várias pessoas ou objetos em um momento e lugar específicos da experiência estressante é gravada em nossa arquitetura neural como uma imagem holográfica. É assim que criamos uma memória de longa duração. Portanto, a experiência fica gravada no circuito neural, a emoção é guardada no corpo, e é assim que o passado se torna nossa biologia. Em outras palavras, quando vivemos um evento traumático, ficamos propensos a pensar neurologicamente dentro do circuito daquela experiência e sentir quimicamente dentro dos limites das emoções provocadas pelo acontecimento, de forma que todo o nosso estado de ser - como pensamos e sentimos - fica biologicamente preso ao passado.

Como você pode imaginar, Anna sentia uma descarga de emoções negativas - uma tremenda tristeza, dor, vitimização, pesar, culpa, vergonha, desespero, raiva, ódio, frustração, ressentimento, choque, medo, ansiedade, preocupação, opressão, angústia, desesperança, impotência, isolamento, solidão, incredulidade e traição. E nenhuma dessas emoções se dissipava rapidamente. Enquanto analisava sua vida dentro das emoções do passado, Anna sofria mais e mais. Como não conseguia pensar além do que sentia constantemente e uma vez que as emoções são um registro do passado, ela pensava no passado e se sentia pior a cada dia. Como psicoterapeuta, Anna era capaz de entender racional e intelectualmente o que estava acontecendo, mas nenhum *insight* poderia transpor seu sofrimento.

As pessoas de seu círculo começaram a tratá-la como alguém que perdera o marido, e essa se tornou sua nova identidade. Anna associava lembranças e sentimentos ao motivo para o atual estado. Quando alguém perguntava por que se sentia tão mal, ela contava a história do suicídio, sempre revivendo a dor, a angústia e o sofrimento. Anna acionava os mesmos circuitos no cérebro e reproduzia as mesmas emoções o tempo todo, condicionando cérebro e corpo a voltar ainda mais ao passado. Todos os dias ela pensava, agia e sentia como se o passado ainda estivesse vivo. Como nossa personalidade é composta por nossa maneira de pensar, agir e sentir, a personalidade de Anna era completamente criada pelo passado. De um ponto de vista biológico, ao contar repetidamente a narrativa do suicídio do marido, Anna literalmente não conseguia superar o que havia acontecido.

Começa uma espiral descendente

Anna não conseguia mais trabalhar e tirou licença. Naquele período, descobriu que o marido, embora fosse um advogado de sucesso, tinha feito uma trapalhada nas finanças pessoais. Ela teria de quitar dívidas vultosas das quais não tinha conhecimento e não tinha dinheiro sequer para começar. Como era de se esperar, mais estresse emocional, psicológico e mental se acumulou.

A mente de Anna girava em círculos, inundada de perguntas constantemente: "Como vou cuidar dos nossos filhos? Como vamos lidar com esse trauma no futuro, como isso vai afetar nossa vida? Por que meu marido partiu sem se despedir de mim? Como pude não perceber que ele estava tão infeliz? Falhei como esposa? Como ele pôde me deixar com dois filhos pequenos, como vou conseguir criá-los sozinha?".

Depois os julgamentos começaram a invadir seus pensamentos: "Ele não podia cometer suicídio e me deixar nesse rolo financeiro! Que covarde! Como se atreveu a deixar nossos filhos sem pai? Nem mesmo escreveu uma carta para mim e para as crianças. Eu o odeio por não ter deixado nem um bilhete. Que canalha, me abandonar e me fazer criar as crianças sozinha. Ele tinha alguma ideia do que isso nos causaria?". Todos esses pensamentos tinham uma grande carga emocional, afetando ainda mais seu corpo.

Nove meses mais tarde, em 21 de março de 2008, Anna acordou paralisada da cintura para baixo. Horas depois, estava deitada em um leito de hospital, com uma cadeira de rodas ao lado da cama e um diagnóstico de neurite, uma inflamação do sistema nervoso periférico.

Depois de vários exames, os médicos não conseguiram encontrar uma causa estrutural para o problema, por isso disseram que Anna deveria ter uma doença autoimune. Seu sistema imunológico atacava o sistema nervoso na área inferior da coluna, rompendo a camada protetora que recobre os nervos, causando paralisia nas duas pernas. Ela não conseguia segurar a urina, tinha dificuldade para controlar o intestino e não tinha sensibilidade ou controle motor nas pernas e nos pés.

Quando o sistema nervoso de lutar ou fugir é acionado e permanece ligado por causa do estresse crônico, o corpo utiliza todas as reservas de energia para lidar com a ameaça constante que percebe no ambiente externo. Portanto, o corpo não tem energia no ambiente interno para crescimento e reparo, o que compromete o sistema imunológico. Por causa do repetido conflito interno, o sistema imunológico de Anna atacava o corpo. Ela havia por fim manifestado fisicamente a dor e o sofrimento experimentados emocionalmente. Resumindo, Anna não conseguia mexer o corpo porque não ia em frente na vida, estava presa no passado.

Nas seis semanas seguintes, os médicos trataram Anna com grandes doses de dexametasona intravenosa e outros corticoides para reduzir a inflamação. Por causa do estresse adicional e do tipo de medicamento que estava tomando – que pode enfraquecer ainda mais o sistema imunológico –, ela também desenvolveu uma agressiva infecção bacteriana para a qual os médicos administraram doses maciças de antibiótico. Dois meses depois, Anna teve alta do hospital e precisou usar andador e muletas para se locomover. Ainda não tinha sensibilidade na perna esquerda e tinha muita dificuldade para ficar em pé. Não conseguia caminhar direito. Embora controlasse o intestino um pouco melhor, ainda não segurava a urina. Como você pode imaginar, a nova situação aumentou os já elevados níveis de estresse de Anna. O marido havia se suicidado, ela não conseguia trabalhar para sustentar a si e aos filhos, vivia uma grave crise financeira e tinha passado mais de dois meses paralisada em um hospital. A mãe teve que se mudar para a casa dela para ajudar.

Anna era uma ruína emocional, mental e física; embora dispusesse dos melhores médicos e dos mais modernos medicamentos em um hospital de prestígio, não melhorava. Em 2009, dois anos depois da morte do marido, recebeu o diagnóstico de depressão clínica e começou a tomar ainda mais remédios. Em consequência, o humor de Anna oscilava violentamente da raiva à tristeza, da dor ao sofrimento, da impotência à frustração, do medo ao ódio. Como essas emoções influenciavam seus atos, seu comportamento se tornou meio irracional. De início ela brigava com todo mundo à sua volta, menos os filhos. Depois começou a ter conflitos com a filha mais nova.

A noite escura da alma

Nesse ínterim, vários outros problemas físicos começaram a surgir, e a jornada de Anna se tornou ainda mais dolorosa. As membranas mucosas da boca começaram a desenvolver grandes ulcerações que se alastraram para o esôfago superior, resultado de outra doença autoimune chamada líquen plano erosivo. Para tratar esse quadro, Anna precisava usar pomadas de corticosteroides na boca, além de mais comprimidos. As novas medicações fizeram cessar a produção de saliva. Ela não conseguia ingerir alimentos sólidos e perdeu o apetite. Anna vivia com os três tipos de estresse – físico, químico e emocional – ao mesmo tempo.

Em 2010, Anna viu-se em um relacionamento disfuncional com um homem que traumatizou a ela e os filhos com abuso verbal, jogos de poder e ameaças constantes. Perdeu todo o dinheiro, o emprego e a sensação de segurança. Quando perdeu a casa, teve que ir morar com o namorado abusivo. Os níveis de estresse continuavam a subir. As ulcerações se espalharam para outras membranas mucosas, inclusive da vagina, do ânus e mais abaixo no esôfago. O sistema imunológico tinha entrado em colapso total, e agora Anna enfrentava vários tipos de doenças de pele, alergias alimentares e problemas de peso. Aí começou a ter dificuldades para engolir, desenvolveu azia, e os médicos prescreveram ainda mais medicamentos.

Anna começou uma pequena prática de psicoterapia em casa em outubro. Só conseguia atender em duas sessões por dia de manhã, depois que as crianças iam para a escola, três vezes por semana. À tarde ficava tão cansada e indisposta que se deitava na cama e lá ficava até os filhos voltarem da escola. Tentava estar disponível para eles o máximo possível, mas não tinha energia e não se sentia bem o bastante para sair de casa. Anna não via quase ninguém. Não tinha vida social.

Todas as circunstâncias de seu corpo e vida lembravam-na constantemente de como as coisas estavam ruins. Anna reagia automaticamente a tudo e todos. O pensamento era caótico, e ela não conseguia se concentrar. Não tinha mais energia ou vitalidade para viver. Muitas vezes, quando se excedia, a pulsação cardíaca passava de duzentos batimentos por minuto. Ela suava, ofegava e sentia forte dor do peito o tempo todo.

Anna estava passando por sua mais escura noite da alma. De repente entendeu por que o marido havia posto um fim à vida. Não sabia se poderia aguentar mais e começou a pensar em suicídio. Ela pensava: "Pior que isso não tem como ficar".

Mas ficou. Em janeiro de 2011, a equipe médica que cuidava de Anna encontrou um tumor perto da entrada do estômago e diagnosticou um câncer de esôfago. É claro que a notícia aumentou severamente os níveis de estresse de Anna. Os médicos sugeriram uma quimioterapia rigorosa. Ninguém lhe perguntava sobre estresse emocional e mental, só tratavam os sintomas físicos. Mas a resposta ao estresse estava totalmente ativada em Anna e não podia ser desligada.

É impressionante como isso pode acontecer com muita gente. Algumas pessoas nunca superam as emoções correspondentes a um choque ou trauma, e sua saúde e vida são destruídas por causa disso. Se vício é algo que não se consegue parar, então objetivamente parece que pessoas como Anna ficam viciadas nas emoções de estresse que as deixam doentes. A descarga de adrenalina e demais hormônios do estresse desperta o cérebro e o corpo dessas pessoas, proporcionando uma descarga de energia.[3] Com o tempo, elas se tornam dependentes dessa química, então usam as pessoas e condições de sua vida para reafirmar o vício da emoção, só para continuar sentindo aquele estado intensificado. Anna usava suas condições estressantes para recriar aquela descarga de energia e sem perceber tornou-se emocionalmente dependente de uma vida que odiava. A ciência nos diz que estresse crônico, de longo prazo, pressiona os botões genéticos que criam doença. Então, se Anna acionava sua resposta ao estresse pensando nos problemas e no passado, seus pensamentos a estavam deixando doente. Como os hormônios do estresse são muito poderosos, ela estava viciada nos próprios pensamentos que a faziam se sentir tão mal.

Anna concordou com a quimioterapia, mas depois da primeira sessão sofreu um colapso emocional e mental. Certa tarde, depois que os filhos tinham ido para a escola, Anna caiu no chão chorando. Finalmente tinha chegado ao fundo do poço. Ela pensou que, se continuasse daquele jeito, não sobreviveria por muito tempo e deixaria os filhos órfãos.

Começou a rezar pedindo ajuda. No fundo do coração, Anna sabia que algo precisava mudar. Em completa sinceridade e entrega, pediu orientação, apoio e uma saída, prometendo que, se suas preces fossem atendidas, seria grata por todos os dias do resto de sua vida e ajudaria outras pessoas a fazerem a mesma coisa.

A virada de Anna

A opção de mudar tornou-se a cruzada de Anna. Primeiro decidiu suspender todos os tratamentos e toda a medicação para as várias doenças físicas, embora continuasse tomando os antidepressivos. Não contou aos médicos e às enfermeiras que não voltaria para o tratamento. Simplesmente não apareceu mais. Ninguém jamais telefonou para saber por quê. Só o médico da família entrou em contato com Anna para manifestar preocupação.

Naquele dia frio de inverno em fevereiro de 2011, quando ficou no chão chorando e pedindo ajuda, Anna fez uma escolha com a firme intenção de mudar a si mesma e a própria vida, e a amplitude dessa decisão transmitiu um nível de energia que fez o corpo responder à mente. Foi a decisão de mudar que lhe deu forças para alugar uma casa onde morar com os filhos e sair do relacionamento negativo em que estava. Foi como se aquele momento a redefinisse. Ela sabia que tinha que começar de novo.

Vi Anna pela primeira vez um mês depois disso. Um dos poucos amigos que ela ainda tinha havia reservado uma vaga para Anna em uma palestra que eu daria sexta-feira à noite. Esse amigo fez uma proposta: se Anna gostasse da palestra, poderia ficar para a oficina de dois dias inteiros no fim de semana. Anna aceitou. Na primeira vez que a vi, estava sentada no auditório lotado, à esquerda do corredor externo, as muletas apoiadas na parede perto de sua cadeira.

Como sempre, naquela noite enfatizei o quanto pensamentos e sentimentos afetam nosso corpo e nossa vida. Falei sobre como a química do estresse é capaz de criar doenças. Abordei neuroplasticidade, psiconeuroimunologia, epigenética, neuroendocrinologia e até física quântica. Entrarei em mais detalhes sobre tudo isso mais adiante, mas por ora é suficiente saber que as pesquisas mais recentes nesses ramos da ciência apontam para o poder das possibilidades. Naquela noite, tomada de inspiração, Anna pensou: "Se eu criei a vida que tenho agora, inclusive a paralisia, a depressão, o sistema imunológico enfraquecido, as úlceras e até o câncer, talvez possa remover tudo com a mesma paixão que criei". Com essa nova e poderosa compreensão, Anna decidiu se curar.

Imediatamente após sua primeira oficina de fim de semana, começou a meditar duas vezes por dia. É claro que sentar e fazer as meditações de início foi difícil. Havia muitas dúvidas a superar, e em alguns dias Anna não se sentia bem mental e fisicamente, mas fazia as meditações mesmo assim. Ela também tinha muito medo. Quando o médico da família telefonou para saber notícias porque ela havia interrompido os tratamentos e suspendido a medicação, disse que Anna estava sendo ingênua e burra e que iria piorar e morrer logo. Imagine a lembrança de uma figura de autoridade lhe dizendo isso! Mesmo assim, Anna fazia as meditações todos os dias e começou a superar seus medos. Muitas vezes era consumida pela sobrecarga financeira, pelas necessidades dos filhos e por várias limitações físicas, mas nunca usava essas condições para deixar de fazer o trabalho interno. Inclusive compareceu a mais quatro de minhas oficinas naquele ano.

Mergulhando dentro de si e modificando pensamentos inconscientes, hábitos automáticos e estados emocionais reflexivos implantados no cérebro e emocionalmente condicionados no corpo, Anna ficou mais comprometida com acreditar em um novo futuro do que no passado conhecido. Ela usava as meditações, combinando intenção clara com emoção elevada, para mudar seu estado de ser, saindo da vida biológica no mesmo passado para viver em um novo futuro.

Todos os dias, Anna se recusava a levantar das meditações como a mesma pessoa que havia se sentado; decidiu que não iria parar até que todo o seu estado de ser estivesse apaixonado pela vida. Para o materialista, que define a realidade com os sentidos, é claro que Anna não tinha motivo tangível para estar apaixonada pela vida – era uma mãe viúva, deprimida, com uma grande dívida e sem emprego de verdade, tinha câncer, sofria de paralisia e ulcerações nas membranas mucosas, sua situação de vida era difícil, sem um parceiro ou alguém importante e sem energia para cuidar dos filhos. Entretanto, nas meditações Anna aprendeu que podia ensinar emocionalmente ao corpo como seria o futuro à frente da experiência real. Seu corpo como mente inconsciente não conhecia a diferença entre o evento real e aquele que imaginava e aceitava emocionalmente. Graças à sua compreensão de epigenética, Anna sabia que as emoções elevadas de amor, alegria, gratidão, inspiração, compaixão e liberdade poderiam sinalizar novos genes para produzirem proteínas saudáveis que afetariam a estrutura e o funcionamento de seu corpo. Tinha total entendimento de que, se as substâncias químicas do estresse que corriam por seu corpo acionavam genes doentes, adotar emoções elevadas a pleno, com uma paixão maior do que as emoções estressantes, ela poderia acionar novos genes e mudar sua saúde.

Por um ano a saúde de Anna não mudou muito. Mas ela continuou fazendo suas meditações. Na verdade, fazia todas as meditações que eu planejava para os alunos. Anna sabia que tinha levado muitos anos para construir o atual quadro de saúde, por isso levaria algum tempo para recriar algo. Assim, continuou trabalhando, se esforçando para permanecer tão consciente de seus pensamentos, comportamentos e emoções inconscientes que não deixasse nada que não quisesse experimentar passar por sua consciência. Depois do primeiro ano, Anna notou que começava lentamente a se sentir melhor mental e emocionalmente. Estava quebrando o hábito de ser ela mesmo, inventando um eu totalmente novo.

Ao frequentar minhas oficinas, Anna ficou sabendo que tinha que levar seu sistema nervoso autônomo de volta ao equilíbrio, porque este controla todas as funções automáticas que acontecem além da percepção consciente do cérebro – digestão, absorção, níveis de açúcar no sangue, temperatura do corpo, secreções hormonais, frequência cardíaca e assim por diante. A única forma de entrar no sistema operacional e interferir no SNA é mudar o estado interno em caráter rotineiro.

Assim, Anna começava cada meditação com a Bênção dos Centros de Energia. Essas áreas específicas do corpo estão sob o controle do SNA. Como mencionei na Introdução, cada centro tem a própria energia ou frequência (que emite informação específica ou tem a própria consciência), as próprias glândulas, os próprios hormônios, a própria química, um minicérebro próprio e, portanto, a própria mente. Cada centro é influenciado pelo subconsciente, situado sob o cérebro consciente pensante. Anna aprendeu a alterar as ondas cerebrais para poder entrar no sistema operacional do SNA (localizado no mesencéfalo) e reprogramar cada centro para funcionar de modo mais harmonioso. Todos os dias, com foco e paixão, ela repousava sua atenção em cada área do corpo, bem como no espaço em torno de cada centro, abençoando-o para maior saúde e pelo bem maior. Lenta, mas com firmeza, ela começou a influenciar a saúde reprogramando seu sistema nervoso autônomo para recuperar o equilíbrio.

Anna também aprendeu uma técnica de respiração específica que ensino em nosso trabalho para liberar toda a energia emocional acumulada no corpo quando nos mantemos pensando e sentindo do mesmo jeito. Por pensar constantemente os mesmos pensamentos, Anna criava os mesmos sentimentos e, ao sentir as emoções familiares, pensava mais dos mesmos pensamentos. Ela aprendeu que as emoções do passado estavam armazenadas em seu corpo e que podia usar essa técnica de respiração para liberar a energia acumulada e se libertar do passado. Todos os dias, com uma intensidade maior do que seu vício nas emoções do passado, ela praticava a respiração e foi se aprimorando nisso. Depois de aprender a mover a energia acumulada no corpo, Anna aprendeu a recondicionar o corpo a uma nova mente assumindo as emoções em seu coração relacionadas ao futuro antes de tal futuro se apresentar.

Como Anna também estudou o modelo de epigenética que ensino em nossas oficinas e palestras, aprendeu que genes não criam doenças; é o ambiente que sinaliza os genes para criarem doenças. Anna entendeu que, se suas emoções eram as consequências químicas de experiências no ambiente e se ela vivia todos os dias de acordo com as mesmas emoções do passado, estava selecionando e instruindo os mesmos genes que poderiam estar criando seu quadro de saúde ruim. Se pudesse incorporar as emoções de seu futuro, adotando-as antes de a experiência realmente acontecer, Anna poderia mudar sua expressão genética e modificar o corpo para ficar biologicamente alinhado ao novo futuro.

Anna fez uma meditação adicional que envolvia repousar a atenção no centro do peito, ativando o SNA com estados elevados para criar e manter por períodos prolongados um tipo muito eficiente de batimento que chamamos de frequência cardíaca coerente (vou explicar em detalhes mais adiante). Ela aprendeu que, quando sentia ressentimento, impaciência, frustração, raiva e ódio, esses estados induziam a resposta de estresse e faziam o coração bater de modo incoerente e desorganizado. Anna aprendeu em minhas oficinas que, quando conseguisse manter o novo estado em seu coração, poderia sentir as novas emoções de modo mais pleno e profundo, da mesma forma que tinha se acostumado a sentir aquelas emoções negativas. É claro que foi preciso um bocado de esforço para trocar a raiva, o medo, a depressão e o ressentimento por alegria, amor, gratidão e liberdade, mas Anna nunca desistiu. Ela sabia que as emoções elevadas liberariam mais de mil substâncias químicas diferentes que reparariam e restaurariam seu corpo... e foi à luta.

Anna praticou a meditação caminhando que elaborei, na qual caminhava todos os dias como o seu novo eu. Em vez de sentar e meditar de olhos fechados, ela começava essas meditações em pé e de olhos fechados. Entrava no estado meditativo que sabia que mudaria seu estado de ser; abria os olhos e, ainda nesse estado, caminhava como o seu futuro eu. Fazendo isso, Anna incorporava à rotina um novo hábito de pensar, agir e sentir. O que ela estava criando logo se tornaria sua nova personalidade. Ela não queria voltar à inconsciência e ao antigo eu.

Por causa de todo esse trabalho, Anna pôde ver seus padrões de pensamento mudar. Ela não mais disparava os mesmos circuitos no cérebro da mesma maneira, de modo que esses circuitos pararam de se conectar e começaram a se separar. Como resultado, ela parou de pensar do jeito antigo. Emocionalmente, começou a sentir lampejos de gratidão e prazer pela primeira vez em anos. Em suas meditações, a cada dia ela dominava algum aspecto do corpo e da mente. Anna se acalmou e ficou bem menos viciada nas emoções derivadas dos hormônios do estresse. Começou até a sentir amor novamente. E foi em frente, superando, superando e superando todos os dias em sua caminhada para se tornar outra pessoa.

Anna se agarra à possibilidade

Em maio de 2012, Anna participou de uma de minhas oficinas progressivas de quatro dias em Nova York. No terceiro dia, durante a última de quatro meditações, ela enfim se rendeu e se soltou por completo. Pela primeira vez desde que começara a meditar, viu-se flutuando em um espaço negro infinito, consciente de estar consciente de si. Foi além da memória de quem era e se tornou pura consciência, totalmente livre do corpo, de sua associação com o mundo material e do tempo linear. Sentiu-se tão livre que nem se importava com suas condições de saúde. Sentiu-se tão ilimitada que não conseguia se identificar com a atual identidade. Sentiu-se tão elevada que não estava mais conectada ao passado.

Naquele estado, Anna não tinha problemas, deixara a dor para trás e era verdadeiramente livre pela primeira vez. Ela não era seu nome, seu gênero, sua doença, sua cultura ou sua profissão, estava além de espaço e tempo. Tinha se conectado com um campo de informação chamado campo quântico, onde todas as possibilidades existem. De repente, viu-se em um novo futuro, em pé sobre um imenso palco, segurando um microfone e falando para uma multidão, contando toda a história de sua cura. Ela não estava imaginando ou visualizando a cena. Era como se tivesse feito um *download* da informação, como se estivesse se vendo como uma mulher totalmente diferente em uma nova realidade. O mundo interior parecia muito mais real para ela do que o mundo exterior; Anna teve uma experiência sensorial completa sem usar os sentidos.

No momento em que Anna experimentou essa nova vida na meditação, uma explosão de alegria e luz penetrou seu corpo, e ela sentiu alívio em um nível profundo, visceral. Ela entendeu que era alguma coisa ou alguém maior, muito maior que sua saúde física. Nesse estado de intensa alegria, sentiu tanto prazer e tanta gratidão que teve um ataque de riso. Naquele momento, Anna soube que ia ficar bem. Dali em diante, desenvolveu tanta confiança, alegria, amor e gratidão que suas meditações se tornaram cada vez mais fáceis, e ela começou a ir muito mais fundo.

Quando Anna saiu de seu passado, sentiu a nova energia abrir seu coração cada vez mais. Em vez de ver as meditações como alguma coisa que tinha de fazer todos os dias, começou a esperar por elas ansiosamente. Aquilo se tornou seu estilo de vida, fazer a prática se tornou hábito. Energia e vitalidade voltaram. Anna parou de tomar antidepressivos. Seus padrões de pensamento mudaram completamente, os sentimentos ficaram diferentes. Ela se sentia em um novo estado de ser, por isso suas atitudes mudaram drasticamente. Naquele ano, a saúde e a vida de Anna mudaram tremendamente.

No ano seguinte, ela compareceu a outros vários eventos. Mantendo-se conectada ao trabalho, Anna começou a desenvolver relacionamentos com mais pessoas da nossa comunidade, recebendo mais e mais apoio para continuar a jornada de volta à saúde. Como muitos de nossos alunos, às vezes ela tinha dificuldade em não dar alguns passos atrás para os velhos programas e os antigos padrões de pensamento, sentimento e ação quando voltava para casa depois de uma oficina. Mas mesmo assim continuava fazendo suas meditações todos os dias.

Em setembro de 2013, os médicos de Anna a submeteram a um *checkup* minucioso, que incluiu vários exames. Um ano e nove meses depois do diagnóstico de câncer e seis anos depois do suicídio do marido, o câncer estava completamente curado, e o tumor do esôfago havia desaparecido. Os exames de sangue não tinham indicadores de câncer. As membranas mucosas do esôfago, da vagina e do ânus estavam completamente curadas. Só alguns problemas menores permaneciam – as membranas mucosas na boca ainda estavam levemente avermelhadas, embora não houvesse mais ulcerações, e, por causa da medicação que havia tomado para as ulcerações, ela ainda não produzia saliva.

Anna tinha se tornado uma nova pessoa – uma nova pessoa saudável. A doença existia apenas na antiga personalidade. Ao pensar, agir e sentir de maneira diferente, Anna havia reinventado um novo eu. De certa forma, ela renasceu na mesma vida.

Em dezembro de 2013, Anna foi a um evento em Barcelona com a pessoa que a havia apresentado ao meu trabalho. Depois de me ouvir contar aos participantes a história de uma cura notável de outro aluno de nossa comunidade, Anna decidiu que era hora de me contar sua história. Ela a escreveu e entregou a carta à minha assistente pessoal. Como muitas cartas que recebo dos alunos, a primeira linha era: "Você não vai acreditar nisso". Depois de ler o que ela escrevera, no dia seguinte convidei Anna a subir ao palco e contar sua história para a plateia. E lá estava ela, um ano e meio depois da visão que tivera durante sua meditação em Nova York (e eu não sabia), em pé no palco, falando para a plateia sobre sua jornada de cura.

Após o evento em Barcelona, Anna se sentiu inspirada para trabalhar ainda mais em sua boca. Cerca de seis meses depois, palestrei em Londres, e Anna compareceu. Falei detalhadamente sobre epigenética. De repente, uma luz se acendeu para Anna. "Curei-me de todas aquelas doenças, inclusive do câncer", pensou ela. "Deveria conseguir sinalizar genes para minha boca produzir mais saliva." Alguns meses mais tarde, durante outra oficina em 2014, Anna de repente sentiu a saliva gotejar em sua boca. Desde então, as membranas mucosas e a produção de saliva voltaram ao normal. As ulcerações nunca mais apareceram.

Hoje, Anna é uma pessoa saudável, cheia de vida, feliz, estável, com uma mente muito aguçada e clara. Espiritualmente, cresceu tanto que se aprofunda muito em suas meditações e teve várias experiências místicas. Vive uma vida cheia de criação, amor e alegria. Tornou-se uma das minhas treinadoras corporativas, ensinando essas técnicas regularmente em empresas e organizações. Em 2016, fundou uma instituição psiquiátrica bem-sucedida, que emprega mais de vinte terapeutas e médicos. É financeiramente independente e ganha dinheiro suficiente para levar uma vida agradável. Viaja pelo mundo, visita belos lugares e conhece gente inspiradora. Tem um companheiro muito amoroso e alegre, novos amigos e novos relacionamentos que fazem muito bem a ela e aos filhos.

Quando alguém pergunta a Anna sobre seus problemas de saúde no passado, ela diz que aqueles desafios foram a melhor coisa que lhe aconteceu. Pense nisso: e se a pior coisa que já lhe aconteceu for, na verdade, a melhor coisa? Anna sempre me diz que ama sua vida atual, e eu sempre respondo: "É claro que ama, você criou sua vida dia a dia, não se levantando das meditações até estar apaixonada por essa vida. Você tem mais é que amar sua vida agora". Foi ao longo de sua transformação que Anna se tornou sobrenatural. Superou sua identidade, que era ligada ao passado, e criou literalmente um futuro saudável, e sua biologia respondeu a uma nova mentalidade. Anna é agora o exemplo vivo da verdade e das possibilidades. E, se Anna se curou, você também pode.

O aspecto místico

Curar todos os tipos de doenças físicas pode ser um benefício impressionante desse trabalho, mas não é o único. Este livro também aborda o aspecto místico, e quero abrir sua mente para um domínio da realidade que será tão transformador quanto a cura, mas que funciona em um nível diferente, mais profundo. Tornar-se sobrenatural também pode implicar uma consciência maior de si e de quem você é neste mundo – e em outros mundos também. Vou compartilhar algumas histórias de minha vida para ilustrar exatamente o que quero dizer e mostrar o que é possível para você também.

Em uma noite chuvosa de inverno no Noroeste do Pacífico, estava sentado no sofá depois de um dia muito longo, ouvindo os galhos das árvores altas filtrando as rajadas de vento através das copas. Meus filhos estavam na cama dormindo profundamente, e finalmente eu tinha um momento para mim. Me acomodei e comecei a revisar todas as coisas que teria que fazer no dia seguinte. Quando terminei a lista mental, estava cansado demais para pensar, então fiquei ali sentado por alguns momentos, a mente vazia. Enquanto observava as sombras das chamas na lareira tremulando e dançando nas paredes, comecei a entrar em transe. Meu corpo estava cansado, mas a mente estava nítida. Eu não estava mais pensando ou analisando, estava apenas fitando o espaço, estava no momento presente.

Meu corpo foi relaxando mais e mais, e, devagar e conscientemente, deixei-o adormecer, ao mesmo tempo mantendo a mente consciente e desperta. Não permitia que a atenção convergisse para nenhum objeto na sala, em vez disso, mantinha o foco aberto. Esse era um jogo que fazia comigo muitas vezes. Gostava da prática porque, de vez em quando, se tudo se alinhava, eu tinha experiências transcendentais muito profundas. Era como se uma espécie de porta se abrisse em algum lugar entre a vigília, o sono e o sonho normal e eu penetrasse em um momento místico muito lúcido. Lembrava a mim mesmo de não esperar nada e simplesmente permanecer aberto. Era preciso muita paciência para não ter pressa, não ficar frustrado ou tentar fazer alguma coisa acontecer, e em vez disso apenas escorregar lentamente para dentro daquele outro mundo.

Naquele dia, eu havia terminado um artigo sobre a glândula pineal. Depois de vários meses pesquisando todos os derivados mágicos de melatonina que esse pequeno centro alquímico guarda na manga, estava mais que feliz por ligar o mundo científico e o mundo espiritual. Durante semanas, toda a minha mente fora consumida pela reflexão sobre o papel dos metabólitos pineais como uma possível conexão com as experiências místicas que muitas culturas antigas sabiam provocar, como as visões xamânicas dos nativos norte-americanos, a experiência hindu do *samadhi* e rituais semelhantes envolvendo estados alterados de consciência. Alguns conceitos que tinham sido pontas soltas durante anos haviam se encaixado para mim de repente, e as descobertas fizeram com que me sentisse mais inteiro. Pensei estar um passo mais perto de entender a ponte para dimensões mais elevadas de espaço e tempo.

Toda informação que eu tinha assimilado me inspirava a uma consciência mais profunda sobre o que é possível para seres humanos. Mas eu ainda estava curioso para saber mais, curioso o bastante para levar a consciência ao local onde a glândula pineal se situava em minha cabeça. Em tom casual, perguntei à glândula: "Afinal, onde você está?".

Ao repousar a atenção no espaço que a pineal ocupa em meu cérebro e mergulhar na escuridão, de repente, do nada, uma imagem vívida da minha glândula apareceu em minha mente como uma maçaneta redonda tridimensional. Sua boca estava bem aberta em um espasmo, e ela liberava uma substância branca leitosa. Fiquei chocado com a intensidade da imagem holográfica, mas estava relaxado demais para me agitar ou reagir, por isso só me rendi e observei. Era muito real. Eu sabia que o que estava vendo diante de mim era minha pequena pineal.

No instante seguinte, um relógio enorme apareceu bem na minha frente. Era um daqueles antigos relógios de bolso com corrente, e a visão era incrivelmente nítida. No momento em que repousei a atenção no relógio, recebi uma informação muito clara. De repente eu soube que o tempo linear em que eu acreditava – com um passado, presente e futuro definidos – não era como o mundo realmente funcionava. Entendi que tudo está acontecendo em um eterno momento presente. Nessa infinita quantidade de tempo existem infinitos espaços, dimensões ou possíveis realidades para experimentar.

Se existe apenas um momento eterno acontecendo, faz sentido não termos um passado nesta encarnação, muito menos vidas passadas.

Mas eu conseguia ver todo o passado e futuro como se olhasse um filme de antigamente com um infinito número de *frames* – os *frames* representando janelas de possibilidades ilimitadas, não momentos únicos, que existiam como andaimes e se estendiam em todas as direções para sempre. Era bem parecido com olhar para dois espelhos dispostos frente a frente e ver infinitos espaços ou dimensões refletidos nas duas direções. Mas, para entender o que eu vi, imagine que essas dimensões infinitas estão acima e abaixo de você, na frente e atrás, à esquerda e à direita. E cada uma dessas possibilidades ilimitadas já existiram. Eu soube que, ao repousar minha atenção em qualquer uma dessas possibilidades, eu experimentaria essa realidade de verdade.

Também percebi que não estava separado de nada. Senti a unicidade com tudo, todo mundo, todos os lugares e todos os tempos. Só consigo descrever esse sentimento como o desconhecido mais familiar que tive em toda a minha vida.

A glândula pineal, como logo entendi que me era mostrado, serve como um relógio dimensional que, quando ativado, podemos ajustar para qualquer tempo. Quando vi os ponteiros do relógio se movendo para a frente ou para trás, compreendi que, como uma máquina do tempo programada para qualquer tempo específico, também existe uma realidade ou dimensão a ser experimentada em um espaço particular. Essa visão incrível me mostrou que a glândula pineal, como uma antena cósmica, tinha a capacidade de sintonizar informação além dos sentidos físicos e nos ligar a outras realidades que já existem no momento eterno. O *download* de informação que recebi pareceu ilimitado, mas não existem palavras que possam descrever completamente a magnitude da experiência.

Experimentando meus eus passados e futuros simultaneamente

Quando os ponteiros do relógio se moveram para trás, para um tempo passado, uma dimensão no espaço e no tempo ganhou vida. No mesmo instante me vi em uma realidade relevante em termos pessoais – só que, surpreendentemente, aquele momento passado estava ocorrendo no momento presente que eu experimentava sentado no sofá da sala de estar. Em seguida, fiquei ciente de que estava em um espaço físico naquele tempo específico. Observei-me como uma criança pequena – enquanto tinha ao mesmo tempo a experiência de ser eu adulto no sofá. Minha versão infantil tinha uns 7 anos de idade e uma febre muito alta. Lembrei de como amava ter febre naquela idade, porque podia mergulhar fundo dentro de mim e ter aqueles sonhos e visões abstratas que sempre acompanham o delírio produzido por alta temperatura corporal. Nessa ocasião específica, eu estava no meu quarto, na cama, com as cobertas até o nariz, e minha mãe tinha acabado de sair do quarto. Eu me sentia feliz por estar sozinho.

No momento em que ela fechou a porta, eu soube instintivamente que deveria continuar fazendo exatamente o que estava fazendo na sala de estar como adulto – relaxando o corpo aos poucos e permanecendo em algum lugar entre o sono e a vigília, enquanto me mantinha presente para o que quer que surgisse. Até aquele ponto em minha vida presente, eu havia me esquecido por completo daquela experiência infantil, mas, quando a revivi, me vi no meio de um sonho lúcido consciente, abrangendo realidades possíveis como os quadrados de um tabuleiro de xadrez.

Enquanto me observava como menino, me senti profundamente tocado pelo que ele tentava entender e me perguntei como a criança poderia se apoderar de conceitos tão complicados naquela idade. Naquele momento, enquanto o observava, me apaixonei pelo menino e, no segundo em que aceitei essa emoção, senti uma conexão simultânea com aquele ponto no tempo e o que eu vivia como meu tempo presente em Washington. Tive uma compreensão muito forte de que o que eu fazia lá e o que eu estava fazendo agora aconteciam ao mesmo tempo e que aqueles momentos estavam conectados de forma significativa. Naquela fração de segundo, o amor que senti pelo menino como meu eu presente trouxe-o para o futuro que eu vivia agora.

Aí a experiência ficou ainda mais estranha. Aquela cena sumiu, e o relógio apareceu de novo. Tomei consciência de que os ponteiros também podiam se mover para a frente. Fascinado, sem inquietação ou medo, apenas observei o relógio avançar no tempo. No mesmo instante, eu estava descalço no meu quintal em Washington na noite fria. É difícil explicar que horas eram, porque era a mesma noite em que eu estava na sala de estar, mas o eu que estava fora da casa era o eu do futuro naquele agora. De novo as palavras aqui são limitadas, mas o único jeito de explicar a experiência é dizer que a personalidade futura chamada Joe Dispenza havia mudado imensamente. Eu estava muito mais evoluído e me sentia incrível – eufórico, na verdade.

Eu estava muito consciente – melhor dizendo, como aquela pessoa eu estou muito consciente. Por consciente quero dizer superconsciente, como se todos meus sentidos estivessem 100% aumentados. Tudo que eu via, tocava, sentia, cheirava, saboreava e ouvia estava amplificado. Meus sentidos estavam tão aguçados que eu tinha plena consciência de e prestava atenção em tudo à minha volta, querendo experimentar o momento na íntegra. Por causa desse aumento tão drástico em minha percepção, minha consciência e, portanto, minha energia também aumentaram. Sentir-me tão repleto daquela energia intensa me deixou mais consciente de tudo que eu sentia simultaneamente.

Só posso descrever esse sentimento como energia constante, inabalável, altamente organizada. Não era como as emoções químicas que costumamos sentir como seres humanos. De fato, naquele momento eu soube que nem poderia sentir emoções humanas normais. Eu evoluíra para além delas. Contudo, sentia amor, embora fosse uma forma evoluída de amor, não química, mas elétrica. Sentia quase como se estivesse em chamas, amando a vida com paixão. Era uma incrível alegria pura.

Eu também estava andando pelo quintal no meio do inverno sem sapatos e sem casaco, mas estava tão consciente da sensação de frio que ela era na verdade muito agradável. Eu não tinha uma opinião sobre o quanto o chão estava gelado, apenas adorava sentir meus pés tocando a grama congelada e me sentia muito conectado à sensação e à grama. Entendi que, se me dedicasse aos pensamentos e julgamentos típicos que normalmente teria sobre o frio, isso criaria uma noção de polaridade, dividindo a energia que eu experimentava. Se eu julgasse, perderia a sensação de totalidade. A incrível sensação de energia que eu experimentava dentro do corpo era muito maior que as condições no ambiente em volta (o frio). Em razão disso, acolhi o frio sem esforço e com entusiasmo. Era vida, só isso! De fato era tão agradável que eu não queria que o momento acabasse. Queria que durasse para sempre.

Caminhei como essa versão melhorada de mim com força e conhecimento. Senti-me muito fortalecido, calmo e também transbordante de alegria pela existência e de amor pela vida. Atravessei o jardim para caminhar sobre imensas colunas de basalto dispostas nas laterais, empilhadas como grandes degraus, criando níveis para sentar à beira da churrasqueira. Adorei a experiência de caminhar descalço sobre as pedras enormes. Homenageei sinceramente sua magnificência. Continuei andando e me aproximei da fonte que havia construído; sorri ao lembrar de meu irmão e eu criando aquela maravilha.

De repente, vi uma mulher pequenina em vestes brancas cintilantes. Não tinha mais que sessenta centímetros de altura, estava em pé atrás da fonte com outra mulher de tamanho normal, vestida da mesma maneira, também radiante e cheia de luz. A outra mulher estava mais ao fundo, observando, parecia a protetora da mulher pequenina.

Quando olhei para a mulher minúscula, ela se virou para mim e fitou dentro dos meus olhos. Senti uma energia de amor ainda mais forte, como se a mulherzinha a enviasse para mim. Mesmo como aquela versão evoluída de mim, percebi que nunca tinha sentido nada como aquilo antes. Os sentimentos de totalidade e amor aumentaram exponencialmente, e pensei: "Uau, existe mais amor do que o amor que eu estava sentindo momentos atrás?". Não tinha absolutamente nada a ver com amor romântico. Era mais uma energia empolgante, eletrizante que despertava dentro de mim. Entendi que ela estava indicando que de fato havia ainda mais amor dentro de mim a ser experimentado. Também compreendi que ela era mais evoluída que eu. Aquela eletricidade que senti transmitiu uma mensagem para eu olhar na direção da janela da cozinha, e lembrei instantaneamente por que eu estava ali.

Olhei para a cozinha, onde meu eu presente, algumas horas antes de eu ter ido relaxar no sofá, estivera ocupado lavando a louça. Do quintal, sorri. Estava muito apaixonado por ele. Vi sua sinceridade, seu empenho, sua paixão, seu amor, sua mente sempre ocupada, tentando dar significado a conceitos, e, entre outras coisas, vi parte de seu futuro. Como um ótimo pai, me orgulhava dele e sentia apenas admiração por quem ele era naquele momento. Sentindo aquela intensa energia crescer dentro de mim enquanto o observava, eu o vi parar de lavar a louça de repente e olhar pela janela, esquadrinhando o quintal.

Ainda como meu eu futuro, consegui recordar o momento como meu eu presente e lembrei que havia mesmo parado e olhado para fora naquele instante, pois tivera um sentimento espontâneo de amor em meu peito e havia sentido que era observado ou que havia alguém lá fora. Lembrei também que, enquanto lavava um copo, inclinei-me à frente para reduzir o reflexo da luz da cozinha na janela e espiei a escuridão por alguns minutos antes de voltar a lavar o que estava na pia. Meu eu futuro fazia com meu eu presente o que aquela bela mulher luminosa fizera comigo momentos antes. Então entendi por que ela estava ali.

A exemplo de quando olhei para a criança na cena anterior, o amor que meu futuro eu sentiu por meu eu presente de alguma forma me conectou ao meu eu futuro. Meu futuro eu estava ali para chamar meu eu presente para aquele futuro, e entendi que era o amor que possibilitava a ligação. Minha versão evoluída tinha esse conhecimento. O paradoxo é que tudo era eu vivendo ao mesmo tempo. Existe um número infinito de eus – não só os eus do passado, do presente e do futuro. Existem muitos outros eus possíveis no domínio do infinito, e não existe apenas um infinito possível, mas múltiplos infinitos. E tudo isso acontece no eterno agora.

Quando voltei à realidade física no sofá, que empalidecia comparada ao mundo dimensional onde eu estivera, meu primeiro pensamento foi: "Uau! Minha visão da realidade é muito limitada". A rica experiência interior proporcionou uma compreensão clara de que minhas crenças, isto é, o que eu pensava saber sobre a vida, sobre Deus, sobre mim, sobre o tempo, espaço e até sobre o que é possível experimentar nesse domínio infinito eram muito limitadas e eu jamais percebera até aquele momento. Compreendi que eu era como uma criança com pouco entendimento da magnitude dessa coisa que chamamos de realidade. Pela primeira vez na vida entendi, sem medo ou ansiedade, o que a expressão "o desconhecido" significa. E soube que nunca mais seria a mesma pessoa.

Tenho certeza de que você pode imaginar que, quando algo assim acontece, tentar explicar à família ou aos amigos pode dar a impressão de algum desequilíbrio químico no cérebro. Hesitei em falar sobre o acontecimento com qualquer pessoa; não tinha palavras para descrever a experiência e não queria energia ruim que a impedisse de acontecer de novo. Durante meses me preocupei em rever todo o processo que pensava poder ter criado a experiência. Também estava intrigado com o conceito de tempo e não conseguia parar de pensar nisso. Além da mudança de paradigma sobre o momento eterno no tempo, descobri algo mais. Depois do acontecimento transcendental naquela noite, quando voltei ao mundo das três dimensões, percebi que toda a experiência ocorrera em cerca de dez minutos. Eu acabara de viver dois eventos abrangentes, e deveria ter demorado muito mais para toda a experiência se desenrolar. A dilatação do tempo atiçou ainda mais meu interesse em dedicar mais energia para investigar o que havia acontecido comigo. Esperava poder reproduzir a experiência, assim que a entendesse melhor.

Dias depois daquela noite importante, o centro do meu peito permaneceu eletrizado da mesma maneira que senti quando aquela bela mulher minúscula ativou algo dentro de mim. Eu me perguntava: "Como esse sentimento pode persistir dentro de mim, a menos que algo real tenha acontecido?". Ao repousar a atenção no centro do peito, percebi que o sentimento aumentava. Não me interessei muito por nenhuma interação social nesse período, o que era compreensível, porque as pessoas e condições externas me distraíam daquele sentimento em meu mundo interior, e o sentimento especial diminuía. Com o tempo, a sensação enfim desapareceu por completo, mas nunca parei de pensar na ideia de que há sempre mais amor para sentir e de que a energia que absorvi naquele domínio ainda vivia dentro de mim. Queria ativá-la novamente, mas não sabia como.

Por muito tempo, embora tentasse reproduzir a experiência, nada aconteceu. Agora percebo que a expectativa do mesmo desfecho, combinada à frustração de tentar forçá-lo a acontecer, é a pior combinação para criar uma experiência mística (ou qualquer coisa, na verdade). Me perdi em uma autoanálise, tentando entender como aquilo havia acontecido e como poderia fazer acontecer de novo. Decidi acrescentar algumas novas abordagens. Em vez de tentar recriar a experiência à noite, decidi acordar cedo e meditar. Como os níveis de melatonina são mais altos entre uma e quatro da manhã e os metabólitos químicos místicos de melatonina são os substratos responsáveis por criar um evento lúcido, decidi que praticaria meu trabalho interior às quatro da manhã todos os dias.

Antes de contar o que aconteceu, quero lhe pedir que tenha em mente que esse foi um período incomumente difícil da minha vida. Eu estava decidindo se valia a pena continuar lecionando. Tinha vivido um tremendo caos depois de aparecer no documentário *Quem somos nós?*, de 2004. Estava pensando em me afastar do mundo público e desaparecer em uma vida mais simples. Era muito mais fácil sair de cena.

Viver uma encarnação passada no momento presente

Certa manhã, mais ou menos uma hora e meia depois de começar a meditação sentado, me reclinei. Coloquei alguns travesseiros embaixo dos joelhos para não adormecer muito depressa e assim fiquei entre a vigília e o sono. Quando deitei, repousei a atenção no lugar da glândula pineal em minha cabeça. Dessa vez, em vez de tentar fazer alguma coisa acontecer, apenas me entreguei, dizendo a mim mesmo: "Que seja". Ao que parece, foi a expressão mágica. Agora sei o que significa. Me rendi, saí do caminho, abri mão de qualquer desfecho específico e simplesmente me abri às possibilidades.

Quando dei por mim, estava me vendo como um homem forte em uma região muito quente do mundo, em um lugar que parecia o que hoje chamamos de Grécia ou Turquia. O terreno era rochoso, seco, e construções de pedras como aquelas do período greco-romano eram intercaladas com várias tendas pequenas de tecido colorido. Eu vestia uma túnica de juta que me cobria dos ombros até o meio das coxas e tinha como cinto um cordão grosso amarrado à cintura. Usava sandálias de tiras até as panturrilhas, Tinha uma cabeleira crespa e um corpo forte. Os ombros eram largos, e os braços e as pernas eram musculosos. Eu era filósofo e estudioso de longa data de algum movimento carismático.

Eu era ao mesmo tempo o eu naquela experiência e o eu presente me observando naquele tempo e espaço específico. Minha consciência estava muito mais aguçada que o normal, eu estava superconsciente. Todos os sentidos estavam aumentados, e fiquei muito ciente de tudo. Senti o cheiro familiar do meu corpo e o sabor salgado da transpiração no rosto. Adorei o gosto. Senti-me enraizado na fisicalidade e força de meu corpo. Fiquei ciente de uma dor aguda no ombro direito, mas ela não consumiu minha atenção. Vi o esplendor do céu azul e a magnificência das árvores verdejantes e das montanhas, como se vivesse em Technicolor. Ouvi gaivotas ao longe e soube que estava perto de um grande corpo de água.

Eu estava em algum tipo de peregrinação e missão. Viajava pelo território ensinando a filosofia que havia estudado e pela qual tinha vivido toda a vida. Era tutelado por um grande mestre que eu amava profundamente devido ao cuidado, paciência e sabedoria que me proporcionara por tantos anos. Agora era minha vez de ser iniciado e levar a mensagem para mudar mentes e corações daquela cultura. Compreendi que a mensagem que eu espalhava contrariava as crenças daquele tempo e que o governo e as ordens religiosas se oporiam a mim.

A principal mensagem da filosofia que eu estudava libertaria as pessoas de qualquer tipo de obrigação a "algo ou alguém" além de si mesmas. Também inspiraria os indivíduos a demonstrar um código de princípios que lhes garantiria uma vida mais rica e significativa. Eu era apaixonado por aquele idealismo e trabalhava diariamente para viver de acordo com a doutrina. É claro que minha mensagem omitia a necessidade de religião e de qualquer dependência de governos, e isso libertaria as pessoas da dor e sofrimento pessoal.

Quando a cena ganhou vida, eu acabara de falar para uma plateia em uma aldeia relativamente populosa. O ajuntamento se dispersava quando súbita e rapidamente vários homens atravessaram a multidão para me prender. Antes que eu pudesse tentar fugir, fui agarrado. Soube que eles haviam planejado bem a estratégia. Se tivessem começado a se mover enquanto eu falava para o povo, eu os teria avistado. Eles haviam calculado tudo com perfeição.

Rendi-me sem resistência, e me levaram para uma cela onde fui deixado sozinho. Trancado em um cubículo de pedra com frestas estreitas no lugar de janelas, tive consciência do meu destino. Nada que eu fizesse poderia me preparar para o que ia acontecer. Em dois dias, fui levado ao centro da cidade, onde centenas de pessoas estavam reunidas – muitas eram as mesmas que tinham me ouvido falar dias antes. Mas agora aguardavam ansiosas a chance de assistir ao meu julgamento e tortura iminente.

Fui despido, ficando apenas com uma pequena peça íntima, e amarrado a uma grande laje horizontal com grandes sulcos abertos nos cantos, por onde passavam cordas. As cordas tinham algemas de metal nas extremidades, e fui preso a elas pelos tornozelos e pulsos. Então teve início. Um homem à minha esquerda começou a girar uma manivela que movia a pedra lentamente da posição horizontal para a vertical. Enquanto o bloco de pedra era erguido, as cordas puxavam meus membros nas quatro direções.

Quando cheguei a uma inclinação aproximada de 45 graus, a dor começou de verdade. Alguém que parecia ser um magistrado gritou, perguntando se eu continuaria ensinando minha filosofia. Não levantei a cabeça nem respondi. Ele então ordenou que girassem mais a manivela. Em dado momento, comecei a ouvir estalidos, evidência de minha coluna se deslocando em certos trechos. Como observador da cena, vi a expressão em meu rosto quando a dor aumentou. Era como olhar para um espelho e me ver – tive aguda consciência de que era eu naquela pedra.

As algemas de metal nos pulsos e tornozelos agora rasgavam minha pele, e o metal afiado queimava. Eu sangrava. Um dos ombros se deslocou, ofeguei e grunhi de dor. Meu corpo convulsionava e tremia, enquanto eu tentava resistir ao rasgar dos membros flexionando e contraindo os músculos. Relaxar seria insuportável. De repente, o juiz berrou de novo, perguntando se eu continuaria lecionando.

Tive um pensamento: "Vou concordar em parar de lecionar; depois, quando me libertarem dessa demonstração pública de tortura, simplesmente recomeçarei". Raciocinei que essa era a resposta certa. Agradaria ao juiz, faria cessar a dor (e minha morte) e me permitiria seguir com minha missão. Balancei a cabeça lentamente em silêncio.

O juiz me pressionou para verbalizar o não, mas eu não falava. Ele fez um gesto rápido para o torturador à minha esquerda girar a manivela. Olhei para o homem que acionava as engrenagens com a clara intenção de me machucar. Vi seu rosto e, quando nos encaramos, eu como observador reconheci instantaneamente aquela pessoa como alguém que fazia parte da minha vida atual como Joe Dispenza – a mesma pessoa em um corpo diferente. Enquanto eu assistia à cena, caiu a ficha: soube que aquele torturador ainda atormenta as pessoas, inclusive eu, em minha atual encarnação e compreendi seu papel em minha vida. Foi um estranho sentimento familiar de conhecimento, e tudo fez perfeito sentido.

Quando a laje começou a subir mais depressa, a parte inferior das minhas costas se rompeu, e meu corpo foi perdendo o controle. Nesse momento tive um colapso. Chorei de dor e também senti uma tristeza profunda consumir meu ser. Quando o peso da pedra foi liberado, ela caiu rapidamente de volta à posição horizontal. Fiquei lá tremendo incontrolavelmente em silêncio. Depois, fui arrastado de volta para a cela na prisão, onde fiquei encolhido em um canto. Durante três dias, não consegui fazer parar os vislumbres da minha tortura.

Fui tão humilhado que nunca mais consegui falar em público. A simples ideia de voltar à minha missão criava uma resposta tão visceral em meu corpo que parei até de pensar nela. Uma noite me soltaram e, sem ser notado, cabisbaixo de vergonha, desapareci. Nunca mais consegui encarar ninguém. Sentia que tinha falhado em minha missão. Passei o resto da vida em uma caverna perto do mar, pescando e vivendo em silêncio como um ermitão.

Enquanto via a saga daquele pobre homem e sua escolha de se esconder do mundo, entendi que aquilo era uma mensagem para mim. Soube que em minha vida presente não poderia desaparecer e me esconder do mundo de novo e que minha alma queria que eu visse que tinha que continuar meu trabalho. Tinha que fazer o esforço de defender uma mensagem e nunca mais fugir das adversidades. Também reconheci que não havia falhado – eu tinha feito o melhor que podia. Sabia que o jovem filósofo ainda vivia no eterno momento presente como vários eus possíveis e que eu poderia mudar meu futuro – e o dele – nunca mais sentindo medo de viver pela verdade em vez de morrer por ela.

Cada um de nós tem diversas encarnações possíveis que existem no eterno momento presente, todas esperando para serem descobertas. Quando o mistério do eu é revelado, podemos despertar para a compreensão de que não somos seres lineares vivendo uma vida linear, mas seres dimensionais vivendo vidas dimensionais. A beleza por trás das infinitas probabilidades que esperam por nós é que a única forma de mudar aqueles futuros é mudar a nós mesmos no momento presente infinito.

Capítulo 2

O momento presente

Se você quer experimentar o sobrenatural em sua vida – curando o corpo, criando novas oportunidades que nunca pôde imaginar e tendo experiências transcendentais, místicas –, precisa antes dominar o conceito do momento presente, o eterno agora. Hoje em dia há muita conversa sobre estar presente no agora. Muita gente entende o básico disso (não pensar no futuro nem viver no passado), mas quero oferecer uma compreensão inteiramente diferente desse conceito. Isso vai exigir que você vá além do mundo físico – inclusive seu corpo, sua identidade e seu ambiente – e até além do próprio tempo. É aí que você transforma possibilidade em realidade.

Se você não vai além do que pensa ser e de como foi condicionado a acreditar que o mundo funciona, não é possível criar uma nova vida ou um novo destino. Então, em um sentido bem real, você tem que sair do seu caminho, transcender a lembrança de si mesmo como uma identidade e permitir que algo maior que você, algo místico, assuma o controle. Neste capítulo, vou explicar como isso funciona.

Primeiro, vamos dar uma olhada em como o cérebro funciona. Quando qualquer tecido neurológico do cérebro é ativado, ele cria intenção. Consequentemente, a partir de uma compreensão neurocientífica, intenção é o cérebro em ação. Por exemplo, você tem uma intenção específica de dirigir seu carro. Tem outra intenção de tomar uma ducha. Tem uma intenção diferente quando canta uma canção ou ouve música. Você usa um nível específico de intenção para executar cada uma dessas funções complexas porque provavelmente já desempenhou cada uma delas milhares de vezes e seu cérebro funciona de modo muito específico sempre que você faz uma dessas coisas.

Quando o cérebro está em ação enquanto você dirige seu carro, por exemplo, você na verdade está acionando uma sequência, padrão e combinação específicos de redes neurológicas. Essas redes neurológicas (ou redes neurais) são aglomerados de neurônios que funcionam juntos como uma comunidade – como um *software* automático ou uma macro – porque você executou aquela ação muitas vezes. Em outras palavras, os neurônios que entram em ação juntos para realizar a tarefa se tornam mais interligados.[4] Quando você escolhe conscientemente realizar a tarefa de dirigir o carro, podemos dizer que está escolhendo e instruindo automaticamente esses neurônios para entrar em ação e criar um nível de intenção.

Na maior parte, o cérebro é produto do passado. Foi formado e moldado para se tornar um registro vivo de tudo que você aprendeu e experimentou até esse ponto da vida. Aprendizado, do ponto de vista neurocientífico, é quando os neurônios se reúnem para formar milhares de conexões sinápticas e essas conexões se reúnem em complexas redes neurológicas tridimensionais. Pense em aprendizado como um *upgrade* do cérebro. Quando você presta atenção a um conhecimento ou informação e aquilo faz sentido para você, a interação com o ambiente deixa impressões biológicas no cérebro. Quando você experimenta algo novo, seus sentidos escrevem a história neurológica no cérebro e mais neurônios se juntam para formar conexões ainda mais enriquecidas, promovendo o *upgrade* no cérebro.

Experiências não só aperfeiçoam o circuito cerebral, mas também criam emoções. Pense nas emoções como o resíduo químico das experiências passadas, ou *feedback* químico. Quanto mais forte o quociente emocional de um acontecimento em sua vida, mais duradoura a impressão no cérebro; é assim que se formam memórias de longo prazo. Então, se aprender significa fazer novas conexões no cérebro, lembranças são a manutenção das conexões. Quanto mais você repete um pensamento, escolha, comportamento, experiência ou emoção, mais aqueles neurônios são acionados e reunidos e mais manterão um relacionamento de longo prazo.

Na história de Anna no capítulo anterior, você aprendeu que a maior parte das experiências provêm da interação com o ambiente externo. Como seus sentidos o ligam ao ambiente externo e gravam neurologicamente a narrativa em seu cérebro, quando você vive um acontecimento com elevada carga emocional, boa ou ruim, o momento fica neurologicamente gravado no cérebro como uma memória. Portanto, quando uma experiência altera a forma como você se sente quimicamente e aumenta sua atenção para o que causou a alteração, você associa uma pessoa ou coisa específica com a localização de seu corpo em um tempo e lugar específicos. É assim que se criam memórias interagindo com o mundo exterior. É seguro dizer que o único lugar onde o passado realmente existe é no seu cérebro – e no seu corpo.

Como seu passado se torna seu futuro

Vamos olhar mais de perto o que acontece bioquimicamente em seu corpo quando você tem um pensamento ou sente uma emoção. Quando você tem um pensamento (ou lembrança), começa uma reação bioquímica em seu cérebro que o faz liberar certos sinais químicos. É assim que pensamentos imateriais se tornam literalmente matéria – tornam-se mensageiros químicos. Os sinais químicos fazem seu corpo se sentir exatamente como você estava pensando. Quando nota que está se sentindo de alguma forma específica, você gera mais pensamentos iguais àquele sentimento e aí libera mais substâncias químicas do cérebro para se sentir como estava pensando.

Por exemplo, se você tem um pensamento temeroso, começa a sentir medo. No momento em que sente medo, essa emoção o influencia a pensar mais coisas temerosas, e esses pensamentos desencadeiam a liberação de ainda mais substâncias químicas no cérebro e no corpo que fazem você sentir mais medo. Quando perceber, você estará preso em um ciclo no qual pensamento cria sentimento e sentimento cria pensamento. Se os pensamentos são o vocabulário do cérebro e sentimentos são o vocabulário do corpo, e o ciclo de como você pensa e sente se torna seu estado de ser, então todo o seu estado de ser está no passado.

Quando você aciona e dispara os mesmos circuitos do cérebro muitas e muitas vezes porque tem os mesmos pensamentos, torna permanente o funcionamento do cérebro de acordo com os mesmos padrões. O resultado é que seu cérebro se torna um artefato de seu pensamento passado e com o tempo fica mais fácil pensar automaticamente da mesma forma. Ao mesmo tempo, quando você sente as mesmas emoções muitas e muitas vezes – como acabei de dizer, as emoções são o vocabulário do corpo e o resíduo químico de experiências passadas –, condiciona seu corpo ao passado.

Agora vamos dar uma olhada no que isso significa para você no dia a dia. Levando em conta o que acabou de aprender sobre sentimentos e emoções serem os produtos finais químicos de eventos do passado, no momento em que acorda de manhã e procura aquele sentimento familiar chamado "eu", você está começando seu dia no passado. Então, quando começa a pensar em seus problemas, aqueles problemas – conectados a lembranças de experiências passadas de diferentes pessoas ou coisas em determinados tempos e lugares – criam sentimentos familiares como infelicidade, futilidade, tristeza, dor, pesar, ansiedade, preocupação, frustração, indignidade ou culpa. Se essas emoções estão conduzindo seus pensamentos e você não consegue pensar mais do que sente, então também está pensando no passado. Se essas emoções familiares influenciarem as escolhas que você fizer nesse dia, os comportamentos que exibir ou as experiências que criar para si, você vai parecer previsível – e sua vida vai continuar igual.

Agora, vamos dizer que, ao acordar, você desliga o despertador e, deitado na cama, dá uma olhada no Facebook, no Instagram, no WhatsApp, Twitter, nas mensagens de texto, nos e-mails e depois nas notícias. (Você então está realmente lembrando quem é enquanto reafirma sua personalidade e se conecta à sua realidade pessoal passado-presente.) Aí você vai ao banheiro. Usa o vaso sanitário, escova os dentes, toma banho, se veste e depois vai para a cozinha. Toma um café e come alguma coisa. Talvez assista aos noticiários ou dê mais uma olhada no e-mail. É a mesma rotina que segue todos os dias.

Depois você vai trabalhar e dirige pelo mesmo velho caminho; quando chega lá, interage com os mesmos colegas que viu no dia anterior. Passa o dia fazendo as mesmas tarefas que fez ontem. Pode até reagir aos mesmos desafios no trabalho com as mesmas emoções. Depois do expediente, vai para casa; talvez pare em algum mercado no caminho e compre a comida de que gosta e que sempre come. Você prepara a mesma comida para o jantar e vê o mesmo programa de televisão na mesma hora, sentado no mesmo lugar na sala de estar. Depois se prepara para ir dormir como sempre faz – escova os dentes (com a mão direita e começando pelo canto superior direito da boca), deita no mesmo lado da cama, talvez leia um pouco, e aí vai dormir.

Se você repete a mesma rotina muitas e muitas vezes, ela se torna um hábito. Um hábito é um conjunto redundante de pensamentos, comportamentos e emoções automáticos, inconscientes, que você adquire por meio de repetição frequente. Basicamente, significa que seu corpo agora está no piloto automático, rodando uma série de programas; com o tempo, o corpo se torna sua mente, sua intenção. Você repetiu a rotina tantas vezes que seu corpo sabe automaticamente como fazer certas coisas melhor do que o cérebro ou a mente consciente. Você simplesmente liga o piloto automático e segue sem consciência, o que significa que vai acordar na manhã seguinte e essencialmente fazer as mesmas coisas de novo. De um modo muito real, seu corpo o arrasta para o mesmo futuro previsível com base no que você tem feito repetidamente no mesmo passado familiar. Você vai ter os mesmos pensamentos, depois vai fazer as mesmas escolhas que levam aos mesmos comportamentos que criam as mesmas experiências que produzem as mesmas emoções. Com o tempo, você cria um conjunto de redes neurológicas padronizadas no cérebro e condiciona emocionalmente seu corpo a viver no passado – e esse passado se torna seu futuro.

Se você estivesse olhando para a linha do tempo do seu dia, começando por acordar de manhã e continuando até ir para a cama à noite, poderia escolher a linha do tempo de ontem ou de hoje (seu passado) e colocá-la no espaço reservado para amanhã (seu futuro) porque em essência as mesmas coisas que fez ontem serão feitas amanhã – e depois de amanhã e depois. Vamos encarar: se você mantiver a mesma rotina de ontem, faz sentido que seu amanhã seja muito parecido com seu ontem. O futuro é apenas uma reprise do passado. E é assim porque seu ontem está criando seu amanhã.

Dê uma olhada na figura 2.1 Cada uma das linhas verticais representa o mesmo pensamento, que leva à mesma escolha, que inicia um comportamento automático, que cria uma experiência conhecida, que produz um sentimento ou uma emoção familiar. Se você continua reproduzindo a mesma sequência, com o tempo todos esses passos individuais se fundem em um programa automático. É assim que você perde o livre-arbítrio para um programa. A seta representa uma experiência desconhecida caindo em algum lugar entre você dirigindo para o trabalho no trânsito, sabendo que vai se atrasar de novo, e você tentando parar na lavanderia no caminho.

Podemos dizer que sua mente e seu corpo estão no conhecido – o mesmo futuro previsível baseado no que você fez no mesmo passado familiar –, e nesse futuro certo, conhecido, não há espaço para o desconhecido. Na verdade, se alguma coisa nova acontecesse, se alguma coisa desconhecida aparecesse em sua vida naquele momento para mudar a linha de tempo previsível do seu dia, você provavelmente ficaria aborrecido com a perturbação na rotina. Provavelmente consideraria tal coisa incômoda, problemática e muito inconveniente. Poderia dizer: "Pode voltar amanhã? Agora não é uma boa hora".

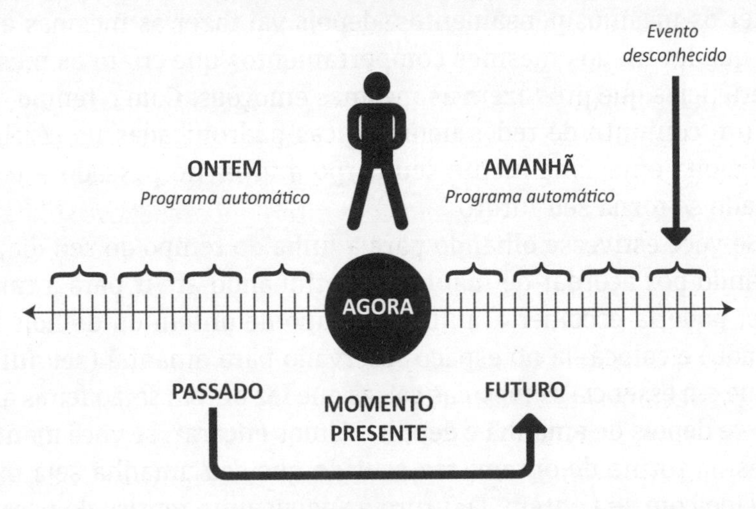

FIGURA 2.1

Um hábito é um conjunto redundante de pensamentos, comportamentos e emoções automáticos e inconscientes que se desenvolvem por repetição. É quando você faz alguma coisa tantas vezes que seu corpo é programado para se tornar a mente. Com o tempo, seu corpo o arrasta para um futuro previsível baseado no que você fez no passado. Portanto, se você não está no momento presente, provavelmente está em um programa.

A verdade é que não há espaço para o desconhecido em uma vida previsível. O desconhecido não funciona sendo previsível. O desconhecido não é familiar, é incerto, mas também é empolgante, porque acontece de uma maneira que não se pode esperar ou antecipar. Então vou perguntar: quanto espaço você tem em sua vida rotineira, previsível, para o desconhecido?

Ao ficar no conhecido – seguir todos os dias a mesma sequência de ter os mesmos pensamentos, fazer as mesmas escolhas, demonstrar os mesmos hábitos programados, recriar as mesmas experiências que marcam as mesmas redes de neurônios nos mesmos padrões para reafirmar o mesmo sentimento familiar chamado "eu" – você repete o mesmo nível de intenção muitas e muitas vezes. Com o tempo, seu cérebro fica automaticamente programado para fazer qualquer uma das sequências específicas com mais facilidade e menos esforço a cada vez.

À medida que cada um desses passos individuais se funde em um passo completo, ter um pensamento familiar sobre uma experiência com alguém ou alguma coisa em algum tempo cria automaticamente a antecipação do sentimento da experiência. Se você pode prever o sentimento de qualquer experiência, ainda está no conhecido. Por exemplo, o pensamento de ter uma reunião com a mesma equipe com que você trabalha há anos pode fazê-lo invocar automaticamente a emoção de como vai se sentir no evento futuro. Quando consegue prever o sentimento do acontecimento futuro – porque teve suficientes experiências passadas para torná-lo conhecido –, você provavelmente vai criar mais do mesmo. E é claro, você está certo. Mas isso é porque você é o mesmo. Da mesma forma, se está no programa automático e não consegue prever o sentimento de uma experiência em sua vida, você provavelmente vai hesitar em vivê-la.

Precisamos analisar mais um aspecto de pensar e sentir para ter o cenário completo do que acontece quando você continua vivendo no mesmo estado de ser. O ciclo de pensamento-sentimento também produz um campo eletromagnético mensurável ao redor do corpo físico. De fato, o corpo está sempre emitindo luz, energia ou frequências que transmitem uma mensagem, informação ou intenção específica. (A propósito, quando digo "luz", não me refiro apenas à luz que enxergamos, mas a todos os espectros de luz, inclusive raio X, ondas de telefone celular e micro-ondas). Da mesma maneira, também recebemos informação vital que é transmitida em diferentes frequências. Então, estamos sempre enviando e recebendo energia eletromagnética.

Vou explicar como funciona. Quando temos um pensamento, as redes de neurônios que ativam nosso cérebro criam descargas elétricas. Quando esses pensamentos também criam uma reação química que resulta em um sentimento ou em uma emoção, bem como quando um sentimento ou uma emoção familiar está direcionando nossos pensamentos, esses sentimentos criam cargas magnéticas. Elas grudam nos pensamentos que criam as descargas elétricas para produzir um campo eletromagnético específico igual ao seu estado de ser.[5]

Considere as emoções como energia em movimento. Quando alguém experimenta uma forte emoção ao entrar em uma sala, sua energia (além da linguagem corporal) é sempre muito palpável. Todos nós já sentimos a energia e a intenção de outra pessoa que está muito brava ou muito frustrada. Sentimos porque a pessoa emite um forte sinal de energia que transmite informação específica. O mesmo vale para uma pessoa muito sexual, uma pessoa em sofrimento ou uma pessoa com energia calma, amorosa; todas essas energias podem ser sentidas e percebidas. Como se pode esperar, emoções diferentes produzem frequências diferentes. As frequências das emoções criativas, elevadas, como amor, alegria e gratidão, são muito mais altas que as emoções de estresse, como medo e raiva, porque transmitem diferentes níveis de intenção consciente e energia. (Veja a figura 2.2, que detalha algumas das diferentes frequências associadas a vários estados emocionais.) Você vai ler mais sobre esse conceito mais adiante.

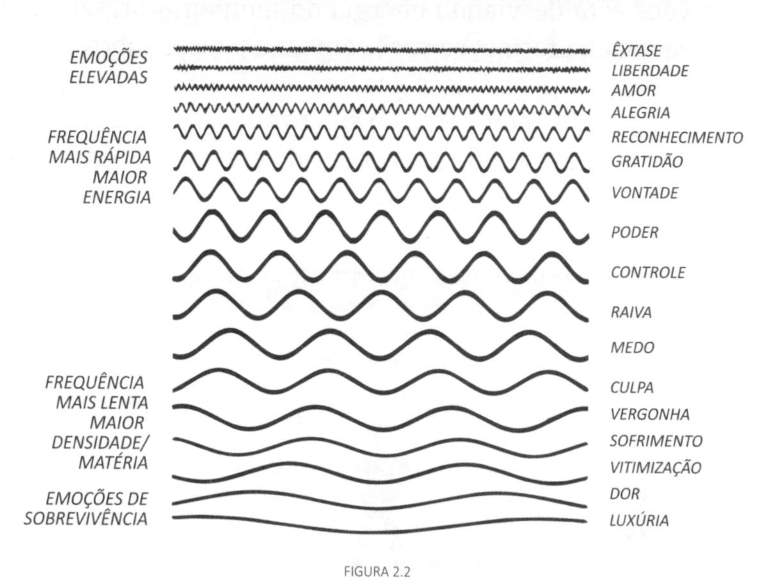

FIGURA 2.2

Emoções são energia em movimento. Toda energia é frequência, e toda frequência transmite informação. Com base em nossos pensamentos e sentimentos pessoais, estamos sempre enviando e recebendo informação.

Então, se recriamos o passado dia após dia, tendo os mesmos pensamentos e sentindo as mesmas emoções, transmitimos o mesmo campo eletromagnético muitas e muitas vezes, enviando a mesma energia com a mesma mensagem. Da perspectiva de energia e informação, isso significa que a mesma energia do nosso passado continua transmitindo a mesma informação, que então continua criando o mesmo futuro. Assim, nossa energia é essencialmente igual ao nosso passado. A única maneira de mudar nossa vida é mudar nossa energia - mudar o campo eletromagnético que transmitimos constantemente. Em outras palavras, para mudar nosso estado de ser, temos que mudar como pensamos e como sentimos.

Se onde você coloca sua atenção é onde coloca sua energia (um conceito-chave sobre o qual vai ler mais ainda neste capítulo), no momento em que coloca sua atenção em uma emoção familiar, sua atenção e sua energia estão no passado. Se as emoções familiares estão conectadas a uma memória de algum acontecimento passado que envolve uma pessoa ou um objeto em determinado lugar e momento, sua energia e sua atenção também estão no passado. A consequência é que você está desviando energia do momento presente para o passado. Da mesma forma, se você começa a pensar sobre as pessoas que precisa encontrar, as coisas que tem que fazer e os lugares aonde tem que ir em certos momentos de sua rotina diária, está desviando atenção e energia para um futuro conhecido previsível. Dê uma olhada na figura 2.3.

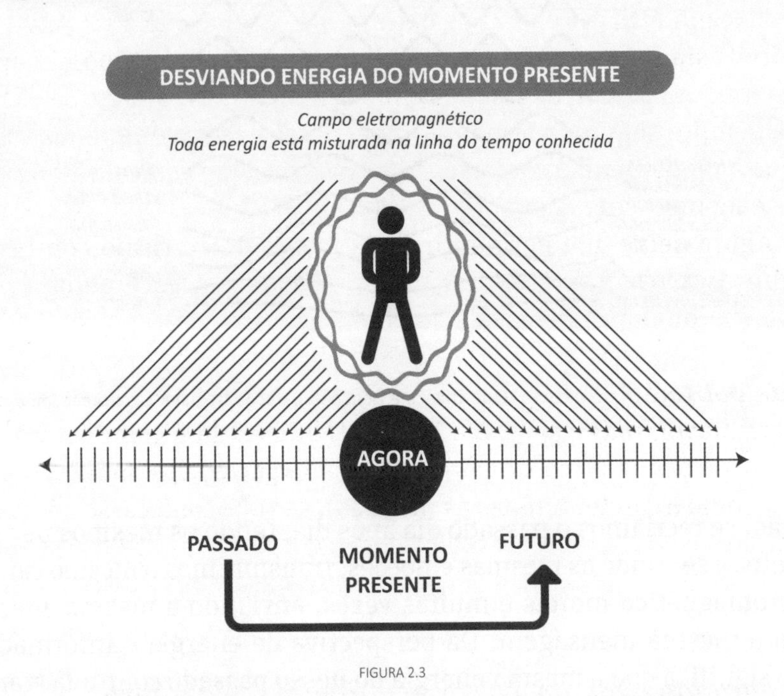

FIGURA 2.3

Se onde você coloca sua atenção é onde coloca sua energia, no momento em que coloca a atenção em sentimentos e memórias familiares, desvia sua energia para o passado e para fora do momento presente. Da mesma maneira, se sua atenção está constantemente em todas as pessoas que você tem que encontrar, lugares aonde tem que ir, coisas que tem que fazer em determinados momentos de sua realidade familiar conhecida, você está desviando sua energia do momento presente para o futuro previsível.

Toda a sua energia está agora misturada às experiências conhecidas naquela linha do tempo específica. Sua energia está criando mais do mesmo, e o corpo vai seguir a mente para os mesmos acontecimentos na sua mesma realidade. Sua energia é desviada do momento presente para o passado e o futuro. O resultado é que você tem bem pouca energia para criar uma experiência desconhecida em uma nova linha do tempo.

A figura 2.3 também mostra como a energia eletromagnética que você emana combina em termos de vibração com tudo que você conhece. Assim, quando começa seu dia, quando pensa em ir ao banheiro, a próxima coisa que percebe é que está indo ao banheiro. Depois você pensa em tomar banho e se descobre embaixo do chuveiro, ajustando a temperatura da água. Pensa na cafeteira e projeta sua atenção e energia para a cafeteira; quando vai automaticamente até a cozinha para preparar sua xícara matinal de café, mais uma vez o corpo está seguindo a mente. Se você fez isso nos últimos 22 anos, seu corpo vai percorrer esse caminho sem nenhum esforço. Seu corpo está sempre seguindo a mente, mas, nesse caso, ele repetidamente segue a mente para o conhecido. Por isso é lá que está sua atenção e, consequentemente, sua energia.

Agora deixe-me perguntar: será possível seu corpo começar a seguir a mente para o desconhecido? Caso seja, você percebe que teria que mudar onde coloca sua atenção; isso levaria a mudar sua energia, o que iria requerer que você mudasse como pensa e como sente por tempo suficiente para algo novo acontecer. Pode parecer inacreditável, mas é possível. Faz sentido que, da mesma forma que seu corpo segue a mente para todas as experiências conhecidas da vida (como a cafeteira todas as manhãs), se você começasse a investir atenção e energia no desconhecido, seu corpo seria capaz de seguir a mente para o desconhecido – uma experiência nova em seu futuro.

Preparando a mente e o corpo para um novo futuro

Se você conhece meu trabalho, sabe que sou apaixonado pelo conceito de ensaio mental. Sou fascinando pelo modo como podemos mudar o cérebro e o corpo só com o pensamento. Pense por um momento. Se você foca a atenção em uma imagem específica de sua mente e fica muito presente com uma sequência de pensamentos e sentimentos repetidos, mente e corpo não saberão a diferença entre o que está acontecendo no mundo exterior e o que está acontecendo no mundo interior. Assim, quando você está totalmente engajado e focado, o mundo interior da imaginação parece uma experiência de mundo exterior, e sua biologia muda de acordo. Isso significa que você pode fazer cérebro e corpo terem a impressão de que uma experiência física já aconteceu sem haver a experiência real. Aquilo em que você coloca sua atenção e ensaia mentalmente muitas e muitas vezes não só se torna quem você é do ponto de vista biológico, como também determina seu futuro.

Aqui vai um bom exemplo. Uma equipe de pesquisadores de Harvard pegou voluntários que nunca tinham tocado piano e os dividiu em dois grupos. Metade praticou um exercício simples de cinco dedos por duas horas diárias durante cinco dias. A outra metade fez a mesma coisa, mas só imaginando estar sentada ao piano, sem mover os dedos fisicamente. As leituras cerebrais do antes e depois mostraram que os dois grupos criaram um número impressionante de novos circuitos neurais e nova programação neurológica na região do cérebro que controla os movimentos dos dedos, embora um dos grupos tenha treinado apenas em pensamento.[6]

Pense nisso. No cérebro das pessoas que ensaiaram mentalmente as ações parecia que a experiência havia acontecido, embora elas não tivessem movido um dedo. Se você as pusesse na frente de um piano depois de cinco dias de ensaio mental, muitas conseguiriam tocar o exercício que imaginaram muito bem, mesmo sem nunca terem tocado nas teclas antes. Ao imaginar a atividade todos os dias, elas instalaram o equipamento neurológico relativo à experiência. Acionaram e interligaram várias vezes aqueles circuitos cerebrais com atenção e intenção; com o tempo, o equipamento se tornou um *software* automático no cérebro, e ficou mais fácil repetir tudo na próxima vez. Se tivessem que começar a tocar depois de cinco dias de treino mental, seu comportamento se alinharia facilmente às intenções conscientes, porque elas prepararam o cérebro de antemão para a experiência. Treinada, a mente pode ser poderosa nesse nível.

Estudos similares mostram o mesmo tipo de resultados com treinamento muscular. Em um estudo pioneiro na Clínica Cleveland, dez sujeitos de pesquisa com idade entre 20 e 35 anos imaginaram flexões de bíceps tão difíceis quanto podiam em cinco sessões semanais de treinamento por doze semanas. A cada duas semanas, os pesquisadores gravavam a atividade cerebral dos sujeitos durante as sessões e mediam a força muscular. No fim do estudo, os sujeitos tinham aumentado a força dos bíceps em 13,5%, embora nem tivessem usado os músculos de verdade. Eles mantiveram o ganho por três meses depois do fim das sessões de treinamento.[7]

Mais recentemente, uma equipe de pesquisa composta por cientistas da Universidade do Texas em San Antonio, a Clínica Cleveland e o Centro de Pesquisas da Fundação Kessler em West Orange, Nova Jersey, pediu aos sujeitos para visualizar a contração dos músculos flexores do cotovelo. Ao fazer isso, eram orientados a instigar os músculos a flexionar com toda a força possível, adicionando uma firme intenção à forte energia mental, em sessões de quinze minutos, cinco dias por semana, durante doze semanas. Um grupo de sujeitos foi orientado a usar o que é chamado de imagem externa ou de terceira pessoa, imaginando-se a praticar observando-se em uma cena mental separada da experiência (como ver um filme). Outro grupo foi instruído a usar a imagem interna ou de primeira pessoa, imaginando que o corpo naquele momento exato estava fazendo o exercício, tornando-o mais imediato e realista. Um terceiro grupo, de controle, não treinou. O grupo que usou imagem externa (bem como o grupo de controle) não mostrou mudanças significativas, mas o que usou imagem interna teve um aumento de força de 10,8%.[8]

Outra equipe de pesquisadores da Universidade de Ohio engessou o pulso de 29 voluntários por um mês, garantindo que não conseguissem mover a região nem sem querer. Metade do grupo praticou exercícios mentais por onze minutos diários, cinco dias por semana, imaginando que flexionavam os músculos do pulso engessado enquanto permaneciam completamente parados. A outra metade, o grupo de controle, não fez nada. No fim do mês, quando todos os gessos foram tirados, os músculos do grupo imaginário estavam duas vezes mais fortes que os do grupo de controle.[9]

Esses três estudos de músculos mostram como o ensaio mental não só muda o cérebro, como também pode mudar o corpo só pelo pensamento. Em outras palavras, praticando comportamentos mentalmente e revendo de forma consciente a atividade com regularidade, o corpo dos sujeitos parecia ter executado a atividade fisicamente, mas eles nunca fizeram os exercícios. Aqueles que acrescentaram o componente emocional de fazer o exercício com todo esforço possível tornaram a experiência ainda mais real e os resultados mais pronunciados.

No estudo do piano, o cérebro dos sujeitos da pesquisa adquiriu a aparência de que a experiência imaginada já tivesse acontecido, porque eles prepararam o cérebro para esse futuro. De maneira similar, os sujeitos nos estudos de flexão muscular mudaram a aparência do corpo como se tivessem experimentado a realidade – mas apenas com o ensaio mental da atividade. É possível entender por que, quando você acorda de manhã e começa a pensar nas pessoas que vai ter que encontrar, nos lugares aonde tem que ir e nas coisas que tem para fazer na agenda cheia (isso é ensaiar mentalmente) e acrescenta uma emoção intensa a isso, como sofrimento, infelicidade ou frustração, como os voluntários do flexor de cotovelo que impeliram o músculo a flexionar sem movimentá-lo, está condicionando o cérebro e o corpo a ser como se o futuro já tivesse acontecido. Como a experiência enriquece o cérebro e cria uma emoção que sinaliza para o corpo, quando você cria continuamente uma experiência interior tão real quanto uma experiência exterior, com o tempo você muda seu cérebro e corpo – como aconteceria com qualquer experiência real.

Na verdade, quando você acorda e começa a pensar no seu dia, neurológica, biológica, química e até geneticamente (vou explicar na próxima seção), parece que o dia já aconteceu. Na verdade, já aconteceu. Quando você realmente começa as atividades do dia, como nos experimentos relatados há pouco, seu corpo se comporta natural e automaticamente em consonância com suas intenções conscientes ou inconscientes. Se você faz a mesma coisa há muitos anos, aqueles circuitos – bem como o restante de sua biologia – são ativados de forma mais pronta e fácil. Isso acontece porque você não só prepara sua biologia todos os dias com a mente, mas também recria os mesmos comportamentos físicos a fim de reforçar ainda mais as experiências no cérebro e no corpo. E fica mais fácil viver automaticamente todos os dias, porque você continua reforçando mental e fisicamente os mesmos hábitos repetidas vezes – criando o hábito de se comportar por hábito.

Fazendo mudanças genéticas

Antes pensávamos que os genes criavam doenças e que estávamos à mercê do DNA. Assim, se muita gente de uma família havia morrido de doença cardíaca, presumíamos que a chance de um indivíduo dessa família desenvolver doença cardíaca era muito alta. Sabemos agora pela ciência da epigenética que não é o gene que cria doença, mas o ambiente que programa nossos genes para criar a doença - e não só o ambiente externo (fumaça de cigarro ou pesticidas, por exemplo), mas também o ambiente interno, dentro do nosso corpo - e fora das nossas células.

O que quero dizer com ambiente dentro do corpo? Como falei anteriormente, emoções são *feedback* químico, produtos finais de experiências no ambiente externo. Quando reagimos a uma situação em nosso ambiente externo que produz uma emoção, a química interna resultante pode sinalizar para os nossos genes ligarem (produzindo uma expressão aumentada do gene, a regulação ascendente) ou desligarem (produzindo uma expressão diminuída do gene, a regulação descendente). O gene propriamente dito não muda - a expressão do gene muda, e essa expressão é o que mais importa, porque é o que afeta a saúde e nossa vida. Portanto, embora alguém possa ter uma predisposição genética para uma doença em particular, se seus genes continuarem expressando saúde em vez de expressar a doença, a pessoa não desenvolverá a condição e permanecerá saudável.

Pense no corpo como um instrumento afinado que produz proteínas. Cada uma de nossas células (exceto as células vermelhas do sangue) produz proteínas, responsáveis pela estrutura física e função fisiológica do corpo. Por exemplo, células musculares produzem proteínas específicas conhecidas como actina e miosina, e células da pele produzem as proteínas colágeno e elastina. Células do sistema imunológico produzem anticorpos, células da tireoide produzem tiroxina, e células da medula óssea produzem hemoglobina. Algumas células do olho produzem queratina, enquanto as células pancreáticas produzem enzimas como protease, lipase e amilase. Não há um órgão ou sistema no corpo que não produza ou dependa de proteínas. Elas são parte vital do sistema imunológico, da digestão, reparação celular e estrutura óssea e muscular - diga uma estrutura, e as proteínas estão lá. De forma muito real, portanto, a expressão das proteínas é a expressão de vida e é igual à saúde do corpo.

Para uma célula produzir uma proteína, um gene tem que ser expresso. Esse é o trabalho dos genes, facilitar a produção de proteínas. Quando o sinal do ambiente fora da célula alcança a membrana celular, a substância química é aceita por um receptor externo à célula e se dirige ao DNA dentro da célula. Ali um gene produz uma nova proteína igual ao sinal. Assim, se a informação que vem de fora da célula não muda, o gene continua produzindo a mesma proteína e o corpo permanece igual. Com o tempo, o gene começa a regulação descendente – ou vai cessar a expressão saudável de proteínas, ou vai se esgotar, como se fizesse uma cópia de uma cópia de uma cópia, fazendo o corpo expressar uma qualidade diferente de proteínas.

Diferentes classificações de estímulos regulam os genes para baixo ou para cima. Ativamos genes dependentes de experiência, por exemplo, fazendo coisas novas ou aprendendo novas informações. Esses genes são responsáveis pelas instruções recebidas por células-tronco para se diferenciarem, transformando-se em qualquer tipo de célula de que o corpo necessite em dado momento para substituir células danificadas. Ativamos genes dependentes do comportamento quando temos altos níveis de estresse ou excitação, ou em estados alternados de consciência, como quando sonhamos. Você pode pensar nesses genes como o sustentáculo da conexão mente-corpo, pois eles fornecem um elo entre pensamentos e corpo, permitindo-nos influenciar a saúde física por meio de vários comportamentos (meditação, prece ou rituais sociais, por exemplo). Quando alterados dessa maneira, às vezes em questão de minutos, os genes podem ser transmitidos para a próxima geração.

Assim, quando você modifica suas emoções, pode modificar a expressão de seus genes (ligando alguns e desligando outros) porque envia um novo sinal químico para o DNA, que pode então instruir os genes a produzir diferentes proteínas – regulando para mais ou para menos, a fim de criar todo tipo de novos blocos de construção que podem mudar a estrutura e o funcionamento de seu corpo. Por exemplo, se seu sistema imunológico foi submetido a viver nas emoções do estresse por muito tempo e ativou certos genes para inflamação e doença, você pode ligar novos genes para crescimento e reparação e desligar os genes responsáveis pela doença. Ao mesmo tempo, os genes alterados epigeneticamente começarão a seguir novas instruções, produzindo novas proteínas e programando o corpo para crescimento, reparação e cura. É assim que você pode recondicionar com sucesso seu corpo a uma nova mente.

Como leu antes neste capítulo, se você vive pelas mesmas emoções todos os dias, seu corpo acredita que está nas mesmas condições ambientais. Esses sentimentos o influenciam a fazer as mesmas escolhas, levando-o a demonstrar os mesmos hábitos que criam as mesmas experiências que produzem as mesmas emoções novamente. Graças aos hábitos automáticos, programados, suas células estão constantemente expostas ao mesmo ambiente químico (em seu ambiente externo, bem como fora das células, mas dentro de seu corpo). Essa química sinaliza aos mesmos genes da mesma maneira – e você fica preso, porque, quando você permanece igual, sua expressão genética permanece igual. Aí você está no caminho de um destino genético, porque nenhuma nova informação chega do ambiente.

E se as circunstâncias de sua vida mudam para melhor? Isso não deveria mudar o ambiente químico que cerca suas células? Sim, isso acontece, mas não o tempo todo. Se você passou anos condicionando seu corpo a um ciclo de pensamento e sentimento e depois sentindo e pensando, sem perceber também condicionou seu corpo a se tornar dependente dessas emoções. Aí, apenas mudar o ambiente externo arrumando um novo emprego, por exemplo, não necessariamente rompe o vício, assim como alguém dependente de drogas não conseguiria romper o vício só por ganhar na loteria ou se mudar para o Havaí. Por causa do ciclo pensamento-sentimento, mais cedo ou mais tarde – depois da novidade da experiência se esgotar – muita gente retorna ao estado emocional de base, e o corpo acredita que está na mesma antiga experiência que criou as mesmas antigas emoções.

Então, se você estivesse infeliz no antigo emprego e conseguisse outro, poderia ficar feliz por algumas semanas ou até meses. Contudo, se tivesse passado anos condicionando seu corpo para ser dependente da infelicidade, você acabaria voltando à antiga emoção, porque seu corpo sentiria falta da substância química. Seu ambiente externo pode ter mudado, mas seu corpo sempre vai acreditar mais na química interna do que nas condições externas, por isso permanece emocionalmente preso ao antigo estado de ser, viciado nas antigas emoções. Essa é apenas outra maneira de dizer que você vive no passado. Como a química interna não mudou, você não pode modificar a expressão de seus genes para produzir novas proteínas a fim de melhorar a estrutura ou o funcionamento de seu corpo, de forma que não há mudança em sua saúde ou em sua vida. Por isso eu digo que você tem que pensar mais do que sente para fazer mudanças reais, duradouras.

No inverno de 2016, em nossa oficina avançada em Tacoma, Washington, minha equipe e eu fizemos um estudo sobre o efeito das emoções elevadas na função imunológica, colhendo amostras de saliva de 117 sujeitos de teste no início da oficina e quatro dias depois, na conclusão da oficina. Medimos a imunoglobulina A (IgA), um marcador de proteína para a força do sistema imunológico.

IgA é uma substância química incrivelmente poderosa, uma das proteínas primárias, responsável pelo funcionamento imunológico saudável e pelo sistema de defesa interna. Luta constantemente contra ataques de bactérias, vírus, fungos e outros organismos que invadem ou já vivem no ambiente interno de nosso corpo. É tão poderosa que é melhor que qualquer vacina de gripe ou reforço do sistema imunológico que se possa tomar; quando ativada, é o sistema de defesa interna primário no corpo humano. Quando os níveis de estresse (e, portanto, os níveis de hormônios de estresse como cortisol) aumentam, isso reduz os níveis de IgA, comprometendo e reduzindo a expressão do gene do sistema imunológico que produz essa proteína.

Durante nossa oficina de quatro dias, pedimos aos participantes do estudo para entrar em estados emocionais elevados como amor, alegria, inspiração ou gratidão por nove a dez minutos três vezes por dia. Se pudermos elevar nossas emoções, especulamos, poderemos melhorar nosso sistema imunológico? Em outras palavras, nossos alunos poderiam estimular os genes para IgA apenas com a mudança do estado emocional?

Os resultados nos impressionaram. Os níveis de IgA subiram em média 49,5%. A medida normal de IgA varia de 37 a 87 miligramas por decilitro (mg/dL), mas algumas pessoas tinham mais de 100 mg/dL no fim da oficina.[10] Nossos sujeitos de teste mostraram alterações epigenéticas significativas e mensuráveis sem ter experiências importantes no ambiente externo. Ao alcançar estados de emoção elevada mesmo que só por alguns dias, o corpo dos sujeitos começou a acreditar que estava em um novo ambiente e assim foi capaz de sinalizar para novos genes e alterar sua expressão genética (nesse caso, a expressão da proteína do sistema imunológico). (Ver figura 2.4.)

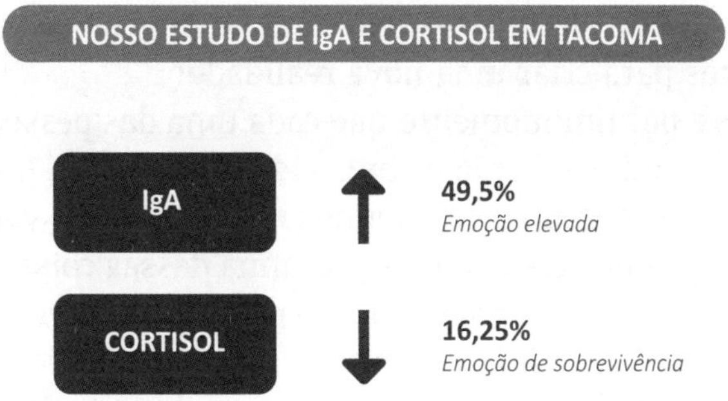

NOSSO ESTUDO DE IgA E CORTISOL EM TACOMA

IgA ↑ 49,5% *Emoção elevada*

CORTISOL ↓ 16,25% *Emoção de sobrevivência*

FIGURA 2.4

Quando praticamos a manutenção de emoções elevadas e a mudança de nossa energia, podemos literalmente ativar novos genes que produzem novas proteínas saudáveis para fortalecer nosso sistema interno de defesa. Quando reduzimos nossas emoções de sobrevivência e minimizamos a necessidade de nosso sistema externo de proteção, desativamos os genes para a produção dos hormônios de estresse. (IgA na figura acima significa imunoglobulina A salivar; cortisol representa os hormônios de estresse. Ambos são medidos na saliva.)

Isso significa que você pode não precisar de uma farmácia ou substância exógena para se curar – você tem dentro de si o poder de ativar os genes que produzem IgA em poucos dias. Algo simples como entrar em um estado elevado de alegria, amor, inspiração ou gratidão por cinco a dez minutos por dia pode produzir mudanças epigenéticas significativas em sua saúde e seu corpo.

Para onde a atenção vai, a energia flui

Como onde você coloca sua atenção é onde você coloca sua energia, quando acorda de manhã e imediatamente começa a colocar sua atenção e energia em todas as pessoas que tem que encontrar nesse dia, nos lugares aonde tem que ir, nos objetos que possui e nas coisas que tem que fazer em seu mundo tridimensional, sua energia é dividida. Toda a energia criativa flui para longe de você, como ilustra a figura 2.5, para todas as coisas no mundo exterior que competem por sua atenção – o celular, o *laptop*, a conta bancária, a casa, o emprego, os colegas de trabalho, o cônjuge, os filhos, os inimigos, os animais de estimação, suas condições médicas e assim por diante. Dê uma olhada na figura 2.5. É óbvio que a atenção e a energia da maioria das pessoas são direcionadas para o mundo externo material. Isso induz à pergunta: quanta energia resta no mundo interno de pensamentos e sentimentos para criar uma nova realidade?

Considere por um momento que cada uma das pessoas ou coisas a que você dá muita atenção é conhecida em sua vida porque você a experimentou. Como mencionei antes neste capítulo, você tem uma rede neurológica no cérebro para cada uma dessas coisas. Como elas estão mapeadas em seu cérebro, você as percebe e experimenta a partir do passado. Quanto mais experimenta, mais automáticos e enriquecidos se tornam os circuitos neurais para cada uma delas, porque a redundância das várias experiências continua reunindo e refinando mais e mais circuitos. É isso que a experiência faz: enriquece o cérebro. Assim, você tem uma rede neurológica para seu chefe, uma rede neurológica para dinheiro, uma rede neurológica para seu parceiro, uma rede neurológica para os filhos, uma rede neurológica para sua situação financeira, uma rede neurológica para a casa e redes neurológicas para suas posses do mundo físico porque experimentou todas essas coisas ou pessoas em diferentes tempos e lugares.

ONDE VOCÊ COLOCA SUA ATENÇÃO É ONDE VOCÊ COLOCA SUA ENERGIA

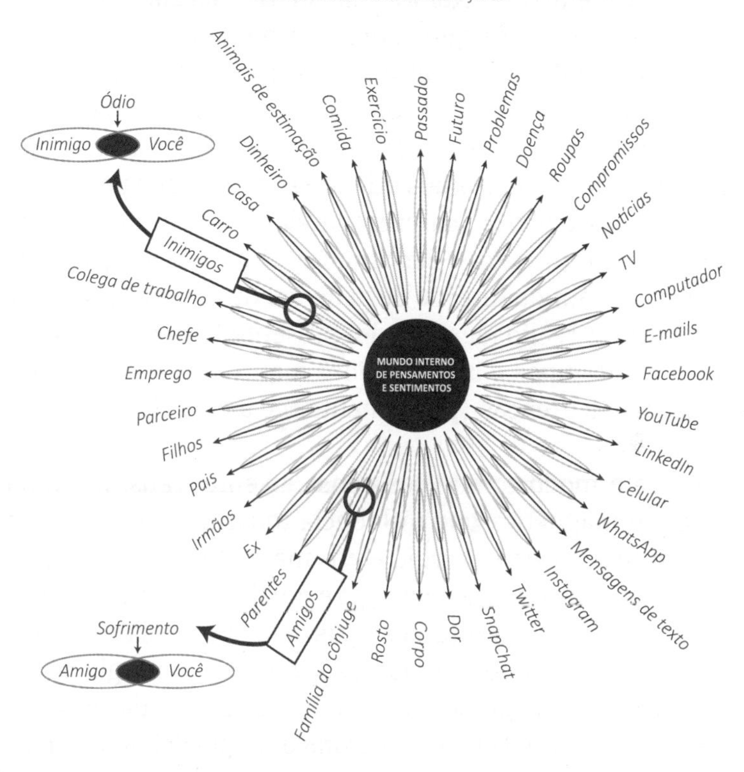

FIGURA 2.5

Cada pessoa, objeto, coisa, local ou situação de nossa realidade física familiar tem uma rede neurológica designada em nosso cérebro e um componente emocional conectado porque experimentamos todas essas coisas. É assim que nossa energia fica atrelada à nossa realidade passado-presente. Portanto, quando você coloca sua atenção em todos esses elementos, sua energia flui para longe de você, e sobra pouca energia em seu mundo interno de pensamentos e sentimentos para criar alguma coisa nova em sua vida.

Olhe os trechos ampliados da figura onde os dois ovais se cruzam, eles representam como usamos diferentes elementos do mundo externo para reafirmar a dependência emocional. Você pode usar seus amigos para reafirmar a dependência do sofrimento, pode usar os inimigos para reafirmar a dependência do ódio. Isso induz à pergunta: quanto de sua energia criativa você poderia estar usando para criar um novo destino?

Quando sua atenção, e sua energia, portanto, é dividida entre todos esses objetos, pessoas, problemas e questões do mundo externo, não sobra energia para você colocar em seu mundo interno de pensamentos e sentimentos. Portanto, não sobra energia para você usar para criar algo novo. Por quê? Porque o modo como você pensa e sente cria sua realidade pessoal literalmente. Portanto, se você está pensando e sentindo de acordo com tudo que conhece (o conhecido), continua reafirmando a mesma vida. De fato, poderíamos dizer que sua personalidade não está mais criando sua realidade pessoal; agora sua realidade pessoal cria sua personalidade. Seu ambiente externo controla seus pensamentos e sentimentos. Há uma equiparação biológica entre seu mundo interno de pensamentos e sentimentos e seu mundo externo, a realidade passado-presente feita de pessoas e objetos em certos tempos e lugares. Você mantém sua vida na mesma porque mantém a atenção (pensamentos) e a energia (sentimentos) na mesma.

Enfim, se o modo como você pensa e sente transmite uma assinatura eletromagnética que influencia todas as áreas de sua vida, você transmite a mesma energia eletromagnética, e sua vida nunca muda. Podemos dizer que sua energia é igual a tudo em sua realidade passado-presente – e você recria o passado. Mas essa não é a única limitação. Quando você coloca toda a sua atenção e energia no mundo externo e continua reagindo às mesmas condições da mesma maneira – em um estado de estresse crônico, o que deixa o cérebro em estado de excitação constante –, seu mundo interno se desequilibra, e o cérebro começa a trabalhar de maneira ineficiente. E então você se torna menos efetivo em criar qualquer coisa. Em outras palavras, você se torna vítima de sua vida em vez de criador de sua vida.

Vivendo nos hormônios do estresse

Agora vamos olhar mais de perto como acabamos viciados em nossas emoções negativas – ou mais precisamente no que chamamos de hormônios do estresse. No momento em que reagimos a qualquer condição em nosso mundo externo que tende a ser ameaçadora, seja a ameaça real ou imaginária, o corpo libera hormônios do estresse para mobilizar enormes quantidades de energia em resposta à ameaça.

Quando isso ocorre, o corpo sai do equilíbrio - estresse é exatamente isso. Trata-se de uma resposta natural e saudável, porque na antiguidade o coquetel químico de adrenalina, cortisol e hormônios semelhantes eram liberados quando enfrentávamos algum perigo no mundo externo. Talvez um predador nos perseguisse, por exemplo, e tínhamos que tomar a decisão de lutar, fugir ou nos escondermos.

Quando estamos em modo de sobrevivência, nos tornamos automaticamente materialistas, definimos a realidade com nossos sentidos, pelo que podemos ver, ouvir, cheirar, tocar e saborear. Também estreitamos o foco e colocamos toda a nossa atenção na matéria - em nosso corpo existindo em um espaço e tempo específicos. Os hormônios do estresse nos fazem colocar toda a atenção no mundo externo porque é lá que está o perigo. Nos primórdios humanos, essa resposta era uma boa coisa, é claro. Era adaptativa. Mantinha-nos vivos: focávamos a atenção na causa; passado o perigo, os níveis dos hormônios do estresse voltavam ao equilíbrio.

Nos tempos modernos não é mais assim. Depois de um único telefonema ou e-mail do chefe ou de um membro da família que provoca uma forte reação emocional de raiva, frustração, medo, ansiedade, tristeza, culpa, sofrimento ou vergonha, ligamos o sistema nervoso primitivo de luta ou fuga, o que nos faz reagir como se fôssemos perseguidos por um predador. A mesma química permanece ligada automaticamente porque a ameaça externa parece nunca ir embora. A verdade é que muitos passam a maior parte do tempo nesse estado de excitação aumentada. Ele se torna crônico. Não é como se o predador estivesse lá fora e aparecesse de vez em quando para mostrar os dentes, mas como se morasse na mesma caverna que nós - um colega de trabalho tóxico cuja mesa fica ao lado da nossa, por exemplo.

A resposta de estresse crônico não é adaptativa, é desadaptativa. Quando vivemos em modo de sobrevivência e os hormônios de estresse como adrenalina e cortisol continuam circulando pelo corpo, ficamos em alerta, em vez de voltar ao equilíbrio. Como na experiência de Anna no Capítulo 1, quando o desequilíbrio persiste, há chances de acabarmos doentes, porque o estresse em longo prazo reduz a expressão saudável dos genes. O corpo se torna tão condicionado à descarga de substâncias químicas que fica viciado. Clama por elas, na verdade.

Nesse modo, o cérebro fica altamente alerta e excitado enquanto tentamos prever, controlar e forçar desfechos no esforço para aumentar nossas chances de sobrevivência. Quanto mais fazemos isso, mais forte se torna o vício e mais acreditamos que somos o corpo conectado à nossa identidade e ambiente, vivendo em tempo linear. Isso porque toda a nossa atenção está ali.

Quando seu cérebro está excitado e você vive em modo de sobrevivência, deslocando a atenção para o trabalho, as notícias, o ex, os amigos, e-mails, Facebook e Twitter, você ativa cada uma dessas redes neurológicas muito rapidamente. (Reveja a figura 2.5.) Se você persiste nisso, com o tempo o ato de estreitar o foco e deslocar a atenção compartimentaliza o cérebro e ele deixa de funcionar de maneira equilibrada. Quando isso acontece, você treina o cérebro para funcionar em um padrão desordenado, incoerente, que o faz trabalhar de forma muito ineficiente. Como uma tempestade de raios nas nuvens, diferentes redes neurais entram em ação fora de ordem, e seu cérebro funciona fora de sincronia. O efeito é semelhante a um grupo de bateristas batendo em seus tambores ao mesmo tempo, mas não juntos ou em algum ritmo. Vamos falar muito mais sobre os conceitos de coerência e incoerência em outro capítulo; por ora é suficiente saber que, quando seu cérebro fica incoerente, você fica incoerente. Quando seu cérebro não funciona de forma ótima, você não funciona de forma ótima.

Para cada pessoa, coisa ou lugar do mundo externo que você experimentou em sua vida e é algo conhecido, você tem uma emoção conectada, porque emoções (energia em movimento) são os resíduos químicos da experiência. Se na maior parte do tempo você vive com os hormônios viciantes do estresse, pode usar seu chefe para reafirmar sua dependência de julgamento. Pode usar seus colegas de trabalho para reafirmar o vício em sofrimento. Pode usar os inimigos para reafirmar a dependência do ódio, seus parentes para reafirmar o vício na culpa, o feed do Facebook para reafirmar a dependência da insegurança, as notícias para reafirmar o vício na raiva, o ex para reafirmar o vício do ressentimento e o relacionamento com o dinheiro para reafirmar o vício da carência.

Isso significa que suas emoções (sua energia) estão misturadas, coladas até, a cada pessoa, lugar ou coisa que você experimenta em sua realidade conhecida, familiar. Isso significa que não há energia disponível para você criar um novo emprego, um novo relacionamento, uma nova situação financeira, uma nova vida ou até um corpo curado.

Vou explicar de outra forma. Se o modo como você pensa e sente determina a frequência e a informação que você emite em seu campo de energia, o qual tem um efeito importante em sua vida, e se toda a sua atenção (e também toda a sua energia) está presa no mundo externo de pessoas, objetos, coisas, lugares e tempo, não resta energia em seu mundo interno de pensamentos e sentimentos. Portanto, quanto mais forte a emoção em que você é viciado, mais você vai colocar sua atenção na pessoa, objeto, lugar ou circunstância em seu mundo externo, cedendo a maior parte de sua energia criativa e sentindo e pensando igual a tudo que conhece. Fica difícil pensar ou sentir de algum jeito novo quando você está viciado no mundo externo. E é possível que você se torne dependente de todas as pessoas e coisas que causam todos os seus problemas. É assim que você abre mão do seu poder e administra mal sua energia. Se você voltar à figura 2.5, vai encontrar alguns exemplos de como criamos laços energéticos com todos os elementos em nosso mundo externo.

Dê uma olhada na figura 2.6. Do lado esquerdo do diagrama, você vê dois átomos ligados por um campo invisível de energia. Eles estão

COMPARTILHAMENTO DE ENERGIA E INFORMAÇÃO

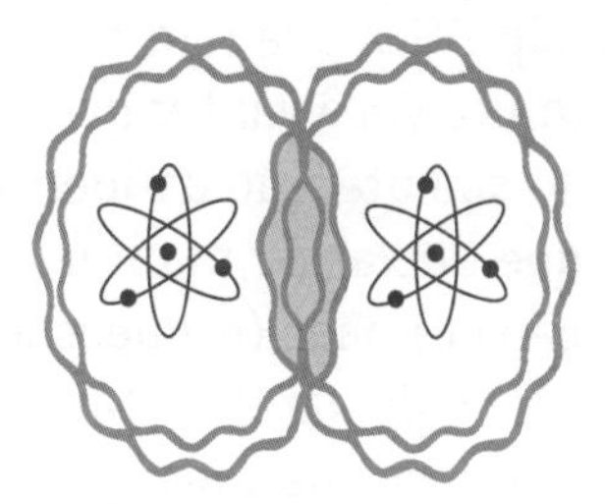

Dois átomos ligados para formar uma molécula

Duas pessoas com as mesmas emoções e a mesma energia, compartilhando os mesmos pensamentos e informação, ligadas uma à outra

FIGURA 2.6

Como dois átomos que se ligam para formar uma molécula que compartilha energia e informação, duas pessoas que compartilham as mesmas emoções e energia e comunicam os mesmos pensamentos e informação também ficam ligadas. Nos dois casos, um campo invisível de energia mantém a conexão. Se é preciso energia para separar os dois átomos, será necessário energia e consciência para desviar nossa atenção das pessoas e condições às quais cedemos tanta energia criativa.

dividindo informação. É a energia que os mantém ligados. Do lado direito do diagrama, você vê duas pessoas dividindo uma experiência de ressentimento, também ligadas por um campo invisível de energia que as mantém conectadas. Na verdade, elas dividem a mesma energia e também a mesma informação.

Separar os dois átomos requer energia. Se sua atenção e energia estão ligadas às mesmas pessoas, lugares e coisas no mundo externo, físico, você pode entender que também será preciso energia e esforço para romper tais ligações quando você estiver em meditação. Isso induz à pergunta: quanto de sua energia criativa está presa a culpa, ódio, ressentimento, carência ou medo? A verdade é que você poderia estar usando toda essa energia para criar um novo destino.

Para fazer isso, você vai ter que ir além de todas as coisas no seu mundo externo, retirando a atenção delas. Por isso usamos meditação como modelo para mudar o estado interno. Isso nos permite romper com as associações com todo corpo, toda pessoa, toda coisa, todo lugar e todo tempo por um período suficiente para viajar para dentro. Quando você supera seu corpo emocional e desvia a atenção de tudo que é conhecido no mundo externo, traz sua energia de volta, rompendo as ligações com a realidade passado-presente (que tem permanecido a mesma). Você vai ter que fazer a transição de ser alguém para ser ninguém, o que significa que tem que desviar a atenção de seu corpo, sua dor e sua fome. Você vai ter que deixar de ser alguém para ser ninguém (tirando sua atenção da identidade de parceiro, pai e empregado). Vai ter que deixar de manter a atenção em alguma coisa para colocar a atenção em nada (esquecendo-se do celular, dos e-mails e da xícara de café) e deixar de estar em algum lugar para estar em lugar algum (indo além de quaisquer pensamentos sobre a cadeira em que está meditando ou onde sentará mais tarde) e deixar de estar no tempo linear para não estar em tempo nenhum (sem memórias ou pensamentos sobre o futuro que causem distração).

Não estou dizendo que seu celular, seu laptop, seu carro ou sua conta bancária são ruins; contudo, quando você está ligado demais a essas coisas e elas capturam sua atenção de tal forma que você não consegue ir além de pensar nelas (por causa das fortes emoções que associa a elas), esses bens possuem você. E aí você não pode criar algo novo. O único meio de fazer isso é aprender a retomar a energia fragmentada para poder superar as emoções de sobrevivência das quais você se tornou dependente e que mantêm toda a sua energia ligada à realidade passado-presente. Quando você tira sua atenção de todos aqueles elementos externos, começa a enfraquecer os elos energéticos e emocionais com aquelas coisas e enfim começa a libertar energia suficiente para criar um novo futuro. Isso vai exigir que você tome consciência de onde tem colocado sua atenção e, como para separar os dois átomos, também vai exigir alguma energia para romper conscientemente essas ligações.

As pessoas se aproximam de mim nas oficinas e contam que o disco rígido do computador pifou, ou alguém roubou o carro delas ou perderam o emprego e não têm mais dinheiro. Quando me dizem que perderam pessoas ou coisas, sabe o que eu sempre respondo? "Ótimo! Veja quanta energia disponível você tem agora para criar um novo destino!" A propósito, se você fizer bem esse trabalho e conseguir retomar sua energia, é provável que no início seja desconfortável, até um pouco caótico. Prepare-se, porque certas áreas de sua vida podem desmoronar. Mas não se preocupe. Isso acontece porque você está rompendo os elos energéticos com a realidade passada. Qualquer coisa que não esteja mais em afinidade vibracional com você e seu futuro vai desmoronar. Deixe. Não tente reconstruir sua vida, porque você estará ocupado demais com o novo destino que está chamando para si.

Aqui vai um belo exemplo. Um amigo meu que era vice-reitor de uma universidade apareceu para uma reunião de diretoria cerca de três semanas depois de ter começado seu trabalho de meditação. Ele era a espinha dorsal da universidade. Os alunos e funcionários o adoravam. Ele entrou na reunião, sentou-se – e foi demitido. Então me ligou e disse: "Ei, não sei se esse processo de meditação está dando certo. A diretoria acabou de me demitir. Não é para acontecer coisas maravilhosas enquanto eu faço esse trabalho?".

"Escute", eu respondi. "Não se apegue a essas emoções de sobrevivência, porque assim você ficará no passado. Em vez disso, continue buscando o momento presente e criando a partir desse lugar." Em duas semanas ele se apaixonou por uma mulher com quem depois se casou. Em seguida recebeu uma oferta de trabalho ainda melhor como vice-reitor de uma universidade muito maior e a aceitou com gratidão.

Um ano mais tarde, ele ligou de novo para contar que a faculdade que o havia demitido agora o convidava para voltar como reitor. Então, você nunca sabe o que o universo lhe reserva quando aquela velha realidade desaba e a nova começa a se desenvolver. A única coisa que posso garantir é que o desconhecido nunca me desapontou.

Retome sua energia

Para se desconectar do mundo externo, você tem que aprender a modificar suas ondas cerebrais. Então, vamos falar por um momento sobre frequências de ondas cerebrais. Na maior parte do tempo que você passa acordado e consciente, está no nível beta de frequência de onda. Beta é medida em frequências baixa, média e alta. Beta baixa é um estado relaxado, quando você não percebe nenhuma ameaça do mundo externo, mas ainda tem consciência de seu corpo no espaço e tempo. Esse é o estado em que você está quando lê, presta atenção à filha durante uma conversa amigável ou ouve uma palestra. Beta média é um estado um pouco mais excitado, como quando você está se apresentando a um grupo de pessoas e tem que lembrar o nome de todos. Você está mais vigilante, mas não totalmente estressado ou completamente fora do equilíbrio. Considere beta de médio alcance como um estresse bom. Beta alta é o estado em que você se encontra quando dominado pelos hormônios do estresse. São as ondas cerebrais que você exibe quando tem algumas das emoções de sobrevivência, inclusive raiva, alarme, agitação, sofrimento, pesar, ansiedade, frustração ou até depressão. Beta alta pode ser três vezes mais alta que beta baixa e duas vezes mais alta que beta média.

Embora possa passar a maior parte do tempo de vigília em ondas cerebrais de frequência beta, você também mergulha em ondas cerebrais de frequência alfa ao longo do dia. Você exibe ondas cerebrais de frequência alfa quando está relaxado, calmo, criativo e até intuitivo, quando não está mais pensando ou analisando, mas sonhando acordado ou imaginando, como em um estado de transe. Ondas beta indicam quando você está colocando a maior parte da atenção no mundo externo; ondas alfa indicam quando coloca a maior parte de sua atenção no mundo interno.

Ondas theta predominam no estágio crepuscular, quando a mente ainda está acordada, mas o corpo está pegando no sono. Essa frequência também é associada a estados profundos de meditação. Ondas delta normalmente ocorrem durante o sono profundo, restaurador. Porém, nos últimos quatro anos, minha equipe de pesquisa e eu registramos vários alunos entrar em ondas delta muito profundas durante a meditação. O corpo está profundamente adormecido, eles não estão sonhando, mas a leitura cerebral mostra o cérebro processando amplitudes muito altas de energia. O resultado é que eles relatam experiências místicas profundas de unicidade, em que se sentem conectados a tudo e todos no universo. Veja a figura 2.7 para comparar os diferentes estados de ondas cerebrais.

Ondas gama indicam o que chamo de estado superconsciente. Essa energia de alta frequência acontece quando o cérebro é excitado por um evento interno (um dos exemplos mais comuns é a meditação, quando seus olhos estão fechados e você mergulha em si), em vez de um acontecimento fora do corpo. Vamos falar sobre ondas gama nos próximos capítulos.

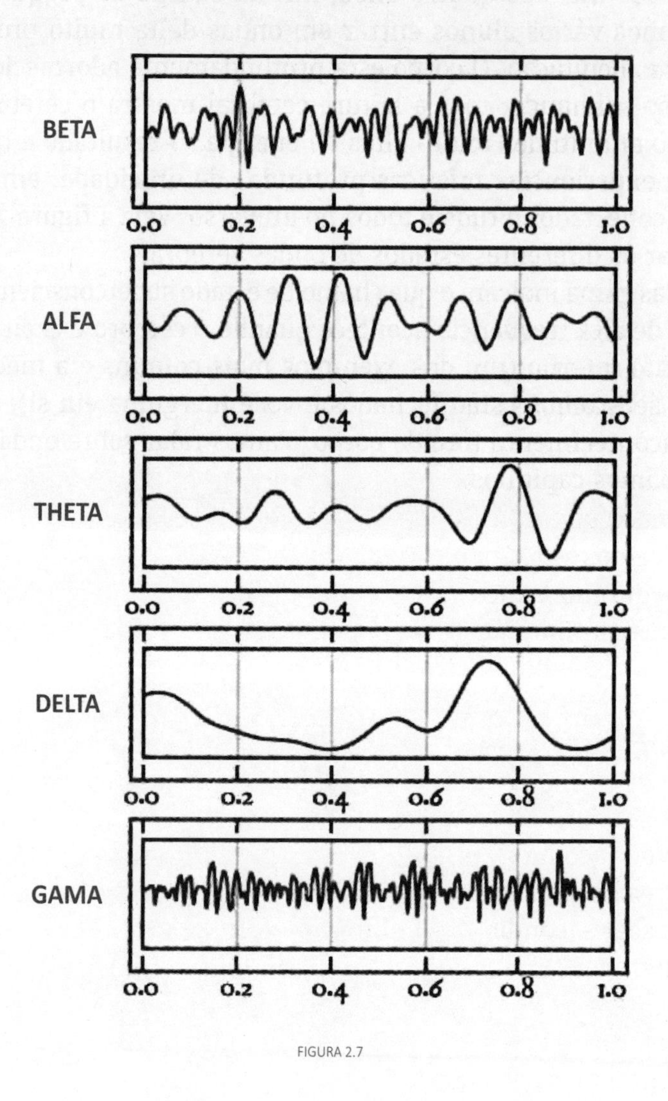

FIGURA 2.7

Uma comparação entre as diferentes ondas cerebrais.

Uma das maiores dificuldades quando se medita é sair de beta de alta frequência (e até média) e entrar em frequência alfa, depois theta. Todavia, é absolutamente fundamental porque, quando desaceleramos as ondas cerebrais para essas frequências, não estamos mais prestando atenção ao mundo externo e às distrações em que estamos tão acostumados a pensar quando em estresse. E, como não estamos analisando nem criando estratégias tentando nos preparar para o cenário das piores possibilidades futuras com base em lembranças temerosas do passado, temos a oportunidade de ficar presentes, de existir apenas no agora.

Não seria maravilhoso desconectar da associação com todos os elementos do ambiente externo durante a meditação e ir além do corpo, dos medos e da agenda, esquecer o passado conhecido e o futuro previsível? Se fizer isso direito, você vai até perder a noção do tempo. Quando supera o pensamento automático, as emoções e os hábitos durante a meditação, é exatamente isso que acontece: você vai além do corpo, do ambiente e do tempo. Você enfraquece os elos energéticos com a realidade passado-presente e fica no momento presente. Só no momento presente é possível trazer sua energia de volta.

Isso exige algum esforço (embora fique mais fácil com a prática), porque você vive sob os hormônios do estresse na maior parte do tempo. Vamos ver o que acontece quando não se está no momento presente durante a meditação para que você saiba o que fazer quando isso acontecer. Entender essa habilidade é importante porque, se não conseguir ir além do estresse, dos problemas e da dor, você não vai poder criar um novo futuro onde essas coisas não existam.

Digamos que você esteja sentado em meditação e comece a ter pensamentos aleatórios. Você tem o hábito de pensar assim porque há anos pensa do mesmo modo e coloca a atenção nas mesmas pessoas e coisas. Você acolhe os mesmos sentimentos familiares todos os dias só para reafirmar a mesma personalidade conectada à mesma realidade pessoal – condicionando repetidamente o corpo ao passado. A única diferença agora é que, como está tentando meditar, seus olhos estão fechados.

Enquanto está ali sentado de olhos fechados, você não vê seu chefe fisicamente. Mas seu corpo quer sentir a raiva, porque toda vez que o vê – cinquenta vezes por dia, cinco dias por semana – você tem o hábito de sentir amargura ou agressividade. De maneira semelhante, quando recebe e-mails do chefe (o que acontece dez vezes por dia, pelo menos), inconscientemente você tem a mesma reação, por isso seu corpo se acostumou a precisar do chefe para reafirmar a dependência da raiva. O corpo quer sentir as emoções nas quais se viciou e, como um dependente que precisa da droga, o corpo precisa das substâncias químicas conhecidas. Ele quer sentir aquela raiva familiar do chefe porque você não foi promovido ou quer sentir o julgamento do colega de trabalho que sempre quer que você faça o trabalho dele. Depois você começa a pensar em outros colegas que o irritam e em outros motivos para estar aborrecido com o chefe. Você está sentado tentando meditar, mas seu corpo está atrapalhando de tudo que é jeito. Isso acontece porque o corpo quer a dose química de emoções familiares que normalmente sente ao longo dia, enquanto você está acordado e de olhos abertos.

No instante em que percebe o que está acontecendo – que está colocando toda a atenção na emoção –, você toma consciência de que está investindo sua energia no passado (porque emoções são registros do passado), então para e volta ao momento presente e começa a remover atenção e energia do passado. Pouco depois, você começa a se sentir frustrado, raivoso e ressentido de novo e percebe o que está fazendo. Você lembra que seu corpo está tentando sentir essas emoções a fim de reafirmar o vício nas substâncias químicas e lembra que essas emoções conduzem seu cérebro para ondas cerebrais beta de alta frequência – e aí você para. Cada vez que para, aquieta o corpo e volta ao momento presente, você diz ao corpo que ele não é mais a mente – você é a mente.

Mas então começam a surgir em sua mente pensamentos sobre as pessoas que tem que ver, lugares aonde tem que ir e coisas que tem que fazer mais tarde. Você se pergunta se o chefe já respondeu àquele e-mail e lembra que ainda não retornou o telefonema da sua irmã. Hoje é dia do caminhão de lixo, e você lembra que tem que pôr o lixo para fora. De repente você fica consciente de que, ao antecipar esses cenários futuros, está colocando atenção e energia na mesma realidade conhecida. Então você para, retorna a atenção ao momento presente e mais uma vez remove a energia do futuro previsível, conhecido, e abre espaço para o desconhecido em sua vida.

Dê uma olhada na figura 2.8. Ela mostra que, quando você se encontra exatamente no generoso momento presente, sua energia (representada pelas setas) não se afasta em direção ao passado e futuro como fazia na figura 2.3. Você desvia a atenção do passado familiar e do futuro previsível. Não mais dispara e conecta os mesmos circuitos da mesma maneira e não mais regula e sinaliza os mesmos genes do mesmo modo ao sentir as mesmas emoções. Se persistir nesse processo, continuará trazendo sua energia de volta pelo rompimento dos elos energéticos que o mantêm conectado à realidade passado-presente. Isso acontece porque você remove sua atenção e energia do mundo externo e coloca no mundo interno, construindo o campo eletromagnético em torno do seu corpo. Agora você tem energia disponível para criar alguma coisa nova.

PEGUE DE VOLTA SUA ENERGIA E SEU PODER

Campo eletromagnético

AGORA

PASSADO

MOMENTO PRESENTE

FUTURO

FIGURA 2.8

Quando retira a atenção da realidade passado-presente ou da realidade do futuro previsível, você pega sua energia de volta e constrói seu campo eletromagnético. Você tem energia disponível para se curar ou criar uma nova experiência em sua vida.

Sua atenção vai acabar vagueando de novo, o que não é surpreendente. Enquanto você permanece sentado em meditação, seu corpo vai ficando aborrecido e impaciente porque quer fazer alguma coisa. Afinal, você o programou para se levantar e seguir a mesma rotina todos os dias. Ele quer desistir da meditação, abrir os olhos e ver alguém. Quer ouvir alguma coisa na TV ou falar com alguém pelo telefone. Prefere saborear o café da manhã a ficar sentado ali fazendo nada. O corpo gostaria de sentir o aroma do café, como em todas as manhãs. E adoraria sentir alguma coisa como um banho quente antes de começar o dia.

O corpo quer experimentar a realidade física com os sentidos para acolher uma emoção, mas o seu objetivo é criar uma realidade a partir de um mundo além dos sentidos, que não é definido por seu corpo como a mente, mas por você como a mente. À medida que se conscientiza do programa, você aquieta o corpo no momento presente. O corpo tenta retornar ao passado familiar porque quer se dedicar a um futuro previsível, mas você continua a aquietá-lo. Cada vez que supera hábitos automáticos, você se torna maior que seu programa. Cada vez que insiste em aquietar o corpo no momento presente, como quem treina um cachorro para sentar, você recondiciona seu corpo a uma nova mente. Cada vez que toma consciência de seu programa e de seu esforço pelo momento presente, afirma que sua vontade é maior que seu programa. Se você continua devolvendo sua atenção (e, portanto, sua energia) ao momento presente e percebendo quando está presente e quando não está, mais cedo ou mais tarde seu corpo se rende. É o processo de retornar ao momento presente cada vez que toma consciência de que o perdeu que começa a romper os elos energéticos com a realidade conhecida. Ao retornar ao momento presente, o que você faz na verdade é superar sua identidade no mundo físico e se desdobrar no campo quântico (um conceito que vou explicar em detalhes no próximo capítulo).

A parte mais difícil de toda guerra é a última batalha. Isso significa que, quando seu corpo como mente fica enraivecido, fazendo você pensar que não consegue ir adiante, querendo que você pare e volte ao mundo dos sentidos, você persevera. Você realmente entra no desconhecido – e mais cedo ou mais tarde começa a romper o vício emocional dentro de si. Quando vai além da culpa, do sofrimento, do medo, da frustração, do ressentimento ou da indignidade, você liberta o corpo das correntes daqueles hábitos e emoções que o mantinham ancorado ao passado, e o resultado é que libera energia que volta para você. Quando o corpo libera toda a energia emocional armazenada, ele deixa de ser mais a mente. Você descobre que do outro lado do medo está a coragem, do outro lado da carência está a totalidade e do outro lado da dúvida está o conhecimento. Quando entra no desconhecido e abre mão de raiva ou ódio, você descobre amor e compaixão. É a mesma energia, ela apenas estava armazenada no corpo e agora está disponível para você usar na criação de um novo destino.

Quando aprende a se superar – ou a superar a lembrança de si e de sua vida –, você rompe os elos com todas as coisas, pessoas, lugares e tempo que o mantêm conectado à realidade passado-presente. Quando enfim supera a raiva ou a frustração e libera a energia que estava presa no passado, você traz essa energia de volta para si. Quando libera toda essa energia criativa que estava presa às emoções de sobrevivência – dentro de você e à sua volta –, você constrói seu campo de energia em torno de seu corpo.

Em nossas oficinas avançadas, medimos o efeito de trazer a energia de volta. Temos especialistas que utilizam um equipamento muito sensível, chamado máquina de visualização de descarga de gás (GDV) com um sensor (chamado de antena Sputnik) especialmente desenvolvido pelo doutor Konstantin Korotkov. O equipamento mede o campo eletromagnético do ambiente nas oficinas para ver como a energia muda com o progresso do trabalho. No fim do primeiro dia de algumas das nossas oficinas avançadas, às vezes vemos a energia na sala diminuir. Isso acontece porque, quando começamos a meditar e os alunos rompem os elos energéticos com tudo e todos em sua realidade conhecida, eles resgatam a própria energia. Eles retiram energia do campo maior; assim, o campo na sala pode diminuir enquanto os participantes começam a construir o campo individual de energia em torno do corpo e a dispor de energia para usar na criação de um novo destino. É claro que, quando todos no grupo constroem o campo de luz próprio e essa energia se expande a cada dia, eles começam a contribuir para a energia da sala. O resultado é que verificamos o aumento na energia da sala. Para ver como é isso, confira os gráficos 1A e 1B no encarte colorido.

Uma forma de aumentar as chances de uma meditação bem-sucedida é dar a si mesmo tempo suficiente, a fim de não se distrair tentando apressar a experiência. Por exemplo, eu reservo duas horas para meditar. Não preciso usar as duas horas todas as vezes, mas me conheço muito bem para saber que, se tiver apenas uma hora, vou me convencer de que não é tempo suficiente. Se tenho duas horas, consigo relaxar, porque sei que tenho tempo bastante para encontrar o momento presente. Alguns dias encontro o lugar exato do momento presente bem depressa, em outros tenho que trabalhar por uma hora para trazer cérebro e corpo de volta ao presente.

Sou uma pessoa muito ocupada. Às vezes fico em casa por apenas três dias entre oficinas ou eventos e acordo de manhã já pensando nas três reuniões marcadas com diferentes membros da equipe, ensaiando mentalmente o que preciso falar. Depois penso nos e-mails que tenho que redigir antes de ir para essas reuniões. Depois penso no voo que vou pegar à tarde. Depois anoto mentalmente os telefonemas que vou ter que dar a caminho do aeroporto. Você entendeu como é.

Quando isso acontece e fico pensando nas mesmas pessoas que preciso ver, nos mesmos lugares aonde tenho que ir, nas mesmas coisas que tenho que fazer, tudo ao mesmo tempo em minha realidade conhecida, percebo que estou preparando o cérebro e o corpo para parecer que esse futuro já aconteceu. Tomo consciência de que minha atenção está no futuro conhecido, paro de antecipar o conhecido e volto ao momento presente. Quando faço isso, começo a desativar e desconectar aquelas conexões neurais. A seguir posso ficar um pouco emotivo, um pouco impaciente e frustrado pensando em alguma coisa que aconteceu no dia anterior. Como emoções são um registro do passado e eu coloco minha energia onde coloco minha atenção, tomo consciência de que estou investindo energia no passado. Com isso, os hormônios do estresse podem excitar meu cérebro, e meu corpo ficar um pouco agitado por ondas beta de alta frequência, e tenho que trazê-lo de volta ao momento presente mais uma vez. Quando faço isso, não mais disparo e conecto os mesmos circuitos no cérebro e removo minha energia do passado.

Se tenho consciência dos mesmos pensamentos conectados aos mesmos sentimentos familiares, quando paro de sentir da mesma maneira, não mais condiciono meu corpo ao passado nem sinalizo os mesmos genes da mesma forma. Se emoções são produtos finais de experiências no ambiente e o ambiente sinaliza o gene, quando paro de sentir as mesmas emoções, não mais seleciono e instruo os mesmos genes da mesma maneira. Isso não só afeta a saúde do meu corpo, como também deixa de prepará-lo para o mesmo futuro com base no passado. Assim, quando inibo sentimentos familiares, modifico o programa genético do meu corpo. Como os hormônios do estresse de longa duração reduzem a expressão de genes saudáveis e criam doença, cada vez que consigo parar o processo ao dar por mim sentindo emoções relacionadas ao estresse, não mais condiciono meu corpo a permanecer viciado nessas emoções.

FIGURA 2.9

Quando você está no exato lugar do generoso momento presente, o passado conhecido e o futuro previsível não existem mais, e você está pronto para criar novas possibilidades em sua vida.

Se faço isso direito – supero meus pensamentos e emoções familiares do passado e futuro conhecidos –, o futuro previsível (bem como o passado familiar que usei para afirmá-lo) não mais existe energética, neurológica, biológica, química, hormonal e geneticamente. Se deixo de disparar e conectar as mesmas velhas redes neurais (deixando de pensar nas memórias de pessoas ou coisas em certos tempos e lugares) e continuo voltando ao momento presente, trago a energia de volta para mim. Dê uma olhada na figura 2.9 e veja como o passado familiar e o futuro previsível não existem mais.

Agora estou no exato lugar do generoso momento presente e tenho energia disponível para criar. Construí meu campo de energia em torno do meu corpo. Cada vez que me esforço – às vezes durante horas – para me superar e encontrar esse lugar chamado o eterno agora, sempre penso a mesma coisa: vale muito a pena.

Capítulo 3

Sintonize em novos potenciais no quantum

Ir além do corpo, do ambiente e do tempo não é fácil – mas vale a pena, porque, quando nos desconectamos da realidade tridimensional, entramos em uma outra realidade chamada quantum, o domínio das infinitas possibilidades. Descrever essa realidade é um pouco difícil, porque ela é diferente de qualquer coisa que conhecemos no universo físico. As regras da física newtoniana, o modo como estamos acostumados a pensar que o mundo funciona, simplesmente não se aplicam.

O campo quântico (ou unificado) é um campo invisível de energia e informação – ou podemos dizer que é um campo de inteligência ou consciência – além do espaço e tempo. Lá não existe nada físico ou material. Está além de qualquer coisa que você pode perceber com os sentidos. Esse campo unificado de energia e informação é o que governa todas as leis da natureza. Cientistas têm trabalhado para quantificar esse processo a fim de que possamos entendê-lo mais plenamente e estão descobrindo mais e mais coisas.

Com base em meu conhecimento e experiência, acredito que existe uma inteligência auto-organizadora que é energia e observa todos os universos e galáxias e os ordena. Às vezes as pessoas dizem que essa ideia não parece muito científica. Sempre respondo com a mesma pergunta: o que acontece depois de uma explosão, ordem ou desordem? A resposta é sempre desordem. E eu pergunto: então por que depois do Big Bang, a maior de todas as explosões, tanta ordem foi criada? Alguma inteligência deve estar organizando sua energia e matéria em forma e unificando todas as forças da natureza para criar essa obra-prima. Essa inteligência, essa energia, é o campo quântico ou unificado.

Para ter uma ideia de como é esse campo, imagine remover todas as pessoas e corpos da Terra, todos os animais, plantas e objetos físicos – tanto os naturais, quanto os produzidos pelo homem –, todos os continentes, oceanos e até o solo. Imagine então remover todos os planetas, luas e estrelas do nosso sistema solar, inclusive o Sol. Depois imagine remover todos os outros sistemas solares da nossa galáxia, depois todas as galáxias do universo. Não haveria ar, não haveria sequer luz que você pudesse enxergar com os olhos. Só existiria a absoluta escuridão, o vácuo, o campo de ponto zero. É importante lembrar disso porque, quando você como uma consciência no momento presente se desdobrar no campo unificado, será um infinito espaço negro – vazio de qualquer coisa física.

Agora imagine que você não enxerga nada ali e, como entrou nesse domínio sem um corpo físico, também não tem o sentido da visão para ver – nem tem capacidade de ouvir, sentir, cheirar ou saborear. Ali você não tem sentidos. A única forma de existir no quantum é como consciência. Ou, melhor dizendo, a única maneira de experimentar esse domínio é com a consciência, não com os sentidos. Como consciência é percepção e percepção é prestar atenção e notar, quando você vai além do mundo dos sentidos, quando presta atenção à energia do campo quântico, sua consciência se conecta a níveis mais elevados de frequência e informação.

No entanto, por mais estranho que pareça, o campo quântico não é vazio. Ele é um campo infinito preenchido com frequência ou energia. E toda frequência transmite informação. Pense no campo quântico preenchido com uma infinita quantidade de energia vibrante além do mundo físico da matéria e além dos nossos sentidos – ondas invisíveis de energia disponível para usarmos na criação. O que exatamente podemos criar com toda essa energia nadando em um mar infinito de potenciais? Depende de nós, porque o campo quântico é em suma o estado no qual todas as possibilidades existem. E como acabei de dizer, quando nos descobrimos no universo quântico, existimos simplesmente como consciência ou percepção, especificamente, uma percepção que presta atenção em ou observa um campo de infinitas possibilidades que existe dentro de uma consciência ainda maior e de um nível mais alto de energia.

Quando você entra como consciência nesse espaço interminável, vasto, não há corpos, pessoas, objetos, lugares e tempo. Em vez disso, existem infinitas possibilidades desconhecidas como energia. Se você dá por si pensando em conhecidos de sua vida, está de volta à realidade tridimensional de espaço e tempo. Porém, se consegue permanecer na escuridão do desconhecido por tempo suficiente, isso o prepara para criar desconhecidos em sua vida. No capítulo anterior, quando o instruí a voltar ao momento presente, me referi a parar de pensar sobre o futuro previsível ou lembrar o passado familiar e simplesmente se desdobrar no espaço vasto e eterno como uma consciência, a não mais colocar a atenção em algo ou alguém material na realidade tridimensional, como seu corpo, as pessoas que fazem parte de sua vida, as coisas que possui, os lugares aonde vai e o próprio tempo. Se faz isso da forma correta, você se torna apenas consciência. É assim que chega lá.

Agora, vamos voltar um pouco e ver como os cientistas descobriram o universo quântico, fato ocorrido quando começaram a estudar o mundo subatômico. Descobriram que átomos, os tijolos que constroem tudo no universo físico, são feitos de um núcleo cercado por um grande campo que contém um ou mais elétrons. Esse campo é tão grande, comparado aos pequenos elétrons, que parece ser 99,999999999999% espaço vazio. Mas o espaço não é realmente vazio, é composto de uma grande variedade de frequências energéticas que criam um campo de informação invisível, interconectada. Então, tudo no nosso universo conhecido, embora pareça ser sólido, é 99,999999999999% energia ou informação.[11] De fato, a maior parte do universo é feita desse espaço "vazio", a matéria é um componente infinitesimalmente pequeno em relação ao espaço imenso de nada físico.

Pesquisadores logo descobriram que os elétrons se movem por esse vasto campo de modo completamente imprevisível, não parecem sujeitos às mesmas leis que governam a matéria em nosso universo maior. Em um momento estão aqui, no outro sumiram, e é impossível prever onde e quando os elétrons vão aparecer. Isso porque, como os pesquisadores acabaram descobrindo, os elétrons existem simultaneamente em um número infinito de possibilidades e probabilidades. Apenas quando um observador foca a atenção e procura alguma "coisa" material é que o campo de energia e informação invisível se aglutina em uma partícula que conhecemos como elétron. Isso é chamado de colapso da função da onda, ou um evento quântico. Assim que o observador desvia o olhar, deixa de observar o elétron e desvia a mente da matéria subatômica, ele desaparece novamente em energia. Em outras palavras, essa partícula de matéria física (o elétron) não pode existir até o observarmos, darmos nossa atenção a ele. No momento em que deixamos de colocar nossa atenção, o elétron volta à energia (uma frequência de energia que os cientistas chamam de onda) e à possibilidade. Desse modo, mente e matéria relacionam-se ao quantum. (A propósito, enquanto nós como consciência subjetiva observamos o elétron e o tornamos forma, existe uma consciência universal objetiva que constantemente observa todos nós em nossa realidade tridimensional, dando-nos ordem e forma.)

Isso significa o seguinte: se você vê sua vida do mesmo nível mental todo dia, antecipando um futuro com base no passado, colapsa infinitos campos de energia nos mesmos padrões de informação chamados de sua vida. Por exemplo, se você acorda e pensa: "Onde está minha dor?", sua dor conhecida logo aparece, porque você conta com ela ali.

Imagine o que aconteceria se, em vez disso, você conseguisse desviar sua atenção do mundo físico e do ambiente. Como aprendeu no último capítulo, quando tira a atenção do corpo, você se torna não corpo – e não tem mais acesso a (ou utilidade para) seus sentidos. Quando tira a atenção das pessoas de sua vida, você se torna ninguém – e não tem mais identidade de pai, parceiro, irmão, amigo ou até membro de uma categoria profissional, grupo religioso, partido político ou nacionalidade. Você não tem raça, gênero, orientação sexual e idade. Quanto tira sua atenção de objetos e lugares do ambiente físico, você está em nada e lugar nenhum. Finalmente, se tira sua atenção do tempo linear (que tem um passado e um futuro), está em tempo nenhum – está no momento presente, no qual existem todas as possibilidades no campo quântico. Por não se identificar mais com o mundo físico e não estar conectado a ele, você não tenta afetar matéria com matéria, você está além da matéria e além de como se identifica como um corpo no espaço e tempo. De modo muito real, você é a imensa escuridão do campo unificado onde nada material existe. Esse é o efeito direto de trabalhar continuamente para chegar ao momento presente que descrevi no capítulo anterior.

No momento em que isso acontece, você estende sua atenção e energia para um campo desconhecido além da matéria, onde todas as possibilidades existem, um campo feito de nada além de frequências invisíveis que transportam informação ou consciência. E, assim como os cientistas quânticos que tiraram a atenção do elétron e descobriram que este voltava a ser energia e possibilidade, se você tirar a atenção de sua vida e for além da memória dela, sua vida vai se transformar em possibilidade. Afinal, se você foca no conhecido, tem o conhecido. Se foca no desconhecido, você cria uma possibilidade. Quanto mais consegue permanecer nesse campo de infinitas possibilidades como consciência – consciente de estar consciente nesse espaço negro infinito – sem colocar sua atenção no corpo, em coisas, pessoas, lugares e tempo, quanto mais tempo investe sua energia no desconhecido, mais vai criar uma nova experiência ou novas possibilidades em sua vida. Essa é a lei.

Mudanças cerebrais

Quando você passa pela porta do campo quântico, não pode entrar como um corpo. Tem que entrar como um não corpo, como consciência ou percepção, pensamento ou possibilidade, deixando todo o resto no mundo físico e vivendo apenas no momento presente. Como eu disse no capítulo anterior, esse processo requer que você rompa seu vício químico (pelo menos temporariamente) das emoções que costumam dirigir seus pensamentos e que pare de sentir da mesma maneira para poder parar de colocar a atenção no mundo tridimensional da matéria (partícula) e colocá-la na energia ou possibilidade (onda). Considerando tudo isso, você provavelmente não vai se surpreender por saber que uma experiência como essa cria mudanças bem significativas em seu cérebro.

Primeiro, porque você se percebe como uma existência além do mundo físico, o que significa que não há perigo externo a antecipar, seu cérebro pensante (o neocórtex, área da mente consciente) fica mais lento, menos excitado e trabalha de forma mais holística. Já falamos sobre como viver sob os hormônios do estresse faz as ondas do cérebro disparar em um padrão muito desordenado, incoerente (o que significa que o corpo não pode trabalhar com eficiência), porque tentamos controlar e prever tudo em nossa vida. Ficamos excessivamente focados, alternando a atenção de uma pessoa para uma coisa, para um lugar em certo tempo, ativando as várias redes neurológicas designadas para cada um desses conhecidos.

Quando entramos no momento presente e tomamos consciência do campo infinito de informação onde não há nada físico, o eterno vácuo, quando não mais analisamos ou pensamos sobre qualquer corpo, pessoa, coisa, lugar ou tempo, não mais ativamos esses diferentes compartimentos de redes neurais no cérebro. Quando movemos a consciência de um foco estreito sobre a matéria (objetos, pessoas, lugares, nosso corpo e tempo) no ambiente externo, abrimos o foco e nos tornamos conscientes da vastidão dessa escuridão infinita, repousando nossa atenção em nada, no espaço, na energia e na informação, o cérebro começa a mudar. Os diferentes compartimentos um dia subdivididos começam a se unificar e se mover em direção a um estado de cérebro inteiro, coerente. Diferentes comunidades neurais se expandem e formam comunidades maiores. Elas se organizam, sincronizam e integram. E o que se sincroniza no cérebro começa a se ligar no cérebro. Quando o cérebro se torna coerente, você fica coerente. Quando o cérebro fica organizado, você fica organizado, quando o cérebro trabalha bem, você trabalha bem. Resumindo, quando o cérebro funciona de maneira mais holística, você se sente mais inteiro. Em outras palavras, quando você começa a se conectar com o campo unificado como consciência (ou quando se torna mais consciente do campo ao prestar atenção nele), sua biologia se torna mais inteira e unificada, já que o campo unificado é por definição uma energia unificadora.

A DIFERENÇA ENTRE ONDAS CEREBRAIS COERENTES E INCOERENTES

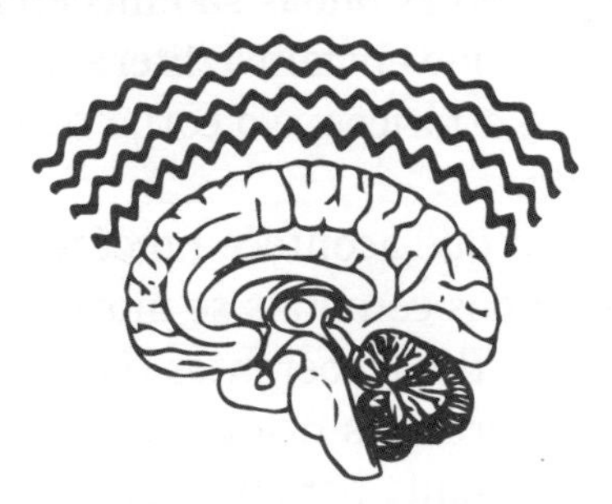

ONDAS CEREBRAIS COERENTES

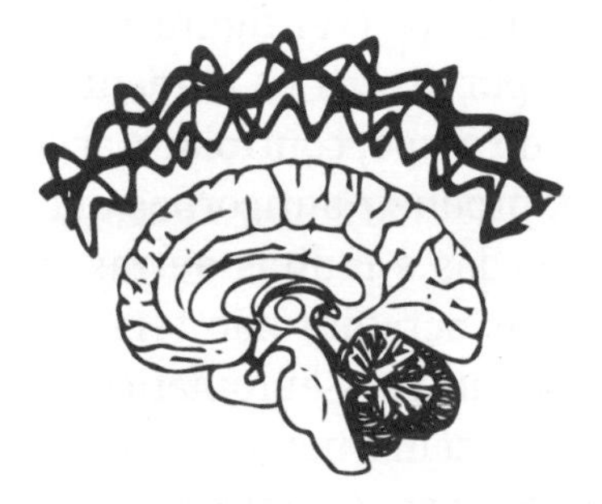

ONDAS CEREBRAIS INCOERENTES

FIGURA 3.1

Quando tiramos a atenção do mundo material, começamos a abrir o foco para o reino do desconhecido e ficamos no momento presente, o cérebro trabalha de modo coerente. Quando o cérebro está coerente, trabalha em um estado mais holístico, e você se sente mais inteiro.

Quando o cérebro está excitado devido aos hormônios do estresse e reduzimos o foco e alternamos a atenção entre pessoas, objetos, coisas e lugares no mundo externo, o cérebro funciona de maneira incoerente. Quando o cérebro está desequilibrado, você fica mais fragmentado, sem foco, vivendo em maior dualidade e separação.

Para enxergar com mais clareza a diferença entre coerência e incoerência, dê uma olhada no gráfico 2 do encarte colorido e também na figura 3.1. Como pode ver, quando as ondas cerebrais são coerentes, estão em fase entre si, os picos (pontos mais altos) e as bases (pontos mais baixos) combinam. As ondas do cérebro coerente são mais organizadas, por isso também são mais poderosas; pode-se dizer que falam a mesma linguagem, seguem o mesmo ritmo, dançam a mesma música e compartilham a mesma frequência, por isso têm mais facilidade para se comunicar. Estão literalmente no mesmo comprimento de onda. Quando as ondas são incoerentes, as mensagens ou sinais eletroquímicos que enviam a diferentes partes do cérebro e do corpo são confusos e erráticos, e o corpo não pode operar em um bom estado equilibrado.

A segunda mudança que acontece no cérebro quando entramos no quantum é que as ondas cerebrais se movem em frequência mais lenta, de beta para alfa e theta coerentes. Isso é importante porque, à medida que as ondas cerebrais ficam mais lentas, a consciência se desloca do neocórtex pensante para o mesencéfalo (cérebro límbico) e lá se conecta com o sistema nervoso autônomo, o sistema operacional subconsciente do corpo (ver figura 3.2). Essa parte do sistema nervoso é responsável por digerir os alimentos, secretar hormônios, regular a temperatura do corpo, controlar o açúcar no sangue, manter a frequência cardíaca, produzir anticorpos que combatem infecções, reparar células danificadas e muitas outras funções sobre as quais a maioria dos cientistas acredita não termos controle consciente. Basicamente, o sistema nervoso automático nos mantém vivos. Sua principal função é criar ordem e homeostase, o que equilibra o cérebro e, em última análise, o corpo. Quanto mais conseguimos permanecer no momento presente como um não corpo, ninguém, nada, em lugar nenhum e tempo algum, mais integrado e coerente se torna nosso cérebro. É aí que o sistema nervoso autônomo entra em cena e começa a curar o corpo, porque nossa consciência se funde com a consciência dele.

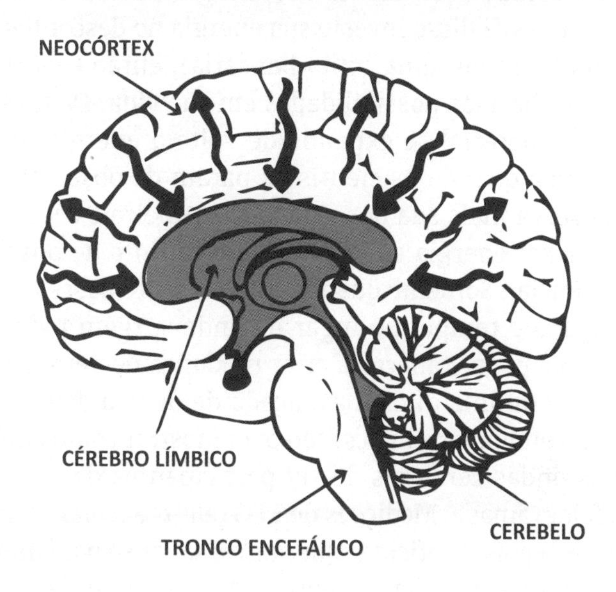

FIGURA 3.2

Quando você desacelera as ondas cerebrais e se torna menos consciente do corpo, ambiente e tempo, a consciência flui do neocórtex para o cérebro límbico, região do sistema nervoso autônomo (representado pelas setas escuras que apontam para o meio do cérebro).

Quando esses dois sistemas se cruzam, o sistema nervoso autônomo, cuja função é criar equilíbrio, entra em ação e cria coerência no neocórtex, região da mente pensante (representada pelas setas mais claras que apontam para a periferia do cérebro).

Em outras palavras, quando está no momento presente, você sai da frente do seu próprio caminho. Quando você se torna pura consciência, pura percepção, e altera suas ondas cerebrais de beta para alfa e até para theta, o sistema nervoso autônomo, que sabe como curar seu corpo muito melhor do que sua mente consciente, entra em cena e enfim tem uma oportunidade de limpar a casa. Isso é o que cria coerência cerebral. Se você olhar os gráficos 3A, 3B e 3C do encarte colorido, verá três diferentes leituras cerebrais. O gráfico 3A é uma leitura normal de alguém em ondas cerebrais pensantes beta normais. O gráfico 3B foi registrado enquanto um aluno mantinha um foco aberto, mostrando ondas alfa coerentes e sincronizadas.

O gráfico 3C representa um estado de ondas theta mais profundas, coerentes e sincronizadas.

Se nesse estado você não mais reafirma o conhecido, a sua vida de sempre, e em vez disso investe sua energia no desconhecido (como investiria dinheiro em uma conta bancária), então é capaz de gerar novas e desconhecidas possibilidades em sua vida. Da mesma forma que o elétron material se expande de volta à energia imaterial no campo quântico quando os cientistas param de observá-lo, quando você não observa mais sua dor, sua vida rotineira e seus problemas, eles voltam a ser energia em um número infinito de possibilidades, em puro potencial. Somente quando está presente nesse lugar potente além do espaço e tempo, no lugar de onde surgem todas as coisas materiais, você pode começar a criar mudança de verdade.

Em 2016, em uma oficina avançada de quatro dias em Tacoma, Washington, conduzimos um estudo para mostrar como isso funciona. Medimos as ondas cerebrais de 117 participantes da oficina usando eletroencefalogramas.[12] Medições de EEG (eletroencefalograma) foram feitas antes e depois da oficina. Queríamos saber se podíamos detectar mudanças em duas funções cerebrais. A primeira era quanto tempo levava para os sujeitos alcançarem um estado meditativo, definido pela capacidade de manter um estado de onda alfa por quinze segundos, pelo menos. Descobrimos que os participantes conseguiam alcançar estados meditativos 18% mais depressa no fim da oficina de quatro dias.

A segunda era a proporção entre ondas delta (associadas a camadas mais profundas da mente subconsciente) e beta de alta frequência (normalmente associadas com altos níveis de estresse). Pessoas ansiosas costumam ter muita beta de alta frequência e um nível mais baixo de delta. Queríamos saber se a meditação – especificamente a prática bem-sucedida de entrar no domínio quântico e tornar-se nenhum corpo, ninguém, nada, em lugar nenhum, em tempo algum – poderia melhorar esses valores. De fato melhorou. Os participantes reduziram suas ondas beta de alta frequência (indicando que sentiam menos estresse) em 124%, em média, e aumentaram as ondas delta (indicando um sentimento maior de unicidade durante a meditação) em 149%, em média. A quantidade de ondas beta de alta frequência diminuiu 62% em relação às ondas delta, e tudo isso aconteceu em apenas quatro dias. Olhe a figura 3.3 para ver esses resultados.

Você vai notar que algumas mudanças que medimos ultrapassaram 100%, indicando que esses participantes conseguiram realizar melhorias de importância incomum relativamente rápido. Isso é bastante sobrenatural!

NOSSO ESTUDO EM TACOMA SOBRE ALTERAÇÃO DE ONDAS CEREBRAIS

Velocidade para alcançar um estado alfa estável	↑ 18%
Índice de ondas cerebrais delta para beta	↑ 62%
Ondas beta alta	↓ 124%
Ondas delta	↑ 149%

FIGURA 3.3

A figura acima ilustra as alterações na atividade de ondas cerebrais em nossa oficina avançada em Tacoma, em janeiro de 2016.

Mude sua energia: combine intenção clara com emoções elevadas

Quando você está no ponto exato do generoso momento presente, onde todas as possibilidades existem no campo quântico, como transformar um ou mais desses potenciais, dessas possibilidades imateriais, em realidade no mundo tridimensional da matéria? Isso requer duas coisas: intenção clara e emoção elevada. Intenção clara é bem isso, você tem que ter claro o que quer criar, ser tão específico quanto possível e descrever em detalhes. Digamos que queira fazer uma viagem de férias sensacional. Para onde quer ir? Como quer chegar lá? Com quem quer ir ou quem quer encontrar quando chegar lá? Em que tipo de acomodações quer se hospedar? O que quer fazer ou ver quando estiver lá? Que tipo de comida quer comer? O que quer beber? Que tipo de roupa vai levar? O que vai comprar para trazer para casa? Você entendeu como é. Seja detalhista, tão realista quanto puder, porque você vai atribuir uma letra como um símbolo da possibilidade para todas essas condições. Como leu no capítulo anterior, os pensamentos que criam sua intenção são a carga elétrica que você emite para o campo unificado.

Depois você precisa combinar essa intenção com uma emoção elevada, como amor, gratidão, inspiração, alegria, empolgação, admiração ou fascínio, só para citar alguns exemplos. Precisa encontrar o sentimento que acredita que vá experimentar quando manifestar sua intenção e sentir a emoção antes da experiência. A emoção elevada (que carrega uma energia maior) é a carga magnética que você manda para o campo. Como você leu, quando combina a carga elétrica (intenção) com a carga magnética (emoção elevada), você cria uma assinatura eletromagnética igual ao seu estado de ser.

Outra maneira de descrever as emoções elevadas é chamá-las de emoções profundas. Quando sentimos emoções como as que acabei de mencionar, costumamos perceber que o coração se expande. É porque nossa energia se move para essa área, e assim experimentamos esses maravilhosos sentimentos elevados que transmitem uma intenção de dar, cuidar, nutrir, confiar, criar, conectar, sentir-se seguro, servir e ser grato. Diferentemente das emoções de estresse (discutidas no capítulo anterior) que extraímos do campo invisível de energia e informação ao redor do corpo, as emoções profundas contribuem para o campo de energia do corpo. Na verdade, a energia criada quando o coração se abre o deixa mais ordenado e coerente, assim como o cérebro, de modo que produz um campo magnético mensurável.[13] É essa ação que nos conecta ao campo unificado. Quando casamos uma intenção (carga elétrica) com essa energia (carga magnética), criamos um novo campo eletromagnético. Como energia é frequência e toda frequência transmite informação, essa energia elevada transmite nosso pensamento ou intenção.

Lembre-se: os potenciais no campo quântico existem apenas como frequências eletromagnéticas (frequências com informação), e você não pode percebê-los como matéria com seus sentidos. Faz sentido, portanto, que o novo sinal eletromagnético que você transmite atraia frequências eletromagnéticas no campo de vibração correspondente. Em outras palavras, quando existe combinação vibracional entre sua energia e qualquer potencial que já existe no campo unificado, você começa a atrair essa nova experiência. Ela vai encontrá-lo quando você se tornar o vórtice para o seu futuro. Assim, você não precisa trabalhar para trazer aquilo que quer manifestar e não precisar ir a lugar nenhum (isso é modificar matéria com matéria). Você precisa se tornar pura consciência (nenhum corpo, ninguém, coisa nenhuma, em lugar nenhum, em tempo algum) e modificar sua energia (o sinal eletromagnético que transmite) – e então vai atrair a futura experiência (transformando energia em matéria). Você vai literalmente sintonizar na energia de um novo futuro; quando você faz isso, o observador (o campo unificado) observa você enquanto você observa um novo destino e então endossa sua criação. Dê uma olhada na figura 3.4.

Antes de seguirmos em frente, quero voltar um pouco só para enfatizar o quanto as emoções elevadas são importantes para essa equação funcionar. Afinal, quando você decide observar no campo quântico um futuro que quer manifestar, se estiver ali como vítima ou sofredor, se sentindo limitado ou infeliz, sua energia não será coerente com a

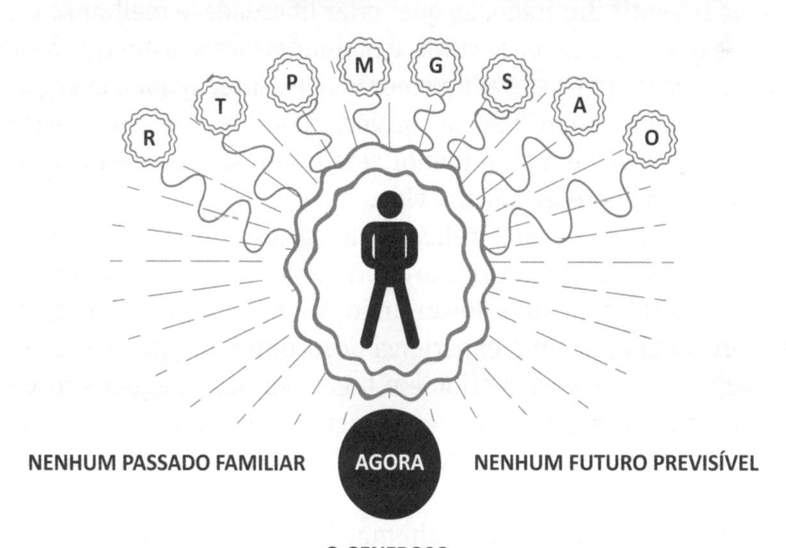

FIGURA 3.4

Quando estamos no momento presente, existem infinitas possibilidades no campo quântico como frequências eletromagnéticas. Quando você combina uma intenção clara com emoções elevadas, transmite para o campo uma assinatura eletromagnética inteiramente nova. Quando existe uma combinação vibracional entre sua energia e a energia daquele potencial, quanto mais tempo você permanece consciente daquela energia, mas atrai a experiência para você.

Cada letra representa um potencial diferente. R é um novo relacionamento. T é um novo trabalho. P é um problema resolvido em sua vida. M é uma experiência mística. G é uma mente genial. S é saúde. A é abundância. O é uma nova oportunidade.

criação pretendida, e você não conseguirá chamar esse novo futuro para si. Esse é o passado. Você pode ter uma intenção clara e, portanto, sua mente pode estar no futuro porque você consegue imaginar o que quer, porém, se sentir alguma das conhecidas emoções limitadas, seu corpo acreditará que ainda está nas mesmas experiências passadas limitadas.

Como você aprendeu no capítulo anterior, emoção é energia em movimento, e emoções elevadas transmitem uma frequência mais elevada do que emoções de sobrevivência. Se você quer criar mudança, tem que fazê-lo a partir de uma forma de energia maior que culpa, dor, medo, raiva, vergonha e indignidade. Qualquer energia de vibração inferior que você sinta não pode transmitir o pensamento de seu sonho futuro; só transmitirá um nível de consciência igual às emoções limitadas. Portanto, se você quer desempenhar algo ilimitado, é melhor se sentir ilimitado. Se quer criar liberdade, é melhor se sentir livre. Se quer realmente se curar, é melhor elevar sua energia à saúde íntegra. Quanto mais elevada a emoção que sente, maior a energia que transmite e maior a influência que você terá sobre o mundo material. Quanto maior sua energia, menor será o tempo necessário para sua manifestação aparecer em sua vida.

Nesse processo, você relaxa e deixa uma mente superior – a consciência do campo unificado – organizar um acontecimento que seja mais certo para você. Resumindo, você sai do caminho. Quando é surpreendido por uma experiência desconhecida que parece saída do nada, é porque você a criou em lugar nenhum. Algo apareceu do nada porque você o criou em coisa nenhuma. E pode acontecer em tempo algum se você cria no domínio além do tempo linear, no campo quântico, onde não há tempo.

Um pesquisador francês chamado René Peoc'h demonstrou o poder da intenção com pintinhos recém-saídos do ovo.[14] Quando os pintinhos nascem, normalmente apegam-se à mãe, que seguem por toda parte. Porém, se a mãe não está presente quando saem do ovo, os pintinhos apegam-se ao primeiro objeto móvel que encontram. Por exemplo, se vê um ser humano primeiro, o pintinho seguirá o humano por toda parte da mesma maneira.

Para esse estudo, o doutor Peoc'h construiu um tipo especial de gerador de evento aleatório: um robô computadorizado que se virava aleatoriamente enquanto se movia por uma arena, indo para a direita em 50% do tempo e para a esquerda nos outros 50%. Como controle, Peoc'h primeiro gravou o trajeto do robô na arena sem os pintinhos. Ele descobriu que, ao longo do tempo, o robô percorria a maior parte da arena igualmente. Em seguida, expôs pintinhos recém-nascidos ao robô. Como era esperado, eles se ligaram ao robô como se fosse sua mãe e o seguiram pela arena. Depois que os pintinhos se apegaram ao robô, Peoc'h os removeu da arena e os colocou em uma gaiola na lateral, de onde podiam ver o robô, mas não se aproximar.

O que aconteceu a seguir foi impressionante - a intenção dos pintinhos de estar próximo do que acreditavam ser sua mãe (o robô) influenciou os movimentos aleatórios do robô. A máquina não se movimentou mais por toda a arena, mas se manteve na metade mais próxima dos

O TRAJETO DO GERADOR DE EVENTOS ALEATÓRIOS NOS EXPERIMENTOS DE RENÉ PEOC'H

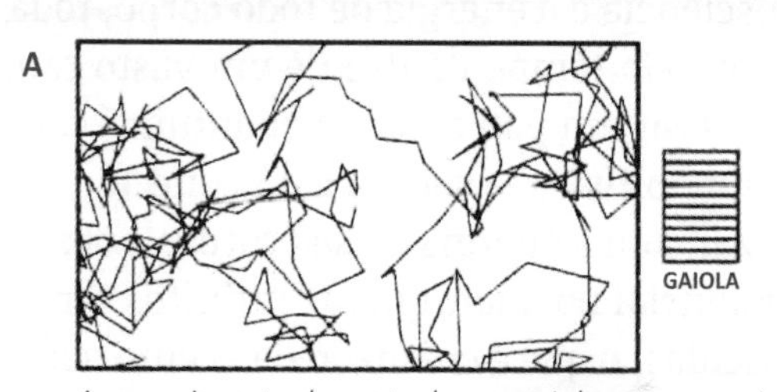

A: experimento de controle – a gaiola estava vazia

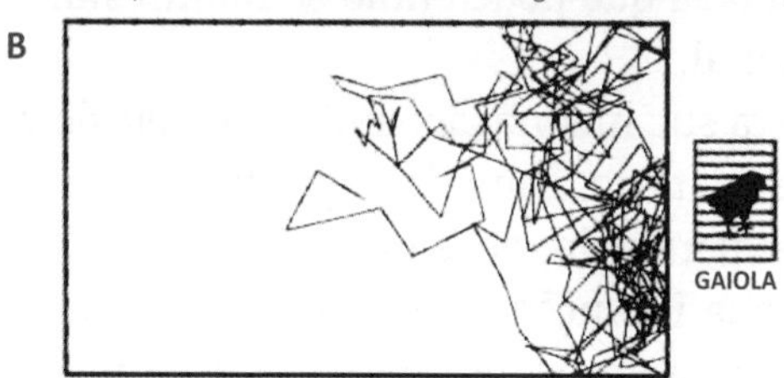

B: experimento de intenção – a gaiola continha os pintinhos que haviam se apegado ao gerador de eventos aleatórios

FIGURA 3.5

Uma ilustração dos resultados do experimento de René Peoc'h com os pintinhos. A caixa A representa o movimento do gerador de eventos aleatórios quando a gaiola estava vazia. A caixa B mostra o movimento do gerador de eventos aleatórios quando os pintinhos foram postos na gaiola à direita da arena. Se a intenção dos pintinhos pôde influenciar o gerador de eventos aleatórios a se mover na direção deles na maior parte do tempo, imagine o que você pode fazer para atrair seu novo futuro.

pintinhos. (Ver figura 3.5.) Se a intenção de pintinhos pode influenciar os movimentos de um robô computadorizado, imagine o que você pode fazer para atrair seu futuro.

Nesse lugar do campo unificado, você fica ciente do que já existe e traz à vida com sua atenção e intenção. Aqui você pode ser um gênio. Pode ser abundante. Pode ser saudável. Pode ser rico. Pode ter uma experiência mística. Pode criar um novo trabalho. Pode resolver um problema em sua vida.

Lembre-se: todas as possibilidades existem como potenciais eletromagnéticos no campo quântico; você não pode experimentá-las com os sentidos porque ainda não existem nesse espaço e tempo. Existem apenas como frequência ou energia transmitindo informação que tem que ser sintonizada e observada nesse espaço e tempo. Para fazer isso da maneira apropriada, você vai ter que se conectar a essa informação e energia com sua energia e intenção.

Uma outra maneira de olhar para isso é assim: se você está unificado com a consciência e a energia de todo corpo, toda pessoa, toda coisa, todo lugar e todo tempo dentro de um vasto campo unificado de potenciais, observar um potencial no quantum é como ficar ciente de sua mão no mundo físico – você já está conectado a ela, sua mão já existe. Sintonizar com a energia do seu futuro e observar intencionalmente esse potencial no quantum faz infinitos campos de energia colapsar em partículas, o que é chamado de evento quântico, e isso se torna uma experiência que pode então se manifestar em seu mundo físico, tridimensional.

Quando encerra sua meditação, embora esteja de volta ao mundo tridimensional da matéria, como já experimentou a emoção elevada que antecipou à experiência, você não tem opção além de se levantar sentindo que sua intenção já se manifestou ou que sua prece já foi atendida. Você se sente conectado de forma íntima ao seu novo futuro, sabendo que ele vai surgir de modo imprevisto (porque, se for previsto, é algo conhecido). Você se levanta como um novo eu, alguém que se sente mais energia do que matéria.

Todavia você precisa permanecer consciente, porque no momento em que esquece e começa a se estressar a respeito do que vai acontecer ou de como vai acontecer, você volta ao seu velho eu, tentando prever o futuro com base no passado. Aí começa a sentir as mesmas velhas emoções familiares (com a mesma energia mais baixa) que influenciam os mesmos velhos pensamentos e faz a escolha de ficar preso ao conhecido. Poderíamos dizer que você se desconecta da energia do seu futuro no momento em que sente a energia familiar das emoções de seu passado.

Se em vez disso você conseguir sintonizar no novo potencial que escolheu muitas e muitas vezes e ele se tornar familiar, vai conseguir sintonizá-lo não só em meditação, mas também quando estiver na fila do banco. Vai conseguir sintonizá-lo quando estiver preso no trânsito. Vai conseguir fazer isso quando estiver se barbeando, cozinhando e dando uma caminhada. Vai conseguir fazer muitas, muitas vezes de olhos abertos, exatamente como faz com os olhos fechados em meditação. Apenas lembre: cada vez que sintoniza na energia do seu futuro no momento presente, você está atraindo esse futuro.

Se fizer isso com frequência suficiente e corretamente, você vai mudar sua biologia de uma realidade passado-presente para uma realidade futuro-presente. Isto é, vai mudar seu cérebro neurologicamente de um registro do passado para um mapa do futuro. Ao mesmo tempo, enquanto ensina seu corpo emocionalmente como é a sensação desse futuro no momento presente, você recondiciona seu corpo com essa nova emoção elevada. Você conseguirá sinalizar novos genes de novas maneiras e vai mudar seu corpo para parecer que o futuro que escolheu com sua intenção clara já aconteceu. Isso significa que você vai começar a assumir biologicamente seu futuro.

Jace vai ao quantum

Quando Jace, meu filho mais velho, terminou a faculdade, foi trabalhar em uma grande empresa em Santa Bárbara que produzia câmeras sofisticadas para o exército. Encerrado o contrato, ele se mudou para San Diego, para trabalhar em uma startup. Depois de um tempo, porém, se desiludiu com a gestão e decidiu sair da empresa e viajar. Ele é surfista de ondas grandes, por isso traçou um plano detalhado para percorrer a Indonésia, Austrália e Nova Zelândia em sete meses. Fez as malas, pegou as pranchas de surfe, foi e viveu uma fase incrível. Depois de seis meses, telefonou da Nova Zelândia e disse: "Pai, escuta, preciso começar a pensar no que vou fazer quando voltar ao mundo real. Quero criar um trabalho novo e melhor do que os anteriores, mas quero fazer isso de forma diferente. Aprendi muito nesse tempo longe de tudo".

"Ok", respondi. "Deve haver um potencial no campo quântico que você possa sintonizar relacionado ao novo trabalho. Pegue um pedaço de papel, escreva 'T' e desenhe duas linhas onduladas em torno da letra para representar o campo eletromagnético." (Aguente firme, porque você vai fazer algo semelhante na meditação ao final deste capítulo.) Assim que ele fez isso, eu disse: "Esse 'T' é o símbolo que representa uma possibilidade – sua intenção clara do trabalho que quer. Agora temos que ser muito claros sobre o tipo de trabalho que você quer; então vamos relacionar o que é importante para você nesse trabalho. Quero que você pense nas condições que a letra 'T' de 'novo trabalho' significa para você. Embaixo do 'T', escreva 'intenção' e relacione os detalhes do que quer no novo trabalho. Pode escrever qualquer coisa, menos quando ou como ele vai acontecer".

"Quero poder trabalhar de qualquer lugar no mundo", disse ele, "e quero ganhar o mesmo que ganhava no meu antigo emprego ou mais. Quero contratos independentes de seis meses a um ano e tenho que amar o que vou fazer."

"Bom. Mais alguma coisa?", perguntei.

"Sim, quero ser meu chefe e liderar minha equipe", disse ele.

"Muito bem, agora você tem sua intenção clara. Será que toda vez que pensar nessa letra 'T' você vai conseguir associá-la ao significado que acabou de lhe dar, todos os detalhes do que quer e que acabou de relacionar?" Ele respondeu que sim.

Então pedi a ele para pensar em como se sentiria quando isso acontecesse. "Ao lado ou abaixo das subintenções que você relacionou para ser claro quanto ao novo trabalho", falei, "escreva 'emoções elevadas – a energia do meu futuro'. Agora relacione uma a uma. Quais são elas?"

"Empoderado, apaixonado pela vida, livre e grato", disse ele, identificando as emoções elevadas que usaria para atrair esse emprego. Só faltava fazer tudo se alinhar. Dê uma olhada na figura 3.6 para ver o que Jace fez.

"Agora você tem muito tempo livre. Não está fazendo muita coisa além de surfar e relaxar nas férias", comentei. "Deve ser fácil criar seu futuro. Você vai se comprometer a fazer o que for necessário para transmitir uma nova assinatura ao campo quântico todos os dias?" Ele concordou.

Depois revi com ele o conceito de encontrar o momento presente, ficar centrado e elevar a energia de forma que ela pudesse transmitir sua intenção para o futuro. "Mantenha em mente esse símbolo enquanto irradia energia para o espaço além de seu corpo no espaço", instruí, "como se sintonizando em uma estação de rádio e pegando uma frequência que transmite informação. Quanto mais sua consciência permanecer nessa energia ou quanto mais você permanecer consciente da energia do seu futuro, mais provável será que atraia a experiência. Então, apenas sintonize na energia do seu futuro cotidiano. E lembre-se: tudo que você transmite para o campo unificado é seu experimento com seu destino. Quando houver uma combinação vibracional entre sua energia e a energia desse potencial, ele o encontrará. Então, Jace, consegue permanecer aí?"

"Sim", ele respondeu.

"Depois, quando tiver passado algum tempo nesse novo estado de ser, pense no que vai fazer em seu novo trabalho", continuei. "Que escolhas vai fazer? Que coisas vai fazer? Que experiências o esperam e que sentimentos vão provocar? Quero que viva esta realidade futura

INTENÇÃO CLARA + EMOÇÕES ELEVADAS = NOVA ENERGIA

INTENÇÃO
(Pensamentos)

1. Trabalhar de qualquer lugar no mundo
2. Ganhar o mesmo ou mais
3. Contratos de trabalho de seis meses a um ano
4. Amar o que eu faço
5. Ser meu chefe e liderar minha equipe

EMOÇÃO ELEVADA
(Sentimentos)

1. Empoderado
2. Apaixonado pela vida
3. Livre
4. Grato

FIGURA 3.6

Foi assim que meu filho Jace criou seu novo trabalho. T é um símbolo que representa uma nova experiência potencial. Do lado esquerdo, embaixo de intenção, ele designou condições específicas do tipo de trabalho que queria. Do lado direito, abaixo de emoção elevada, ele relacionou emoções específicas que desejava sentir quando a experiência acontecesse. Combinando os dois elementos, Jace mudou sua energia todos os dias para atrair o novo trabalho.

no momento presente. Simplesmente lembre-se do seu futuro a partir desse novo estado de ser." Da mesma forma que as pessoas costumam ficar obcecadas por tudo que pode acontecer de ruim na vida delas todos os dias, eu estava pedindo ao meu filho para ficar obcecado por algumas coisas maravilhosas que poderiam acontecer quando o novo emprego o encontrasse. "Pense em todo tempo que vai ter para surfar, nas viagens que pode continuar fazendo, na equipe com que vai trabalhar, em seus pontos fortes, no dinheiro que pode economizar para uma casa nova e um carro novo", incentivei. "Divirta-se com essas ideias todos os dias." Assim como as pessoas que tocaram piano e exercitaram músculos sobre as quais você leu no capítulo anterior, Jace prepararia o cérebro e o corpo para a impressão de que o futuro que ele queria já havia acontecido.

"Como onde você deposita sua atenção é onde coloca sua energia", continuei, "quero que invista sua atenção e energia nesse novo futuro. E, assim como seu corpo segue a mente para o banho todas as manhãs – para algo conhecido –, se continuar repetindo esse processo, seu corpo vai seguir a mente para algo desconhecido." Jace se comprometeu a meditar todos os dias.

Um mês depois ele voltou; no momento em que aterrissou em Los Angeles, mandou uma mensagem: "Oi, pai, estou nos Estados Unidos de novo. Podemos conversar?".

Oh-oh, pensei. Lá vem. Liguei e perguntei como estavam as coisas.

"Ótimas", respondeu Jace. "Mas meu dinheiro acabou. Não sei o que vou fazer."

O pai em mim queria dizer: "Não se preocupe, filho, eu ajudo até você se equilibrar de novo". Mas o professor prevaleceu e respondeu: "Isso é bem legal, porque agora você realmente vai ter que criar. Agora você está no desconhecido. Mantenha-me informado". E desliguei. Senti o desconforto dele, mas conheço meu filho e sabia que ele iria se concentrar e fazer o trabalho.

Como sentiu o aperto, Jace teve que entrar no jogo para valer. Foi até Santa Barbara ver os colegas de faculdade e saiu com um grupo para praticar *snowboard* por quatro dias, como fazem todos os anos. Quando o fim de semana prolongado acabou, ele parou em Santa Barbara antes de voltar para casa e por acaso entrou em uma loja de surfe. De repente, viu o melhor designer de quilhas de prancha do mundo, que também estava ali por acaso.

Começaram a conversar, e pouco depois o designer disse: "Estou procurando um engenheiro para desenhar quilhas de pranchas de surfe. Vamos revolucionar a indústria juntos. Preciso dele por seis meses, talvez um ano, e ele vai ter liberdade para trabalhar como quiser. Só me interessa receber um produto de alta qualidade".

Você já sabe o fim da história. Jace ficou com o emprego, um contrato de um ano que pode renovar a qualquer momento. Ganha mais agora do que no outro emprego. Ama a nova carreira por causa da paixão pelo surfe. Às vezes manda mensagens dizendo: "Não acredito que me pagam para aparecer lá e fazer isso". É o próprio chefe, pode trabalhar de onde quiser e vai surfar para testar as quilhas. Está apaixonado pela vida. Não teve que mandar currículo, telefonar nem mandar e-mail, não teve que ir a lugar nenhum para fazer entrevista ou preencher formulários. A experiência o encontrou.

Quando nos tornamos nenhum corpo, ninguém, coisa nenhuma em lugar nenhum, em tempo algum, tiramos a atenção de todas as distrações no mundo exterior que nos impedem de estar presente com o campo unificado de inteligência dentro de nós e à nossa volta. Voltamos para dentro e ficamos presentes para uma consciência que está sempre presente para nós. No momento em que nos alinhamos com essa consciência onipresente, como se olhássemos diretamente para um espelho, ela olha para nós. E pode enfim refletir o que mostramos querer. Quanto mais tempo passamos alinhados nesse lugar de nada material e investimos nossa atenção e energia nele, mais nos aproximamos do campo unificado. E, quando estamos no altar dos infinitos potenciais, quando mudamos nossa energia, mudamos nossa vida.

Quando nos dirigimos para o desconhecido e confiamos nele, sem devolver a atenção ao mundo material dos sentidos na realidade tridimensional, sentimos mais unicidade e totalidade interior. Esse processo começa a suprir nossa carência, separação ou dualidade, nossa doença e nossa personalidade fraturada. Nossa biologia se torna mais inteira quando nos tornamos mais inteiros.

Afinal, quando somos inteiros, simplesmente não há carência. Nada pode faltar. Nesse ponto, apenas observamos o que já existe no campo quântico de todas as possibilidades ou potenciais e trazemos à vida com nossa atenção e energia.

Então, agora preciso perguntar: que experiência existe lá no campo quântico esperando para encontrá-lo?

Preparativos para a sintonização

Essa meditação requer alguns preparativos. Primeiro, quero que você pense sobre uma experiência potencial que queira ter. Lembre-se de que, assim como o elétron antes de colapsar em matéria, a experiência já existe como energia ou frequência no campo quântico. Essa é a energia em que você está prestes a sintonizar. Alguns alunos baixaram os níveis de colesterol simplesmente sintonizando em um potencial. Baixaram marcadores de câncer. Fizeram tumores desaparecer. Também criaram ótimos empregos novos, férias com todas as despesas pagas, novos relacionamentos saudáveis, mais dinheiro, experiências profundamente místicas e até prêmios de loteria. Acredite, minha equipe e eu já vimos de tudo. Vá em frente, entre no desconhecido!

Quando decidir qual experiência quer criar, atribua-lhe uma letra maiúscula e escreva em um pedaço de papel. Pense na letra como um símbolo que representa aquela possibilidade específica em sua vida. É importante anotar em um pedaço de papel, em vez de só pensar na letra, porque o ato de escrevê-la solidifica que você quer aquilo. Depois, desenhe duas linhas circulares onduladas em torno da letra para representar o campo eletromagnético que precisa gerar em torno de seu corpo para combinar com o potencial no quantum.

Atribua algum significado à letra para ser ainda mais claro sobre sua intenção. Pense em alguns refinamentos específicos do que quer e relacione pelo menos quatro. (A única coisa que não quero que você inclua é qualquer menção a prazo.) Por exemplo, se sua intenção é um ótimo emprego, sua lista pode ficar mais ou menos assim:

- Ganhar US$ 50 mil a mais por ano do que ganho hoje.
- Gerenciar minha equipe de profissionais maravilhosos.
- Viajar por todo o mundo com uma generosa conta para despesas.
- Ter um convênio médico excepcional e grandes opções de investimento em ações da empresa.
- Fazer diferença no mundo.

No mesmo papel, escreva como vai se sentir quando o potencial imaginado acontecer. Você pode escrever:

- Empoderado
- Ilimitado
- Grato
- Livre
- Maravilhado
- Apaixonado pela vida
- Alegre
- Digno

Seja o que for, escreva. Se acha que não sabe o que vai sentir porque ainda não experimentou, tente gratidão, que funciona muito bem. Gratidão é uma emoção poderosa para se usar porque normalmente sentimos gratidão depois de receber alguma coisa. Então, a assinatura emocional de gratidão significa que aquilo já aconteceu. Quando você é grato ou sente reconhecimento, está no estágio final para receber. Quando acolhe a gratidão, seu corpo como mente consciente começa a acreditar que está na realidade futura no momento presente.

As emoções que você acabou de listar são a energia que vai transmitir sua intenção. Esse não é um processo intelectual, é visceral. Você realmente tem que sentir essas emoções. Tem que ensinar emocionalmente a seu corpo qual será a sensação desse futuro antes que ele aconteça – e tem que fazer isso no momento presente.

Meditação para sintonizar em novos potenciais

Comece repousando a atenção em diferentes partes de seu corpo e no espaço em torno dessas partes. (Você vai aprender mais sobre como se faz isso e por que é importante no próximo capítulo, mas por ora é suficiente saber que focar no espaço à sua volta ajuda seu corpo a alterar as ondas cerebrais, levando-o de um padrão incoerente de ondas beta para um padrão coerente de ondas theta.) Tome consciência do espaço infinito e vasto atrás de seus olhos nesse eterno espaço negro, o espaço no centro de sua cabeça, o espaço entre a parte de trás da garganta e a parte de trás da cabeça, e além de sua cabeça no espaço. Depois, tome consciência do espaço no centro de sua garganta, além da garganta e em torno do pescoço, o espaço no centro do peito, o espaço em torno do corpo, atrás do umbigo e, finalmente, em torno do quadril nesse infinito vácuo preto. Em cada um desses estágios, não tenha pressa, sinta, tome consciência e permaneça presente.

Perceba a vastidão de espaço que o cômodo onde está ocupa no espaço, depois estenda sua consciência para a vastidão de espaço além do cômodo no espaço e finalmente para a vastidão de espaço que todo o espaço ocupa no espaço.

Agora é hora de tirar sua atenção do corpo, do ambiente e do tempo para se tornar nenhum corpo, ninguém, coisa nenhuma em nenhum lugar, em tempo algum, para se tornar pura consciência, se desdobrar como percepção no infinito espaço negro e campo interminável onde todas as possibilidades existem. Se você se distrair, simplesmente volte ao momento presente (como discutimos no capítulo anterior). Continue se desdobrando no espaço imaterial, reinvestindo continuamente sua energia nele.

Pense no potencial que já existe no campo quântico e que você quer sintonizar lembrando de sua letra. Sinta a energia desse potencial futuro – dentro de você e à sua volta – e sintonize no seu futuro. Quando fizer isso, você passará para um novo estado de ser, transmitindo uma assinatura eletromagnética inteiramente nova para o campo. Quando existe uma concordância vibracional entre sua energia e o potencial, o novo evento o encontra, você não precisa fazer nada acontecer. Quero deixar claro aqui: pode ser necessário mais que algumas meditações para sua oportunidade futura se apresentar. Pode acontecer em uma semana, um mês ou até mais. A chave é continuar meditando até acontecer.

Quando estiver no novo estado de ser, transmitindo uma nova assinatura eletromagnética, lembre-se de seu futuro antes que ele aconteça e comece a ensaiar mentalmente como será o futuro vivendo nesse futuro. Torne-o tão real quanto possível, invocando as emoções elevadas que listou para pode ensinar ao corpo emocionalmente como será o futuro.

Entregue sua criação para uma mente superior, plantando uma semente no campo infinito de possibilidades – e simplesmente solte! Por fim abençoe seu corpo com uma nova mente. Abençoe sua vida, seus desafios, sua alma, seu passado e seu futuro. Abençoe o divino em você, abra seu coração e agradeça por uma nova vida antes de ela se tornar manifesta.

Trazendo sua consciência lentamente de volta à sala, quando estiver pronto, abra os olhos. Levante-se de sua meditação como se o futuro já tivesse acontecido e deixe as sincronicidades e novas possibilidades encontrarem você.

Capítulo 4

Bênção dos centros de energia

Falamos muito sobre luz e informação ou energia e consciência. Agora é hora de ir um pouco mais fundo nesses conceitos para explicar como funciona a próxima meditação. Como você já entendeu, tudo em nosso universo é feito de ou emite luz e informação ou energia e consciência, que são outras maneiras de descrever a energia eletromagnética. De fato, esses elementos são tão intimamente combinados que é impossível separá-los. Olhe à sua volta. Mesmo que não veja nada além de matéria – objetos, coisas, pessoas ou lugares – há também um mar de infinitas frequências invisíveis transmitindo informação codificada. Isso significa não só que seu corpo é feito de luz e informação, de energia e consciência, mas também que você como ser consciente com um corpo é feito de luz gravitacionalmente organizada cheia de informação e envia e recebe continuamente várias frequências, todas transmitindo diferentes sinais, como um rádio ou telefone celular.

Toda frequência, é claro, transmite informação. Pense um pouco nas ondas do rádio. Há ondas de rádio se movendo pela sala onde você está agora. Se você ligar um rádio, consegue sintonizá-lo em um comprimento de onda específico ou sinal, e um pequeno transdutor no rádio vai captar o sinal e transformá-lo em som que você pode ouvir e entender, como sua música favorita, notícias ou até um comercial. Só porque você não consegue ver as ondas de rádio no ar não significa que não estejam lá, transportando informação distinta em uma frequência específica o tempo todo. Se você mudar a frequência um grau e sintonizar em outra estação, uma mensagem diferente será transmitida nesse comprimento de onda.

Dê uma olhada na figura 4.1A, que mostra todo o espectro de luz e todas as frequências eletromagnéticas que conhecemos. O espectro de luz visível – no qual percebemos as várias cores presentes no mundo em que vivemos – responde por menos de 1% de todas as frequências de luz que existem. Isso significa que a maioria das frequências estão além da nossa percepção; portanto, a maior parte da realidade conhecida do universo não pode ser experimentada pelos sentidos. Então, excetuando a capacidade de perceber a luz absorvida ou refletida por objetos e coisas, a verdade é que conseguimos perceber apenas um pequeno espectro de realidade. Há muitas outras informações disponíveis além das que podemos ver com os olhos físicos. Lembre-se: quando me refiro a luz, estou falando sobre toda luz, incluindo o espectro inteiro de frequências eletromagnéticas – visto e não visto –, não só a luz visível.

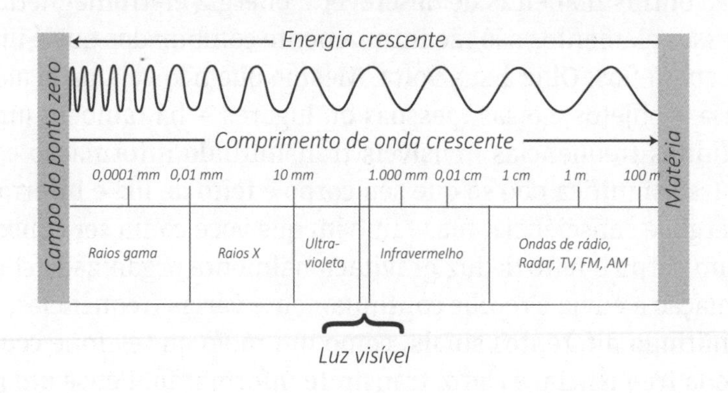

FIGURA 4.1A

A figura representa todo o espectro de frequências eletromagnéticas a partir do campo de ponto zero, desacelerando a frequência até a matéria. À medida que a energia aumenta (ou a frequência acelera), os comprimentos de onda diminuem. À medida que a energia diminui (ou a frequência desacelera), os comprimentos de onda aumentam. No meio, rotulado de "luz visível", está o único espectro de realidade que percebemos.

Por exemplo, embora não vejamos os raios X, eles existem. Sabemos disso porque o ser humano tem a capacidade de criar raios X e medi-los. De fato, existe um número infinito de frequências dentro do espectro de luz raio X. Os raios X são uma frequência mais rápida que a luz visível que enxergamos; portanto, têm mais energia (como já disse, quanto mais rápida uma frequência, maior sua energia). Matéria por si só é a mais densa das frequências, porque é a forma mais lenta e mais condensada de luz e informação.

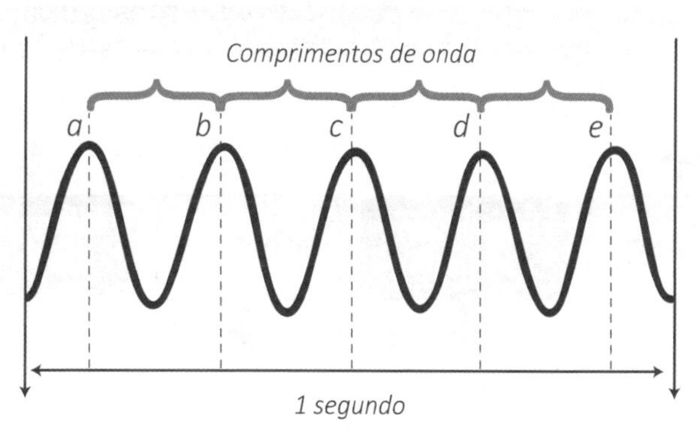

FIGURA 4.1B

Aqui vemos o relacionamento entre frequência e comprimento de onda. O número de ciclos em uma onda completa, representada entre as letras a-b, b-c e assim por diante, é um comprimento de onda. O espaço entre as duas setas verticais apontando para baixo representa um intervalo de tempo de um segundo. Nesse caso, como há cinco ondas completas dentro do período de um segundo, dizemos que a frequência é de cinco ciclos por segundo, ou 5Hz.

Dê uma olhada na figura 4.1B. Passe os olhos pela linha horizontal que corre através das colinas e vales das ondas, começando pela letra A e se movendo para B, depois para C. Cada vez que chega à letra seguinte, você percorreu um ciclo completo, chamado de comprimento de onda. Assim, a distância entre as letras A e B é um comprimento de onda. A frequência de uma onda refere-se ao número de comprimentos de onda ou ciclos produzidos em um segundo, sendo medida em hertz (Hz). Quanto mais rápida a frequência de onda, mais curto o comprimento de onda. O inverso também é verdadeiro – quanto mais lenta a frequência, mais longo o comprimento de onda (figura 4.1C). Por exemplo, a luz da frequência infravermelha tem frequência mais lenta que a luz na faixa de frequência ultravioleta; assim, os comprimentos de onda da luz infravermelha são mais longos, e os comprimentos de onda da luz ultravioleta são mais curtos. Aqui vai outro exemplo, dessa vez do espectro de luz visível: a cor vermelha tem uma frequência mais lenta (450 ciclos por segundo) que a cor azul (cerca de 650 ciclos por segundo). Portanto, o comprimento de onda do vermelho é maior que o comprimento de onda do azul.

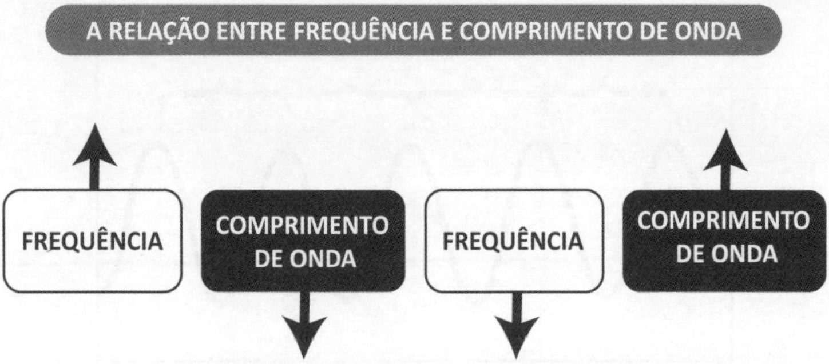

A RELAÇÃO ENTRE FREQUÊNCIA E COMPRIMENTO DE ONDA

FREQUÊNCIA ↑ COMPRIMENTO DE ONDA ↓

FREQUÊNCIA ↓ COMPRIMENTO DE ONDA ↑

FIGURA 4.1C

Quando a frequência aumenta, os comprimentos de onda encurtam.
Quando a frequência diminui, os comprimentos de onda ficam mais longos.

Ao longo da história, foram feitas várias tentativas de fotografar e medir os campos de luz. Um exemplo proeminente é a fotografia de Kirlian, descoberta em 1939 pelo eletricista e inventor amador russo Semyon Davidovitch Kirlian. Com a técnica, Kirlian conseguiu capturar imagens do campo eletromagnético de objetos vivos e não vivos. Ele descobriu que, colocando um filme fotográfico sobre uma placa de metal, posicionando um objeto sobre o filme e aplicando uma corrente de alta voltagem à placa de metal, uma imagem da descarga elétrica entre o objeto e a placa aparecia no filme como um contorno brilhante de luz em torno do elemento fotografado.

Em um dos muitos experimentos, Kirlian fotografou duas folhas aparentemente idênticas, uma de uma planta saudável e outra de uma planta doente. A fotografia da folha da planta saudável exibia um campo de luz forte, enquanto a outra mostrava um brilho muito mais fraco, o que levou Kirlian a crer que sua técnica fotográfica poderia ser um meio para avaliar a saúde. Hoje os cientistas debatem a utilidade da fotografia de Kirlian como ferramenta de diagnóstico, mas a pesquisa sobre a técnica continua.

Um desdobramento mais recente nesse sentido vem do doutor em biofísica alemão Fritz-Albert Popp, que passou mais de três décadas estudando biofótons, pequenas partículas de luz de baixa intensidade armazenadas e emitidas por todas as coisas vivas. Em 1996, Popp fundou o Instituto Internacional de Biofísica (IIB), uma rede de laboratórios de pesquisa em mais de uma dezena de países que estudam os biofótons. Popp e seus colegas pesquisadores do IIB acreditam que a informação contida nessas partículas de luz armazenadas no DNA se comunicam com extrema eficiência com as células, desempenhando assim um papel vital na regulação do funcionamento do organismo.[15] Os biofótons podem ser detectados por uma câmera extremamente sensível projetada para medir suas emissões; quanto mais fortes as emissões e mais intenso e coerente o campo de luz, maior a comunicação entre as células e mais saudável o organismo.

Para manter a vida e a saúde, nossas células se comunicam entre si trocando informação vital transmitida em diferentes frequências de luz. Popp descobriu que o contrário também é verdadeiro: quando não emite suficiente energia eletromagnética organizada e coerente, a célula adoece; não consegue compartilhar muito bem informações com outras células e, sem essa troca, não tem aquilo de que precisa. Portanto, a versão mecanicista do funcionamento interno da célula que aprendemos em biologia no ensino médio está ultrapassada. Moléculas carregadas que se atraem e repelem não são responsáveis pelo modo como a célula funciona. A força vital que comanda as células é a energia eletromagnética que elas emitem e recebem. Essa é uma visão vitalista que sustenta a verdade de quem somos.

O que tudo isso significa é que somos literalmente seres de luz, cada um irradiando força de vida e expressando um campo de luz em torno do corpo – com toda e cada célula se expressando e contribuindo para um campo vital de luz que transmite uma mensagem. Seria seguro dizer que, quanto mais definimos a realidade com nossos sentidos e vivemos a vida como materialistas, focados primariamente no físico (e, portanto, quanto mais acionamos a resposta de estresse), mais podemos estar perdendo informação valiosa. Isso porque, quanto mais estreitamos o foco na matéria, nos objetos, coisas, pessoas e lugares no mundo externo, menos somos capazes de sentir outras frequências não visíveis a olho nu. Se não temos consciência destas, elas não existem para nós.

Como você já leu e, espero, começou a fazer experiências com a meditação do capítulo anterior, é possível sintonizar certas frequências à sua volta, da mesma forma que pode sintonizar um rádio na frequência 107.3. Quando fecha os olhos, fica sentado e quieto e elimina o ambiente externo (a estática que normalmente o impede de ver as outras frequências), você pode treinar para captar um sinal claro e receber informação dele. Quando faz isso repetidamente, você sintoniza em um novo nível de luz e informação que pode usar para influenciar ou afetar a matéria. Quando faz isso, seu corpo experimenta sintropia (organização aumentada) em vez de entropia (desordem, colapso físico e caos). Quando você consegue aquietar a mente pensante, analítica, e sintonizar mais prontamente a informação mais organizada, seu corpo responde automaticamente processando o novo fluxo de consciência e energia, tornando-se com isso mais eficiente, coerente e saudável.

Foco convergente e divergente

No início da meditação do capítulo anterior, pedi para você repousar a atenção em diferentes partes do corpo e também no espaço em torno de diferentes partes dele. Agora quero mergulhar mais fundo no motivo para fazer esse pedido em quase todas as minhas meditações. Quando pratica isso, você aguça a habilidade em duas maneiras diferentes de focar o cérebro, usando o foco convergente e o foco divergente.

O foco convergente é unidirecionado ou fechado em um objeto – qualquer coisa que tenha matéria. É o tipo de foco que você exibe em minhas meditações quando repousa a atenção em uma parte específica do corpo. É o mesmo tipo de foco que usa quando presta atenção a objetos no ambiente. Quando pega um copo de água, telefona para alguém, manda uma mensagem ou amarra o sapato, você em geral usa o foco estreito. Na maior parte do tempo que passa em foco estreito, você está focado em objetos ou coisas (matéria) e pessoas ou lugares no mundo externo, principalmente elementos tridimensionais.

Lembra de nossa discussão anterior sobre viver em modo de sobrevivência, com os hormônios do estresse circulando o tempo todo pelo corpo, ajudando a manter a prontidão para lutar ou fugir? Quando estamos nesse estado, estreitamos o foco ainda mais, porque prestar atenção ao mundo externo, físico, se torna muito importante. De fato nos tornamos materialistas, definimos a realidade com os sentidos. Os diferentes compartimentos do cérebro que normalmente trabalham juntos começam a se subdividir, deixando de se comunicar entre si com eficiência e de trabalhar em estado de coerência (organização). Ficam em um estado incoerente, enviando mensagens incoerentes pela medula para diversas partes do corpo. Vimos isso muitas e muitas vezes ao fazer varreduras para medir as ondas cerebrais.

Como eu disse antes, quando o cérebro está incoerente, você está incoerente. Quando o cérebro não funciona direito, você não funciona direito. É como se, em vez de tocar uma bela sinfonia, seu cérebro e corpo produzissem cacofonia. Por causa desse estado desequilibrado, incoerente, você tenta controlar ou impor desfechos em sua vida. Tenta prever um futuro baseado no passado e faz isso em parte prestando mais atenção ao mundo externo dos objetos e coisas do que ao mundo interno de pensamentos e sentimentos. Em outras palavras, você permanece em foco estreito, convergente, pensando obsessivamente nas mesmas coisas. Isso é o que o estresse faz. Influencia o indivíduo a ficar obcecado com seus problemas, de forma que possa estar preparado para o pior cenário possível baseado em lembranças do passado. Estar preparado para o pior desfecho permite uma chance maior de sobrevivência porque, aconteça o que acontecer, você está preparado.

Porém, quando transfere a atenção do foco estreito para outro mais aberto e largo, como faz nessa meditação, você pode se tornar consciente do espaço e também da luz e da energia em torno de seu corpo no espaço. O nome disso é foco divergente. Você deixa de focar em alguma coisa para focar em coisa nenhuma – na onda (energia) em vez de na partícula (matéria). A realidade é tanto partícula quanto onda, é ambas as coisas, matéria e energia. Assim, quando você pratica o uso do foco estreito para repousar a atenção em diferentes partes do corpo, reconhecendo a partícula, e depois abre o foco para sentir o espaço em torno das partes de seu corpo no espaço, reconhecendo a onda, seu cérebro muda para um estado mais coerente, equilibrado.

Entrada na mente subconsciente

Nos anos 1970, o doutor Les Fehmi, diretor do Centro de Bio*feedback* de Princeton, em Princeton, Nova Jersey, descobriu como a transferência de atenção do foco estreito para o aberto altera as ondas cerebrais. Fehmi, pioneiro em atenção e *biofeedback*, tentava encontrar um método para ensinar as pessoas a alterar as ondas cerebrais de beta (pensamento consciente) para alfa (relaxado e criativo). Ele descobriu que o modo mais eficiente para produzir a alteração era orientar as pessoas para tomarem consciência do espaço ou do nada, adotando o que ele chamou de foco aberto.[16] A tradição budista usa esse método de meditação há milhares de anos. Quando você abre o foco e sente a informação no lugar da matéria, suas ondas cerebrais reduzem a velocidade de beta para alfa. Isso faz sentido, porque, quando você está sentindo, não está pensando.

Quando o cérebro pensante, o neocórtex, desacelera, você consegue ir além da mente analítica (também chamada de mente crítica), que

FIGURA 4.2

Um dos principais propósitos da meditação é ir além da mente analítica. O que separa a mente consciente da mente subconsciente é a mente analítica. Quando você reduz a velocidade de suas ondas cerebrais, sai da mente consciente e do cérebro pensante, vai além da mente analítica e entra no sistema operacional da mente subconsciente, onde existem todos os programas automáticos e hábitos inconscientes.

separa a mente consciente da subconsciente (ver figura 4.2). Você então pode entrar na sede do sistema operacional do seu corpo – o sistema nervoso autônomo, sobre o qual leu no capítulo anterior – e seu cérebro pode funcionar de modo mais holístico.
Quando faz a meditação da Bênção dos Centros de Energia que vou ensinar no fim deste capítulo, você coloca sua atenção em cada um dos centros de energia do corpo (também chamados de chacras, que significa "rodas", nos antigos textos védicos do leste da Índia) e em seguida abre o foco. Como o local onde você coloca a atenção é onde coloca a energia, à medida que coloca a atenção em cada centro e sua energia se move para lá, cada um deles começa a ser ativado.

Não é mistério que, se você tem uma fantasia sexual na mente e no cérebro, a energia que se move para aquele centro do seu corpo é ativada de forma muito específica, e quando isso acontece, órgãos, tecidos, substâncias químicas, hormônios e tecido nervoso respondem. Se está com fome e pensa no que vai comer, seus sucos digestivos são ativados, você saliva e seu corpo se prepara para a experiência de comer porque há energia ativando aquela área. Se pensa em criticar seu chefe ou discutir com sua filha, você secreta adrenalina antes do confronto. Em cada um desses casos, o pensamento que você pensa se torna a experiência. Vou explicar isso com mais detalhes na próxima seção, quando falarmos sobre os centros individuais de energia; por enquanto basta saber que isso acontece porque cada centro produz a própria expressão hormonal química que ativa órgãos, tecidos e células em cada área.

Imagine o que começaria a acontecer se você conseguisse desacelerar suas ondas cerebrais em uma meditação e tivesse acesso ao sistema operacional de cada um desses centros de energia ao colocar a atenção no espaço em torno de cada um, abrindo o foco. Cada centro ficaria mais organizado e mais coerente, o que sinalizaria os neurônios para criar um novo nível de mente e ativar os órgãos, tecidos e células daquela região, produzindo os hormônios e mensageiros químicos de cada centro. Se fizesse isso repetidamente, com o tempo você começaria a promover alterações reais, físicas.

Na comunidade de alunos que segue esses ensinamentos, as pessoas se curaram de infecção urinária crônica, problemas de próstata, impotência, diverticulite, doença de Crohn, alergias alimentares e sensibilidades como doença celíaca, tumores no ovário, enzimas hepáticas elevadas, refluxo ácido, palpitações cardíacas, arritmias, asma, doenças pulmonares, problemas nas costas, doenças da tireoide, câncer de garganta, dor no pescoço, enxaqueca crônica, dores de cabeça, tumores no cérebro e outras mais. Vimos todo tipo de melhora em pessoas que praticam essa meditação – às vezes até depois da primeira vez. Essas curas impressionantes foram possíveis porque os alunos conseguiram mudar epigeneticamente a expressão do DNA, ligando alguns genes e desligando outros, alterando o modo como os genes expressam proteínas no corpo físico (conforme você viu no Capítulo 2).

Como funcionam os centros de energia do corpo

A seguir vamos dar uma boa olhada em cada um dos centros de energia do corpo, mas antes quero explicar um pouco mais sobre seu funcionamento. Pense em cada um deles como um centro individual de informação. Cada um tem sua energia específica, que transmite um nível correspondente de consciência, emissão própria de luz, expressando informação muito específica, ou frequência própria, transmitindo uma certa mensagem. Cada um também tem as próprias glândulas individuais, os próprios hormônios, a própria química e o próprio plexo individual de neurônios. Pense nesses aglomerados individuais de redes neurológicas como minicérebros. Se cada um desses cérebros tem o próprio cérebro, cada um também tem mente própria. (Dê uma olhada na figura 4.3, que relaciona a localização de cada centro, sua anatomia e fisiologia.)

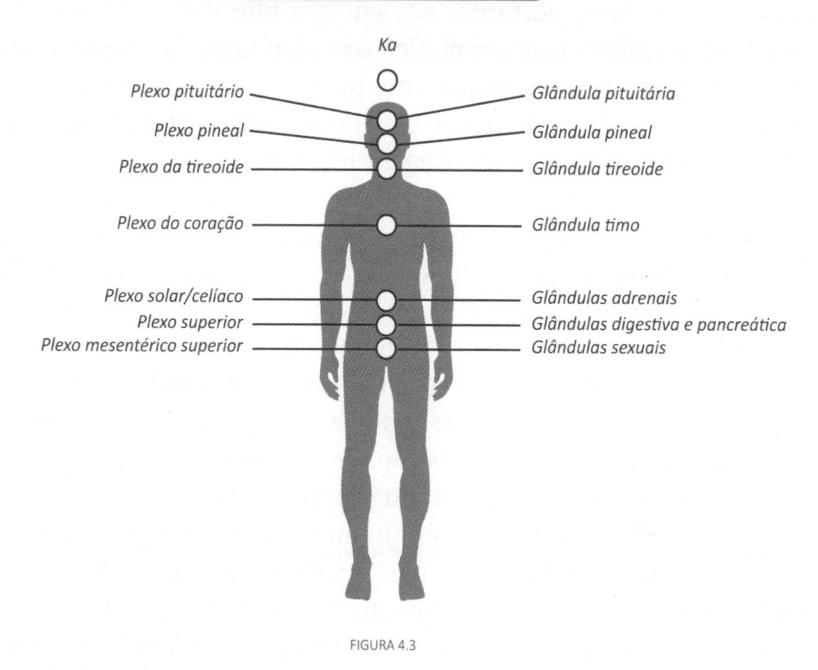

FIGURA 4.3

Cada centro de energia de seu corpo tem composição biológica própria. Tem as próprias glândulas, hormônios, substâncias químicas e minicérebros individuais (um plexo de neurônios) e, portanto, uma mente própria.

Como você viu no segundo capítulo, quando a consciência ativa o tecido neurológico, cria mente. Mente é o cérebro em ação; portanto, se cada centro energético tem um plexo de neurônios, cada um tem uma mente individual ou, melhor dizendo, cada centro tem uma mente própria. O que ativa a mente é energia com intenção e diretiva, uma intenção consciente. Quando um centro é ativado, ele por sua vez ativa hormônios, tecidos, substâncias químicas e funções celulares – e emite energia.

Por exemplo, quando o primeiro centro (sede das glândulas reprodutivas) é ativado com energia, a mente deste tem objetivo e intenção muito específicos. Quando você como ser consciente tem um pensamento ou uma fantasia – isso é consciência, aliás, agindo sobre o tecido neurológico –, não demora a notar que seu corpo muda fisiologicamente e, portanto, sua energia também. O corpo secreta substâncias químicas e hormônios das glândulas correspondentes a fim de prepará-lo emocionalmente para o intercurso. Você fica com mais energia naquele centro, e ele emite a frequência própria específica transmitindo uma mensagem intencional.

A energia que transmite a intenção consciente ativa o centro reprodutivo, e a mente no cérebro influencia a mente daquele plexo nervoso individual. A mente localizada naquela área específica do corpo, por meio de seu minicérebro, opera no nível subconsciente por meio do sistema nervoso autônomo. Está além do controle consciente. Podemos dizer que o corpo agora segue a mente enquanto o minicérebro do centro de energia ativa as glândulas relacionadas, que, por sua vez, ativam hormônios correspondentes, que sinalizam as substâncias químicas apropriadas para alterar o estado emocional e a fisiologia do corpo. Você então emite uma energia muito clara que transmite uma diretiva específica daquele centro. Todos nós já sentimos esse tipo de energia de uma pessoa muito sexual. Quando a energia se move por aquele tecido neurológico ou plexo de neurônios, cria mente naquele nível, de forma que, quando ativado, o centro tem mente própria.

O segundo centro também tem mente própria. Quando ativamos seu minicérebro e, portanto, sua mente, confiamos nas vísceras – e a mesma sequência de eventos que acabamos de ver no primeiro centro de energia acontece nesse centro, mas com diferentes neurocircuitos, hormônios, substâncias químicas, emoções, energia e informação. De fato, essa área foi chamada de segundo cérebro devido às centenas de milhões de neurônios e conexões neurais (mais do que existe na medula ou no sistema nervoso periférico). De fato, 95% do hormônio do bem-estar, a serotonina, não se encontram no cérebro, mas no intestino.[17] Então, confiar nas vísceras significa confiar em nossos instintos. É quase como se nosso corpo e o cérebro desse centro pudessem suplantar nosso cérebro e mente pensantes analíticos e racionais.

E o centro do coração? O que acontece quando você age com o coração? Como os dois primeiros centros, esse quarto, localizado no meio do peito, tem frequência, hormônios, substâncias químicas, emoções e minicérebro que bebe do campo de energia e informação circundante. Quando você age com o coração, tende a ser mais cuidadoso, gentil, inspirado, altruísta, compassivo, generoso, grato, confiante e paciente. Quando o minicérebro recebe informação, manda instruções e mensagens aos órgãos e tecidos localizados naquela parte do corpo e você emite energia amorosa a partir desse centro específico de informação.

Agora vamos olhar em mais detalhes cada um dos centros de energia. Alguns se sobrepõem um pouco nas funções, mas no geral, se você entende um pouco que seja do corpo, eles são bem autoexplicativos. Você pode rever a figura 4.3, se precisar.

Conheça melhor os centros de energia

O primeiro centro de energia governa a região dos órgãos sexuais, inclusive o períneo, o assoalho pélvico, as glândulas conectadas à vagina ou ao pênis, a próstata nos homens, a bexiga, o intestino e o ânus. Esse centro de energia tem a ver com reprodução e procriação, excreção, sexualidade e identidade sexual. Os hormônios estrogênio e progesterona nas mulheres e testosterona nos homens são relacionados a esse centro. Esse centro de energia também está associado ao plexo nervoso mesentérico inferior.

Existe uma tremenda dose de energia criativa no primeiro centro. Pense na quantidade de energia que você usa para criar a vida e gerar um bebê. Quando esse centro está em equilíbrio, sua energia criativa flui com facilidade e você está enraizado em sua identidade sexual.

O segundo centro de energia fica atrás e ligeiramente abaixo do umbigo. Governa ovários, útero, cólon, pâncreas e parte inferior das costas. Tem a ver com consumo, digestão, eliminação e quebra do alimento em energia – incluindo enzimas e sucos digestivos, bem como com enzimas e hormônios que equilibram os níveis de açúcar no sangue. Também está conectado ao plexo nervoso mesentérico superior.

Esse centro de energia também é relacionado a redes e estruturas sociais, relacionamentos, sistemas de apoio, família, culturas e relações interpessoais. Pense nele como o centro para se agarrar ou abandonar, consumir ou eliminar. Quando esse centro está em equilíbrio, você se sente seguro em seu ambiente e no mundo.

O terceiro centro de energia se localiza na cavidade do intestino. Governa estômago, intestino delgado, baço, fígado, vesícula, glândulas adrenais e rins. Os hormônios associados incluem adrenalina e cortisol, hormônios dos rins e substâncias químicas como renina, angiotensina e eritropoietina, todas as enzimas hepáticas, enzimas do estômago, como pepsina, tripsina, quimotripsina e ácido hidroclorídrico. Esse centro de energia está relacionado ao plexo solar, também chamado de plexo celíaco.

Esse centro está associado à vontade, força, vaidade, controle, impulso, agressividade e dominância. É o centro da ação competitiva e do poder pessoal, da autoestima e da intenção dirigida. Quando o terceiro centro está em equilíbrio, você usa a vontade e o impulso para superar o ambiente e as condições de sua vida. Diferentemente do segundo centro, esse é naturalmente ativado quando você percebe que seu ambiente não é seguro ou é imprevisível, de modo que você precisa se proteger, cuidar de sua tribo e de si mesmo. O terceiro centro também fica ativo quando você quer alguma coisa e precisa usar o corpo para consegui-la.

O quarto centro de energia está localizado no espaço atrás do osso esterno. Governa o coração, os pulmões e a glândula timo (principal glândula de imunidade do corpo, conhecida como a "fonte da juventude"). Os hormônios associados a esse centro incluem o do crescimento e a oxitocina, bem como uma cascata de 1,4 mil diferentes substâncias químicas que estimulam a saúde do sistema imunológico via glândula timo (responsável pelo crescimento, reparo e regeneração do corpo). O plexo nervoso que esse centro governa é o plexo do coração.[18]

Os primeiros três centros são de sobrevivência e refletem nossa natureza animal ou humanidade. No quarto centro de energia, saímos do egoísmo para o altruísmo. Esse centro está associado às emoções de amor e cuidado, nutrição, compaixão, gratidão, reconhecimento, bondade, inspiração, altruísmo, integridade e confiança. É onde se origina nossa divindade; é o assento da alma. Quando o quarto centro está em equilíbrio, nos preocupamos com os outros e queremos trabalhar em cooperação pelo bem maior da comunidade. Sentimos um amor genuíno pela vida. Nos sentimos inteiros e satisfeitos com quem somos.

O quinto campo de energia está localizado no centro da garganta. Governa tireoide, paratireoide, glândulas salivares e tecidos do pescoço. Os hormônios associados a esse centro incluem os da tireoide, T3 e T4 (tiroxina), as substâncias químicas da paratireoide que governam o metabolismo do corpo e os níveis de cálcio em circulação. O plexo nervoso governado por esse centro é o plexo da tireoide.

Esse centro está associado à expressão do amor que você sente no quarto centro, bem como a falar sua verdade e fortalecer pessoalmente sua realidade por meio da linguagem e do som. Quando o quinto centro está equilibrado, você verbaliza sua verdade presente, o que inclui a expressão de seu amor. Você se sente tão satisfeito consigo e com a vida que simplesmente tem que compartilhar seus pensamentos e sentimentos.

O sexto centro de energia está localizado no espaço entre o fundo da garganta e a parte de trás da cabeça (se for muito complicado para imaginar, pense no centro do cérebro ligeiramente inclinado para a parte de trás da cabeça). Ele governa a glândula pineal, uma glândula sagrada. Alguns povos chamam a pineal de terceiro olho, mas eu a chamo de primeiro olho. Ela é associada à porta para dimensões superiores e à mudança de sua percepção, de forma que você consiga ver além do véu e enxergar a realidade de forma não linear.

Quando esse centro está aberto, é como uma antena de rádio que você pode usar para sintonizar em frequências mais elevadas, além dos cinco sentidos. É o lugar onde o alquimista em você desperta. Dedico um capítulo inteiro à glândula pineal mais adiante, mas por ora saiba que ela secreta hormônios como serotonina e melatonina (bem como alguns outros metabólitos maravilhosos), responsáveis pelos ritmos circadianos de se sentir acordado em resposta à luz visível durante o dia e sonolento em resposta ao escuro da noite. A glândula pineal é sensível a todas as frequências eletromagnéticas além da luz visível e pode produzir derivativos químicos correspondentes de melatonina que alteram sua visão da realidade. Quando essa glândula está equilibrada, o cérebro funciona de maneira clara. Você está lúcido, mais consciente dos mundos interno e externo, vendo e percebendo mais a cada dia.

O sétimo centro de energia fica no centro da cabeça e inclui a glândula pituitária. Essa glândula foi chamada de glândula mestra porque governa e cria harmonia em uma cascata descendente desde o centro do cérebro para as glândulas pineal, tireoide, timo, adrenais, pancreática até as glândulas sexuais. É o centro do corpo onde você experimenta sua maior expressão de divindade. É de onde se origina sua divindade, seu mais alto nível de consciência. Quando essa glândula está em equilíbrio, você está em harmonia com todas as coisas.

O oitavo centro de energia se localiza cerca de quarenta centímetros acima da cabeça e é o único não associado a uma área do corpo físico. Os egípcios o chamavam de Ka. Representa a conexão com o cosmos, o universo, o todo. Quando esse centro é ativado, você se sente digno de receber, e isso o abre para *insight*s, epifanias, compreensões profundas e *downloads* criativos de frequência e informação que entram em seu corpo físico e cérebro não a partir de memórias armazenadas no sistema nervoso, mas do cosmos, do universo, do campo unificado ou seja lá como você queira chamar esse poder maior que o eu individual. Acessamos os dados e a memória do campo quântico por meio desse centro.

Evoluindo nossa energia

Agora que descrevi cada um desses centros de energia em detalhes, vamos dar uma olhada mais dinâmica em como podem funcionar. Certamente nosso corpo é projetado para usar energia em cada um dos centros que relacionei. Mas o que acontece quando fazemos mais com nossa energia do que só sobreviver? O que acontece quando, em vez de liberar toda a nossa energia para o exterior (para procriar, digerir alimentos, fugir do perigo e assim por diante), começamos a evoluir parte dessa energia para cima de maneira consistente, de um centro para o outro, aumentado sua frequência enquanto ela sobe?

Funciona assim: começamos canalizando nossa energia criativa a partir do primeiro centro. Quando nos sentimos suficientemente seguros para criar, a energia criativa evolui, subindo e fluindo para o segundo centro. Quando temos que dominar alguma limitação ou superar uma condição no ambiente, podemos fazer bom uso da energia criativa, e então ela flui para o terceiro centro, assento de nossa vontade e força.

Quando transcendemos com sucesso a adversidade na vida que nos desafiou a crescer e superar, temos a oportunidade de nos sentirmos mais completos, mais livres e mais satisfeitos e então conseguimos sentir amor genuíno por nós mesmos e pelos outros enquanto a energia flui e ativa o quarto centro. Quando isso acontece, queremos expressar nossa verdade presente – o que aprendemos ou o amor ou a integridade que sentimos –, e isso permite que a energia se mova adiante e ative o quinto centro. Depois disso, quando a evolução de energia ativa o sexto centro, áreas dormentes do cérebro se abrem, de forma que o véu da ilusão é erguido e percebemos um espectro mais amplo de realidade do que nunca víramos antes. Começamos a nos sentir iluminados, o corpo entra em maior harmonia e equilíbrio, e nosso ambiente externo (inclusive o mundo natural que nos cerca) também entra em maior harmonia e equilíbrio quando a anergia ascende e ativa o sétimo centro. Quando sentimos a energia iluminada, começamos a nos sentir realmente dignos, e a energia pode enfim subir e ativar o oitavo centro, onde recebemos os frutos de nossos

O FLUXO DA ENERGIA CRIATIVA NO CORPO

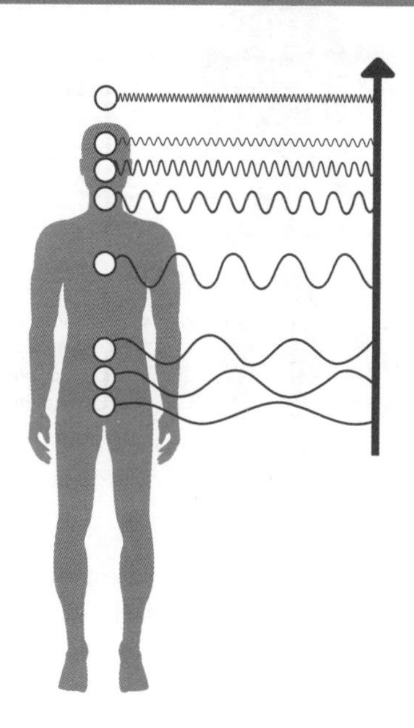

FIGURA 4.4A

Ao evoluirmos nossa energia criativa, ela pode ser canalizada a partir do primeiro centro e subir até o cérebro e além dele. Cada centro de energia tem sua frequência individual que transmite sua intenção individual.

esforços – visões, sonhos, *insights*, manifestações e conhecimento que não vêm de nenhum lugar na mente e no corpo, como as memórias, mas de um poder maior dentro de nós e à nossa volta. Esse fluxo contínuo de energia evolutiva do primeiro ao oitavo centro está representado na figura 4.4A.

É esse o tipo de evolução pessoal que acontece quando a energia flui de maneira consistente – o ideal. O que acontece com muita frequência, porém, é que os eventos da vida e o modo como reagimos a eles provocam a retenção da energia, que não flui mais nesse padrão

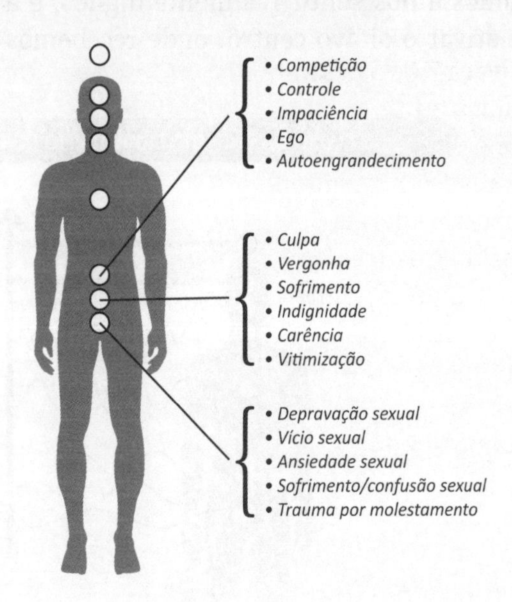

FIGURA 4.4B

Quando a energia fica presa no corpo, não pode fluir para os centros mais altos. Como emoções são energia, essas emoções ficam estagnadas em diferentes centros e não podemos evoluir.

magnífico que acabei de descrever. Os pontos do corpo onde a energia fica estagnada são os centros de energia associados às questões com as quais estamos lidando. A figura 4.4B descreve o que acontece quando a energia fica estagnada e não consegue fluir para os centros mais altos.

Se, por exemplo, uma pessoa sofreu abuso sexual ou foi condicionada desde a infância a pensar que sexo é ruim, a energia pode ficar estagnada no primeiro centro, associado à sexualidade, e ela pode ter problemas para acessar a criatividade. Por outro lado, se a pessoa consegue acessar a energia criativa, mas não se sente segura o bastante para usar sua criatividade no mundo (sentindo-se vitimizada nos relacionamentos sociais e interpessoais), ou se sofreu trauma ou traição causados por outrem, pode reter essa energia no segundo centro. Essa pessoa teria mais probabilidade para sentir culpa, vergonha, sofrimento, baixa autoestima ou medo excessivos. Se a pessoa consegue fazer sua energia fluir para o terceiro centro, mas tem problemas de ego e é vaidosa, autocentrada, controladora, dominadora, raivosa, amarga e excessivamente competitiva, a energia fica retida no terceiro centro, e ela pode ter dificuldades de controle ou motivação. Se a pessoa não consegue abrir o coração e sentir amor e confiança ou se tem medo de expressar amor ou o que realmente sente, a energia também pode ficar estagnada nos quarto e quinto centros respectivamente.

Embora a energia possa ficar retida em qualquer um dos centros, é nos primeiros três que tende a ficar presa com mais frequência. Quando fica presa, a energia não consegue evoluir e fluir na corrente regular descrita anteriormente, que ativa os centros de energia superiores, onde sentimos amor pela vida e o desejo de retribuir. Fazer esse circuito fluir como foi projetado para fluir é o objetivo da meditação da Bênção dos Centros de Energia – abençoamos cada um dos centros para fazer a energia estagnada voltar a fluir.

Consumindo nosso campo de energia

Como discutimos anteriormente, nosso corpo é cercado por campos invisíveis de energia eletromagnética que estão sempre transmitindo uma intenção ou diretiva consciente. Quando ativamos cada um dos sete centros de energia do corpo, podemos dizer que estamos expressando energia desses centros. Colocando de forma simples, quando nós, como seres conscientes, ativamos uma energia específica em cada centro individual, estimulamos os plexos neurológicos associados a produzir um nível de consciência que ativa as glândulas, tecidos, hormônios e substâncias químicas apropriados em cada centro. Uma vez ativado cada centro único, o corpo emite energia transmitindo informação específica ou intenção a partir dele.

No entanto, se continuamos vivendo em sobrevivência e somos excessivamente sexuais, consumistas ou estressados, vivendo pelos três primeiros centros, extraímos energia do campo invisível transmissor de informação que cerca o corpo de modo sistemático e a transformamos em substâncias químicas. A repetição desse processo ao longo do tempo faz o campo em volta do corpo encolher. (Ver figura 4.5.) O resultado é que diminuímos nossa luz e não há energia que transmita uma intenção consciente movendo-se pelos centros para criar a mente correlacionada a cada um. Resumindo, usamos nosso campo de energia como um recurso. O nível limitado de mente com quantidade limitada de energia de cada centro vai enviar um sinal limitado para

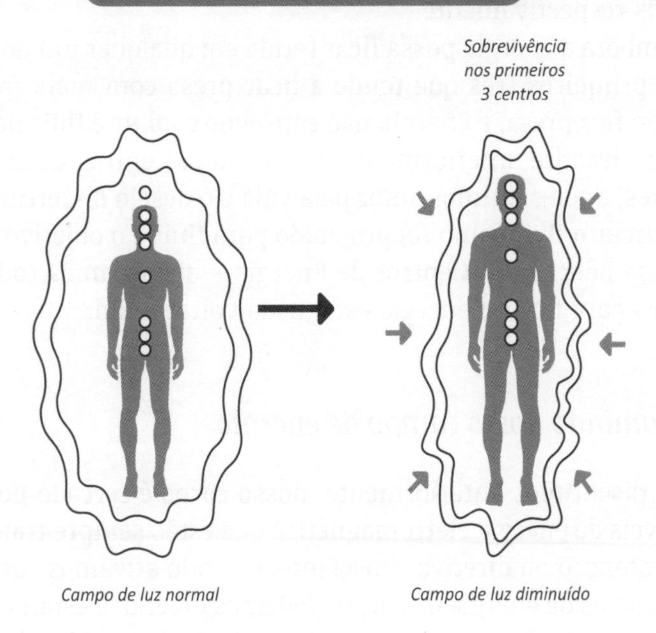

FIGURA 4.5

Os três primeiros centros são consumidores de energia. Quando os utilizamos excessivamente, extraímos constantemente do campo invisível de energia e o transformamos em substância química. O campo em volta do nosso corpo começa a encolher.

células, tecidos, órgãos e sistemas do corpo circundantes. O resultado pode produzir um sinal enfraquecido e uma frequência mais baixa de energia transmitindo informação vital para o corpo. A frequência reduzida dos sinais cria doença. Podemos dizer que, em termos de nível energético, toda doença é uma diminuição de frequência e uma mensagem incoerente.

Lembra como eu disse que os três centros de energia mais baixos do corpo tratam da sobrevivência, por isso representam nossa natureza egoísta? Eles têm a ver com o uso de poder, agressividade, força ou competição para sobreviver às condições do ambiente por tempo suficiente para consumir alimento, nutrir-se e depois procriar e dar continuidade à espécie (ao passo que os cinco centros superiores representam nossa natureza desinteressada e lidam com pensamentos e emoções mais altruístas). A natureza fez esses três centros inferiores muito agradáveis a fim de continuarmos nos dedicando a ações relacionadas a eles e ao que representam. Fazer sexo (primeiro centro) e comer (segundo centro) são coisas muito prazerosas, assim como se conectar e comunicar com outras pessoas (também o segundo centro). O poder pessoal (terceiro centro) pode ser inebriante, incluindo o sucesso de superar obstáculos, conseguir o que se quer, competir e vencer, sobreviver a um ambiente específico e se esforçar para mover o corpo por aí.

Você pode ver por que algumas pessoas tendem a utilizar excessivamente um ou mais dos três primeiros centros e com isso consumir mais do campo de energia vital e informação em volta do corpo. Por exemplo, uma pessoa excessivamente sexual tira energia extra do campo em volta de seu primeiro centro. Uma pessoa enredada em vergonha ou culpa, que se sente vitimizada, que se apega às emoções do passado e sofre constantemente, consome energia excessiva do campo em torno do segundo centro e com isso se apega à energia desse centro. Uma pessoa muito controladora ou estressada extrai energia adicional do campo que cerca o terceiro centro. Quando nossa consciência não evolui, nossa energia também não.

O nível subatômico

Tudo isso começa no nível subatômico ou quântico; então, vamos discutir como acontece. Dê uma olhada na figura 4.6. Se você pegar dois átomos, cada um com seu núcleo, e os juntar para formar uma molécula, a sobreposição dos dois círculos onde eles se unem é onde compartilham luz e informação. Por compartilhar informação, dividem energia semelhante de frequência específica. O que mantém os

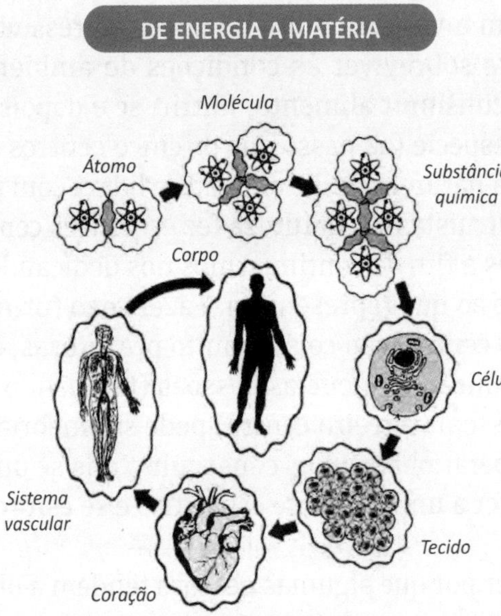

DE ENERGIA A MATÉRIA

FIGURA 4.6

Quando os átomos se ligam e compartilham energia e informação, formam moléculas. A molécula tem à sua volta um campo invisível de luz feito de energia e informação que lhe dá as propriedades físicas que a sustentam. Quando mais átomos se juntam à molécula, ela se torna mais complexa e forma uma substância química, também com um campo invisível de luz à sua volta que é energia e informação e lhe dá as propriedades físicas que a sustentam.

Quando mais átomos se juntam à substância química, ela se torna mais complexa e pode formar uma célula. A célula é cercada por seu campo invisível específico de energia e informação que lhe fornece instruções de funcionamento. Um grupo de células que se unem torna-se um tecido, com um campo de energia e informação que permite às células funcionar em harmonia. Os tecidos se juntam e formam um órgão, com um campo de energia e informação que lhe permite funcionar de maneira saudável.

Os órgãos se juntam e formam um sistema, que também tem um campo invisível específico de luz à sua volta que lhe fornece as propriedades físicas para que funcione como um todo. Por fim os sistemas se juntam para formar um corpo. O campo de luz em torno do corpo contém a energia e a informação que lhe fornecem as propriedades físicas para sustentá-lo e lhe dão instruções para viver.

dois átomos juntos como molécula é um campo de energia invisível. Uma vez que esses átomos se juntem para formar uma molécula e trocar informação, terão características e propriedades físicas – como densidade, ponto de ebulição e peso atômico, para mencionar algumas – diferentes de quando estavam lado a lado, separados. É importante notar que o que dá propriedades específicas à molécula e a sustenta em forma e estrutura – em matéria – é o campo invisível de energia que cerca a matéria. Moléculas não poderiam se ligar sem compartilhar informação e energia.

Se você acrescenta outro átomo, forma uma molécula diferente que também tem características, propriedades físicas e estrutura atômica diferentes. Se continua adicionando mais e mais átomos, forma uma substância química, e há um campo invisível de energia em torno dessa substância que a sustenta na forma física e lhe dá vida. Essas forças atômicas são reais e mensuráveis.

Se você juntar substâncias químicas suficientes, acabará formando uma célula, e a célula também tem um campo de energia invisível à sua volta que lhe dá vida. A célula na verdade se alimenta de diferentes frequências de luz. Não são moléculas e cargas positivas ou negativas que instruem a célula a fazer o que faz. De acordo com o novo campo da biologia chamado de biologia quântica, são os biofótons que discutimos anteriormente e seus padrões de luz e frequência que a célula emite e recebe que dão as instruções. Quanto mais saudável a célula, mais coerentes os biofótons que emite. Se você lembra o que aprendeu até agora, coerência é uma expressão organizada de frequência. A troca de informação (via frequências eletromagnéticas de luz) entre a célula e o campo de energia que a cerca acontece mais depressa que a velocidade da luz, o que significa que acontece no nível quântico.[19]

Continuando, se você junta um grupo de células, forma um tecido, e esse tecido tem um campo invisível de frequência coerente e energia unificadoras que fazem todas aquelas células individuais trabalharem juntas em harmonia, funcionando como uma comunidade. Se você pega esse tecido e o desenvolve em uma função mais especializada, forma um órgão, e um órgão também tem um campo invisível de energia eletromagnética. Esse órgão literalmente recebe informação desse campo de energia invisível. De fato, a memória do órgão existe no campo.

O modo como isso pode afetar pacientes de transplante é fascinante. Provavelmente, a história mais famosa é a de Claire Sylvia, que escreveu um livro chamado *A voz do coração* sobre suas experiências depois de ser submetida a um transplante de coração e pulmão em 1988.[20] Na época, tudo o que ela sabia era que os órgãos provinham de um doador de 18 anos morto em um acidente de motocicleta. Depois do transplante, a bailarina profissional e coreógrafa de 47 anos desenvolveu enorme desejo por nuggets de frango, batatas fritas, cerveja, pimentões verdes e chocolate Snickers, alimentos dos quais nunca havia gostado. Sua personalidade também mudou; ela se tornou mais assertiva, mais confiante. A filha adolescente até brincava sobre ela ter desenvolvido um andar masculino. Quando Sylvia enfim conseguiu rastrear a família do doador, descobriu que os alimentos que desejava desde o transplante eram os favoritos do jovem. A informação vital estava armazenada no campo de luz do órgão.

A história mais dramática para ilustrar o fenômeno envolve uma menina de 8 anos que, depois de receber o coração de uma menina de 10, começou a ter vívidos pesadelos sobre ser assassinada.[21] A doadora de fato havia sido assassinada, e o criminoso não fora capturado. A mãe da paciente a levou a um psiquiatra, que ficou convencido de que a menina sonhava com eventos que haviam ocorrido. Procuraram a polícia, que abriu uma investigação usando o relato detalhado da menina sobre o assassinato, inclusive informações sobre a hora e o local do crime, a arma, as características físicas do criminoso e as roupas que ele vestia. O assassino foi identificado, preso e condenado.

Nesses casos, a informação no campo de energia do órgão transplantado alterou a expressão do campo de energia do indivíduo depois do transplante – a luz e a informação diferentes desse campo se misturaram às do campo do paciente. O receptor pode captar a informação como memória no campo, e esta influencia sua mente e seu corpo. A energia contendo informação específica influencia a matéria.

Quando você agrupa órgãos, forma um sistema, como o musculoesquelético, cardiovascular, digestivo, reprodutor, endócrino, linfático, nervoso e imunológico, para mencionar alguns. Esses sistemas funcionam extraindo informação do campo invisível de energia e consciência que os cerca. Quando você junta todos esses sistemas, forma um corpo que também tem um campo invisível de energia eletromagnética ao redor, e esse campo eletromagnético de luz é quem realmente somos.

Agora, de volta aos hormônios do estresse. Como já mencionei, quando você está em modo de sobrevivência e extrai muita energia do campo invisível para transformá-la em substâncias químicas em seu corpo físico - seja por excesso de sexo, comida, estresse ou todos ao mesmo tempo -, o campo energético em torno de seu corpo diminui. Isso significa que não há energia ou luz suficiente cercando seu corpo para dar à matéria as instruções apropriadas para homeostase, crescimento e reparo. Quando isso acontece, os centros individuais não mais recebem, processam ou expressam energia e não mais produzem uma mente neurológica saudável para enviar os sinais necessários às partes do corpo onde têm enervações. Como a energia com intenção consciente ativando ou circulando pelo tecido neurológico cria mente, os centros de energia diminuem a expressão das mentes para regular células, tecidos, órgãos e sistemas do corpo porque não há energia circulando por eles. O corpo começa a funcionar mais como uma porção de matéria sem a adequada energia coerente de luz e informação. Os minicérebros se tornam incoerentes, bem como nosso cérebro.

Além disso, quando está incoerente e compartimentalizado por causa dos hormônios do estresse, o cérebro envia uma mensagem muito incoerente (como estática em um rádio) pelo sistema nervoso central para cada um dos plexos de neurônios relacionados à comunicação com o corpo. Quando os minicérebros recebem mensagens incoerentes, enviam uma mensagem incoerente aos órgãos, tecidos e células relacionados a eles. Isso afeta a expressão hormonal e a condutividade nervosa de diferentes órgãos, tecidos e células, e essa incoerência começa a criar doença ou desequilíbrio. O resultado é que, quando os cérebros individuais se tornam incoerentes, cada área correspondente do corpo se torna incoerente. E, quando eles não funcionam bem, nós não funcionamos bem.

Aumentar a energia

Na meditação da Bênção dos Centros de Energia, quando aprende a repousar sua atenção em cada centro e ficar ciente do espaço em volta deles, você cria coerência em cada um dos pequenos cérebros da mesma maneira que cria coerência no grande cérebro entre suas orelhas. Quando reconhece a partícula (matéria) ao repousar a atenção no períneo (primeiro centro), no espaço atrás do umbigo (segundo centro), na cavidade do intestino (terceiro centro), no centro do peito (quarto centro) e assim por diante, você ancora sua atenção naquele centro. E onde você coloca sua atenção é onde coloca sua energia.

A seguir, você coloca sua atenção no – ou abre o foco para o – espaço em torno de cada centro, sintonizando na energia além do centro. Ao fazer isso, é de vital importância que você entre em um estado de emoção elevada, como amor, gratidão ou alegria. Como você aprendeu nos capítulos anteriores, isso é importante porque emoção elevada é energia, e, quanto mais tempo mantiver o foco aberto a partir de um estado de emoção elevada, mais você vai construir um campo muito coerente com uma frequência muito alta em torno daquele centro em seu corpo.

Assim que você constrói um campo coerente em torno de um centro, este tem energia coerente com instruções corretas a que recorrer. Os átomos, moléculas e substâncias químicas que formam as células que criam os tecidos que compõem os órgãos e os sistemas do corpo vão recorrer a um novo campo de luz e informação e a uma energia mais coerente que transmite uma mensagem mais intencional, fornecendo novas instruções a cada centro. O corpo então começa a responder a uma nova mente. Quando você se entrega, entra no momento presente e entende que onde coloca sua atenção é onde coloca sua energia, pode construir um novo campo de luz e informação e elevar a frequência do sinal. Esse pensamento intencional dirige a energia a cada centro para produzir uma nova mente naquele cérebro individual. Quando cada centro recorre a um novo campo de frequência e informação, o corpo volta ao equilíbrio ou homeostase. Nesse novo estado, você se torna mais energia e menos matéria, mais onda e menos partícula. Quanto mais elevada a emoção, mais energia você cria e mais profunda a mudança que pode resultar.

Por outro lado, se você permanece preso nas emoções de sobrevivência de preocupação, medo, ansiedade, frustração, raiva, desconfiança e assim por diante, não tem essa energia, informação e luz em torno do corpo. Quando a frequência, a luz e a energia ficam mais lentas e mais incoerentes em cada centro, você se torna mais matéria e menos energia, até o corpo começar a adoecer. O propósito dessa meditação é acelerar a frequência, de retorno à coerência e organização, elevando a frequência da matéria ou levando a matéria a uma mente nova, mais coerente.

Mas lembre-se: isso não pode ser feito à força. Você não pode simplesmente desejar ou forçar o acontecimento. Não acontece por tentativa, nem por esperança, nem por desejo porque não pode ser feito com a mente consciente. Você tem que entrar em sua mente subconsciente, porque é lá que está o sistema operacional - o sistema nervoso autônomo, que controla e faz funcionar todos os centros de energia.

Você precisa sair do padrão de ondas cerebrais beta, porque beta o mantém na mente consciente, separado do subconsciente ou do sistema nervoso autônomo que comanda o espetáculo. Quanto mais fundo você vai na meditação - de ondas beta para alfa e delas para theta (o estado semiacordado, semiadormecido da meditação mais profunda) -, mais lenta a sua frequência e mais acesso você tem ao sistema operacional. Na meditação da Bênção dos Centros de Energia, seu trabalho é reduzir a velocidade das ondas cerebrais e combinar uma emoção elevada com a intenção de abençoar cada centro de energia pelo bem maior - amando-os para trazê-los à vida - e depois entregar-se e deixar seu sistema nervoso autônomo assumir o comando, porque ele já sabe como fazer isso sem ajuda da mente consciente. Você não pensa, não vê e não analisa. Faz uma coisa que, em princípio, pode parecer muito mais difícil: você planta uma semente de informação e deixa acontecer, permite que ela receba instruções e energia e as utilize para criar mais equilíbrio e organização em seu corpo.

Medimos a eficiência com que nossos alunos conseguem usar essa meditação para aumentar a energia em cada centro e alcançar equilíbrio entre estes. Para isso, usamos o aparelho de visualização de descarga de gás sobre o qual você leu em um capítulo anterior, medindo o campo de energia dos participantes antes e depois da meditação da Bênção dos Centros de Energia. A tecnologia GDV usa uma câmera especializada para capturar imagens do dedo de um sujeito enquanto uma corrente elétrica fraca (e totalmente indolor) é aplicada à ponta do dedo por menos de um milésimo de segundo. O corpo responde à corrente descarregando uma nuvem de elétrons feita de fótons. Embora a descarga não seja visível a olho nu, a câmera do equipamento de GDV consegue capturá-la e traduzi-la em um arquivo digital de computador. Depois, um *software* chamado

Bio-Well usa os dados para criar uma imagem como a que você vê no gráfico 4 do encarte colorido.

Os gráficos 4A a 4D mostram o quanto os centros de energia do indivíduo estão equilibrados (ou desequilibrados) antes e depois da meditação. O programa Bio-Well usa os mesmos dados do GDV para estimar a frequência de cada centro de energia e comparar com a norma. Centros de energia equilibrados aparecem em alinhamento perfeito, enquanto centros desequilibrados exibem um padrão descentralizado. O tamanho do círculo que representa cada centro de energia mostra se a energia é inferior, igual ou superior à média, e o quanto. O lado esquerdo de cada exemplo do gráfico 4 mostra as medidas dos centros de energia do sujeito antes de começarmos a oficina, e o lado direito mostra as medidas alguns dias depois.

Agora olhe os gráficos 5A a 5D. O lado esquerdo mostra a medida do campo de energia em torno do corpo inteiro de cada aluno antes de começarmos o evento, enquanto o lado direito mostra a medida depois.

Também usamos o equipamento de GDV para medir como essa meditação (bem como qualquer outra deste livro) intensifica o campo de energia em torno do corpo todo. Como você vai ler em breve nas instruções, no início da meditação eu repito várias vezes para você colocar a atenção não só em várias partes do corpo, mas também no espaço em torno dessas partes e depois, no fim da meditação, no espaço em torno de todo o seu corpo. Como você aprendeu, onde você coloca sua atenção é onde coloca sua energia, então, se coloca o foco nesse espaço, é naturalmente ali que sua energia vai estar. Ao fazer isso, você usa sua atenção, consciência e energia para construir e intensificar o campo de luz e informação em torno de seu corpo. Isso cria ordem e sintropia, em vez de desordem e entropia. Aí então você é mais energia coerente e menos matéria, tem seu campo de luz e informação intensificado e pode recorrer a ele para criar.

Meditação de Bênção dos Centros de Energia

Essa meditação se tornou uma das mais populares entre nossos alunos e criou um número impressionante de resultados sobrenaturais. Como fiz no capítulo anterior, vou dar algumas instruções básicas para, caso opte por fazer a meditação sozinho, você saiba como proceder.

Comece colocando a atenção no primeiro centro de energia, depois a amplie para o espaço em torno desse centro. Quando conseguir sentir o espaço em torno do centro de energia, abençoe o centro pelo bem maior, depois conecte-se a emoções elevadas, como amor, gratidão ou alegria, para elevar a frequência do centro e criar um campo de energia coerente.

Faça isso com cada um dos sete centros de energia no corpo; quando chegar ao oitavo centro, um lugar cerca de quarenta centímetros acima de sua cabeça, abençoe-o com gratidão ou reconhecimento, porque gratidão é o estado final para o recebimento. Esse centro vai então começar a abrir a porta para a informação profunda do campo quântico.

Aí então você abre o foco e coloca sua atenção na energia eletromagnética que cerca todo o seu corpo, construindo um novo campo de energia. Quando seu corpo recorre a um novo campo de energia eletromagnética, você se torna mais luz, mais energia e menos matéria e eleva a frequência do corpo.

Lembre-se: para criar o ilimitado, você precisa se sentir ilimitado. Para se curar de forma magnífica, você precisa se sentir magnífico. Acesse a emoção elevada e a sustente durante a meditação.

Depois de abençoar cada centro de energia, deite-se por quinze minutos pelo menos. Relaxe, entregue-se e deixe o sistema nervoso autônomo receber as ordens e integrar toda a informação ao seu corpo.

Capítulo 5

Recondicione o corpo a uma nova mente

Neste capítulo, vamos discutir como executar uma técnica de respiração que uso antes de muitas das nossas meditações. Vou explicar em detalhes aqui, porque entender como isso funciona é vital para a capacidade de realmente mudar a energia e libertar o corpo do passado. Como você vai ver, o uso apropriado da respiração é uma das chaves para se tornar sobrenatural. Para ter todos os benefícios dessa técnica, seu conhecimento sobre "o que" está fazendo e "por que" está fazendo serve de base para a experiência e facilita o "como fazer", sem mencionar que torna a técnica mais efetiva. Quando você entender a fisiologia dessa respiração em particular, vai conseguir atribuir significado à atividade, colocar mais intenção, executar de maneira correta e sentir todos os benefícios de usá-la para tirar a mente do corpo e então recondicioná-lo a uma nova mente.

Antes de começarmos, quero rever o círculo de pensamento-sentimento que discutimos no Capítulo 2, porque os conceitos estão no centro da meditação deste capítulo. Como você deve lembrar, pensamentos causam reações bioquímicas no cérebro que liberam sinais químicos, e esses sinais químicos fazem o corpo sentir exatamente como você estava pensando. Esses sentimentos então fazem você gerar mais pensamentos que o fazem sentir-se exatamente como estava pensando. Os pensamentos conduzem os sentimentos, e os sentimentos conduzem os pensamentos, e em algum momento esse círculo programa o cérebro nos mesmos padrões, o que condiciona o corpo ao passado. Como emoções são um registro de experiências passadas, se você não consegue pensar mais do que sente, o círculo de pensamento-sentimento o mantém ancorado ao passado e cria um estado de ser constante. É assim que o corpo se torna a mente – ou que, com o tempo, os pensamentos comandam você e seus sentimentos o dominam.

Quando o corpo se torna a mente da emoção, o corpo está literalmente no passado. Como o corpo é a mente inconsciente, ele é tão objetivo que não sabe a diferença entre a experiência de vida que cria a emoção e a emoção que você cria apenas com o pensamento. Quando você é pego no círculo pensamento-sentimento, o corpo acredita que está vivendo na mesma experiência passada 24 horas por dia, sete dias por semana, 365 dias por ano. O corpo acredita que esta na mesma experiência do passado porque para o corpo, a emoção é literalmente a experiência.

Digamos que você teve algumas experiências de vida difíceis que o marcaram emocionalmente e nunca superou o medo, a amargura, a frustração e o ressentimento provocados por elas. Cada vez que você tem uma experiência em seu ambiente externo que de algum modo é semelhante ao que aconteceu antes, a experiência age como um gatilho, e você sente as mesmas emoções que sentiu na época do primeiro acontecimento. Uma vez que sente a mesma emoção que sentiu trinta anos atrás, quando o evento ocorreu pela primeira vez, é bem possível que se comporte da mesma maneira que se comportou naquela época, porque as emoções estão orientando seus pensamentos e comportamentos conscientes e inconscientes. As emoções se tornaram tão familiares que você acredita que sejam quem você é.

Quando chega aos trinta e poucos anos, se você continua pensando, agindo e sentindo do mesmo jeito, sem mudar nada, a maior parte de quem é se torna um conjunto memorizado de pensamentos automáticos, reações emocionais reflexivas, hábitos e comportamentos inconscientes, crenças e percepções subconscientes e atitudes de uma rotina familiar. Na verdade, 95% de quem somos quando adultos ficou tão habituado pela repetição, que o corpo foi programado para ser a mente, e o corpo, não a mente consciente, comanda o espetáculo.[22] Isso significa que apenas 5% de quem somos é consciente; os restantes 95% são um programa corpo-mente subconsciente. A fim de criar alguma coisa significativamente diferente em nossas vidas, temos que encontrar uma forma de tirar a mente do corpo e modificar nosso estado de ser, o que é exatamente o que a meditação que vou ensinar no fim deste capítulo é planejada para fazer.

Como a energia é armazenada no corpo

Agora vamos ver como o círculo pensamento-sentimento funciona em relação aos centros de energia do corpo, especialmente os três primeiros, de sobrevivência, onde ele causa mais problemas. Isso acontece porque os pensamentos e sentimentos da maioria das pessoas ativam esses centros de energia. Como você deve lembrar do capítulo anterior, cada um dos centros de energia do corpo tem energia, informação, glândulas, hormônios, química e neurocircuitaria próprios e minicérebro ou mente individual (cada um tem mente própria). Os minicérebros são programados no corpo para operar de maneira subconsciente por meio do sistema nervoso autônomo. Cada centro tem a própria energia e nível correspondente de consciência, e cada um é associado a emoções específicas correspondentes.

Digamos que você tenha um pensamento, tipo "meu chefe é injusto". A figura 5.1 mostra como esse pensamento aciona uma rede neurológica em seu cérebro. Depois você tem outro pensamento, "eu ganho mal", e aciona uma segunda rede neurológica. Aí pensa "estou sobrecarregado", e se agita de vez. Como a mente é o cérebro em ação, se você continua com mais pensamentos na mesma linha e ativa redes de neurônios suficientes disparando em conjunto – em uma sequência, padrão e combinação específicos – produz um nível de mente que então cria uma representação interna ou imagem de você mesmo no lobo frontal. É nele que você pode tornar seus pensamentos internos mais reais que o ambiente externo. Nesse caso, você se vê como uma pessoa zangada. Se aceita, acredita em e se rende a uma ideia, conceito ou imagem sem nenhuma análise, os neurotransmissores (mensageiros químicos que enviam informação entre os neurônios do cérebro que produzem esse nível de mente) começam a influenciar neuropeptídeos (mensageiros químicos criados pelo sistema nervoso autônomo dentro do cérebro límbico). Pense nos neuropeptídeos como moléculas de emoção. Os neuropeptídeos sinalizam os centros hormonais, acionando nesse caso as glândulas adrenais no terceiro centro de energia. Quando as glândulas adrenais liberam seus hormônios, você se sente estimulado. E transmite uma assinatura energética específica por meio do terceiro centro de energia, contendo a seguinte mensagem: "Mande-me outro motivo para sentir como já estou me sentindo, mande-me outro motivo para sentir raiva". Quando esse centro é ativado, produz uma frequência específica que transmite uma mensagem particular.

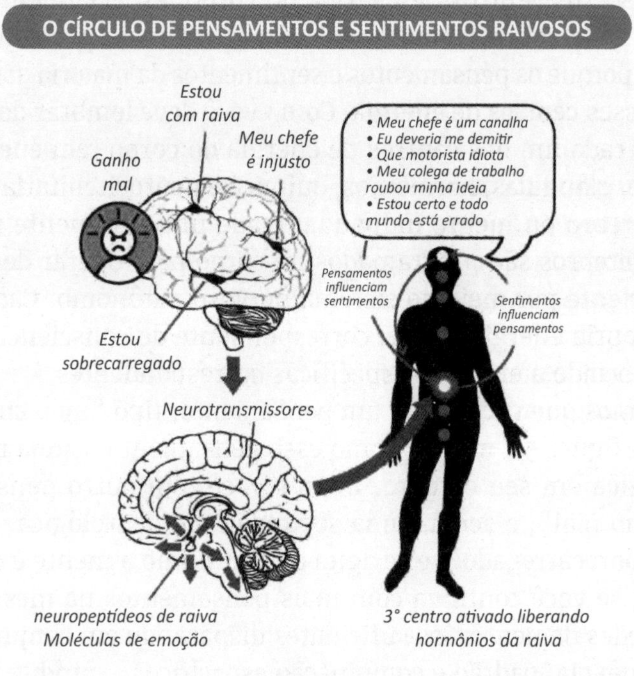

O CÍRCULO DE PENSAMENTOS E SENTIMENTOS RAIVOSOS

FIGURA 5.1

A figura demonstra como armazenamos energia na forma de emoções em nosso terceiro centro como resultado de nos enredarmos em um círculo específico de pensamentos e sentimentos.

O cérebro monitora seu estado químico e, no momento em que você sentir raiva, ele vai pensar mais pensamentos correspondentes a como você se sente. "Meu chefe é um canalha! Eu deveria me demitir. Que motorista idiota! Meu colega de trabalho roubou minha ideia! Estou certo, e todo mundo está errado." O cérebro dispara e programa circuitos similares da mesma maneira muitas e muitas vezes, e, se você aciona esses circuitos em número suficiente, continua produzindo o mesmo nível de mente. Isso reafirma sua identidade com a mesma imagem em seu cérebro frontal. Então o cérebro límbico cria mais dos mesmos neuropeptídeos, que então sinalizam os mesmos hormônios do terceiro centro de energia, e você começa a se sentir ainda mais raivoso e frustrado, o que o influencia a pensar mais dos mesmos pensamentos. O ciclo pode se manter por décadas, seja justificado ou não o que você pensa, e a redundância do ciclo programa o cérebro de acordo com um determinado padrão (raiva, nesse caso) e condiciona emocionalmente o corpo no passado.

O corpo se torna a mente de raiva; assim, a raiva não está mais na mente do seu cérebro (os 5% de pensamento consciente), em vez disso, a emoção da raiva fica armazenada como energia no corpo-mente (os 95% da mente subconsciente). Por ser subconsciente, você não está ciente do que está fazendo, mas é exatamente isso que acontece. Toda emoção originalmente criada a partir do pensamento (porque todos os pensamentos têm uma energia correspondente) fica armazenada como energia no corpo, presa no terceiro centro, o plexo solar.

A energia armazenada produz um efeito biológico – nesse caso, pode ser fadiga adrenal, problemas digestivos, dificuldades renais ou um sistema imunológico enfraquecido –, sem mencionar efeitos psicológicos, como temperamento explosivo, impaciência, frustração ou intolerância. Ao longo dos anos, você segue produzindo os mesmos pensamentos que sinalizam os mesmos sentimentos e continua programando o cérebro no mesmo padrão bem definido – e continua igualmente recondicionando o corpo para se tornar a mente de raiva. Assim, uma quantidade enorme de sua energia criativa é armazenada no terceiro centro de energia do corpo como raiva, amargura, frustração, intolerância, impaciência, controle ou ódio.

E se, em vez de sentir raiva, você começa a ter pensamentos que o fazem se sentir vitimizado ou culpado? "A vida é muito difícil! Sou um mau pai. Não devia ter sido tão rude. Será que fiz alguma coisa errada?" Se você der uma olhada na figura 5.2, vai ver que acontece a mesma coisa: esses pensamentos acionam uma diferente rede de neurônios em seu cérebro. Se você dispara e conecta um número suficiente dessas redes, produz um nível diferente de mente, e o cérebro cria a imagem interna de você mesmo que reafirma sua identidade (nesse caso, uma pessoa culpada). Você começa a pensar: "Deus vai me punir. Ninguém me ama. Não valho nada". Quando você aceita, acredita e se rende a pensamentos culpados sem nenhuma análise, os neurotransmissores que ativam redes neurais no cérebro influenciam uma mistura diferente de neuropeptídeos (que combina com os pensamentos de culpa), e esses neuropeptídeos sinalizam um centro hormonal, nesse caso, o segundo centro. Com o tempo, à medida que você recria o mesmo círculo de pensamento e sentimento, pensamento e sentimento, começa a armazenar sua energia no segundo centro no corpo. Isso começa a produzir um efeito biológico: como você sente culpa no intestino, pode começar a sentir náusea, enjoo ou dor nessa região do corpo, além de emoções como sofrimento, infelicidade ou até tristeza.

O CÍRCULO DE PENSAMENTOS E SENTIMENTOS DE CULPA

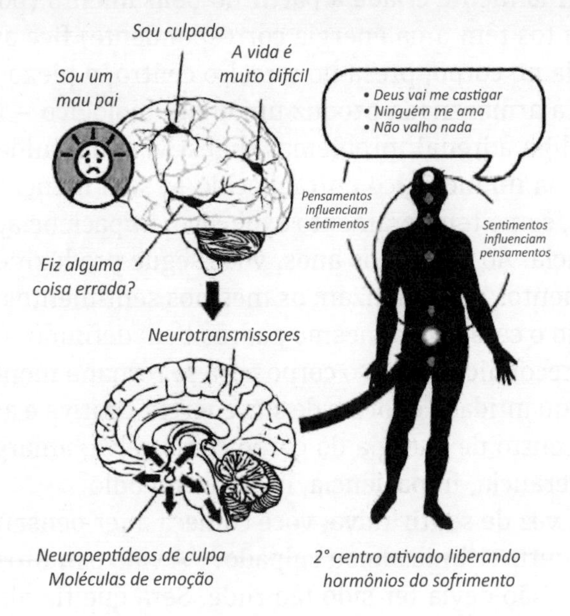

FIGURA 5.2

A figura demonstra como armazenamos energia na forma de emoções em nosso segundo centro por nos enredarmos em um círculo diferente de pensamentos e sentimentos.

Se você continua se sentindo culpado, com o tempo tem mais pensamentos culpados que disparam e conectam mais neurônios que sinalizam mais neuropeptídeos que causam a liberação de mais hormônios no segundo centro. Enquanto isso acontece, você continua condicionando o corpo a se tornar a mente de culpa e sofrimento e armazena cada vez mais energia como emoção no segundo centro. Também continua transmitindo uma assinatura energética específica contendo informação específica através do segundo centro de energia para o campo de energia do seu corpo.

Agora, digamos que você comece a ter um conjunto de pensamentos totalmente diferentes. O que acontece se você tiver fantasias sexuais com alguém? Você vai acionar uma rede diferente de neurônios em seu cérebro e produzir um nível diferente de mente. Como antes, se você tiver um número suficiente dessas redes disparadas e conectadas, terá uma representação interna diferente no lobo frontal do cérebro. Quando o pensamento ou imagem ao qual você presta atenção se tornar mais real que seu mundo exterior, o pensamento literalmente se tornará a experiência, e o produto final dessa experiência será o sentimento correspondente.

O resultado é que seu corpo fica excitado. Aquele centro é ativado com uma energia específica que transmite uma energia contendo uma mensagem ou intenção específica, que aciona o plexo individual de neurônios naquele centro para produzir uma mente específica, que sinaliza os genes nas glândulas correspondentes para produzir substâncias químicas e hormônios correspondentes aos pensamentos. Você então fica convencido de que é o garanhão ou a gata do universo. Se aceita, acredita e se rende ao pensamento ou imagem de si mesmo sem nenhuma análise, os neurotransmissores no cérebro começam a influenciar uma mistura de neuropeptídeos no cérebro límbico. Eles vão sinalizar os hormônios no primeiro centro de energia, programando o sistema nervoso autônomo para preparar aquele centro para ser ativado. Acredito que você conheça bem os efeitos biológicos que vêm a seguir.

As reações biológicas vão fazer você continuar se sentindo de certa maneira, e você vai ter mais pensamentos correspondentes a esse sentimento. Você armazena energia no primeiro centro e transmite uma assinatura vibracional contendo uma mensagem específica desse centro para o campo de energia do seu corpo. Seu cérebro monitora como você se sente, e você gera ainda mais pensamentos correspondentes, e o ciclo continua. É assim que o corpo responde à mente e, no fim, se torna a mente.

Agora você entende como seus pensamentos condicionam o corpo a se tornar a mente de qualquer emoção que você experimente e como você armazena mais energia no centro de energia correspondente à emoção quando isso acontece. O centro onde a maior parte da energia fica armazenada é aquele associado às emoções que você experimenta repetidamente.

Se você é excessivamente luxurioso, sexualizado e preocupado em querer ser visto por outras pessoas como alguém sexualmente desejável, sua energia está retida no primeiro centro. Se experimenta um excesso de culpa, tristeza, medo, depressão, vergonha, autodepreciação, baixa autoestima, sofrimento e dor, sua energia fica retida no segundo centro. Se tem problemas com raiva, agressividade, frustração, autocontrole, julgamento ou vaidade, sua energia está retida no terceiro centro. (Espero que agora você já tenha feito a meditação da Bênção dos Centros de Energia e começado a sentir como a energia em cada centro pode evoluir para o centro seguinte, aumentando de frequência à medida que ascende.)

Com o tempo, o corpo se torna a mente daquela emoção, e, quando essa energia como emoção é armazenada (ou, mais precisamente, quando fica presa) em um ou mais dos centros inferiores de energia, o corpo fica literalmente no passado. Isso significa que você não tem mais energia disponível para criar um novo destino. Quando isso acontece, seu corpo se torna mais matéria e menos energia, porque, como você leu, os primeiros três centros (baseados em emoções de sobrevivência) encolhem o campo vital de energia que cerca seu corpo.

Quero deixar claro que não estou dizendo que você não deve fazer sexo, nem desfrutar da comida, nem mesmo ficar estressado. Estou dizendo que, quando você está desequilibrado, é porque os três primeiros centros estão desequilibrados. Imagine se os três centros de sobrevivência fossem superestimulados ao mesmo tempo – você pode ver com facilidade como a energia de seu corpo diminuiria com o passar do tempo. Quando isso acontece, não sobra muita energia para crescimento, reparo, cura, criação, nem mesmo para recuperar o equilíbrio.

Da mesma maneira, muita gente que se sente desequilibrada pode se retrair e limitar a quantidade de alimento que consome. Digerindo menos alimento, o corpo tem menos energia para se equilibrar. Essas pessoas também podem se abster de sexo por um tempo para permitir ao corpo se restaurar. Durante esse retraimento, também se afastarão do estímulo constante que normalmente recebem do ambiente, inclusive dos amigos, filhos, colegas de trabalho, compromissos e agenda, emprego, computador, casa e celular. Isso ajuda o corpo a deixar de reagir (consciente ou inconscientemente) a todos esses elementos familiares no mundo externo que elas associam a pensamentos e lembranças emocionais do passado.

A técnica de respiração que vou ensinar oferece um meio de liberar a energia presa e armazenada nos primeiros três centros, de forma que possa voltar a fluir para o cérebro, de onde veio. Quando você usa a respiração para liberar emoções, essa energia fica disponível para propósitos maiores. Você terá mais energia para se curar, criar uma vida diferente, manifestar mais saúde ou ter uma experiência mística, para citar apenas algumas possibilidades. As emoções armazenadas no corpo como energia serão transmutadas em um tipo diferente de energia, que transmite uma mensagem diferente por meio das emoções elevadas de inspiração, liberdade, amor incondicional e gratidão. É a mesma energia; ela só está retida em seu corpo. A respiração é um meio de tirar a mente do corpo. Você vai usar o corpo como instrumento de consciência para elevar sua energia, transformando as emoções de sobrevivência em emoções criativas. Quando liberta seu corpo das correntes do passado e libera energia, você tem energia disponível para fazer o incomum, para alcançar o sobrenatural.

O corpo como um ímã

Ao olhar a figura 5.3, pense em um ímã. Ímãs têm polaridade, é claro. Cada um tem um polo norte e um polo sul; uma extremidade tem carga positiva, a outra tem carga negativa. A polaridade entre as extremidades de um ímã é o que o faz produzir um campo eletromagnético. Quanto mais forte a polaridade entre os dois polos, maior o campo eletromagnético que o ímã produz. Você não pode ver esse campo eletromagnético, mas ele existe e pode ser medido.

CAMPO ELETROMAGNÉTICO DE UM ÍMÃ

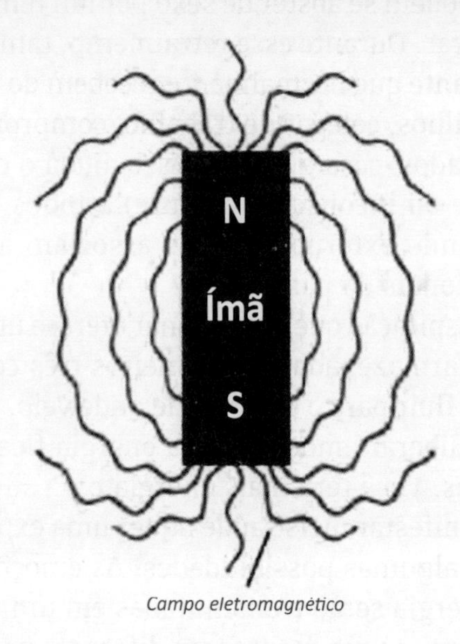

FIGURA 5.3

Um ímã tem um campo eletromagnético invisível e mensurável à sua volta. Quanto mais forte a polaridade entre os polos norte e sul, mais a corrente se move pelo ímã e maior o campo eletromagnético.

A força do campo eletromagnético de um ímã pode influenciar até a matéria. Se você pegar pequenas aparas de metal e colocá-las sobre uma folha de papel, colocar outra folha por cima e assentar um ímã, as aparas de metal vão se organizar dentro do campo magnético do ímã. O campo eletromagnético do ímã é poderoso o bastante para afetar a realidade material, embora a frequência do campo esteja além de seus sentidos. É o que mostra a figura 5.4.

COMO A ENERGIA INFLUENCIA A MATÉRIA

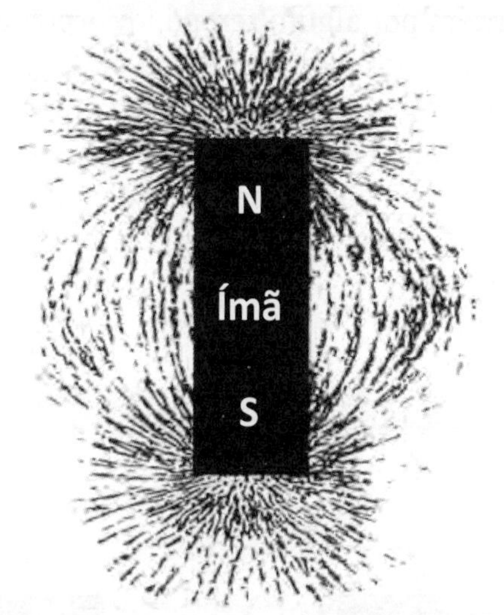

Aparas de metal organizadas pelo campo eletromagnético

FIGURA 5.4

O campo eletromagnético de um ímã organiza aparas de metal colocadas debaixo dele nos padrões de seu campo.

A Terra é um ímã. E, como qualquer outro ímã, tem um polo norte e um polo sul, bem como um campo eletromagnético ao redor. Embora esse campo seja invisível, todos conhecemos um meio espantoso de confirmar sua existência; o campo magnético da Terra desvia os fótons do Sol, e durante uma erupção solar ou uma ejeção de massa coronal, esse campo desvia trilhões de toneladas de fótons arremessados em direção à Terra em um fenômeno pulsante e colorido conhecido como aurora boreal.

Seu corpo também é um ímã. Culturas antigas (em especial as asiáticas) sabem disso há milhares de anos. Seu polo norte é a mente e o cérebro, e seu polo sul é o corpo na base da coluna. Quando você vive dos hormônios do estresse (emoções de sobrevivência) ou quando utiliza os outros dois centros de energia de sobrevivência em excesso, extrai energia de seu campo invisível constantemente. A energia então não flui mais pelo corpo, porque o corpo em modo de sobrevivência retira a energia do campo e a armazena, especificamente nos três primeiros centros de energia. (Isso é o que acontece quando o ciclo pensamento-sentimento de que já falamos é ativado.)

Se isso se mantém por algum tempo, o corpo não terá carga elétrica alguma correndo por ele; sem carga elétrica, não pode criar o campo de energia eletromagnética que normalmente o cerca. Quando isso acontece, o corpo não é mais como um ímã. É como um pedaço de metal comum, um ímã que perdeu a carga. Como você pode ver na figura 5.5, o corpo se torna mais matéria e menos energia (ou mais partícula e menos onda).

O CORPO COMO ENERGIA *VERSUS* O CORPO COMO MATÉRIA

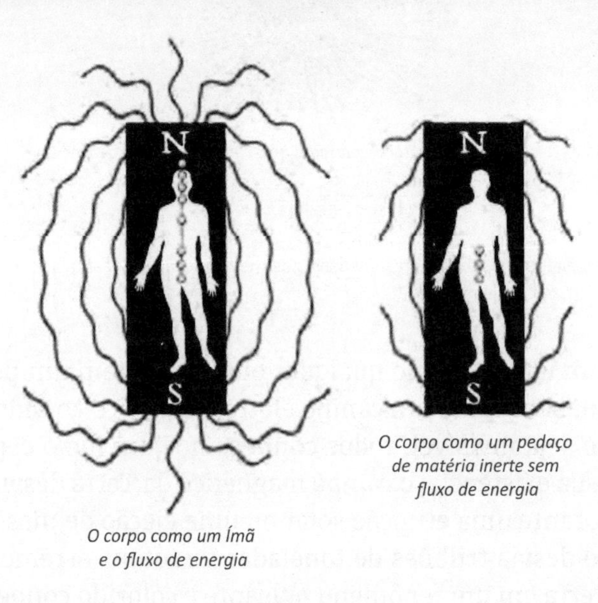

O corpo como um ímã e o fluxo de energia

O corpo como um pedaço de matéria inerte sem fluxo de energia

FIGURA 5.5

Quando há um fluxo de energia se movendo pelo corpo, assim como em um ímã, existe um campo eletromagnético mensurável a cercá-lo. Quando vivemos no modo de sobrevivência, extraindo desse campo invisível de energia em torno do corpo, diminuímos o campo eletromagnético de nosso corpo. Além disso, quando a energia fica presa nos três primeiros centros de sobrevivência porque estamos enredados em um círculo de pensamentos e sentimentos, há menos corrente se movendo pelo corpo e o campo eletromagnético é menor.

É claro que, se houvesse meio de fazer a energia armazenada nos três primeiros centros voltar a circular, a corrente voltaria a fluir e o corpo recriaria o campo eletromagnético. A respiração faz isso, nos proporciona uma forma de tirar a mente do corpo e mover toda a energia armazenada nos três primeiros centros coluna acima até o cérebro, restaurando o campo eletromagnético em torno do corpo. Quando isso acontece, podemos usar a energia para outras coisas além da sobrevivência. Vamos dar uma olhada em como o corpo físico é construído para podermos entender o que torna isso possível.

O CÉREBRO E A MEDULA ESPINHAL NO INTERIOR DO SISTEMA ESQUELÉTICO

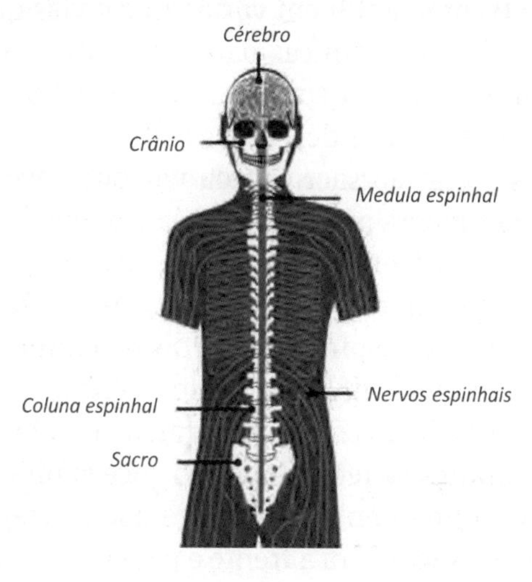

FIGURA 5.6

O sacro, a coluna espinhal e o crânio são as estruturas ósseas que protegem o sistema mais delicado do corpo – o sistema nervoso central, que controla e coordena todos os outros sistemas.

Dê uma olhada na figura 5.6. Na base da coluna você tem um osso chamado sacro, que parece um triângulo invertido com um platô no topo. Em cima dessa superfície plana fica a coluna espinhal, que se estende até o crânio. Dentro desse sistema fechado fica o sistema nervoso central, composto pelo cérebro e pela medula espinhal. A medula é, na verdade, uma extensão do cérebro. O crânio e a coluna espinhal protegem esse sistema muito delicado.

O sistema nervoso central é um dos sistemas mais importantes do corpo, porque controla e coordena todos os outros. Sem a ajuda do sistema nervoso central, você não poderia digerir os alimentos, esvaziar a bexiga, mover o corpo, e o coração não poderia bater. Você não conseguiria nem piscar sem o sistema nervoso central. Podemos pensar no sistema nervoso central como o circuito elétrico que faz funcionar a máquina do corpo.

Dentro desse sistema fechado está o líquido cefalorraquidiano, filtrado do sangue no cérebro. Esse fluido banha o cérebro e a medula espinhal e é responsável pela flutuabilidade do sistema nervoso cerebral. Atua como uma almofada para proteger o cérebro e a medula espinhal de trauma e flui em vários rios e vias que transportam nutrientes e substâncias químicas para diferentes partes do sistema nervoso por todo o corpo. Por sua natureza, esse fluido age como um condutor para intensificar as descargas elétricas no sistema nervoso.

Agora vamos voltar ao sacro. Cada vez que você inspira, o osso sacro flexiona ligeiramente para trás e, cada vez que expira, ele flexiona um pouquinho para a frente. O movimento é extremamente sutil, sutil demais para você perceber mesmo que tente. Mas acontece. Ao mesmo tempo que você inspira, as suturas do crânio (as articulações entre as placas individuais do crânio, que se encaixam como peças de um quebra-cabeça e dão ao crânio um grau de flexibilidade) se abrem ligeiramente e voltam a se fechar quando você expira.[23] Aqui também o movimento é extremamente sutil. Você não consegue senti-lo.

O movimento do sacro para a frente e para trás quando você respira lentamente, bem como o abrir e fechar das suturas do crânio, propagam uma onda do fluido dentro desse sistema fechado e bombeiam o líquido cefalorraquidiano lentamente coluna acima até o cérebro, passando por quatro câmaras chamadas aquedutos ou ventrículos cerebrais. Se você marcasse uma molécula do líquido cefalorraquidiano e a seguisse da base da coluna até o cérebro, depois de volta ao sacro, veria que ela leva doze horas para fazer o circuito completo.[24] Em resumo, você enxágua o cérebro duas vezes por dia. Veja a figura 5.7 para entender como é.

O MOVIMENTO DO LÍQUIDO CEFALORRAQUIDIANO

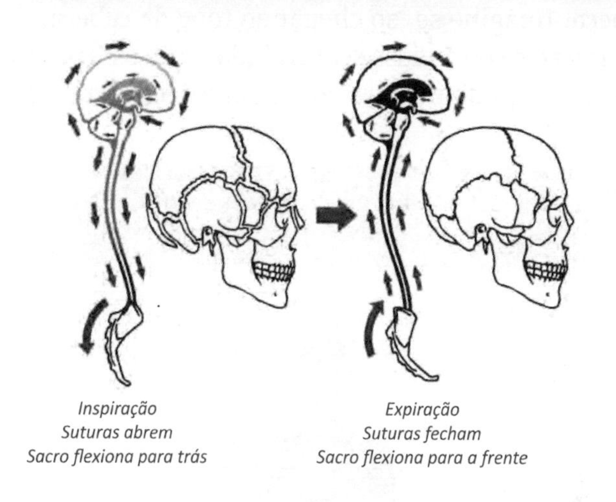

Inspiração
Suturas abrem
Sacro flexiona para trás

Expiração
Suturas fecham
Sacro flexiona para a frente

FIGURA 5.7

Quando você inspira, o sacro se flexiona ligeiramente para trás, e as suturas do crânio se expandem. Quando expira, o sacro se flexiona ligeiramente para a frente, e as suturas se fecham. É essa ação natural da respiração que propaga lentamente uma onda que movimenta o líquido cefalorraquidiano para cima e para baixo pela medula espinhal e por todo o cérebro.

Pense no que aconteceria se você contraísse os músculos intrínsecos do períneo (o assoalho pélvico, os mesmos músculos que usa no sexo e na excreção) e os travasse, depois, com eles ainda travados, contraísse os músculos da região inferior do abdome e os travasse e depois fizesse o mesmo com os músculos da parte superior do abdome. Se continuasse contraindo e travando os músculos nos três primeiros centros de energia pela contração dos músculos do core, o fluido do sistema nervoso central se moveria para cima, como mostra a figura 5.8. Você estaria movendo o fluido cérebro espinhal em seu sistema nervoso central coluna acima. Cada vez que contraísse os músculos desses centros, o fluido seria empurrado para cima.

Agora, imagine se você colocasse sua atenção no topo da cabeça. Onde você coloca sua atenção é onde coloca sua energia; portanto, se colocasse a atenção no topo da cabeça, este se tornaria o alvo para a energia em movimento. Agora, pense em inspirar pelo nariz uma vez, em ritmo lento e regular, e ao mesmo tempo contrair e manter contraídos os músculos do períneo, depois os da região inferior do abdome e então os do abdome superior, o tempo todo acompanhando a respiração coluna acima, através do peito, garganta e cérebro até o topo da cabeça. Imagine se, ao chegar ao topo da cabeça, você prendesse a respiração e continuasse contraindo. Você estaria empurrando o líquido cefalorraquidiano para cima, em direção ao cérebro.

CONTRAÇÃO DE MÚSCULOS INTRÍNSECOS PARA MOVER O LÍQUIDO CEFALORRAQUIDIANO PARA CIMA, EM DIREÇÃO AO CÉREBRO

Uso dos músculos do core para mover a energia

FIGURA 5.8

Quando você contrai os músculos intrínsecos da parte inferior do corpo e ao mesmo tempo inspira lentamente pelo nariz, enquanto coloca a atenção no topo da cabeça, acelera o movimento do líquido cefalorraquidiano em direção ao cérebro e começa a criar uma corrente que atravessa seu corpo e sobe pelo eixo central da coluna.

Isso é importante porque o líquido cerebroespinhal é composto de proteínas e sais em solução, e, no momento em que proteínas e sais se dissolvem em solução, ficam carregados. Se você pega uma molécula carregada e a acelera – como faria se empurrasse a molécula coluna acima –, cria um campo de indutância. Um campo de indutância é um campo invisível de energia eletromagnética que se move em movimento circular na direção em que as moléculas carregadas se movem. Quanto mais carregadas as moléculas que você acelera, maior e mais poderoso o campo de indutância. Dê uma olhada na figura 5.9 para ver como é um campo de indutância.

CAMPO DE INDUTÂNCIA

Um campo de indutância é criado pelo movimento de moléculas carregadas

FIGURA 5.9

O líquido cefalorraquidiano é composto por moléculas carregadas. Quando você acelera moléculas carregadas coluna acima, produz um campo de indutância que se move na direção das moléculas carregadas

MOVIMENTO DA ENERGIA ARMAZENADA DO CORPO PARA O CÉREBRO

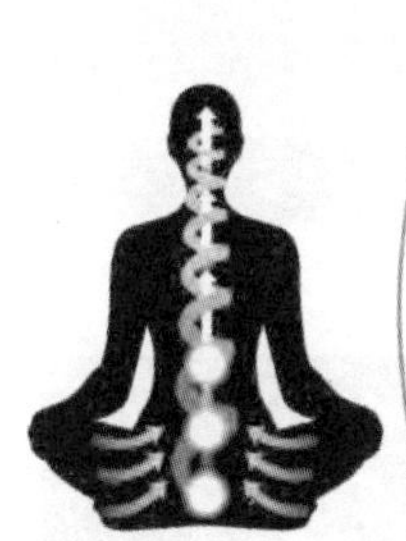

Liberação da energia dos três primeiros centros para o cérebro

FIGURA 5.10A

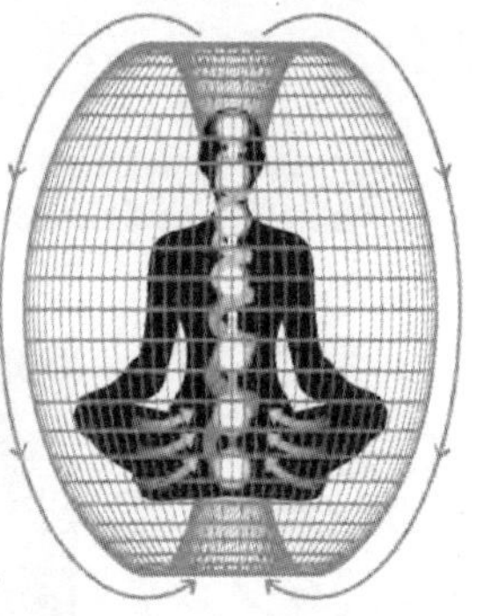

O corpo se torna um ímã pela movimentação de uma corrente coluna acima para produzir um campo eletromagnético

FIGURA 5.10B

Quando o campo de indutância é criado pela aceleração do líquido cefalorraquidiano coluna acima, ele leva a energia armazenada nos primeiros três centros de volta ao cérebro. Quando há uma corrente fluindo da base da coluna até o cérebro, o corpo fica parecido com um ímã e é criado um campo toro eletromagnético.

Pense na medula espinhal como um cabo de fibra óptica que funciona como uma via de mão dupla comunicando simultaneamente informação do corpo para o cérebro e do cérebro para o corpo. A cada segundo, informação importante é enviada do cérebro para o corpo (como o desejo de atravessar a rua ou coçar uma área irritada). No mesmo instante, muita informação do corpo é transportada pela medula espinhal em direção ao cérebro (como o conhecimento da localização do corpo no espaço ou o sinal de que você está com fome). Quando você acelera as moléculas carregadas coluna acima, o campo de indutância resultante reverte a corrente de informação fluindo do cérebro para o corpo e extrai energia dos três centros inferiores para levá-la coluna acima até o cérebro. Dê uma olhada na figura 5.10A para ver como isso funciona. Agora existe uma corrente, como um ímã, percorrendo seu corpo e sistema nervoso central, e o resultado é que o mesmo tipo de campo eletromagnético de energia que cerca um ímã cerca o corpo, como você pode ver na figura 5.10B.

O campo de energia eletromagnética que você criou é um campo tridimensional; quando ele se move, a energia cria um campo de torção, ou um campo toro. Aliás, a forma desse campo eletromagnético é um padrão conhecido no universo, aparece tanto na forma de uma maçã quanto na forma de um buraco negro em uma galáxia distante. (Ver figura 5.11.)

O CAMPO TORO

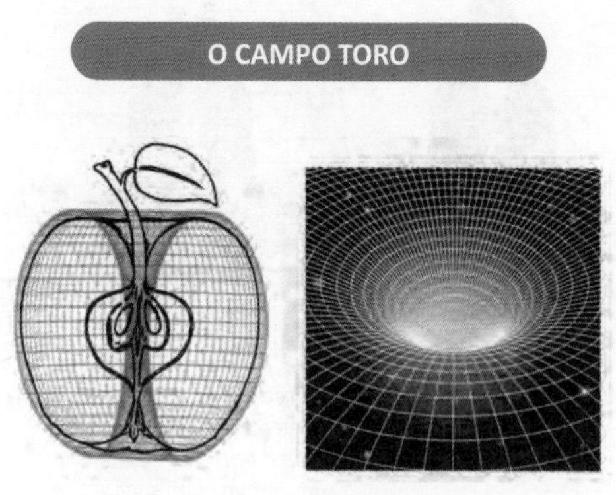

Maçãs e buracos negros na forma de toro

FIGURA 5.11

De maçãs a buracos negros, a forma de toro é um padrão de criação recorrente na natureza.

Agora você entende que, ao executar essa técnica de respiração, você começa a movimentar de modo muito significativo toda a energia armazenada. Se fizer essa técnica corretamente por vezes suficientes, vai acordar um dragão adormecido.

Ascensão da energia para o cérebro

Quando essa energia é ativada, o sistema nervoso simpático (um subsistema do sistema nervoso autônomo que incita cérebro e corpo em resposta a uma ameaça no ambiente externo) é acionado, e a energia começa a se mover dos três centros de energia na parte inferior do corpo para o cérebro. Só que, em vez de o corpo ficar excitado por causa de alguma ocorrência externa, você aciona o sistema nervoso simpático de dentro, dedicando-se com paixão à respiração. Quando o sistema nervoso simpático começa a se fundir com o sistema nervoso parassimpático (outro subconjunto do sistema nervoso autônomo, que relaxa cérebro e corpo, como depois de uma farta refeição), é como se a energia que viaja dos centros inferiores fosse ejaculada dentro do cérebro. Quando essa energia chega ao tronco cerebral, um portal denominado tálamo se abre, e toda a energia pode entrar no cérebro.

Quando a energia antes armazenada no corpo entra no cérebro, o cérebro produz padrões de ondas gama. (Registramos muitos estudantes produzindo ondas gama durante essa técnica de respiração.) Ondas gama – que eu chamo de superconsciência – são notáveis não só por produzirem os mais elevados níveis de energia de todas as ondas cerebrais, mas também porque essa energia vem de dentro do corpo, em vez de ser liberada em reação a um estímulo no ambiente, no mundo externo.

Por outro lado, o cérebro produz ondas beta de alta frequência quando o corpo libera hormônios do estresse, permitindo que você se mantenha muito alerta ao perigo no ambiente. Em beta, o mundo externo parece mais real que seu mundo interno. Embora as ondas gama criem um tipo semelhante de excitação no cérebro – uma noção intensificada de consciência, percepção, atenção e energia relacionada a experiências mais criativas, transcendentais ou místicas –, a diferença é que em gama o que quer que esteja acontecendo em seu mundo interno se torna muito mais real para você do que muitas experiências que teve no mundo externo. Dê uma olhada na figura 5.12 e veja como ondas cerebrais beta e gama são semelhantes.

FIGURA 5.12

Por meio da liberação de energia armazenada nos três primeiros centros de energia do corpo, o cérebro é estimulado e passa para ondas gama. Quando isso acontece, o cérebro pode entrar em ondas beta alta a caminho da frequência gama. Ondas beta alta são tipicamente produzidas pela excitação do cérebro por meio de estímulo do ambiente externo, que nos faz dirigir a atenção para a causa.

Ondas gama são criadas tipicamente por estímulo do ambiente interno, que nos faz prestar atenção ao que está acontecendo no mundo interior da mente. Essa comparação mostra como os padrões de beta alta e gama são semelhantes, embora as frequências gama sejam mais rápidas.

Muitos de nossos alunos que fazem essa técnica de respiração produzem ondas beta alta significativas a caminho da frequência gama (a frequência mais alta das ondas cerebrais) ou simplesmente ficam nesses estados beta elevados. Estamos descobrindo que estar nos níveis mais altos de beta também pode sinalizar que a pessoa esteja prestando mais atenção ao mundo interno do que ao mundo externo. Além de ver mais energia no cérebro depois dessa técnica de respiração, também observamos repetidamente quantidades mais significativas de coerência do cérebro.

Dê uma olhada nos gráficos 6A e 6B no encarte colorido. Você pode ver dois alunos que fizeram a respiração com sucesso. Eles têm ondas cerebrais beta de frequência muito alta que mudam para ondas gama. Perceba as altas amplitudes de suas ondas cerebrais em gama. Quanto mais altas as amplitudes, mais alta a energia no cérebro. Os alunos demonstram desvios padrão de 160 e 260 acima de ondas cerebrais gama típicas. Para dar uma referência, desvios padrão de 3 acima do normal são considerados altos. No gráfico 6A(4) você também pode testemunhar muito mais coerência cerebral depois da respiração. Os padrões vermelhos no cérebro mostram quantidades extremamente altas de coerência cerebral em todo o estado de onda medido.

TUBO DE PRANA

O tubo de luz do movimento de energia para cima e para baixo pela medula espinhal

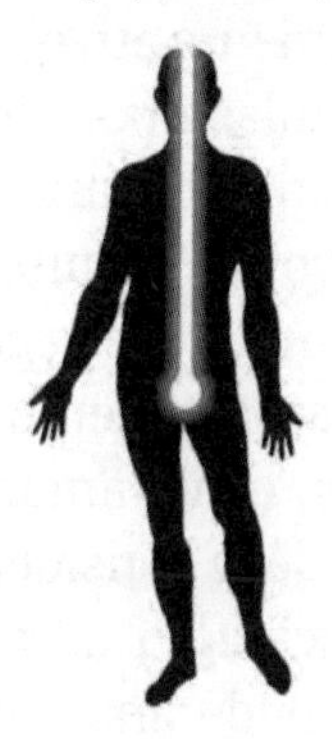

FIGURA 5.13

O tubo de prana é um tubo de luz ou energia que representa o movimento da força vital subindo e descendo pela medula espinhal. Quanto mais energia se move pela medula, mais forte é o campo do tubo de prana. Quanto menos energia se move pela espinha, mais fraco o prana e, portanto, menos força vital distribuída no corpo.

Quando você faz essa poderosa técnica de respiração, extrai a energia que foi armazenada nos três centros inferiores – a energia que você usa no orgasmo e para fazer um bebê, digerir uma refeição, fugir de um predador – e, em vez de eliminá-la em forma de substância química, a empurra coluna acima, como se sugasse líquido com um canudo, e a libera no cérebro.

De fato, existe um tubo de energia ou luz chamado prana que acompanha sua coluna vertebral (ver figura 5.13). Prana é a palavra em sânscrito para "força da vida". Os iogues sabem da existência desse tubo – que não é uma estrutura física, mas energética – há milhares de anos. Esse tubo é considerado etéreo por causa da informação elétrica que se move constantemente através dele pela coluna. Quanto mais energia se move pela medula espinhal física, mais energia é criada como luz nesse tubo. Quanto mais energia é criada nesse tubo, mais energia se move na coluna e maior é a expressão de vida. Às vezes, quando ensino essa meditação, as pessoas me dizem: "Não sinto meu tubo de prana". Bom, você também não sente sua orelha esquerda até prestar atenção nela, não é? Então, quando lhe peço para contrair os músculos e empurrar a energia para cima, você a empurra coluna acima e cria um tubo de prana mais poderoso ao longo da medula espinhal.

É importante acrescentar aqui que essa não é uma respiração passiva, é um processo extremamente ativo, impetuoso. Mover a energia armazenada – energia acumulada por anos e anos, talvez décadas – exige um ato de intenção e vontade. Para evoluir as emoções limitadas de sobrevivência, assim como um alquimista que transforma metais comuns como chumbo em ouro, você pega emoções autolimitadoras, como raiva, frustração, culpa, sofrimento, tristeza e medo e as transforma em emoções elevadas, como amor, gratidão e alegria. Outras emoções elevadas que você deve considerar acessar são: inspiração, empolgação, entusiasmo, fascinação, admiração, apreciação, bondade, abundância, compaixão, empoderamento, nobreza, honra, invencibilidade, vontade inabalável, força e liberdade – sem mencionar o próprio divino, ser movido pelo espírito, confiar no desconhecido ou no místico, ou no curador dentro de você.

Lembre-se, evoluir essa energia exige um nível de intensidade maior que o corpo como mente, maior que sua dependência de qualquer emoção de sobrevivência. Você deve ficar inspirado para se tornar mais energia que matéria, usar seu corpo como um instrumento de consciência para elevar essa energia. Então, não deixe o corpo ser sua mente. Lembre-se de que você está liberando energia represada, transformando culpa, sofrimento, raiva ou agressividade em energia pura, e que, quando o corpo libera essa energia, você se liberta e se sente muito alegre, apaixonado pela vida e inspirado a estar vivo.

Enquanto empurra a energia coluna acima durante essa meditação, você acompanha sua respiração até o topo da cabeça. Quando chegar lá, quero que prenda a respiração enquanto continua comprimindo os músculos do períneo e do abdome. Ao fazer isso, você aumenta a pressão no interior da medula e da coluna vertebral. Essa pressão, denominada pressão intratecal, existe no interior de um sistema fechado. É a mesma pressão que você exerce quando inspira e levanta alguma coisa pesada – você empurra de dentro. Mas nessa respiração você estará direcionando especificamente toda a pressão, toda a energia e todo o fluido espinhal coluna acima para dentro do cérebro.

COMO A ENERGIA DO CORPO ENTRA NO CÉREBRO POR MEIO DO SISTEMA ATIVADOR RETICULAR

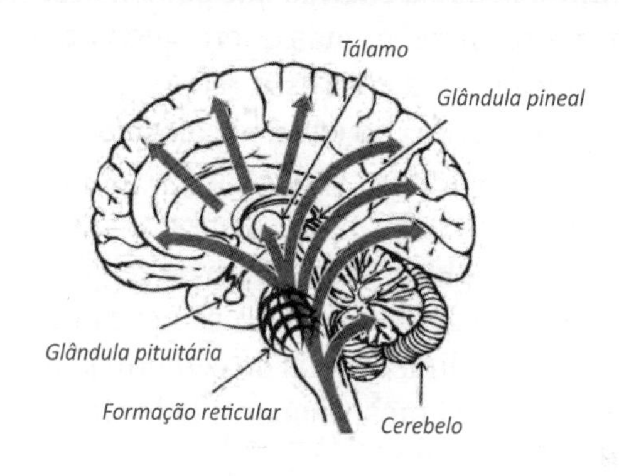

FIGURA 5.14

Quando o portão talâmico se abre, grande parte da energia criativa que estava armazenada no corpo passa pelo sistema ativador reticular para cada tálamo e para a glândula pineal. Essa energia é então transmitida ao neocórtex, produzindo ondas gama.

Quando o fluido pressurizado chega à parte de trás do tronco cerebral, os centros do cérebro inferior, como tronco cerebral, cerebelo e cérebro límbico, abrem-se de súbito para essa energia por meio de um grupo de núcleos chamado de formação reticular. A energia então passa pelo portão talâmico para o tálamo (a parte do cérebro que transmite sinais dos receptores sensoriais), localizado no mesencéfalo, que serve como uma caixa de junção. Em seguida, toda a energia armazenada se move diretamente para o interior do centro superior do cérebro, o neocórtex. É quando as ondas gama começam a acontecer. Quando a energia chega ao tálamo, também é transmitida à glândula pineal, e algo incrível acontece. A glândula libera alguns elixires muito poderosos, um dos quais anestesia a mente analítica e o cérebro racional. Veja a figura 5.14, que mostra o tálamo, a formação reticular, o portão talâmico, e o momento em que a energia atinge os centros superiores do cérebro.

Falaremos mais sobre a glândula pineal em um capítulo posterior, mas por ora saiba que, quando isso acontece, é como um orgasmo em sua cabeça. Essa é uma energia muito poderosa que foi chamada de movimento de kundalini. Pessoalmente, não gosto de usar essa palavra porque ela pode evocar opiniões ou crenças a partir de uma compreensão limitada dessa energia que podem desestimular algumas pessoas de fazer a respiração, mas quero que você entenda que essa é a energia que você invoca com essa respiração.

Se olhar o gráfico 6B(4) no encarte colorido, você verá que a área em torno da glândula pineal está bem ativa no aluno que produz ondas cerebrais gama. Olhe as setas azuis. A área vermelha sugere ativação de energia na glândula pineal, bem como na região do cérebro límbico associada a fortes emoções e formação de novas memórias. O gráfico 6B(5) é uma imagem tridimensional do cérebro do mesmo aluno. Mais uma vez, a área da pineal mostra quantidade significativa de energia vinda do interior do cérebro.

Adotar emoções elevadas

Você acabou de ler como o exercício de respiração deste capítulo tira a mente do corpo à medida que libera energia armazenada dos três primeiros centros de energia, os centros de sobrevivência. Depois disso, é hora de recondicionar o corpo a uma nova mente, a segunda parte da meditação, que envolve alcançar estados emocionais elevados.

Quero esclarecer aqui por que adotar emoções elevadas é algo tão poderoso. Como você aprendeu em nossa discussão sobre genes no segundo capítulo, hoje sabemos que é o ambiente que sinaliza o gene, não o contrário. Se a emoção é o produto final de uma experiência no ambiente, é a emoção que liga e desliga a expressão do gene.

Quando você acolhe essas emoções elevadas nessa meditação, o que realmente faz é sinalizar seus genes antes do ambiente. O corpo não conhece a diferença entre uma emoção criada por uma experiência que você tem no ambiente externo e uma experiência que você cria internamente acolhendo essa emoção nova, elevada. Então, quando você acolhe a emoção elevada e tem pensamentos maiores que os autolimitadores que o mantiveram preso no passado, seu corpo começa a se preparar quimicamente para o futuro (porque pensa que o futuro está acontecendo agora). Em outras palavras, se você faz a meditação corretamente suficientes vezes, o corpo responde como se a cura ou qualquer condição que você manifesta em seu ambiente já tivesse acontecido.

Essas emoções elevadas têm uma frequência mais elevada (e mais rápida) que emoções mais básicas, como culpa, medo, inveja e raiva. Como toda frequência transporta informação, quando mudamos a frequência, mudamos nossa energia. A nova energia pode então transportar nova informação - uma nova consciência ou conjunto de intenções ou pensamentos. Quanto mais elevada a emoção, mais rápida a frequência e mais você se sente como energia em vez de matéria, e mais energia fica disponível para criar um campo de energia mais coerente, afastando-se da doença e se voltando para a saúde (ou, no caso, para a sinalização de algum gene). Quando as emoções são autolimitadoras, têm uma frequência mais baixa, e você se sente mais como matéria em vez de energia - e então demora mais para criar mudanças em sua vida.

Aqui vai um exemplo: se em algum momento do passado você se sentiu chocado, traído ou traumatizado por um evento com uma alta carga emocional que o deixou sofrendo, triste ou com medo, é possível que a experiência tenha sido gravada em sua biologia de várias maneiras. Também é possível que os genes que foram ativados por essa experiência possam impedir seu corpo de se curar. Então, para mudar seu corpo rumo a uma nova expressão genética, a emoção interna que você criar tem que ser maior que a emoção daquela experiência externa do passado. A energia do seu fortalecimento ou a amplitude de sua inspiração devem ser maiores que sua dor ou tristeza. Aí você muda o ambiente interno de seu corpo, que é o ambiente externo da célula, os genes da saúde podem ser ativados, enquanto os da doença podem ser desativados. Quanto mais profunda a emoção, com mais força você bate na sua porta genética e mais sinaliza para os genes mudarem a estrutura e o funcionamento de seu corpo. É assim que funciona.

Podemos provar isso porque em uma das nossas oficinas avançadas de 2017, em Tampa, medimos a expressão genética em uma seleção aleatória de trinta participantes.[25] Os resultados mostraram que nossos alunos foram capazes de mudar significativamente a expressão de oito genes ao longo dos quatro dias de oficina alterando seu estado interno. Só existe uma em vinte possibilidades de os resultados serem obra do acaso – esse é o limiar de significância que os estatísticos costumam usar. As funções desses genes são muito variadas. Estão envolvidos em neurogênese, o crescimento de novos neurônios em resposta a novas experiências e aprendizado; proteção do corpo contra várias influências que tendem a envelhecer as células; regulação do reparo celular, inclusive a habilidade de mover células-tronco para partes do corpo onde são necessárias para reparar tecido danificado ou envelhecido; construção de estruturas celulares, especialmente do citoesqueleto (a moldura de células rígidas que dá forma a nossas células); eliminação de radicais livres, e com isso a redução do estresse oxidante (associado ao envelhecimento e muitos problemas mais graves de saúde); e auxílio na identificação e eliminação de células cancerosas, suprimindo, portanto, o crescimento de tumores. A ativação dos genes para a neurogênese foi particularmente importante, porque, na maior parte do tempo que nossos alunos passaram em meditação, estiveram tão presentes em seu mundo interno de imaginação que o cérebro acreditou que estivessem no evento real. Veja a seguir figura 5.15 a seguir para saber o que cada um desses genes faz e por que são tão importantes para a nossa saúde.

CHAC1	*Regula o equilíbrio oxidante nas células, ajudando a reduzir radicais livres que causam estresse oxidante (a causa mais universal de envelhecimento). Ajuda as células neurais a se formarem e crescerem de maneira ideal.*
CTGF	*Ajuda na cicatrização de feridas, desenvolvimento de ossos e regeneração de cartilagens e outros tecidos conectivos. A expressão reduzida está ligada a câncer e doenças autoimunes como fibromialgia.*
TUFT1	*Auxilia no reparo e cura celular, inclusive na regulação de células-tronco (as células indiferenciadas ou "em branco" que podem se transformar em qualquer tipo de tecido de que o corpo necessite no momento). Envolvido no processo de mineralização do esmalte do dente.*
DIO2	*Importante para o tecido saudável da placenta e funcionamento da tireoide (envolvido na produção do hormônio tireoidiano T3). Ajuda a regular o metabolismo reduzindo a resistência à insulina e com isso a ocorrência de doença metabólica e, possivelmente, melhorando dependência e fissura. Também ajuda a regular o humor, em especial a depressão.*
C5orf66-AS1	*Suprime tumores, ajudando a identificar e eliminar células cancerosas.*
KRT24	*Associado a estrutura celular saudável. Também suprime certos tipos de células cancerosas, inclusive aquelas encontradas no câncer colorretal.*
ALS2CL	*Suprime tumores, especialmente aqueles que contribuem para o carcinoma de células escamosas, um tipo de câncer de pele.*
RND1	*Ajuda as células a organizarem as moléculas que lhes conferem a estrutura rígida. Também ajuda no crescimento celular neural e suprime certos tipos de células cancerígenas (como aquelas encontradas em cânceres de mama e garganta).*

FIGURA 5.15

Esses são os genes específicos que foram regulados em quatro dias na nossa oficina avançada em Tampa, Flórida, em 2017.

Se nossos alunos mudaram sua expressão genética criando emoções elevadas em poucos dias, imagine o que você pode fazer se praticar essa meditação por algumas semanas. Usando essa técnica de respiração para liberar as emoções conhecidas armazenadas no corpo ao longo de anos pensando e sentindo do mesmo jeito e depois ensaiando emocionalmente novos estados todos os dias, com a prática as emoções ilimitadas vão se tornar o novo normal para você. Seu cérebro terá pensamentos diferentes, que combinem com as emoções elevadas. Por fim, acolhendo as emoções ilimitadas em vez das limitadas de sempre, quando você entende que está sinalizando novos genes e produzindo novas proteínas responsáveis pela mudança na estrutura e no funcionamento do corpo, pode atribuir mais significado ao que está fazendo. Isso leva a uma intenção maior, que cria um desfecho ainda maior.

É fato científico que usamos cerca de 1,5% do nosso DNA. O restante é chamado de DNA lixo. Existe um princípio em biologia chamado doação, que defende que a natureza nunca desperdiça nada que não vá usar. Em outras palavras, se o DNA está ali, deve haver uma razão, caso contrário, a natureza em sua infinita sabedoria o teria removido pela evolução (porque a lei universal é, se você não usa, perde). Então, pense em seus genes como uma biblioteca de potenciais. Há infinitas combinações de variações genéticas que podem ser expressas nesses genes latentes. Eles estão esperando que você os ative. Há genes para uma mente genial ilimitada, para a capacidade de cura, para experiências místicas, para regeneração de tecidos e órgãos, para ativação de hormônios da juventude e mais energia e vitalidade, para memória fotográfica e para a realização do incomum, só para citar alguns.

Tudo corresponde à imaginação e criatividade. Quando você sinaliza um desses genes antes do ambiente, seu corpo expressa um potencial maior, manifestando novos genes para produzir novas proteínas para uma expressão maior de vida. Quando lhe peço para sentir determinadas emoções elevadas enquanto recondiciona o corpo a uma nova mente, saiba que, ao acolher cada emoção, você está batendo na sua porta genética. Então, eu o convido a se render ao processo e se envolver plenamente na experiência.

Meditação para recondicionar o corpo a uma nova mente

Antes de começarmos a meditação formal, vamos fazer algumas sessões de treinamento. Elas são construídas a partir de várias instruções individuais, de forma que você possa aprender passo a passo. Quando dominar cada passo, pode juntar tudo. Vamos começar sentando em uma cadeira com as costas eretas e apoiando os dois pés no chão ou sentando no chão na posição de lótus (pernas cruzadas) com uma almofada sob as nádegas. Apoie as mãos sobre as pernas sem cruzá-las. Se quiser, pode fechar os olhos.

Quando estiver pronto para começar, eleve o períneo, seu assoalho pélvico – os mesmos músculos que você usa no sexo e na evacuação. Não prenda a respiração durante esse processo, respire normalmente. Contraia esses músculos com toda a força que tiver e segure por cinco segundos; depois relaxe. Repita e mantenha a contração pelo mesmo tempo. Faça uma terceira vez, mantendo a contração por cerca de cinco segundos e relaxando outra vez. Quero que você adquira controle consciente sobre esses músculos, porque você vai usá-los de forma diferente.

Agora contraia os músculos do períneo enquanto também contrai os da região inferior do ventre. Puxe a parte inferior do abdome para cima e para dentro, travando os dois primeiros centros. Mantenha a contração por cinco segundos. Puxe novamente os mesmos músculos para cima e para dentro e contraia. Mantenha por cinco segundos de novo, depois relaxe. Repita mais uma vez. Lembre-se de continuar respirando enquanto faz isso, não prenda a respiração.

A seguir, contraia ao mesmo tempo os músculos do períneo e os da parte inferior do abdome, enquanto também contrai os músculos da região superior do abdome. Agora você está contraindo todo o core – os três primeiros centros. Mantenha todos esses músculos contraídos por cinco segundos e relaxe. Faça isso mais uma vez e, enquanto contrai e mantém os músculos contraídos, veja se consegue contraí-los um pouco mais forte e puxá-los um pouco mais para cima. Mantenha por um tempo, depois relaxe.

Como a experiência cria redes neurológicas em seu cérebro, enquanto executa cada etapa e se prepara pra a próxima, você instala no cérebro o equipamento neurológico em preparação para a experiência. Estou pedindo que você use os mesmos músculos que pode ter usado durante anos, mas agora de um jeito diferente. Essa ação vai começar a ordenar os centros e liberar energia armazenada em seu corpo por muito tempo.

Agora vamos mudar. Ponha o dedo no topo da cabeça e aperte a unha contra o centro do couro cabeludo para poder lembrar onde fica esse ponto depois que remover o dedo. Lembre-se: onde você coloca sua atenção é onde coloca sua energia, então esse ponto é o alvo. Ponha as mãos novamente sobre as pernas e, sem contrair os músculos, inspire lentamente pelo nariz. Tudo que você vai fazer é seguir sua respiração desde o períneo, passando pela área inferior do abdome, pela parte superior do abdome, pelo centro do peito, através da garganta e do cérebro, até o topo da cabeça, onde estava seu dedo. Quando chegar ao topo da cabeça, prenda a respiração e foque a atenção bem no topo da cabeça e deixe a energia seguir sua consciência. Mantenha por cerca de dez segundos, depois relaxe.

Ponha novamente o dedo no topo da cabeça, depois o remova e verifique se consegue sentir o ponto sem o dedo lá. Descanse as mãos sobre as pernas. Respire de novo sem contrair nenhum músculo. Dessa vez, quando inalar pelo nariz, imagine-se levando energia por esse tubo – como sorver líquido por um canudinho – até o topo da cabeça. Quando chegar ao topo da cabeça, prenda a respiração pelo mesmo tempo da outra vez e deixe a energia seguir sua consciência, depois relaxe.

Agora é hora de começar a juntar tudo. Na próxima inspiração, quando inalar pelo nariz, puxe os músculos para cima e para dentro exatamente ao mesmo tempo. Comece contraindo os músculos do períneo, depois da área inferior do abdome e simultaneamente da parte superior do abdome. Ao contrair os músculos de cada centro – com a intenção de levar toda a energia armazenada na parte inferior do corpo para o cérebro –, siga sua respiração através de cada um dos três centros. Enquanto continua contraindo os músculos e trava os três primeiros centros, puxe a respiração pelo peito (quarto centro), garganta (quinto centro) e cérebro (sexto centro). Puxe o ar até o topo da cabeça, mantenha sua atenção lá e prenda a respiração enquanto continua contraindo os músculos do core. Segure por cerca de dez segundos, depois relaxe enquanto expira.

Repita essa respiração mais duas vezes pelo menos, contraindo os músculos dos três primeiros centros enquanto conduz o ar coluna acima por cada centro de energia até o topo da cabeça. Depois segure a respiração por um tempo e relaxe enquanto exala.

Lembre-se, enquanto faz isso, você está usando o corpo como um instrumento de consciência, e toda a sua intenção deve ser tirar a mente do corpo. Você está liberando energia armazenada nos três centros inferiores e a está levando para os centros superiores, onde pode usá-la para curar o corpo ou criar algo novo em vez de usá-la apenas para a sobrevivência.

É bom praticar a sequência muitas vezes, de forma a conhecer bem essas etapas, antes de começar várias das meditações deste livro. Tenha paciência consigo; como ao aprender qualquer coisa, você precisa fazer essa respiração muitas vezes antes de dominá-la de verdade. No começo pode parecer desconfortável, porque você tem que sincronizar as ações do corpo com a intenção da mente. Com o tempo, porém, se praticar essa técnica o suficiente, será capaz de coordenar todas as etapas em um movimento.

Eu sei que existem muitas técnicas de respiração, e você bem pode ter tido sucesso com uma ou mais delas no passado. Mesmo assim, insisto para que experimente essa, mesmo que já tenha alguma favorita, porque, se você faz algo novo, pode ter uma nova experiência. Se continua fazendo a mesma coisa, continua criando a mesma experiência. E, se não faz nada, não consegue nada. Sim, essa técnica exige um esforço verdadeiro, mas, quando desenvolver sua habilidade pela prática, você vai ver que ela vale esse esforço e mais.

Agora você está pronto para começar a meditação formal. Se comprar meu CD *Reconditioning the Body to a New Mind* (Recondicionando o corpo para uma nova mente) ou baixar o áudio em drjoedispenza.com, você vai ver que a gravação inclui uma canção que escolhi especificamente para inspirá-lo de verdade a elevar sua energia. Enquanto ouve, quero que interprete a música como o movimento da energia. Se fizer a meditação sozinho, pratique a respiração enquanto ouve uma canção inspiradora que tenha entre quatro e sete minutos de duração. Depois abra o foco, direcione a atenção para diferentes partes do corpo e para o espaço em volta dessas partes. Em seguida, desdobre-se como consciência pura para dentro do campo unificado, permanecendo no generoso momento presente e se tornando corpo nenhum, ninguém, coisa nenhuma em lugar nenhum e tempo nenhum.

Agora é hora de cultivar várias emoções elevadas uma a uma, ensaiando cada uma emocionalmente. Lembre-se: quanto mais poderosos os sentimentos, mais você regula seus genes positivamente. Abençoe seu corpo, abençoe sua vida, abençoe sua alma, abençoe seu futuro e seu passado, abençoe as dificuldades de sua vida e abençoe a inteligência dentro de você que lhe dá vida. Termine agradecendo por uma nova vida antes de ela ter sido manifestada.

Capítulo 6

Estudos de caso: exemplos vivos da verdade

Ao longo dos anos, descobri que histórias servem a um grande objetivo: reforçar a informação na prática. Ouvir sobre a experiência de outra pessoa a torna mais real para nós. Quando podemos nos identificar com os desafios e triunfos que uma pessoa encontra ao longe de sua jornada de um estado de consciência a outro, começamos a acreditar que uma experiência semelhante pode acontecer conosco. Histórias também fazem as ideias dos ensinamentos se tornarem menos filosóficas e mais pessoais.

Os estudos de caso que você vai ler são de pessoas reais que aplicaram as informações que você recebeu nos capítulos anteriores. Primeiro elas entenderam os conceitos como conhecimento intelectual na mente, depois os aplicaram e experimentaram no corpo e por fim os transformaram em sabedoria na alma. Para alcançar mudanças tão sobrenaturais, esses alunos tiveram em última análise que dominar algum aspecto ou limitação deles. E, se eles conseguiram, você também consegue.

Ginny cura a dor crônica nas costas e pernas

Em 9 de dezembro de 2013, Ginny dirigia pela rodovia em Las Vegas quando alguém bateu na traseira de seu carro. Mesmo freando, o impacto jogou seu carro contra o da frente, o que resultou em dupla colisão. Ginny sentiu imediatamente um ardor na parte inferior das costas, e a dor desceu pela perna direita. Quando os paramédicos chegaram, ela descreveu a dor como moderada, mas nos dias seguintes, a dor aumentou até se tornar constante e severa. A maior parte se concentrava na área lombar inferior da coluna, provocada por duas hérnias de disco (L4 e L5). Ela também sentia a dor irradiar pela perna direita até o pé.

Ginny ia ao quiropraxista três vezes por semana, mas a dor piorava. Procurou um médico especialista em controle da dor, que receitou relaxantes musculares, Neurontin (medicação para dor nervosa) e um anti-inflamatório não esteroide. Depois de nove meses, a dor ainda era intensa, e ela fez injeções nas costas. As injeções não ajudaram.

Ginny tinha dificuldades para caminhar e dirigir era quase impossível. Também enfrentava problemas para dormir, conseguindo no máximo de quatro a cinco horas de sono por noite. A dor constante na parte inferior das costas piorava quando ela ficava sentada, quando levantava alguma coisa ou quando ficava em pé por longos períodos. Às vezes, Ginny conseguia ficar sentada apenas por períodos de vinte minutos. Por causa de tudo isso, passava a maior parte dos dias na cama, onde encontrava algum alívio deitada sobre o lado direito com os joelhos flexionados.

Ginny era incapaz de cuidar dos dois filhos, de 3 e 5 anos, e também não conseguia trabalhar como antes. Dependia do marido para transportá-la, já que não conseguia mais dirigir. Todos esses fatores criaram sérios problemas financeiros e estresse emocional para a família toda. Ginny ficou deprimida e revoltada. Embora tivesse feito sua primeira oficina comigo antes do acidente e meditasse, depois do acidente ela parou de meditar regularmente porque a dor era forte demais e ela não conseguia ficar sentada ou se concentrar.

Depois de dois anos, o médico sugeriu uma cirurgia na lombar para reparar as hérnias de disco. Se isso não funcionasse, disse ele, Ginny poderia considerar outras cirurgias, inclusive fusão espinhal. Ela decidiu fazer a primeira cirurgia.

Nesse ínterim, o marido de Ginny a convenceu a comparecer a um de meus seminários avançados em Seattle, que começava apenas uma semana antes da data da cirurgia. Ficar sentada no avião foi doloroso, mas ela conseguiu. Ginny gostou de encontrar os velhos amigos e conhecer outros no evento, mas também se sentiu triste e frustrada por não conseguir sentir o mesmo entusiasmo de todos os outros. Só queria tomar analgésicos e ir para a cama. Na saída depois da primeira noite do evento, sua grande amiga Jill, cheia de compaixão e esperança, falou com convicção: "Ginny, você vai ser curada amanhã, bem aqui".

No dia seguinte, começamos às seis horas. Ginny decidiu evitar medicamentos fortes para poder estar presente nas meditações e aproveitar a experiência. Infelizmente, a dor dificultou muito seu foco na primeira meditação, e ela indagava se a decisão de ir havia sido um erro.

Porém, as coisas mudaram durante a segunda meditação depois do café da manhã. Ginny decidiu render-se e abrir mão de todo julgamento. A meditação começou como sempre, com o exercício de respiração para tirar a mente do corpo, durante o qual eu disse aos participantes para se concentrarem em duas ou três emoções negativas ou aspectos limitados de sua personalidade. Pedi para moverem toda a energia armazenada nos três primeiros centros da base da coluna até o cérebro e depois a liberarem pelo topo da cabeça.

Ginny escolheu trabalhar primeiro com a raiva, que acreditava ser um fator que contribuía para manter seu corpo com tanta dor. Durante a meditação, sentiu a energia subir pela coluna e depois uma intensa energia deixar seu corpo pela parte de trás da cabeça. A segunda coisa que escolheu trabalhar foi a dor. Enquanto se concentrava na respiração para mover boa parte da energia relacionada à dor do corpo para o cérebro, sentiu a mesma energia que havia sentido quando trabalhava com a raiva, mas dessa vez a viu se tornar uma cor forte com sobretons roxos. De repente, sentiu a energia ficar mais lenta e menos intensa. A música mudou, e a parte principal da meditação começou. Ginny se sentia completamente relaxada. Havia liberado aquela energia de seu corpo.

Como sempre, guiei o grupo para sentir diferentes partes do corpo no espaço e sentir o espaço em torno do corpo. Depois os guiei para o infinito espaço negro que é o campo quântico. Pedi para se tornarem corpo nenhum, ninguém, coisa nenhuma em lugar nenhum em tempo nenhum, para se tornarem consciência pura – consciência de estarem conscientes no vasto espaço infinito. De início, quando dei as instruções, Ginny teve a nítida sensação de estar flutuando. Um intenso sentimento de paz e amor incondicional a dominou, e ela perdeu a noção de tempo e espaço. Não sentia o corpo físico e não sentia dor alguma. Porém, estava plenamente presente e conseguia ouvir e seguir todas as instruções que eu dava.

"Nunca experimentei nada assim antes", me contou mais tarde. "Foi tão profundo que é difícil traduzir com palavras. Meus sentidos foram ampliados, e me senti conectada a todo mundo, tudo, todo lugar e todo tempo. Eu era parte do todo, e o todo era parte de mim. Não havia separação."

Ginny foi além do corpo, do ambiente e do tempo. Sua consciência se conectou à consciência do campo unificado (que ela descreveu como um lugar onde só há completude e não há separação). Ela havia encontrado o local exato do generoso momento presente, e seu sistema nervoso autônomo entrou em ação e fez a cura por ela.

Em nossas oficinas avançadas, os alunos se deitam depois de cada meditação e se entregam para deixar o sistema nervoso autônomo assumir o comando e programar o corpo. No fim dessa meditação, quando pedi a todos para voltarem a seu novo corpo, Ginny ficou surpresa ao descobrir que não sentia dor alguma ao se levantar do chão e ficar em pé, um processo para o qual normalmente teria precisado de ajuda. Ela começou a caminhar sem mancar, com as costas eretas.

Fizemos um intervalo para o almoço, mas Ginny não sentia muita fome, nem queria falar muito. Ainda estava impressionada com a experiência da meditação. Depois de dois anos de dor quase constante, era muito libertador não a sentir mais. Ela começou a chorar de alegria e confusão ao mesmo tempo. Procurou duas amigas para compartilhar as boas notícias, inclusive Jill (que na noite anterior tivera certeza de que Ginny seria curada). Elas a incentivaram a tentar fazer movimentos que não conseguia executar quando sentia dor, e Ginny fez todos sem dor alguma. O dia foi passando, a dor de Ginny não voltou, e ela continuou se sentindo conectada com o campo unificado.

Naquela noite, Ginny telefonou para o marido, que lhe disse que de algum modo sabia que ela conseguiria curar a dor na oficina. Ginny teve um ótimo jantar com os amigos e, quando foi para a cama, não tomou nenhum analgésico ou relaxante muscular. Dormiu a noite inteira pela primeira vez em anos e acordou cheia de energia. No dia seguinte, guiei o grupo em uma meditação caminhando (que você vai aprender mais adiante). Ginny conseguiu caminhar ereta, sem dor ou dificuldade. Nem preciso dizer que ela cancelou a cirurgia e seguiu livre de dor.

Daniel lida com a sensibilidade eletromagnética

Há cerca de cinco anos, Daniel era (como ele diz) um "empreendedor israelense maluco e estressado" de vinte e poucos anos, que se obrigava diariamente a trabalhar "a todo vapor o tempo todo" para construir um negócio de sucesso. Trabalhar sessenta horas por semana era a rotina. Um dia, enquanto gritava furiosa e loucamente com um cliente pelo telefone, sentiu alguma coisa estalar do lado direito da cabeça e perdeu os sentidos. Quando acordou, não sabia o que havia acontecido ou quanto tempo estivera inconsciente, mas tinha a pior dor de cabeça de sua vida. Achou que um pouco de descanso pudesse diminuir a dor, mas não foi o que aconteceu.

Misteriosamente, a dor aumentava exponencialmente sempre que ele se aproximava de alguma coisa que emitia frequências eletromagnéticas, inclusive celular, laptops, telas de vídeo, microfones, câmeras, redes de Wi-Fi e torres de celular. Se alguém atendesse ao celular perto dele, Daniel sentia dor. Ele nunca havia sentido nada disso; havia trabalhado na área de computadores e nunca sofrera efeitos negativos pela proximidade com equipamento eletrônico de qualquer tipo.

Daniel consultou vários médicos e especialistas, mas nenhum conseguiu encontrar algum problema. Fez extensa bateria de testes sanguíneos, varredura cerebral e exames físicos, mas todos mostraram resultados normais. Alguns médicos não acreditavam nele e até eram desdenhosos, revirando os olhos como se Daniel estivesse inventando os sintomas. Alguns quiseram receitar antidepressivos, mas Daniel recusou a medicação. Disseram que a dor estava em sua cabeça (e estava, é claro, mas não no sentido referido pelos médicos).

Daniel então começou a procurar médicos holísticos, que suspeitaram de um quadro raro chamado de hipersensibilidade eletromagnética (EHS). Embora a EHS ainda seja controversa na comunidade médica, a Organização Mundial de Saúde reconhece o quadro.[26] O mecanismo da EHS ainda é desconhecido, mas, considerando que o cérebro é 78% água e essa água contém minerais (como os encontrados comumente no corpo, inclusive cálcio e magnésio) que conduzem eletricidade, é possível entender que, para as pessoas com essa sensibilidade, a carga eletromagnética natural pode de alguma forma ser amplificada perto de coisas que sinalizam e emitem radiação eletromagnética.

Como muitos outros com EHS, Daniel sentia dor crônica e fadiga, além das dores de cabeça. Podia dormir por 12 horas e ainda acordava exausto. Um dos médicos holísticos sugeriu que ele tomasse quarenta suplementos nutricionais por dia para combater os efeitos adversos, mas não funcionou. Ele ainda enfrentava agonia quase constante. Em pouco tempo, Daniel teve que fechar sua empresa. Ficou endividado e perdeu tudo que tinha conquistado com muito trabalho. Por fim declarou falência e teve que se mudar para a casa da mãe.

"Basicamente, me retirei da vida", disse ele. "Eu era um zumbi, não conseguia pensar, não tinha foco, não conseguia fazer nada. Nada do que eu fazia ajudava, e, sempre que me aproximava do mundo real, tinha uma dor de cabeça muito forte." Daniel contou que, se chegasse perto de qualquer coisa que emitisse um sinal, as dores de cabeça ficavam mil vezes piores, a ponto de ficar emocionalmente arrasado. Ele passava a maior parte do tempo encolhido na cama em seu quartinho na casa da mãe, chorando de dor. "Estava desperdiçando minha vida", contou, "vendo todos os meus amigos casar, ter filhos, ser promovidos, comprar casas, tudo." Quando começou a sentir impulsos suicidas, seus amigos e a família o pressionaram para tentar encontrar alguma coisa que ajudasse.

Por causa da fadiga crônica, depressão e dor severa, Daniel tinha apenas uma meia hora de energia por dia e começou a usar esse tempo para procurar alguma coisa que pudesse ajudá-lo. Três anos depois do início dos sintomas, ele leu meu livro *Você é o placebo*.

"Tive um estalo", contou ele em uma oficina que administrei recentemente. "Eu soube que ali estava a solução." E ele começou a fazer a meditação para mudar crenças e percepções de que falo naquele livro. Muito gradualmente, Daniel passou a sentir menos dor, por isso continuou com a meditação. Depois de um tempo descobriu minha meditação da Bênção dos Centros de Energia e começou a praticá-la.

"Na primeira vez", relatou Daniel, "aconteceu alguma coisa que eu não sabia como explicar." Quando chegou ao sexto centro de energia, foi como se um espetáculo de luz acontecesse em sua cabeça. Viu diferentes áreas do cérebro que estavam fechadas começarem a se iluminar e se comunicar entre elas de repente. Então, um enorme raio do que ele descreve como "luz amorosa" se projetou do topo da cabeça. Sua experiência interna naquele momento foi mais real que a memória da experiência que criara a dor.

Dali em diante, Daniel notou uma mudança significativa. Depois de meditar, ele passava dez minutos sem dor. Os períodos livres de dor foram ficando cada vez mais longos, até que, alguns meses mais tarde, ele ficou livre da dor. Depois teve a ideia de usar as meditações para mudar seu estado interno enquanto era exposto aos campos eletromagnéticos que o deixavam doente. Começou a meditar na frente do celular e do laptop. No início foi doloroso, mas ele enfim começou a se sentir livre da dor depois de meditar, e os períodos sem dor foram ficando maiores com o passar do tempo.

Finalmente Daniel ficou pronto para dar outro grande passo. Alugou uma mesa em um escritório compartilhado e decidiu ficar ali sentado e meditar cercado por Wi-Fi, computadores, micro-ondas e todo tipo de frequências eletromagnéticas. Embora as primeiras semanas tenham sido difíceis, Daniel constatou que foi ficando mais fácil. Tempos depois, ele meditava naquele ambiente por cinco horas diárias sem sentir dor. No fim as dores de cabeça simplesmente desapareceram, bem como toda a dor crônica e a fadiga.

Hoje Daniel se considera 100% curado. Voltou ao trabalho e pagou sua dívida. E a cereja no bolo: Daniel trabalha apenas uma hora ou uma hora e meia por dia e ganha mais do que quando vivia estressado, tentando forçar a vida a acontecer do jeito que ele queria. Ele também está aproveitando a vida de verdade.

Jennifer, na doença e na saúde

Há cinco anos, o médico de Jennifer diagnosticou várias novas doenças, além dos diversos problemas de saúde que ela já enfrentava. No total, o diagnóstico incluía alguns transtornos autoimunes (lúpus eritematoso e síndrome de Sjögren com complexo sicca), alguns transtornos gastrointestinais (doença celíaca, intolerância a salicilatos e intolerância à lactose), asma crônica, doença renal, artrite e vertigem tão forte que frequentemente resultava em vômito.

Cada dia era uma luta. Até escovar os dentes era difícil, porque Jennifer não tinha força para manter o braço erguido por muito tempo. Seu parceiro, Jim, muitas vezes precisava escovar os cabelos dela. Quando Jim estava fora trabalhando, o que era frequente, Jennifer precisava cochilar depois do trabalho para ter forças para preparar o jantar.

"O mais difícil era que eu me sentia uma péssima mãe, porque não conseguia fazer nada com meus meninos, e isso me arrasava", contou ela. "Eu tinha que passar a maior parte do fim de semana dormindo só para ter forças para levantar e ir trabalhar na segunda-feira. Todas as fotos alegres que eu postava no Facebook para mostrar meu fim de semana eram feitas em cerca de uma hora."

Àquela altura, Jennifer pesava apenas 54 quilos e tinha dificuldades para caminhar por causa da artrite e do severo inchaço nos joelhos e tornozelos. Não conseguia mais usar a mão direita para abrir potes e cortar vegetais por causa da dor e da artrite. Às vezes, deitava na cama e batia os braços no criado-mudo para fazer a dor parar. Seu corpo estava em estado constante de inflamação aguda, e até os especialistas consultados disseram que não podiam fazer mais nada e que ela teria que aprender a viver com todos os problemas da melhor maneira possível. Embora nunca tenha admitido isso a ninguém, Jennifer temia ter poucos anos de vida. Ela podia estar pronta para desistir, mas Jim não.

Todas as noites, Jim devorava livros buscando soluções alternativas, sempre incentivando Jennifer a seguir em frente. Então, Jim encontrou *Você é o placebo* e leu sobre uma mulher que tinha um quadro parecido e conseguira se curar. Jennifer e Jim concordaram sobre a necessidade de ela ir a uma oficina.

Dois meses depois, em junho de 2014, Jennifer participou de uma oficina de fim de semana em Sydney, Austrália. Começou a se sentir um pouco melhor e se inscreveu em uma oficina avançada no México. Infelizmente, perto da data da oficina, desenvolveu uma pedra de 8,5 milímetros no rim, e o médico a proibiu de viajar. Jennifer perdeu a oficina, mas continuou com as meditações (acordando às 4h50 todos os dias); quando ministrei a oficina avançada na Austrália no ano seguinte, ela e Jim estavam lá.

"Lembro que na primeira noite quase não consegui subir a escada para o nosso quarto, o que era normal", relatou Jennifer. "Mas, no fim da oficina, eu caminhava como uma pessoa saudável e não precisava usar o medicamento para asma. Um dia antes de partirmos, Jim disse que eu parecia tão bem que deveria experimentar algum alimento comum. Apreensiva, experimentei e não tive nenhum efeito adverso. Nem dor, nem asma, nem cãibra, nem dor de cabeça, nada. Acho que foi a melhor pizza que já comi."

Quando meditava, Jennifer se entregava por completo. Sintonizava repetidamente no potencial de saúde e sentia uma abundância de energia em todo o corpo que podia sustentá-la durante o dia inteiro. Na meditação, quando eu pedia aos alunos para viver a partir de seu novo estado de ser, ela imaginava os pés batendo no chão e ouvia sua respiração enquanto corria alegremente. No fim da meditação, ela chorava de alegria. Com o tempo, Jennifer condicionou o corpo a esquecer a sensação, o aspecto, o som e o gosto da doença, alterando sua frequência, recondicionando o corpo a uma nova mente e sinalizando novos genes para reparar seu corpo.

"Agora como comida normal", conta ela, "e não uso o remédio para asma desde junho de 2015. Consigo caminhar até quinze quilômetros por dia e levantar até vinte quilos. Estou treinando e meu objetivo é completar uma meia maratona, o que farei em breve."

Felícia supera eczema grave

Felícia sofria de eczema e infecções de pele intermitentes desde os três meses de idade. Uma dieta estrita e medicamentos (cremes, esteroides, anti-histamínicos, antifungos, antibióticos e assim por diante) proporcionavam um breve alívio, mas nunca mantinham o problema controlado por muito tempo.

Em 2016, com 34 anos e médica no Reino Unido, Felícia se via cada vez mais frustrada pelas limitações de sua profissão. Depois de uma década de prática clínica e mais de 70 mil pacientes, ela começou a identificar um sentimento parecido de frustração e desconexão também nos pacientes. Enquanto procurava soluções científicas mais satisfatórias, deparou com meu trabalho. Intrigada com a possibilidade e ávida por ideias e soluções alternativas baseadas em evidências, Felícia se inscreveu para uma oficina de fim de semana.

"Foi um evento transformador na minha vida", diz ela. "Recebi ferramentas para reavaliar e atualizar minhas crenças antes limitadas sobre mim, bem como sobre o que nosso corpo é realmente capaz." A técnica de respiração foi especialmente intrigante para ela. "Preciso confessar que me mantive um pouco cética e resistente, não me permiti uma entrega verdadeira ao processo."

Durante os meses seguintes, Felícia continuou meditando diariamente. Sua pele melhorou, e ela desenvolveu com sucesso um novo relacionamento em sua vida. Inspirada, procurou novas maneiras de agir dentro de sua prática médica para adotar uma abordagem mais holística. Para sua grande decepção, todos os órgãos de cobertura médica do Reino Unido se negavam a cobrir abordagens não convencionais. Felícia se sentia encurralada, e em dezembro de 2016, as infecções de pele e o eczema voltaram.

Mesmo assim, continuou meditando e até se inscreveu para uma oficina avançada, criando seu Mind Movie antecipadamente (uma poderosa ferramenta para a manifestação de várias coisas que se quer, sobre a qual você lerá em outro capítulo). Suas intenções eram muito claras para o futuro e incluíam imagens de uma pele saudável, bem como uma foto de um microfone sobre um palco com a afirmação: "Eu inspiro outras pessoas compartilhando a verdade sem medo".

No primeiro dia da oficina avançada, fizemos a técnica de respiração para ativar a glândula pineal; dessa vez, Felícia decidiu não resistir e se render completamente ao processo. "Notei que minha respiração começou a acelerar", lembra ela. "Uma energia irresistível começou a se avolumar em minha garganta. Aquilo se intensificou até eu ter a sensação de que a garganta iria fechar. Com medo, mudei de posição e voltei ao meu antigo estado de ser pelo restante da meditação."

No dia seguinte, na última meditação, Felícia foi colocada no equipamento de mapeamento cerebral. Ela considerou uma oportunidade incrível experimentar esse novo nível de informação. Sentindo-se presa em uma profissão que defende a limitação, pensou: "E se eu pudesse demonstrar aos céticos, bem como aos crédulos, como somos todos realmente ilimitados?". Com esse pensamento, com uma emoção elevada de pura liberdade e libertação, quis usar a respiração para se conectar ao campo unificado, não importando o que acontecesse.

Quando a meditação começou, Felícia se abriu às possibilidades e ao desconhecido. Rapidamente, notou que a respiração começou a se alterar e a energia incontrolável começou a se formar na garganta. Cada vez que as sensações ficavam mais intensas, em vez de permitir que a dominassem como no dia anterior, Felícia permanecia no processo. Devolvia o corpo ao momento presente, ignorando a distração, e colocava toda energia e consciência na conexão com o campo, a verdade e o amor. Seu corpo a desafiava de modo persistente, mas depois de ela superar os confrontos internos várias vezes, o corpo enfim se rendeu.

"O que experimentei do outro lado foi uma explosão empolgante de energia no cérebro e uma conexão instantânea com uma consciência amorosa dentro de mim e à minha volta", conta ela. "Foi um conhecimento absoluto, um reconhecimento de amor puro, e com isso veio a mais incontrolável emoção de alegria que já experimentei em toda a minha vida. Foi como voltar para casa. Eu só sentia aquela profunda unidade. Permaneci o tempo todo completamente consciente de todos os meus sentidos externos. Ouvi os cientistas atrás de mim falando em 'convulsão'." Tínhamos alguns novos membros em nossa equipe de neurocientistas, e eles nunca tinham visto aquele tipo de energia no cérebro.

Como médica, seria normal Felícia se preocupar com uma declaração de certa forma alarmante, mas ela entendeu que naquele momento estava experimentando a verdade e liberdade absolutas pela primeira vez. Por algumas horas depois da meditação, ela se sentiu um pouco atordoada, mas fisicamente mais leve.

Se você analisar as leituras cerebrais nos gráficos 7A a 7C, vai ver o cérebro de Felícia exibindo as mudanças clássicas que testemunhamos quando existe muita energia no cérebro. Ela começa em ondas beta normais e passa para ondas beta altas antes de atingir um estado gama de energia elevada. A energia das ondas gama tem um desvio padrão de 190 acima do normal. A área em torno da glândula pineal, bem como a parte do cérebro que processa forte emoção, são fortemente ativadas.

Nos dias seguintes, Felícia começou a ter uma sensação de leveza e ausência de medo. Também viveu uma série de sincronicidades, inclusive manifestando a cena do Mind Movie em que falava ao microfone em um palco. De fato, sem saber que a cena fazia parte do Mind Movie de Felícia, eu a chamei ao palco para compartilhar sua experiência. Só quando voltou para casa ela notou que o eczema não a incomodava mais.

"Olhei para minha pele, e todas as erupções que estavam ali dias antes tinham desaparecido completamente", relatou. (Veja o gráfico 7D no encarte colorido. As primeiras fotos foram feitas antes do evento. O segundo conjunto de fotos foi feito no dia seguinte, depois do evento. O eczema desapareceu.)

Até hoje Felícia não toma mais medicamentos, e sua pele está limpa. Sua vida continua se desenvolvendo de jeitos novos, surpreendentes e empolgantes.

"Sou muito grata por ter percebido que somos todos ilimitados", disse ela. "Anote o que eu digo: se uma médica tendenciosa, intensamente analítica consegue fazer isso, qualquer um consegue."

Capítulo 7

Inteligência do coração

Desde que nossos ancestrais começaram a gravar suas histórias nas paredes das cavernas e em lâminas de pedra, como um fio através da agulha do tempo o coração aparece como um símbolo de saúde, sabedoria, intuição, orientação e inteligência superior. Os antigos egípcios, que chamavam o coração de *ieb*, acreditavam que ele, não o cérebro, era o centro da vida e a fonte da sabedoria humana. Os mesopotâmicos e os gregos pensavam que o coração era o centro da alma. Os gregos, porém, o consideravam uma fonte independente de calor dentro do corpo, enquanto os mesopotâmicos acreditavam que fosse um fragmento do calor do Sol. Até realizavam sacrifícios humanos nos quais extraíam um coração ainda pulsante para oferecer ao deus Sol. Os romanos consideravam o coração o órgão que mais dava vida ao corpo.

No século 17, durante os primeiros anos da revolução científica, o filósofo francês René Descartes afirmou que mente e corpo eram duas substâncias radicalmente distintas. Por meio de sua visão mecanicista do universo, as pessoas começaram a enxergar o coração como uma máquina extraordinária. O mecanismo do coração como uma bomba física começou a se sobrepor a sua natureza como a conexão humana com uma inteligência inata. Mediante investigação científica, o coração aos poucos deixou de ser reconhecido como nossa conexão com os sentimentos, as emoções e o eu superior. Apenas com a nova ciência das últimas décadas começamos a reconciliar, entender e reconhecer o verdadeiro significado do coração tanto como fonte geradora de campos eletromagnéticos como nossa conexão com o campo unificado.

Sabemos que o coração, além do papel óbvio na manutenção da vida, não é uma simples bomba muscular que faz circular o sangue pelo corpo, mas um órgão capaz de influenciar sentimentos e emoções. O coração é um órgão sensorial que orienta nossa capacidade de tomada de decisões, bem como a compreensão de nós mesmos e de nosso lugar no mundo. É um símbolo que transcende tempo, lugar e cultura. É uma premissa geralmente aceita que, quando estamos conectados com o conhecimento interno do coração, podemos recorrer a sua sabedoria como uma fonte de amor e orientação superior.

Você pode estar se perguntando por que, dentre todos os órgãos do corpo (como baço, fígado ou rins), o coração é o único a ter inteligência. Desde 2013, não poupamos esforços para medir e quantificar coerência e transformação, elementos fundamentais para a compreensão do papel do coração. Quase todo mundo reconhece que os sentimentos elevados do coração nos conectam à consciência de amor, compaixão, gratidão, alegria, unidade, aceitação e altruísmo. Esses sentimentos nos preenchem e nos fazem sentir inteiros e conectados, ao contrário dos sentimentos de estresse, que dividem sociedades e drenam nossa energia vital. O problema é que os sentimentos elevados do coração frequentemente ocorrem ao acaso, dependem de alguma coisa externa no ambiente; não são algo que possamos produzir por nós mesmos quando queremos.

Sem dúvida é um desafio manter o equilíbrio mental e emocional na atual cultura acelerada, cheia de estresse, focada em produtividade, em terminar tudo rápido, e a perda desse equilíbrio pode ter sérias consequências para nossa saúde. Por exemplo, na virada do século 20, quase ninguém morria de doença cardíaca, hoje essa é a principal causa de morte entre homens e mulheres. Todos os anos, só nos Estados Unidos, doenças cardíacas custam aproximadamente US$ 207 bilhões em serviços de saúde, medicamentos e perda de produtividade.[27] O estresse é um dos principais fatores para doença cardíaca e está alcançando um nível de epidemia. Felizmente existe um antídoto. O que descobrimos com a pesquisa e o estudo das muitas facetas da coerência do coração é que podemos regular nossos ritmos internos, independentemente das condições do ambiente externo. Como acontece com o desenvolvimento de qualquer habilidade, criar coerência cardíaca voluntariamente requer conhecimento, dedicação e prática.

Elemento fundamental para nossa compreensão do coração é a parceria com o trabalho pioneiro e inovador do HeartMath Institute. O HMI é uma organização não governamental de pesquisa e educação que trabalha para entender melhor a coerência cérebro-coração. Desde 1991, o HMI pesquisou e desenvolveu ferramentas confiáveis, baseadas em ciência, para ajudar as pessoas a entender a conexão entre coração e mente, bem como aprofundar sua conexão com o coração de outrem. A missão do instituto é ajudar pessoas a alinhar em equilíbrio seus sistemas físico, mental e emocional por meio da orientação intuitiva do coração.

A base de nossa parceria repousa sobre a crença compartilhada de que, para criar um novo futuro, a pessoa precisa unir uma intenção clara (cérebro coerente) a uma emoção elevada (coração coerente). A pesquisa do HMI tem provado que, pela combinação de uma intenção ou pensamento (que, como você leu, age como a carga elétrica) com um sentimento ou emoção (que você já entendeu que age como uma carga magnética), podemos alterar nossa energia biológica, e, quando mudamos nossa energia, mudamos nossa vida. É a união desses dois elementos que produz efeitos mensuráveis na matéria, deslocando nossa biologia da vida no passado para a vida no futuro novo. Em nossas oficinas pelo mundo, ensinamos os alunos a manter e sustentar estados elevados de ser para que possam deixar de viver como vítimas das circunstâncias, passando de uma emoção à outra, e comecem a viver como criadores de sua realidade. Esse é o processo pelo qual criamos um novo estado de ser, ou uma nova personalidade, que cria uma nova realidade pessoal.

Nos últimos anos, um dos objetivos de nossa parceria com o HMI tem sido ensinar nossos alunos a regular e sustentar intencionalmente algo que chamamos de coerência cardíaca. Como a batida regular de um tambor, a coerência cardíaca refere-se à função fisiológica do coração que o faz bater de maneira constante, rítmica, ordenada (quando ele não funciona de maneira ordenada, tem-se a incoerência cardíaca). Quando estamos em coerência cardíaca, podemos acessar a "inteligência do coração", que o HMI define como:

> **O fluxo de consciência e *insight* que experimentamos quando a mente e as emoções são trazidas ao equilíbrio e à coerência por meio de um processo que nós mesmos iniciamos. Essa forma de inteligência é experimentada como um conhecimento direto, intuitivo, que se manifesta em pensamento e emoções benéficos para nós e para os outros.**[28]

Como você vai descobrir neste capítulo, os benefícios da coerência cardíaca são numerosos, incluindo redução da pressão arterial, melhora do sistema nervoso, do equilíbrio hormonal e da função cerebral. Quando você mantém estados emocionais elevados, independentemente das condições do ambiente externo, pode ter acesso à intuição de alto nível que permite melhor compreensão de si e dos outros, ajuda a impedir padrões estressantes em sua vida, aumenta a clareza mental e promove melhora na tomada de decisão.[29] Além das descobertas da pesquisa do HMI, nossos dados sugerem com firmeza que a manutenção de emoções centradas no coração promove expressão genética mais saudável.[30]

A coerência cardíaca começa com o pulsar estável e coerente do coração por meio de cultivo, prática e manutenção de emoções elevadas, entre essas gratidão, reconhecimento, inspiração, liberdade, bondade, altruísmo, compaixão, amor e alegria. Os benefícios da pulsação coerente são sentidos por todos os sistemas do corpo. De maneira consciente ou inconsciente, muita gente pratica sentimentos de infelicidade, raiva ou medo todos os dias. Em vez disso, por que não praticar a criação e manutenção de estados alegres, amorosos e altruístas? Isso não acabaria criando uma nova ordem interna, resultando em saúde e felicidade por inteiro?

A ponte do coração

Como você leu no capítulo sobre abençoar os centros de energia, o coração, localizado atrás do osso esterno, é o quarto centro de energia do corpo. É nossa ponte para níveis maiores de consciência e energia, bem como o centro onde começa nossa divindade. O coração é a intersecção dos três centros inferiores (associados ao corpo terreno) e três centros superiores (associados ao eu superior). Serve de conexão com o campo unificado e representa a união da dualidade ou polaridade. É onde separação, divisão e energia polarizada se fundem para se tornar um – onde opostos como *yin* e *yang*, bem e mal, positivo e negativo, macho e fêmea, passado e futuro se unificam.

Quando o coração se torna coerente, o sistema nervoso responde aumentando a energia do cérebro, a criatividade e a intuição, com efeito positivo sobre praticamente todos os órgãos do corpo. Coração e cérebro trabalhando juntos fazem você se sentir mais inteiro, conectado e contente, não só dentro de seu corpo, mas também com tudo e todos. Quando você está em um estado centrado no coração, a totalidade que sente consome quaisquer sentimentos que possa ter de falta e carência. A partir desse estado criativo de totalidade e unicidade, a magia começa a acontecer em sua vida, porque você não mais cria a partir de dualidade ou separação, não mais espera que alguma coisa fora de você alivie os sentimentos internos de falta, vazio ou separação. Em vez disso, você fica mais familiarizado com seu eu novo, ideal, e cria experiências novas de você mesmo. Se continuar ativando seu centro cardíaco adequadamente por vezes suficientes durante o processo criativo todos os dias, com o tempo você vai se sentir mais como se o seu futuro já tivesse acontecido. Como pode querer ou sentir falta, se você se sente inteiro?

Se os três primeiros centros refletem nossa natureza animal e se baseiam em polaridade, oposição, competição, necessidade e carência, o quarto centro começa a jornada para nossa natureza divina. É de dentro do centro no coração que mudamos nossa mente e energia de estados egoístas para estados altruístas e então nos sentimos menos afetados por separação ou dualidade e ficamos mais propensos a fazer escolhas pelo bem maior de todos.

Todos nós sentimos a consciência do centro do coração em um momento ou outro na vida. Essa energia está relacionada a se sentir pleno e em paz consigo e seu ambiente. Quando acolhemos os sentimentos relacionados ao coração – sentimentos que nos levam a dar, nutrir, servir, cuidar, ajudar, perdoar, amar, confiar e assim por diante – não é possível não se sentir pleno, inteiro e completo. Creio que essa seja a natureza inata do ser humano.

Homeostase, coerência e resiliência

Como você agora já aprendeu, o sistema nervoso autônomo, a divisão involuntária do sistema nervoso, é dividido em dois subsistemas: o sistema nervoso simpático e o sistema nervoso parassimpático. Como você sabe, o sistema nervoso simpático, quando acionado, regula as ações e respostas inconscientes do corpo, como respiração acelerada, ritmo cardíaco alto, transpiração excessiva, pupilas dilatadas e assim por diante. Sua função primária é estimular a resposta de fuga ou luta quando há perigo iminente real ou percebido. Esse sistema funciona para nos proteger no ambiente externo. O sistema nervoso parassimpático complementa o sistema nervoso simpático, desempenhando as funções opostas. Seu papel é conservar energia, relaxar o corpo e reduzir as funções de alta energia do sistema simpático. O parassimpático cuida da proteção no nosso ambiente interno. Se você pensasse no sistema nervoso autônomo como um automóvel, o parassimpático seria o freio, e o simpático, o acelerador. Os dois ramos do sistema nervoso autônomo se revezam continuamente nas comunicações entre coração e cérebro; de fato, coração e cérebro têm mais conexões nervosas um com o outro do que quaisquer outros sistemas no corpo.[31] Simpático e parassimpático trabalham para manter um estado de homeostase (equilíbrio relativo entre todos os sistemas) dentro do corpo.

Quando o corpo está em homeostase, geralmente nos sentimos relaxados e seguros dentro do ambiente. A partir desse estado em que todos os sistemas do corpo funcionam em harmonia e quantidades mínimas de energia são gastas, podemos afetar intencionalmente o sistema nervoso para criar coerência. A fim de sentir as emoções de coerência, as conexões neurais entre coração e cérebro devem funcionar otimamente, de maneira equilibrada e coordenada. Quando o coração bate de modo ordenado, coerente, leva o sistema nervoso autônomo (SNA) à coerência, o que melhora as funções cerebrais e nos faz sentir mais criativos, focados, racionais, conscientes e abertos ao aprendizado.

Como você sabe, o oposto de coerência é incoerência. Quando o coração bate de maneira incoerente, nos sentimos em desequilíbrio, tensos, ansiosos e sem foco. O corpo funciona em modo de sobrevivência, por isso funcionamos mais de uma perspectiva animal, primitiva, do que a partir de emoções elevadas centradas no coração e de nossa humanidade e divindade maiores. A incoerência é provocada pelo estresse, que é a resposta do corpo e da mente a perturbações e comoções no ambiente externo. Se o sistema nervoso parassimpático funciona melhor quando nos sentimos seguros, o sistema nervoso simpático é ativado basicamente quando nos sentimos inseguros. O estresse experimentado quando nos sentimos inseguros não é necessariamente com o evento em si, mas o resultado de reações emocionais não administradas relacionadas ao evento.

Em estado de homeostase, você pode pensar no corpo como uma máquina sofisticada, muito bem afinada; porém, quando emoções como ressentimento, raiva, inveja, impaciência e frustração persistem, nosso equilíbrio interno é arruinado. Se você recordar de uma ocasião recente em que sentiu estresse, é provável ter sentido algo como um ritmo fragmentado. (Na verdade, é bem isso que o coração faz: batendo em ritmo fragmentado.) Em estado de estresse crônico, o corpo se esforça para manter a homeostase, e podemos começar a sofrer de diversos sintomas relacionados ao estresse. O estresse constante suga o campo invisível de energia em torno de nosso corpo e esgota nossa força vital, deixando pouco tempo ou energia para reparo e restauração. Um resultado da dependência dos hormônios do estresse é que nos tornamos presas do círculo vicioso em que incoerência e caos começam a parecer normais, mas a que custo?

Em longo prazo, os efeitos do estresse podem ser catastróficos. De acordo com um estudo da Clínica Mayo sobre pessoas com doenças cardíacas, o estresse psicológico foi o mais forte preditor de futuros eventos cardíacos, incluindo morte, parada e ataque cardíacos.[32] Por viver em estado de estresse crônico, muita gente nem percebe que vive sob estresse até ocorrer um evento como um infarto. Faz sentido que, se bate de forma incoerente por períodos prolongados em vez de trabalhar em equilíbrio ou ordem, mais cedo ou mais tarde o coração venha a falhar.

Fundamental à nossa habilidade de administrar o estresse é o que se conhece como resiliência, definida pelo HMI como "a capacidade de se preparar para, se recuperar de e se adaptar a estresse, adversidade, trauma ou dificuldade".[33] Resiliência e gestão de emoções integram muitos processos psicológicos importantes envolvidos na regulação da energia, na velocidade com que o corpo se recupera depois da resposta ao estresse e em nossa habilidade de manter a saúde e a homeostase.

VFC: comunicação entre coração e cérebro

Fomos levados a crer que o cérebro reina sobre nossa biologia. Embora isso em parte seja verdade, o coração é um órgão autorrítmico, o que significa que o ritmo cardíaco tem início no coração, não no cérebro. É bem sabido que o coração de todas as espécies pode ser removido do corpo e colocado em uma solução salina chamada solução de Ringer, onde continuará batendo por longos períodos, independentemente de qualquer conexão neurológica com o cérebro. Em um feto, o coração começa a bater antes de o cérebro se formar (mais ou menos na terceira semana), enquanto a atividade elétrica cerebral não começa antes do quinto ou sexto mês.[34] Isso demonstra que o coração é capaz de iniciar comunicação com o sistema nervoso central.

Outro fator que torna o coração único é conter nervos dos dois ramos do SNA, o que significa que toda e qualquer mudança nos sistemas simpático e parassimpático afeta o funcionamento cardíaco de uma batida para outra. Isso é importante porque, tenhamos ou não consciência, toda emoção que experimentamos influencia nosso ritmo cardíaco, comunicado diretamente através do sistema nervoso central. Nesse sentido, o coração, o cérebro límbico e o SNA têm um relacionamento bem íntimo, porque o equilíbrio ou desequilíbrio de um afeta o outro. (Como um comentário à parte, o cérebro límbico, sede do sistema nervoso autônomo, também é chamado de cérebro emocional; portanto, quando você muda suas emoções, afeta as funções autônomas.) Hoje a ciência consegue prever com cerca de 75% de precisão o que alguém está sentindo simplesmente acompanhando a atividade do coração batida a batida usando a análise de variabilidade da frequência cardíaca.[35]

A VFC (variabilidade da frequência cardíaca) é um fenômeno fisiológico de variação dos intervalos do coração batida a batida (daí o termo "variabilidade") que reflete os desafios ambientais e psicológicos. Entre suas utilidades, a VFC pode medir a flexibilidade do coração e do sistema nervoso (o que reflete a saúde e a forma física), bem como o equilíbrio da vida mental e emocional.[36] Estudando o ritmo cardíaco medido pela VFC, os cientistas podem detectar padrões que aprofundam nossa compreensão de como os humanos processam emoções e dos efeitos de sentimentos e emoções sobre nosso bem-estar. Assim, a pesquisa continuada sobre a VFC oferece uma janela única para a comunicação entre coração, cérebro e emoções.[37]

Muitos estudos mostram que ter um nível moderado de variabilidade nos torna mais capazes de adaptação aos desafios da vida.[38] Já um baixo nível de variabilidade da frequência cardíaca é um forte preditor independente de futuros problemas de saúde, incluindo todas as causas de mortalidade.[39] A baixa VFC também é associada a numerosos quadros médicos. Quando jovens, temos uma variabilidade maior; à medida que envelhecemos, a variabilidade diminui. Padrões de VFC são tão consistentes que, quando cientistas analisam uma leitura de VFC, em geral podem estimar a idade do sujeito com margem de aproximadamente dois anos.

Durante muito tempo, uma frequência cardíaca estável foi considerada sinal de boa saúde, mas agora sabemos que o ritmo cardíaco muda a cada batida, mesmo quando estamos dormindo. Ao longo dos anos, pesquisadores do HMI vêm descobrindo informações codificadas dentro desses intervalos olhando os espaços entre as batidas em leituras de VFC, em vez de analisar os picos referentes às batidas propriamente ditas. É mais ou menos como o código Morse, em que entendemos as comunicações pelos intervalos entre as transmissões.[40] No caso do coração, os intervalos entre as batidas são transmissões complexas usadas para retransmitir comunicações entre o cérebro e o corpo.

Na década de 1990, pesquisadores do HMI descobriram que, quando as pessoas focam no coração e provocam emoções elevadas como reconhecimento, alegria, gratidão e compaixão, esses sentimentos podem ser observados como padrões coerentes no ritmo cardíaco. O oposto é válido para sentimentos de estresse, que causam ritmos cardíacos incoerentes, que parecem irregulares, recortados. A descoberta relacionou estados emocionais a padrões de VFC (ver figura 7.1).[41] Os pesquisadores também observaram que frequência cardíaca (batidas por minuto) e ritmo cardíaco são duas respostas biológicas distintas. Uma pessoa pode ter alta frequência cardíaca e ainda assim manter um estado de coerência; portanto, foi determinado que o ritmo cardíaco pode criar estados físicos internos coerentes.

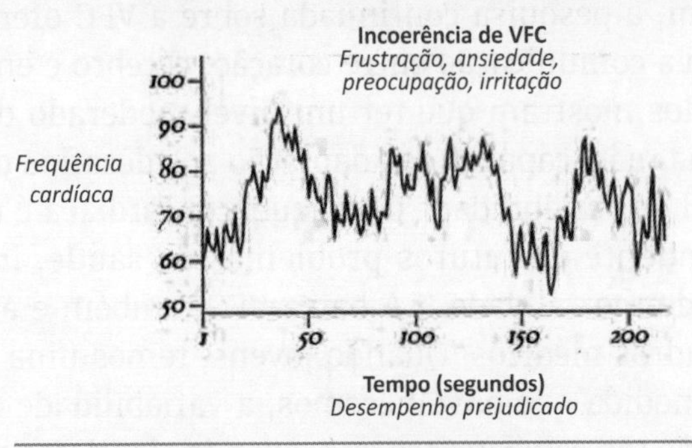

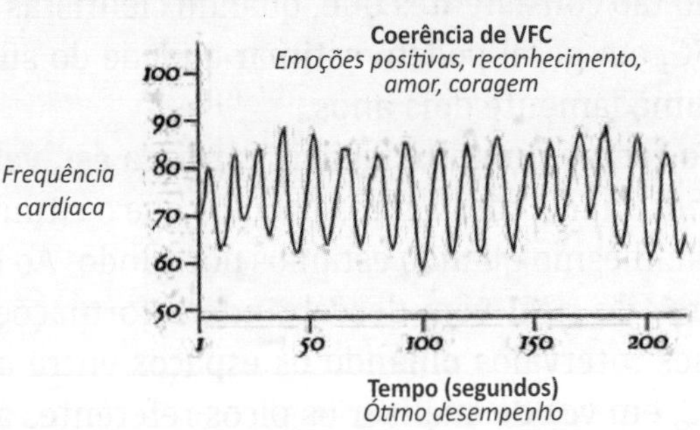

FIGURA 7.1

Cortesia do HeartMath Institute, o gráfico de VFC no alto representa ritmo cardíaco incoerente resultante de emoções como ressentimento, impaciência e frustração. O gráfico de VFC embaixo representa ritmo cardíaco coerente resultante de emoções como gratidão, reconhecimento e bondade.

Quando a VFC tem um padrão de coerência cardíaca, reflete sincronização aumentada e harmonia entre os dois ramos do SNA, bem como na atividade que ocorre nos centros mais elevados do cérebro. Muito do que aprendemos com a medicina ocidental nos fez crer que não podemos controlar as funções do sistema nervoso autônomo (como frequência cardíaca e pressão sanguínea) porque estão além do domínio da mente consciente, sem mencionar a separação entre os sistemas nervosos voluntário e involuntário. Sabemos agora, porém, que você não precisa ser iogue ou místico para conseguir dominar tais habilidades. Só precisa ser sobrenatural, o que pode ser aprendido. Esse é um motivo pelo qual o HMI ensina a importância da coerência cardíaca não apenas para indivíduos, mas para grupos de militares, agentes da lei, estudantes, atletas e outros de alto desempenho, para que possam manter a clareza, a capacidade de tomada de decisão e a compostura em situações de estresse elevado.

Os benefícios da coerência cardíaca

Quando escolhemos cultivar e experimentar emoções elevadas e o sinal coerente destas atinge o cérebro, se a amplitude do sinal é suficientemente alta, substâncias químicas compatíveis com os sentimentos e emoções são liberadas no corpo. Chamamos isso de sentimento, e sentimentos positivos nos fazem sentir mais leves e mais livres; em outras palavras, a energia de todo o nosso estado de ser é elevada. Se você sente um grande bem-estar em um ambiente seguro, a energia desse sentimento aciona uma cascata de pelo menos 1.400 mudanças bioquímicas que promovem crescimento e reparo no corpo.[42] Em vez de sugar o campo invisível em torno do corpo para transformar energia em química, você contribui com o campo e o expande, o que resulta em uma nova expressão química que reflete a mudança na energia. Como? Se os três primeiros centros de energia do corpo são consumidores de energia quando estamos em desequilíbrio, o coração é um expansor de energia; quando você coloca a atenção no coração para criar e manter emoções elevadas, a energia coerente faz o coração bater como um tambor. A batida coerente, rítmica, cria um campo magnético mensurável em torno do coração e, portanto, do corpo. Assim como a batida focada de um tambor produz uma onda de som mensurável, quanto mais forte o ritmo coerente do coração, mais expandido se torna seu campo.

Quando você se sente magoado, raivoso, estressado, invejoso, furioso, competitivo ou frustrado, o sinal do coração para o cérebro se torna incoerente, e isso desencadeia a liberação de aproximadamente 1.200 substâncias químicas compatíveis com esses sentimentos.[43] Essa descarga química dura de noventa segundos a dois minutos. Em curto prazo, sentimentos de estresse não são prejudiciais; na verdade, se forem resolvidos, melhoram a resiliência. Porém, os efeitos de emoções de sobrevivência não resolvidas em longo prazo colocam o corpo inteiro em estado de incoerência, deixando-o vulnerável a problemas de saúde relacionados ao estresse. As emoções de sobrevivência sugam o campo em torno do corpo, fazendo você se sentir separado e materialista, porque coloca a maior parte de seu foco e atenção na matéria, no corpo, no ambiente, no tempo e, é claro, na origem dos seus problemas.

Uma das descobertas mais significativas do HMI é que o que sentimos a cada minuto, cada segundo, influencia o coração, e nossos sentimentos e emoções são um aspecto chave para destravar a "inteligência do coração". Sentimentos e emoções são energias que emitem poderosos campos magnéticos, por isso, quanto mais fortes os sentimentos elevados, mais forte o campo magnético. De fato, o coração produz o campo magnético mais forte no corpo, mil vezes mais forte que o campo produzido pelo cérebro.[44]

Coloque o dedo no pulso e sinta sua pulsação. Essa pulsação é uma onda de energia chamada onda de pressão sanguínea, e ela percorre todo o corpo influenciando tudo, inclusive o funcionamento do cérebro. O pulso magnético cardíaco não só reverbera por cada célula, como também produz um campo em torno do corpo que pode ser mensurado de 2,5 a três metros de distância com um detector sensível chamado magnetômetro.[45] Quando você ativa o coração invocando emoções elevadas, não apenas transmite essa energia para todas as células como também irradia os sentimentos para o espaço. É aí que o coração se move além da biologia, para a física.

Usando eletroencefalogramas, cientistas do laboratório do HMI descobriram que, quando o coração entra em coerência, as ondas cerebrais acompanham o ritmo cardíaco a uma frequência de 0,10Hz. Também descobriram que a sincronização entre coração e cérebro é aumentada quando o sujeito está em estado de coerência cardíaca. Foi comprovado que a frequência coerente de 0,10Hz é um estado de performance ideal associado a acesso aumentado à intuição mais profunda e à orientação interna. Quando a mente analítica fica fora do caminho, o indivíduo pode descer a escada da consciência de ondas alfa para theta e delta, o estado no qual ocorrem as funções restauradoras no corpo. Coincidentemente, vemos nossos alunos relatar experiências profundas ou místicas em delta profundo, em torno de 0,09 a 0,10Hz (0,09Hz é um centésimo de ciclo por segundo de coerência ideal reportada), enquanto o coração está em um estado muito coerente. Porém, a amplitude de energia produzida pelo coração aumenta o nível de energia no cérebro, em alguns casos cinquenta a trezentas vezes acima do nível normal.

Evidências de coerência cardíaca-cerebral foram demonstradas por uma série de experimentos realizados pelo doutor Gary Schwartz e seus colegas na Universidade do Arizona. Nos experimentos, eles encontraram comunicações inexplicáveis entre o coração e o cérebro, que não faziam sentido pelas vias neurológicas ou outras estabelecidas. A descoberta estabeleceu o fato de que existem interações energéticas entre coração e cérebro através de campos eletromagnéticos.[46] Os dois exemplos apontam para o fato de que, quando focamos a atenção no coração e nas emoções, a frequência cardíaca age como um amplificador. Isso aumenta a sincronização entre coração e cérebro e cria coerência não só nos órgãos físicos, mas também no campo eletromagnético que cerca o corpo.

Notável também é que, imediatamente atrás do osso esterno, existe uma glândula chamado timo, que tem íntima conexão com o centro cardíaco. Como um dos principais órgãos do sistema imunológico, o timo exerce papel vital no desenvolvimento das células T, que defendem o corpo de patógenos como bactérias e vírus. O timo funciona a pleno até o começo da puberdade, mas começa a encolher quando envelhecemos devido à redução natural da produção do hormônio do crescimento.

Como muitos órgãos vitais, o timo também é propenso aos efeitos negativos do estresse em longo prazo. Quando vivemos em modo de emergência por períodos prolongados e o campo de energia vital diminui, toda a energia é direcionada para o exterior, para nos proteger de ameaças externas, o que deixa pouca energia para nos proteger de ameaças internas. Com o tempo, isso leva a disfunções do sistema imunológico. Faz sentido que, quando o centro cardíaco é ativado com energia, a glândula timo também se torne mais ativa, pois lhe proporcionamos energia pela mobilização do sistema nervoso parassimpático para crescimento e reparo. Portanto, a glândula timo também deve se beneficiar da prática de coerência no corpo, auxiliando na sustentação da vitalidade geral de nosso sistema imunológico e da saúde em longo prazo.

Você viu neste livro que, em meus estudos independentes, quando nossos alunos conseguiram sentir e manter gratidão e outras emoções elevadas por quinze a vinte minutos por dia durante quatro dias, a energia das emoções sinalizou os genes das células de imunidade para produzirem uma proteína chamada imunoglobulina A. O aumento significativo de IgA é um exemplo perfeito de um dos muitos efeitos cascatas positivos da coerência cardíaca.

Isso tudo se resume em uma coisa: a qualidade do ritmo cardíaco tem consequências para nossa saúde geral. Se o coração bate em ritmo harmonioso, sua eficiência reduz o estresse em outros sistemas do corpo, maximiza nossa energia e cria estados nos quais prosperamos mental, emocional e fisicamente. Se há desarmonia no ritmo cardíaco, acontece o contrário. A incoerência nos deixa com menos energia disponível para cura e manutenção da saúde em longo prazo, criando inquietação em nossos estados internos e levando estresse adicional ao coração e a outros órgãos.[47] Infartos e doença cardíaca, por exemplo, ocorrem quando o corpo esteve submetido a estresse por períodos prolongados. Quando escolhemos emoções elevadas intencionalmente, focando menos em desarmonia e mais em gratidão, o corpo responde de maneira positiva, e desfrutamos de boa saúde.

Na próxima vez que usar uma emoção elevada para sintonizar no seu futuro e acolher esses sentimentos antes do acontecimento se concretizar – e sentir gratidão pelo evento já ter acontecido – saiba que a pior coisa que provavelmente pode acontecer é você começar a se curar.

Os efeitos do estresse crônico

Quando vivemos em estado de estresse constante, o centro do coração se torna incoerente, e isso sufoca nossa capacidade de criar. Em resposta aos ritmos cardíacos caóticos, o cérebro fica muito desintegrado e incoerente, e a incoerência se reflete nos dois ramos do SNA. Se o sistema parassimpático é o freio e o sistema simpático é o acelerador, quando trabalham em oposição o corpo recebe uma mensagem semelhante à de se pisar no acelerador enquanto o outro pé está no freio. Não é preciso muito conhecimento em automóveis para entender as consequências dessas forças opositoras – gastamos os freios e estressamos a tração, enquanto a resistência desperdiça energia e reduz a eficiência do combustível. Com o tempo, a habituação ao estresse esgota tanto o corpo que elimina a capacidade de reparo e manutenção da saúde, exaurindo a vitalidade e a resiliência.

Se a resiliência se baseia na gestão eficiente de energia, você pode se sentir completamente esgotado, sem recursos e talvez doente sob a influência do estresse crônico. Quando mais dependentes ficamos dos estados de estresse, menos propensos a abrir o coração, criar e entrar em coerência cardíaca de maneira consciente.

Uma experiência que tive em casa, na zona rural do estado de Washington, serve como um bom exemplo. Em uma noite de novembro, cheguei do trabalho, estacionei o carro como sempre e comecei a percorrer a pé os quarenta metros até a porta. Estava escuro. A uns trinta metros da porta, à minha direita, ouvi um rosnado sinistro atrás de uns rochedos. Imediatamente, concentrei o foco no assunto (alguma coisa) e me peguei pensando: "O que poderia estar à espreita na escuridão?". Comecei a vasculhar minha mente e ambiente em busca de conhecidos no banco de memórias recentes a fim de prever meu futuro. "Poderia ser um dos cachorros?", pensei. Comecei a chamá-los pelo nome, mas não obtive resposta. Dei mais alguns passos, e o rosnado ficou mais alto.

Sem ter que pensar em mobilizar energia em meu corpo, os cabelos da nuca se arrepiaram, as frequências cardíaca e respiratória aceleraram, e meus sentidos se aguçaram na preparação para lutar ou fugir. Peguei o celular e acendi a lanterna para estreitar meu foco sobre a possível ameaça, mas não consegui ver o que estava fazendo o ruído. O rosnado continuava na escuridão. Devagar, recuei e depois corri para o celeiro, onde os peões recolhiam os cavalos para passar a noite. Pegamos armas e lanternas e voltamos à cena bem a tempo de ver um puma e seu filhote escapulindo por entre os arbustos.

Você provavelmente pode deduzir dessa história que uma situação de alto estresse como essa não é o momento para abrir o coração ou confiar no desconhecido. Não é hora de desviar a atenção das coisas do mundo exterior para se concentrar em uma nova possibilidade em sua mente. É hora de fugir, se esconder ou lutar. Contudo, se você fica eternamente preso no modo lutar ou fugir – mesmo que não haja um puma escondido entre os arbustos –, fica menos propenso a querer fechar os olhos e se recolher dentro de si, porque tem que manter a atenção na ameaça percebida do lado de fora. Nenhuma informação nova consegue entrar em seu sistema nervoso se não for igual ou relevante às emoções que está sentindo, por isso você não pode programar seu corpo para um novo destino. Assim, faz sentido que, quanto mais você vive dependente dos hormônios do estresse em sua vida normal, menos propenso está para querer criar, meditar ou abrir seu coração e ficar vulnerável.

O "coração-cérebro"

Em 1991, o trabalho pioneiro do Dr. J. Andrew Armour mostrou que o coração tem literalmente ideias próprias. Com até 40 mil neurônios, o coração tem um sistema nervoso que funciona independentemente do cérebro. O termo técnico criado para esse sistema é sistema nervoso intrínseco cardíaco, mais conhecido como "coração-cérebro".[48] A descoberta foi tão monumental que levou a um novo campo de ciência chamado neurocardiologia.

COERÊNCIA DO CORAÇÃO AFETANDO COERÊNCIA DO CÉREBRO

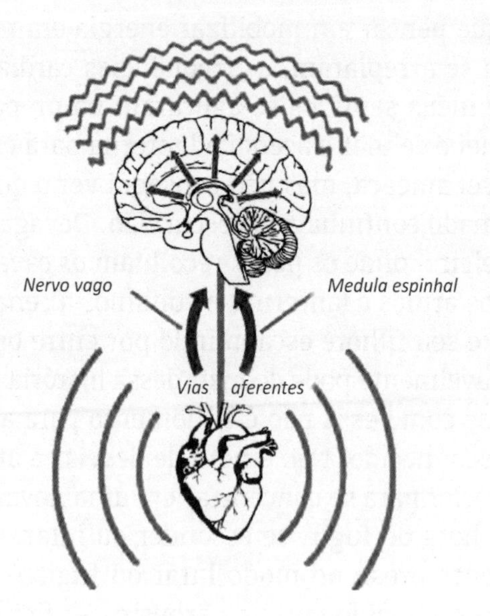

FIGURA 7.2

Quando o coração entra em coerência, age como um amplificador, enviando informação coerente por suas vias nervosas aferentes diretamente ao tálamo, que sincroniza o neocórtex e os centros de sobrevivência do cérebro.

Coração e cérebro são conectados por vias eferentes (descendentes) e aferentes (ascendentes); no entanto, 90% das fibras nervosas conectivas sobem do coração para o cérebro.[49] Armour descobriu que as vias neurais diretas aferentes enviam sinais e informação contínuos que modificam e interagem com os centros superiores emocionais e cognitivos no cérebro.[50] Os sinais do coração para o cérebro se conectam pelo nervo vago e vão direto para o tálamo (que sincroniza atividade cortical como pensamento, percepção e compreensão de linguagem), depois para os lobos frontais (responsáveis por funções motoras e resolução de problemas) e para o centro de sobrevivência do cérebro, a amídala (que sinaliza a memória emocional). As células centrais da amídala até mesmo sincronizam-se com a frequência cardíaca.[51] (Ver figura 7.2.) Isso significa que, se o centro do coração está aberto, mantém sob controle os centros de sobrevivência do cérebro. É possível até que, quanto mais centrado no coração, menos propenso você fique a reagir a estressores da vida. O contrário também é verdade: quanto menos energia no centro do coração, mais propenso você fica a viver em modo de sobrevivência.

Isso nos diz que os sentimentos e os ritmos cardíacos afetam o que as memórias e respostas emocionais produzem em nós, de forma que estresse e ansiedade podem desencadear padrões de ondas cerebrais que combinem com um hábito de ansiedade do passado. Por outro lado, assim como um computador que combina padrões, emoções elevadas do coração podem produzir coerência nos padrões de ondas cerebrais, de forma que, se você invoca os sentimentos de seu futuro pela criação de estados elevados, seu cérebro começa a criar redes neurais para essas emoções do futuro ou o novo destino. A descoberta de Armour das vias neurais aferentes do coração para o cérebro prova que o coração processa emoções de maneira independente, responde diretamente ao ambiente e regula seu ritmo sem receber informação do cérebro. Isso porque coração e SNA sempre trabalham juntos. É importante notar também que os nervos que facilitam essa comunicação permitem ao coração sentir, lembrar, autorregular e tomar decisões sobre o controle cardíaco independentemente do sistema nervoso.[52]

Para simplificar: emoções e sentimentos que se originam no coração têm papel importante no modo como pensamos, processamos informação, sentimos e entendemos o mundo e nosso lugar nele.[53] Quando o centro do coração é ativado, age como um amplificador para ligar o cérebro, aumentar sua atividade e criar equilíbrio, ordem e coerência por todo o corpo.

Viver centrado no coração

Como eu disse antes, cada pensamento que você tem produz substâncias químicas correspondentes, que por sua vez criam uma emoção. Portanto, você é sugestionável apenas aos pensamentos que se comparam a seu estado emocional. Sabemos agora que, quando nossos alunos estão centrados no coração e sentem mais integridade e totalidade, ficam menos apartados de seus sonhos. Quando sentem gratidão, abundância, liberdade ou amor, essas emoções acolhem pensamentos correspondentes. As emoções centradas no coração abrem a porta para a mente subconsciente, de forma que se pode programar o sistema nervoso autônomo para se igualar aos pensamentos de um novo futuro. Também sabemos que, quando nossos alunos vivem no sentimento de medo ou carência, mas tentam pensar em abundância, não conseguem produzir um efeito mensurável porque a mudança só pode acontecer quando os pensamentos estão alinhados com o estado emocional do corpo. Eles podem pensar o quanto quiserem de maneira positiva, contudo, sem um sentimento ou uma emoção correspondente ao pensamento, a mensagem não pode ser sentida ou entendida pelo resto do corpo.

Assim, você pode repetir a afirmação "não sinto medo" até ficar roxo, mas, se sente medo, o pensamento "não sinto medo" nunca passará pelo tronco cerebral, o que significa que você não sinaliza o corpo e o SNA a um novo destino específico. É o sentimento que produz a descarga emocional (energia) para estimular o SNA a um novo destino. Sem sentimento, permanece a desconexão entre cérebro e corpo – entre o pensamento de saúde e o sentimento de saúde –, e você não consegue personificar o novo estado de ser.

Você só pode produzir efeitos mais consistentes quando muda sua energia. Se mantém emoções elevadas todos os dias, com o tempo seu corpo, em sua inteligência inata, começa a fazer mudanças genéticas relativas conforme descrevi. Isso porque o corpo acredita que a emoção que você está acolhendo vem de uma experiência em seu ambiente. Então, quando você abre o centro do coração, pratica sentir uma emoção antes que a experiência ocorra e a associa a uma intenção clara, o corpo responde como se estivesse na experiência futura. A coerência coração-mente então influencia a química e a energia do corpo de várias maneiras.

Se a coerência coração-cérebro pode se originar no coração e a sincronização resulta em ótimo desempenho e saúde, você deve dedicar um tempo todos os dias a ativar o centro do coração. Ao escolher sentir intencionalmente as emoções elevadas do coração em vez de esperar alguma coisa externa provocá-las, você se torna quem realmente tem que ser, um indivíduo empoderado pelo coração. Quando vive pelo coração, você naturalmente escolhe amar e demonstra isso mediante compaixão e cuidado com o bem-estar próprio, dos outros e da Terra. Por meio de nossa parceria com o HMI, verificamos nas medições de nossos alunos que, com a prática, podemos produzir, regular e manter emoções e sentimentos elevados independentemente dos acontecimentos no mundo externo.

Em nossas oficinas pelo mundo, ensinamos os alunos a gerar coerência entre coração e cérebro pela prática de regular a frequência cardíaca para manter emoções elevadas. Depois medimos suas habilidades usando monitores de VFC. Durante meditações guiadas, pedimos aos alunos para se render a sentimentos de gratidão, alegria e amor e incentivamos a prática diária fora da instrução formal, porque, quando se escolhe praticar meditação em um estado de coerência, isso se torna um hábito. Espero que, com prática suficiente, nossos alunos possam substituir antigos roteiros mentais de se sentir indignos, amedrontados ou inseguros por estados mais elevados de ser e se apaixonem profundamente por suas vidas. Vimos muitos deles demonstrar ser possível produzir efeitos positivos mensuráveis, tangíveis, em suas vidas simplesmente mudando o paradigma de pensamentos e sentimentos. Esses indivíduos dedicados voltam para casa, e os efeitos positivos que produziram na própria vida se propagam em ondas e afetam de maneira positiva suas famílias e comunidades, expandindo de maneira contínua a influência vibracional de harmonia e coerência pelo mundo.

Pela prática repetida da regulação de estados emocionais elevados, o sentimento constante de emoções elevadas com o tempo cria uma nova régua emocional. Essa régua começa a influenciar um novo conjunto de pensamentos idênticos aos sentimentos. A somatória dos novos pensamentos cria um novo nível de mente, que produz mais emoções correspondentes àqueles pensamentos, sustentando assim a régua. Quando esse ciclo de *feedback* entre coração (corpo) e mente (cérebro) acontece, você está em um estado de ser inteiramente novo – a consciência da mente ilimitada e a energia de amor e gratidão profundos. Repetir esse processo significa recondicionar o corpo, reprogramar o cérebro e reconfigurar a biologia à semelhança do novo estado de ser. Você transmite natural, automática e regularmente uma assinatura eletromagnética de energia diferente para o campo. Esse é quem você é, ou quem se tornou.

Inúmeros livros de história foram escritos pelas lentes das emoções incoerentes. Seja uma tragédia shakespeariana, genocídio ou guerra mundial, emoções de sobrevivência como culpa, ódio, ira, competição e retaliação resultaram em uma trilha interminável e desnecessária de dor, sofrimento, opressão e morte. Os resultados fizeram humanos viver em oposição e conflito em vez de em paz e harmonia. Este é um momento na história em que podemos romper esse ciclo. É um momento crucial na história da humanidade, em que sabedoria antiga e ciência moderna estão se encontrando para fornecer tecnologia e compreensão científica para aprender não só como administrar nossas emoções com mais eficiência, mas também o que isso significa para a saúde, os relacionamentos, níveis de energia e evolução pessoal e coletiva. Não é preciso mover montanhas, basta mudar o estado interno de ser. Isso permite modificar o modo de agir uns com os outros, substituir situações estressantes por experiências positivas que dão energia, preenchem o espírito e trazem uma sensação de totalidade, conexão e unidade. O cérebro pode pensar, mas, quando você transforma o coração em um instrumento de percepção, ele sabe.

Exemplos de nossas oficinas

Para um exemplo de como a coerência de coração cria coerência de cérebro, dê uma olhada nas ilustrações 8A e 8B do encarte colorido. A primeira imagem mostra padrões relativamente normais de ondas beta baixas antes de a pessoa começar a criar coerência de coração. A segunda imagem mostra uma mudança significativa quando a pessoa entra em coerência cardíaca sustentada segundos depois. Isso acontece porque o coração age como um amplificador e influencia o cérebro a criar ondas alfa sincronizadas muito coerentes.

Nas figuras 7.3A e 7.3B você verá a análise de VFC de uma de nossas alunas em uma oficina avançada. Ela viveu um dia incrível. O primeiro gráfico (7.3A) representa duas meditações, uma pela manhã e uma antes do almoço, e cada bloco representa cinco minutos transcorridos. A primeira seta cinza no topo da imagem, apontando para baixo à direita, é quando ela entra em coerência cardíaca sustentada. Na meditação das sete horas, ela manteve esse estado por mais de cinquenta minutos, até a segunda seta apontando para baixo à esquerda. Na base da imagem, a segunda seta cinza apontando para baixo à direita, é quando ela entra novamente em coerência cardíaca por 38 minutos durante a meditação antes do almoço, que termina na segunda seta cinza apontando para baixo à esquerda. Você pode ver que ela está desenvolvendo a habilidade.

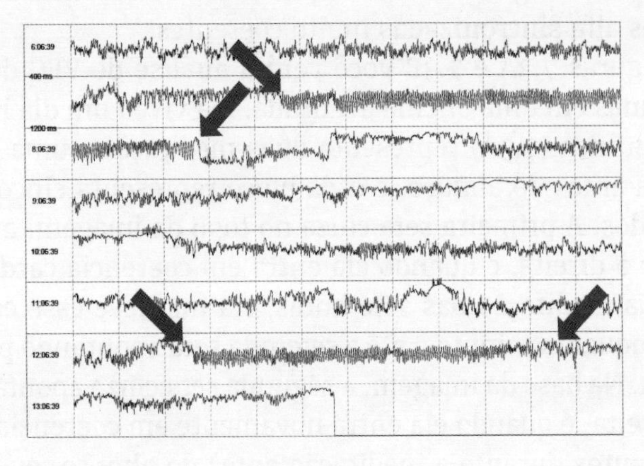

FIGURA 7.3A

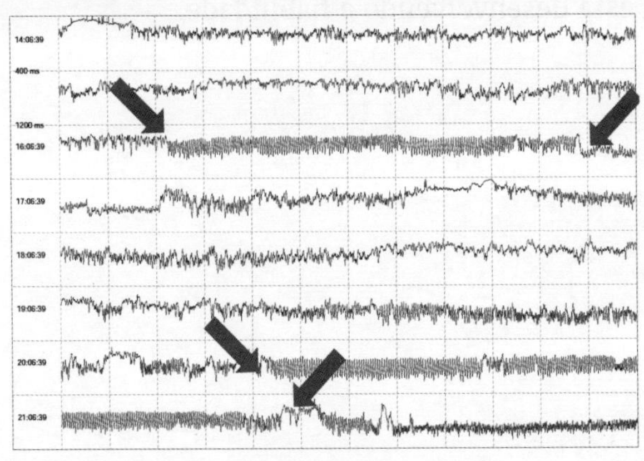

FIGURA 7.3B

Cada conjunto de setas pretas apontando para o interior das ilustrações representa uma aluna entrando em coerência do coração pela manutenção de um estado emocional elevado. Cada bloco representa um intervalo de cinco minutos. Pelas figuras 7.3A e 7.3B é possível perceber que ela está desenvolvendo a habilidade de regular seus estados internos.

Na figura 7.B, embaixo, onde as duas setas apontam para o interior, a aluna entra espontaneamente em coerência do coração por mais de uma hora. Seu corpo está sendo condicionado a uma nova mente.

Agora olhe a figura 7.3B. Na meditação seguinte, naquela tarde, entre as duas setas pretas no alto da figura, ela esteve em coerência cardíaca por quase 45 minutos. O que torna essa leitura tão fascinante, porém, é o que acontece mais tarde, por volta das vinte horas (segundo conjunto de setas pretas). Como não houve meditação naquela hora, perguntamos o que ela havia experimentado. Seu coração estivera em "supercoerência" por mais de uma hora enquanto ela estava em estado de vigília normal.

Ela contou que estava se preparando para dormir quando de repente foi inundada por um sentimento de amor. Foi algo tão forte que ela teve que se deitar e se render à sensação. Seu coração manteve-se espontaneamente em coerência por uma hora e dez minutos, enquanto ficou na cama, sentindo-se profundamente apaixonada pela vida. Ela sustentou uma mudança em seu SNA. A última seta é o momento em que ela disse ter se virado de lado e adormecido. Não é um jeito ruim de encerrar o dia, concorda?

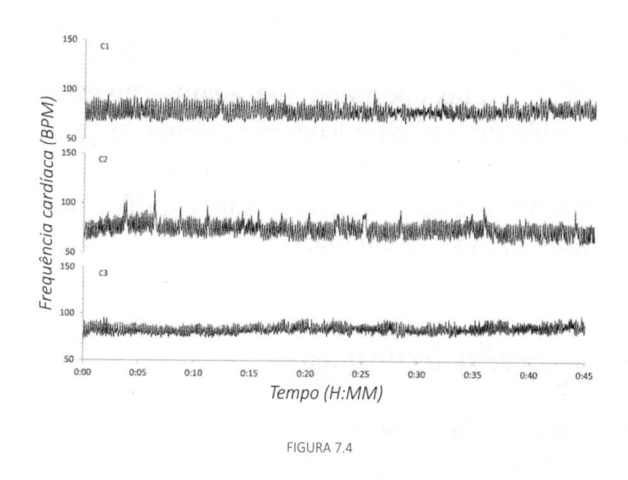

FIGURA 7.4

Um exemplo de três alunos sustentando emoções centradas no coração por 45 minutos.

Pense nisto: sabe como é fácil ter um pensamento medroso ou ansioso sobre um acontecimento futuro e acolher emocionalmente esse desfecho ficcional muitas e muitas vezes em sua mente? E sabe que, quanto mais energia você investe no pensamento, mais rumina sobre os possíveis desfechos, esses pensamentos acabam lhe conduzindo ao pior cenário possível? São as emoções que incitam esses pensamentos. Você condicionou o corpo a ser a mente com medo e ansiedade. Se mantiver as coisas desse jeito por um longo período, seu corpo pode ter um ataque de pânico – uma função corporal autônoma, espontânea, que a mente consciente não consegue controlar.

E se, em vez de condicionar o corpo à mente de medo e ansiedade, você experimentasse emoções elevadas sustentadas e condicionasse o corpo à mente de amor e coerência? Em vez de ter medo e pavor de que um ataque de pânico volte a acontecer, você ficaria animado e esperaria com entusiasmo pela possibilidade de ter um ataque de amor autônomo.

A figura 7.4 contém mais três exemplos de alunos que conseguem sustentar a coerência cardíaca por longos períodos. Se você olhar com atenção, vai ver que o coração deles responde a um estado consistente de emoções elevadas por no mínimo 45 minutos, ou seja, o corpo responde a uma nova mente. Eu diria que isso é deveras sobrenatural.

As figuras 7.5A e 7.5B mostram dois exemplos de pessoas com baixíssima variabilidade de frequência cardíaca (indicada com dois conjuntos de setas pretas apontando para cima) no estado desperto natural. Dê uma olhada nas alterações enquanto elas praticam a coerência de coração, indicadas na área entre as setas cinza apontando para dentro. Mesmo que seja por apenas oito a quinze minutos, esses alunos estão mudando sua biologia.

Meditação de coerência cardíaca

Essa meditação é baseada na técnica Heart Lock-In, desenvolvida pelo HMI. Feche os olhos, deixe o corpo relaxar e leve a atenção ao coração. Comece a inspirar e expirar a partir do centro do coração, e continue respirando mais lenta e profundamente. Quando a mente divagar, traga a atenção e a consciência de volta ao peito, coração e respiração.

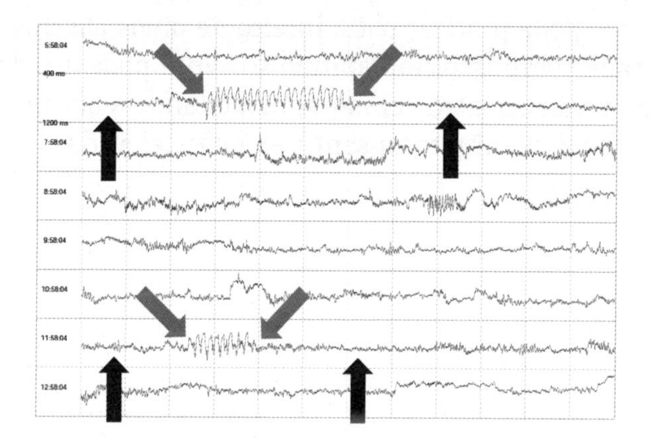

FIGURA 7.5A

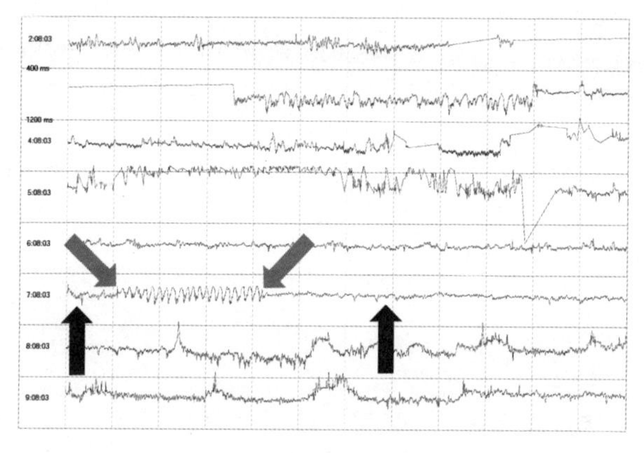

FIGURA 7.5B

Nas ilustrações, você pode ver dois alunos diferentes com bem pouca variabilidade de frequência cardíaca (demonstrada pelas setas pretas apontando para cima). Porém, quando é hora de abrir o coração, se você olhar entre as duas setas cinza, verá uma mudança significativa. Mesmo que seja só por oito a quinze minutos, eles estão mudando sua fisiologia.

Em seguida, com a atenção sobre o quarto centro, desperte emoções elevadas enquanto continua inspirando e expirando a partir do centro do coração. Quando sentir essas emoções sinceras na área do peito, envie a energia para fora, além de seu corpo, combinada com a intenção. Continue a transmitir a energia e a intenção à sua volta. Comece com dez minutos e tente aumentar o período de prática a cada dia.

Com o tempo, quando souber como é a sensação física das emoções elevadas, você pode praticar o dia inteiro de olhos abertos (você vai aprender mais sobre isso no Capítulo 9). Você pode até definir um lembrete no celular quatro vezes por dia; quando o alarme disparar, dedique um ou dois minutos a sentir emoções elevadas.

Capítulo 8

Mind Movies e caleidoscópio

Eu tinha acabado de fazer uma palestra de encerramento sábado à noite em Orlando, Flórida. Na manhã seguinte, enquanto fazia as malas e me preparava para pegar um voo de volta para casa à tarde, liguei a televisão para me informar sobre a situação política nos Estados Unidos. Era época da eleição presidencial de 2016; como eu havia passado as três semanas anteriores fora do país palestrando e viajando, estava curioso sobre o que tinha acontecido nesse período. Mudei os canais rapidamente para encontrar um de notícias, larguei o controle remoto e, dedicando parte da minha atenção à televisão, continuei fazendo as malas. De repente, entrou um comercial que capturou toda a minha atenção, e naquele instante entendi por que falamos em "programação" de TV.

O comercial começava com uma cena externa noturna da residência de um casal. A câmera se aproxima da casa, e surgem na tela as palavras "Noite nº 14 com herpes". Quando a imagem passa para o interior, toca uma música de fundo suave, mas agourenta, enquanto um idoso geme de dor ao pé da cama. A esposa preocupada entra no quarto e pergunta como ele está. "Com dor", responde o homem. No canto inferior direito, em letras pequenas e quase da mesma cor do fundo, uma mensagem: "Encenação com atores".

A esposa se aproxima com uma expressão de desespero e levanta a camisa do marido, revelando grandes lesões vermelhas e descamantes cobrindo mais da metade da área inferior das costas. A imagem é chocante, grotesca e horrível, lembrando uma grande queimadura de terceiro grau. Em meus 31 anos de prática, examinei centenas de pessoas com herpes e nunca vi nada tão grave quanto as lesões fabricadas daquele comercial. Percebi imediatamente que a intenção era provocar uma forte resposta emocional na audiência – porque com certeza provocou em mim.

Depois de mostrar a erupção nas costas do homem, o comercial atinge o objetivo de prender a atenção. A representação das lesões é tão impactante que altera o modo como você se sentia antes de vê-la. Ao alterar de maneira significativa seu estado emocional interno, o comercial o faz colocar mais atenção e consciência na fonte da perturbação em seu ambiente externo. Quanto mais forte a emoção que causa (estímulo), mais você se interessa e presta atenção (resposta). A associação de estímulo e resposta, ou condicionamento, é o que cria as memórias de longo prazo, ou associativas.

O processo de condicionamento começa com a associação de um símbolo ou imagem a um estado emocional, uma combinação que abre a porta entre mente consciente e subconsciente. No caso do comercial do herpes, depois de sua atenção ser capturada (e começar o processo de programação), você naturalmente não consegue deixar de indagar o que vão dizer a seguir. O comercial continua com um narrador em tom sombrio: "Se você já teve catapora, o vírus do herpes está dentro de você. Com a idade, seu sistema imunológico enfraquece e perde a capacidade de manter o vírus sob controle". Usando o apelo emocional, esse é o primeiro ponto do comercial que suscita questões éticas ao dizer ao telespectador que o sistema imunológico enfraquece com a idade. A seguir vemos o homem no banheiro se olhando no espelho. Ele parece preocupado, abatido e derrotado.

A cena muda para a esposa falando ao telefone na cozinha. "Não suporto vê-lo desse jeito", diz ela.

Em seguida, vemos o homem encolhido na cama, a mão na testa, estremecendo de dor. O narrador então faz uma sugestão direta, reforçada pelas mesmas palavras na tela: "Uma em cada três pessoas terá herpes". O narrador continua, enquanto essas palavras permanecem na tela. "As lesões podem durar até trinta dias."

A cena muda para a esposa suplicando de frente para a câmera. "Só queria poder fazer alguma coisa para ajudar."

Vemos o homem com dor de novo, e na tela as palavras: "Uma em cada cinco pessoas com herpes terá neuralgia prolongada". Essas palavras permanecem na tela enquanto a narração restante adverte: "Algumas pessoas com herpes terão neuralgia prolongada, que pode durar meses ou anos. Não espere até alguém que você ama desenvolver herpes. Fale com seu médico ou farmacêutico sobre o seu risco".

Vamos examinar com mais atenção o que esse comercial tenta fazer. Primeiro, alterando o que você sente, colocando-o em um estado emocional. Quando tem a atenção capturada, você imediatamente fica mais aberto e sugestionável à informação dada a seguir. Você fica mais propenso a aceitar a informação, acreditar nela e render-se (sem analisar); caso sinta-se amedrontado, vitimizado, vulnerável, preocupado, chocado, fraco, cansado ou com dor, você fica mais suscetível à informação compatível com essas emoções. Pode começar a indagar se a doença pode se manifestar em você.

Em vários pontos do comercial, certos "fatos" aparecem escritos na tela, permitindo a leitura. Isso serve para reforçar a programação. Enquanto o cérebro pensante está focado na leitura, o conteúdo da narrativa dribla a mente consciente e penetra no subconsciente. Como um gravador, ela registra todo o roteiro e cria um programa interno.

Por meio de sugestão direta e literal, o narrador provoca medo, sugerindo que você mesmo já tem o vírus do herpes no organismo e que, por causa do processo natural de envelhecimento, seu sistema imunológico já não é forte o bastante para se encarregar do vírus. Isso aciona o cérebro emocional (sede do sistema nervoso autônomo), permitindo que este seja programado. Quando as sugestões chegam ao sistema nervoso autônomo, este acata as ordens sem questionar e trata de fazer alterações químicas no corpo compatíveis com as sugestões literais. Em outras palavras, o corpo é programado subconsciente e automaticamente para enfraquecer a função imunológica. Em resumo, você está em risco e é melhor não esperar até surgir a infecção. O efeito do comercial vai ainda mais longe: se você já teve catapora e depois de ver o anúncio "pensa" que seu sistema imunológico está debilitado por causa da idade, vai concluir que tem uma necessidade ainda maior de prevenir o herpes e vai ficar ainda mais motivado para comprar o medicamento.

Se por acaso você tem herpes e assiste ao comercial, ao ver que seu estado não é tão grave quanto o do ator, pode se pegar pensando:

"É melhor tomar o remédio agora para não deixar isso piorar. Não quero acabar como ele". Se você não tem herpes, no fim do comercial pode ficar indagando: "Será que faço parte dos dois terços da população a salvo? Ou estou no um terço que terá o vírus?". Se você pensa: "Espero não fazer parte do um terço", significa que acredita na possibilidade de estar suscetível e vulnerável, o que o leva a pensar inconscientemente que já tem a doença.

Sabe o que achei mais absurdo no anúncio? Sequer mencionam o medicamento e por isso não são obrigados a revelar os efeitos colaterais. Como o comercial atiçou minha curiosidade, parei de fazer as malas e fui para a internet procurar mais propagandas da mesma empresa farmacêutica. Queria saber que medicamento sugeriam para aliviar a severidade das lesões exageradas produzidas no ator. Depois de uma rápida pesquisa, encontrei vários comerciais com o mesmo assunto e linguagem e pequenas variações. Todos tinham uma coisa em comum: o objetivo de prender a atenção do espectador.

No comercial que vi a seguir, uma mulher de óculos de natação nada em uma piscina. A imagem é em preto e branco. Dessa vez a narração é em voz feminina, com sotaque britânico e um tom dominador, é o vírus do herpes, que fala de dentro da cabeça da mulher:

"Impressionante, Linda. A idade não está afetando seu ritmo, mas seu sistema imunológico enfraquece com os anos, aumentando as chances para mim, o vírus do herpes. Estou à espreita dentro de você desde que teve catapora. Posso vir à tona a qualquer momento como uma dolorosa erupção de bolhas." A cena é cortada bruscamente do preto e branco para imagem a cores, e um homem levanta a camisa e exibe a pior lesão de herpes que já se viu. Mais uma vez, a erupção grotesca e cheia de bolhas chama a atenção. Com a mesma rapidez com que ficou colorida, a cena volta ao preto e branco e à nadadora.

O comercial segue fórmula semelhante à do anterior: primeiro faz uma afirmação de impacto ou mostra uma imagem chocante para alterar o estado emocional do espectador, o que o deixa mais sugestionável à informação, e então usa a autossugestão para fazê-lo questionar se já tem herpes. Esse comercial também infere que, embora você possa ser saudável, praticar exercícios e se cuidar, ainda assim pode se tornar vítima do vírus, sugerindo que ninguém está imune. Mais uma vez as palavras na tela reforçam a mensagem: "Uma em cada três pessoas terá minha presença em sua vida. Linda, você será uma delas?". Se você se identifica com a mulher em algum aspecto, a voz fala diretamente a você.

O tom do comercial então muda, e um novo narrador começa a falar em tom leve e confiante, livre de preocupação ou receio. Com sotaque britânico, a voz masculina diz: "Por isso Linda me escolheu - medicamento X". A cena se mantém em preto e branco, exceto pelo maiô e touca da nadadora e pelo nome do remédio, que aparece na tela em letras grandes e sofisticadas. Agora o medicamento é gravado em seu cérebro em mais um nível. O comercial cria uma associação entre saúde, segurança e o remédio que vai protegê-la. O slogan surge na tela e é falado pelo narrador, que afirma que o medicamento "fortalece seu sistema imunológico contra o herpes. Ajuda a proteger de você, herpes".

No fim do comercial, o narrador diz: "O medicamento X é usado para a prevenção de herpes em adultos a partir dos 50 anos. Não deve ser usado no tratamento do herpes e não é útil para todo mundo". E para finalizar: "Você não deve usar o medicamento se tem o sistema imunológico comprometido".

Opa! Como é que é? Vamos voltar. A ironia é a seguinte: acabaram de dizer que, com a idade, o sistema imunológico enfraquece e o risco de herpes aumenta. O medicamento supostamente fortalece o sistema imunológico, mas não deve ser usado por quem tem o sistema imunológico debilitado. Aí vem o dilema: se você ainda assim decidir usar o medicamento, acredita que a droga é mais poderosa que seu sistema imunológico possivelmente debilitado. A programação funcionou.

Os anunciantes espertos, quando não antiéticos, sabem que essa mensagem confunde e desorienta a mente consciente. Ao mesmo tempo, porém, programam sua mente subconsciente com a ideia de que seu sistema imunológico é fraco, você provavelmente já tem o vírus, e há grandes chances de vir a ter herpes, mesmo que seja saudável. Além disso, você é informado de que sem a medicação é provável que você sofra - embora não haja garantia de que o herpes desapareça com facilidade - e que a droga pode não funcionar, caso seu sistema imunológico esteja debilitado.

Enfim chegam aos efeitos colaterais (que não são colaterais, mas efeitos diretos): "Erupção semelhante a herpes, vermelhidão, dor, coceira, inchaço, caroços, calor, queimação ou edema no local da injeção e dor de cabeça. Converse com seu médico se pretende manter contato com recém-nascidos, gestantes ou pessoas com sistema imunológico debilitado, porque a vacina tem uma versão atenuada do vírus da catapora e você pode infectá-los".

Uau! Comecei a me perguntar em que planeta estava vivendo. Esse tipo de programação faz você questionar se realmente temos livre-arbítrio ou se fazemos escolhas com base no que fomos condicionados a acreditar que seja a resposta, quer se trate de um determinado tipo de cerveja, xampu ou condicionador, do smartphone mais recente ou de um comprimido que pode ou não proporcionar alívio para o vírus do herpes que você pode ou não ter. Na maior parte das vezes, a propaganda apela para a carência e a separação, lembrando-lhe de querer o que não tem, desejar o que precisa para se enquadrar em uma consciência social ou saciar um sentimento de vazio ou solidão. E, é claro, se você está doente ou se sentindo como se estivesse doente, o anunciante tem a resposta para os seus sintomas.

Em uma última pesquisada, encontrei um comercial semelhante com o mesmo tema – um ator sofrendo dramaticamente por 17 dias, a exposição chocante de uma lesão enorme e palavras na tela para influenciar os pensamentos do espectador e reforçar o conteúdo. Como nos outros comerciais, esse informa explicitamente ao público que o medicamento não é usado para tratar herpes, mas no fim um homem bonito sorri e declara: "Acho que vou experimentar". E eu fiquei ali pensando por que ele deveria experimentar, se já teve herpes por 17 dias, especialmente se a droga não trata a doença. Aí fiquei realmente confuso.

Anos atrás, aprendi em sala de aula que por definição hipnose é uma desorientação do processo inibidor da mente consciente, driblando a mente analítica de forma que o indivíduo se torne altamente responsivo a sugestões e informação na mente subconsciente. Enquanto a mente consciente está preocupada e atarefada tentando entender as coisas, a mente subconsciente aceita tudo sem critério. Se você consegue desorientar pessoas com informação (ou, no mundo de hoje, com desinformação), choque ou confusão, abre a porta para a programação da mente subconsciente.

Neste capítulo, vamos aprender como fazer o contrário e reverter a programação negativa a que fomos condicionados durante a maior parte da vida para uma programação positiva.

Três mentes em um cérebro: mentes consciente, subconsciente e analítica

A essa altura, você já sabe que, quando muda as ondas cerebrais de beta para alfa, desacelera o neocórtex (o cérebro analítico, pensante). Quando as ondas cerebrais ficam mais lentas, você deixa o domínio da mente consciente e entra no reino da mente subconsciente. Podemos dizer que, se você está de alguma forma consciente e alerta, mas não está ativamente engajado em pensamento, sua consciência está saindo do neocórtex pensante e entrando no mesencéfalo, também conhecido como subconsciente, sede do sistema nervoso autônomo, e no cerebelo.

Se você já viu alguém completamente absorto em um programa de TV, a ponto de tentar falar com a pessoa e ela nem escutar, é possível que esse indivíduo estivesse experimentando estados de ondas alfa, altamente sugestionáveis à informação. Sugestionabilidade é a capacidade de aceitar, acreditar em e render-se à informação sem analisar. Nesse estado, o espectador está tão envolvido, tão focado no que está vendo, que parece em transe e imóvel. Nada mais existe para ele além do objeto da atenção.

Se a pessoa não analisa a informação a que é exposta, fica propensa a aceitar, acreditar e/ou render-se porque não há filtro analítico. É lógico então que, quanto mais sugestionável, menos analítico você é. O oposto também é verdadeiro: quanto mais analítico, menos sugestionável à informação você fica; portanto, menos provável que seu cérebro esteja em estado de transe ou ondas alfa. Dê uma olhada na figura 8.1 para entender a relação entre sugestionabilidade, mente analítica, transe e ondas cerebrais.

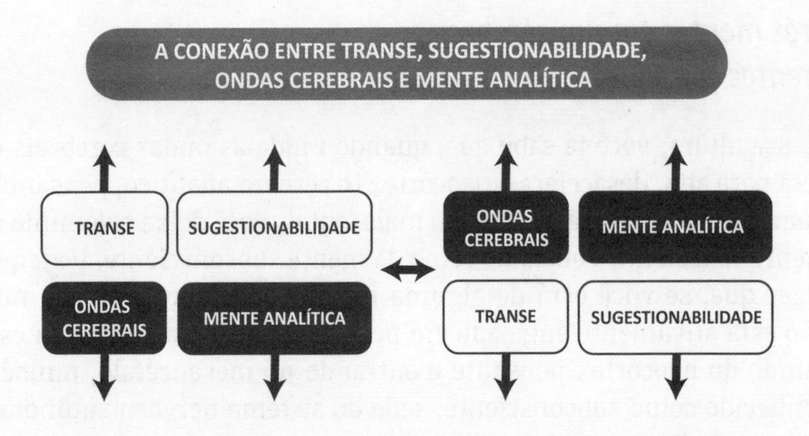

FIGURA 8.1

Quando suas ondas cerebrais ficam mais lentas e você vai além da mente analítica, o cérebro entra em transe e você fica mais sugestionável à informação. O inverso também é verdade. Quando as ondas cerebrais ficam mais rápidas, você fica mais analítico, o cérebro sai do transe e você fica menos sugestionável à informação. Sugestionabilidade é a capacidade de aceitar a informação, acreditar nela e render-se sem analisar.

Os criadores dos comerciais que mencionei entendem plenamente que a melhor maneira de programar uma pessoa para tomar uma atitude desejada é colocá-la em estado de ondas alfa para que a informação apresentada não seja analisada. Quando o comercial é repetido, ou outro semelhante com a mesma mensagem é exibido muitas vezes, cedo ou tarde o programa vai entrar no subconsciente do espectador. Quanto mais somos expostos ao estímulo (no caso, o comercial), mais automática se torna a resposta programada. No fim, quando memorizamos inconscientemente o estímulo e a resposta é automática, a mente consciente não precisa mais pensar sobre a informação que chega ou analisá-la. Enquanto isso, a mente subconsciente mapeia, registra e armazena a informação como uma gravação de voz ou vídeo. Depois de mapeada no cérebro, cada vez que você é exposto ao comercial a informação aciona as mesmas redes neurais, reforçando ainda mais o mesmo programa, pensamento e crença. Aí a informação não só pode influenciar sua saúde, como também pode lhe dar a solução para o problema que o comercial cria.

Outras situações que aumentam a sugestionabilidade são choque, trauma ou forte reação emocional. Quando as pessoas ficam atordoadas ou são expostas a situações emocionalmente carregadas, é comum o cérebro entrar em estado alterado. Quando o cérebro para por causa de uma sobrecarga sensorial, como um acidente de automóvel, a pessoa entra em estado sugestionável. Em casos graves, a pessoa se rende ao choque, fica paralisada e aturdida, e a capacidade de pensar é prejudicada. Portanto, quando alguém é exposto à imagem de uma erupção agressiva de herpes (combinada à música e narração certas para criar um clima agourento ou ameaçador) e se sente indisposto, a porta para a mente subconsciente se abre, tornando a pessoa mais facilmente programável.

Como você deve lembrar, a mente subconsciente fica bem embaixo da mente consciente. O cérebro límbico é a sede do subconsciente e do sistema nervoso autônomo, que controla todas as funções biológicas automáticas que ocorrem de momento a momento. Quando um pensamento é programado, o SNA atende ao pedido do pensamento como um empregado cumprindo as ordens de seu patrão.

Se lhe dizem repetidamente que seu sistema imunológico enfraquece com a idade e que uma em cada três pessoas que tiveram catapora terá herpes, a experiência emocionalmente carregada permite que a mensagem passe pela mente pensante, analítica. Em resposta à informação, o SNA segue as ordens e pode realmente começar a debilitar seu sistema interno de defesa.

Para os anunciantes fazerem valer o investimento no comercial, é melhor exibir as mensagens repetidamente tarde da noite, quando somos mais sugestionáveis à programação. Por quê? Porque os níveis de melatonina se elevam em resposta ao escuro, e a melatonina faz as ondas cerebrais ficarem mais lentas em preparação para o sono e os sonhos. As ondas passam de beta para alfa, theta e delta à noite, por isso as pessoas ficam menos analíticas e a janela do subconsciente se abre. Quando a luz do dia nos acorda de manhã e o cérebro começa a produzir serotonina, acontece o processo reverso; as ondas cerebrais passam de delta para theta, alfa (onde o subconsciente mais uma vez fica aberto à programação) e beta.

Se você é um anunciante e sabe que a maioria do público não tem conhecimento de como funciona a programação subconsciente, por que não criar uma série de comerciais para exibir tarde da noite com a mensagem desejada, realçada com a dose certa de medo e preocupação para capturar a atenção do espectador e programar seu sistema nervoso autônomo para se ocupar de cumprir as ordens imediatamente antes de ele adormecer?

Uma boa regra geral: não veja nada na TV ou na internet nem participe de nenhum tipo de entretenimento que não queira experimentar, não só antes de ir dormir, mas nunca.

Olhos de caleidoscópio fascinados pelo transe

Durante anos, estive pensando sobre como somos todos constantemente programados com crenças limitantes; isto é, acreditar que precisamos de alguma coisa externa para mudar o que sentimos no interior. Afinal, publicidade é isso – uma interminável dependência e consumo de fontes externas para nos sentirmos felizes ou melhores. Essa crença, que nos lembra da nossa separação da totalidade, é incessantemente incutida por meio da mídia, dos programas de TV, comerciais, jornais, vídeogames, *websites* e, às vezes, até da música. É uma estratégia simples: se você consegue manter as pessoas suspensas nos sentimentos de carência, medo, raiva, oposição, preconceito, dor, tristeza e ansiedade, elas permanecem dependentes de alguém ou alguma coisa externa para fazer esses sentimentos desaparecerem. Se você se mantém em eterno estado de ocupação e está sempre preocupado com emoções de sobrevivência, nunca tem a oportunidade de acreditar em si.

E se fosse possível desfazer ou reverter essa programação, de forma a ter crenças ilimitadas sobre si e sua vida? É exatamente isso que fazemos há vários anos em nossas oficinas avançadas, usando duas ferramentas simples, inclusive uma com a qual as crianças brincam há eras: um caleidoscópio. A única diferença é que a utilizamos de maneira tecnológica avançada para induzir ao transe.

Até aqui, entramos em transe e em estados de ondas alfa e theta de olhos fechados durante a meditação. Mas, se pudermos criar estados de ondas alfa e até theta de olhos abertos e nos expor intencionalmente à informação relevante para nossos sonhos e objetivos de vida, poderemos nos reprogramar em estados sobrenaturais, em vez dos estados inconscientes que experimentamos no dia a dia. Mas por que o caleidoscópio?

Há muitos anos, minha paixão primária é o aspecto místico da existência. Cada vez que tenho uma dessas experiências profundas e superlúcidas, ela gera mudanças duradouras dentro de mim, que aprofundam meu autoconhecimento e minha conexão com o mistério da vida. Quando você tem uma experiência mística e enxerga além do véu pela primeira vez, nunca mais consegue voltar ao estágio anterior; a cada experiência mística subsequente, você se aproxima mais da fonte, da integridade, da totalidade e do campo unificado indivisível. A boa notícia é que experiências místicas não são mais relegadas a pessoas como Teresa de Ávila, Francisco de Assis ou um monge budista que medita há quarenta anos. Toda pessoa é capaz de contatar, experimentar e acessar o aspecto místico.

Quando estou em uma experiência mística, ela parece mais real do que qualquer coisa que eu já tenha conhecido na vida, e perco a noção de espaço e tempo. Muitas vezes, antes de ser envolvido, vejo em minha mente (e às vezes no mundo exterior) padrões circulares, geométricos, de luz e energia. Parecem mandalas, mas não são estáticos; são ondas de frequências interferentes que aparecem como padrões fractais. Só consigo descrever suas propriedades como vivas, móveis, cambiantes, sempre evoluindo em padrões mais complexos dentro dos padrões.

Os padrões parecem com o que você vê quando olha em um caleidoscópio, mas, em vez de bidimensionais, são tridimensionais. Quando repouso a atenção nos padrões geométricos divinos, eles mudam, e sei que em instantes – assim que meu cérebro capta o padrão de informação e o transforma em imagens vívidas – terei uma profunda experiência mística.

Essa é uma das razões pelas quais criamos o caleidoscópio em uma apresentação de mídia para nossa comunidade, na esperança de induzir esse tipo de experiência. Mas não conseguimos encontrar nenhuma sequência de imagens reais de um caleidoscópio. Na época, todos os arquivos de mídia de geometria fractal na internet eram gerados por computador, e eu queria criar uma representação mais realista.

Inspirada por uma amiga muito querida e artista talentosa, Roberta Brittingham, nossa jornada começou. Em longas conversas durante meses, Roberta e eu nos envolvemos no processo criativo. Foi a genialidade dela que deu origem à ferramenta que ajudou a mudar tantas vidas. Depois de muita pesquisa, Roberta acabou encontrando uma família que fazia caleidoscópios havia três gerações, e compramos uma de suas melhores peças.

Em seguida, alugamos uma câmera da RED, principal fabricante de câmeras digitais de cinema mais usadas nos filmes de Hollywood. Separamos o caleidoscópio em duas peças – o tubo por onde se olha e a extremidade que gira, onde ficam os cristais. Depois, alinhamos a lente da câmera com a parte onde ficam os cristais e acrescentamos luzes para amplificar as cores lá dentro. Fechamos o foco da câmera na extremidade do caleidoscópio e instalamos um motor nela. A seguir, giramos lentamente os cristais para que se movessem de modo constante e suave no óleo. Passamos horas em um estúdio de Seattle, Washington, captando belas imagens e cores contra um fundo preto. O preto representa a ausência de qualquer coisa física (o lugar onde nos tornamos corpo nenhum, ninguém, coisa nenhuma em lugar nenhum, em tempo nenhum). Esse é o espaço preto infinito ou vácuo sobre o qual você leu no Capítulo 3.

Enquanto gravávamos todas essas sequências ao longo de vários dias, a gravidade fazia os cristais e o óleo cair e acelerar a cada giro, e um técnico teve que se encarregar da tediosa tarefa de verificar cada segundo, quadro a quadro, para garantir que as transições fossem suaves. Se a transição não fosse fluida, haveria o risco de interrupção do foco ou estado de transe do observador. Levamos meses para refinar nossa sequência no filme de uma hora que usamos em nossas oficinas avançadas. Finalmente, pedimos ao talentoso compositor Frank Pisciotti para criar a trilha sonora que acompanha as imagens. Queríamos que nossos alunos se mantivessem continuamente fascinados pela bela simetria e alteração das formas geométricas.

Mind Movies: o filme do seu futuro

Em nossas oficinas avançadas, todos os participantes recebem um *software* divertido e fácil de usar, chamado Mind Movies, para fazer um filme sobre seu futuro eu e sua vida. Usamos o *software* em conjunto com o vídeo do caleidoscópio. De acordo com o que querem criar na vida, o filme que os alunos fazem os expõe a imagens e também a sugestões e informações escritas específicas, projetadas para ajudá-los na criação, da mesma forma que o texto auxiliar nos comerciais do herpes. Os objetivos podem variar da cura de uma doença a fortalecimento do sistema imunológico, criação de um novo emprego, manifestação de novas oportunidades, viajar pelo mundo, atrair abundância, encontrar um novo parceiro de vida, experiências místicas, entre outros. O propósito é lembrá-los de que podem realizar seus sonhos, criar o incomum e se tornar sobrenaturais. Os objetivos dessa apresentação personalizada são:

1. Ajudar os alunos a terem clareza da intenção que querem criar em seu futuro.
2. Programar a mente consciente, bem como a mente inconsciente, para o novo futuro.
3. Mudar cérebro e corpo para parecer biologicamente que o futuro já aconteceu.
4. Associar repetidamente as cenas e imagens com música para criar novas redes neurais no cérebro e recondicionar emocionalmente o corpo a uma nova mente. É um meio de os alunos lembrarem de seu futuro.

A tecnologia Mind Movie foi criada por dois sócios australianos, Natalie e Glen Ledwell. Eles são os criadores e também garotos-propaganda das funcionalidades. A jornada da dupla começou em 2007, quando um amigo mostrou um filme que havia criado sobre sua vida. Mais tarde, o amigo veio com a ideia de começarem um negócio baseado no que se tornaria o *software* Mind Movies. Para o empreendimento decolar, precisavam criar um site para distribuir o *software* e instruir pessoas do mundo todo sobre como fazer os próprios filmes. Só que eles já eram donos de quatro outros negócios e não sabiam quase nada sobre internet ou e-commerce. Glen mal conseguia ligar um computador, e Natalie nunca tinha ouvido falar em YouTube. Mas reconheceram que o Mind Movies tinha potencial para se tornar uma ferramenta muito poderosa para ajudar as pessoas a construir a crença de que podiam criar desfechos reais na própria vida.

Pensando nisso, decidiram postar no YouTube um vídeo sobre o poder do Mind Movie. No fim do vídeo, os espectadores eram incentivados a visitar o site, onde poderiam aprender a construir o próprio filme.

No começo de 2008, depois de receberem inúmeros e-mails de clientes contando como o Mind Movie tinha mudado sua vida, Natalie e Glen decidiram apostar tudo nisso. Foram aos Estados Unidos, participaram de um seminário de marketing na internet, juntaram-se ao Marketing Mastermind Group e começaram a planejar o lançamento global do Mind Movie. Porém, quando chegaram nos Estados Unidos, já estavam com a conta bancária praticamente zerada, quase sem dinheiro para pagar os serviços necessários que ainda faltavam para lançar o empreendimento. Isso significava aprender, dominar e implementar tudo por conta própria. Durante meses, trabalharam doze horas por dia no escritório, também conhecido como dormitório. No processo, se afastaram tanto da zona de conforto que nem sabiam mais o que era zona de conforto. Confrontados pelas dificuldades técnicas, comerciais e pessoais diárias, lançaram mão da arma secreta do arsenal: o próprio Mind Movie.

Em seu Mind Movie, Natalie e Glen definiram o número de clientes que queriam atrair e quem seriam estes. Descreveram o respeito que teriam dos colegas de área e planejaram o que fariam quando o negócio fosse um sucesso, coisas como os restaurantes que frequentariam e as férias que teriam. Por fim, queriam obter o equivalente a US$ 1 milhão em vendas ("Por que não planejar grande?", pensaram. Os amigos que atuavam na área de marketing faziam lançamentos milionários, embora com programas de US$ 5 mil). Assistiram ao Mind Movie várias vezes por dia para desestressar e manter o foco e a inspiração, embora tudo na realidade presente parecesse agir contra eles. Todavia, sabiam que todo esforço, risco e sonhos culminariam no dia do lançamento global. A linha de chegada estava à vista – e aí o impensável aconteceu.

Marcado para setembro de 2008, o lançamento coincidiu com a crise financeira global. Instituições financeiras do mundo inteiro sofreram perdas cataclísmicas, famílias e indivíduos perderam as economias, propriedades e fontes de renda na pior recessão desde a Grande Depressão. Enquanto isso, Glen e Natalie enfrentavam as próprias dificuldades financeiras. Para lançar o empreendimento, contraíram uma dívida de US$ 120 mil no cartão de crédito. Se o negócio fracassasse, perderiam tudo – a casa, os carros e os investimentos – e seriam soterrados por uma dívida insuperável.

Na manhã do lançamento, sem que eles soubessem, o servidor de e-mail saiu do ar para uma manutenção programada, e nenhum dos clientes recebeu o e-mail de confirmação da compra. Por volta do meio-dia, eles já haviam recebido milhares de reclamações no e-mail de atendimento ao cliente, somadas à encrenca com a conta bancária *on-line* (o banco queria congelar a conta por causa da atividade incomum). Quando chegou a noite, porém, aquele já era o dia mais memorável de suas vidas.

Na primeira hora do primeiro dia, haviam atingido a marca dos US$ 100 mil; no fim do dia, contabilizaram uma renda bruta de US$ 288 mil. Glen e Natalie acabaram gerando US$ 700 mil a partir de um programa de US$ 97, sem versões mais caras. Mas a história não acaba aqui.

É claro que Glen e Natalie ficaram eufóricos com os resultados, mas ainda restava um último e monumental desafio. Por causa do clima financeiro volátil e incerto na época, o banco congelou a conta, de modo que eles não podiam acessar o dinheiro. Com isso, eles não podiam pagar as comissões para os afiliados nem os US$ 120 mil que deviam aos credores, nem transferir a participação nos lucros para as pessoas que haviam ajudado a lançar o empreendimento. Tudo dependia da liberação dos fundos. Depois de seis meses fiéis à sua visão e assistindo ao Mind Movie, enfim obtiveram acesso à conta bancária, resolvendo as pendências financeiras que quase os levaram à falência. Mas é aí que a história fica realmente boa.

Com a economia mundial ainda patinando, o valor do dólar norte-americano permanecia muito superior ao do dólar australiano. Graças à taxa de câmbio, quando transferiram o dinheiro de volta à Austrália, Glen e Natalie acabaram ganhando mais US$ 250 mil. Com isso, mais as comissões por promover programas de afiliados comerciais, atingiram o objetivo de US$ 1 milhão.

Eles creditam grande parte do sucesso – que foi o oposto do que todos estavam vivendo no mundo – ao fato de terem mantido o foco em seu Mind Movie todos os dias.

Esse é um grande exemplo do potencial do Mind Movie, e, embora as opções para criar seu próprio Mind Movie sejam infinitas, o processo é relativamente o mesmo. Primeiro os alunos escolhem a música, uma que nunca se cansem de ouvir. Em seguida, selecionam imagens e/ou vídeos deles ou de um futuro acontecimento e os colocam em sequência para contar uma história de como será o futuro. Por fim pedimos que definam palavras, frases ou afirmações específicas que sobrepõem às imagens. Exatamente como os comerciais de televisão programam as pessoas para serem vítimas ou experimentarem carência e desejo, o Mind Movie pode programar os alunos para serem ilimitados em uma vida que são capazes de criar.

Em nossas oficinas avançadas, os alunos assistem ao vídeo do caleidoscópio antes de assistir aos seus Mind Movies porque isso ajuda a induzir e sustentar estados de transe alfa e theta com os olhos abertos, abrindo a porta entre mente consciente e subconsciente. Durante a meditação, enquanto estão em estado de onda alfa ou theta, ficam mais sugestionáveis ao próprio programa de reprogramação. Isso é importante porque, quanto mais sugestionáveis durante o uso do Mind Movie, menos propensos a ficar analíticos e ter pensamentos constantes do tipo "Como isso vai acontecer?", "Isso é impossível", "Como vou arcar com esse custo?", "Não aconteceu na última vez, por que aconteceria agora?".

Enquanto o caleidoscópio induz os alunos ao transe para abrir a mente subconsciente para a programação, o Mind Movie é o novo programa. Os Mind Movie programam a mente dos nossos alunos da mesma forma que os comerciais de televisão nos programam, mas de maneira mais positiva, ilimitada e construtiva. Quando os pensamentos são silenciados, a mente consciente não mais analisa a informação que chega. O resultado é que qualquer informação a que sejamos expostos nesse estado é codificada diretamente no subconsciente. Assim como gravar ou filmar alguma coisa para ser exibida automaticamente mais tarde, gravamos um novo programa na mente subconsciente.

Muitas pesquisas ao longo de anos documentaram como os hemisférios direito e esquerdo do neocórtex se relacionam. Sabemos agora que o hemisfério direito processa pensamento espacial, não linear, abstrato e criativo, e o hemisfério esquerdo processa pensamento lógico, racional, linear, metódico e matemático. As pesquisas mais recentes, porém, também sugerem que hemisfério direito processa novidades cognitivas e o esquerdo processa rotinas cognitivas.[54] Isso significa que, quando aprendemos coisas novas, o hemisfério direito é mais ativo e, quando novos aprendizados se tornam rotina, são armazenados no hemisfério esquerdo.

A maioria das pessoas opera a partir do hemisfério esquerdo do cérebro porque está conectada a hábitos e programas automáticos memorizados. É por isso que a linguagem é armazenada no hemisfério esquerdo, é rotina. Você pode pensar no hemisfério direito como o território do desconhecido e no hemisfério esquerdo como o território do conhecido. Faz sentido então que o hemisfério direito seja romântico, criativo e não linear, enquanto o esquerdo é metódico, lógico e estruturado. Vimos esse processamento duplo acontecer ao observar as leituras cerebrais de nossos alunos em tempo real.

O fluxo de padrões fractais geométricos dentro dos padrões do caleidoscópio não é parecido com ninguém, nada, lugar nenhum em tempo nenhum; esses padrões são projetados para driblar as redes perceptivas e os centros associativos do cérebro relacionados a pessoas, coisas, objetos, lugares e tempos conhecidos. Seus antigos padrões geométricos refletem padrões fractais encontrados por toda natureza; assim, ativam centros do cérebro inferior. É por isso que no caleidoscópio você não consegue enxergar sua tia Mary, a bicicleta que ganhou quando estava no sexto ano ou a casa onde cresceu, você não ativa ou provoca os centros associativos relacionados às memórias localizadas primariamente no hemisfério esquerdo do cérebro. Quando você para de pensar e analisar e começa a entrar em padrões de onda alfa ou theta, acontece mais atividade no centro direito. Se o hemisfério esquerdo funciona no conhecido e o hemisfério direito funciona no desconhecido, com o aumento da atividade no hemisfério direito você fica mais aberto a criar alguma coisa desconhecida e nova.

Os gráficos 9A(1) e 9A(2) no encarte colorido mostram leituras do cérebro de dois alunos em estados coerentes alfa e theta. No gráfico 9A(3) você vai ver o cérebro inteiro de outro aluno em theta enquanto assiste ao caleidoscópio. O gráfico 9A(4) mostra a varredura do cérebro de um aluno olhando o caleidoscópio; o lado direito está mais ativado enquanto ele se dedica à novidade da experiência em estado de transe.

Quando exibimos o caleidoscópio em nossas oficinas avançadas, deixamos a sala escura para elevar os níveis de melatonina e com isso intensificar as mudanças nas ondas cerebrais. Peço aos alunos que relaxem e desacelerem conscientemente a respiração. Quando o ritmo da respiração fica mais lento, o das ondas cerebrais acompanha, indo de beta para alfa. Peço que continuem relaxando e se aprofundando no contato com o corpo. Quero induzi-los ao estado semidesperto e semi adormecido, em que ficam mais sugestionáveis, preparando o cérebro para aceitar a programação do Mind Movie.

Da mesma forma que os comerciais exibidos tarde da noite influenciam as pessoas porque a produção de melatonina (em preparação para o sono restaurador) baixa a guarda, quero que os níveis de melatonina dos nossos alunos seja elevado e suas ondas cerebrais fiquem em alfa e theta, de forma que fiquem totalmente abertos à informação e às possibilidades em seu Mind Movie.

A trilha sonora de sua vida futura

A música costuma evocar lembranças de um tempo e lugar específicos de nossa vida. Por isso o artista Dick Clark disse: "A música é a trilha sonora de sua vida". No momento em que começa a tocar uma canção magicamente nostálgica, seu cérebro passa a recuperar imagens de certos tempos e lugares, e essas imagens o conectam à experiência de diferentes pessoas e eventos. Em termos neurológicos, a canção age como uma pista externa, provocando o disparo de um conjunto específico de redes neurais no cérebro. Por associação, você vê mentalmente imagens que ficaram congeladas no tempo. Isso é o que chamamos de memória associativa.

Se você levar a lembrança dessa canção mais longe e realmente senti-la, entrar nela, talvez até cantar e dançar, poderá notar emoções correspondentes conectadas a suas memórias movendo-se pelo corpo. Seja a lembrança dessa canção relacionada ao seu primeiro amor, ao recesso de primavera no último ano de faculdade ou ao que você sentiu antes de entrar em campo no maior jogo de sua vida, cada uma dessas lembranças é intensamente impregnada de sentimentos e emoções. Quando você sente a emoção com intensidade o bastante, ela o conecta à energia do seu passado, e, quanto mais forte a resposta emocional, maior a memória. No momento em que você sente e experimenta essa memória, ela traz seu passado à vida, e você é instantaneamente transportado através do tempo até aquela experiência. Assim como aconteceu no passado, o corpo sai do estado de repouso, fazendo você sentir as mesmas emoções do passado e reproduzir um nível mental compatível com a memória do passado. Nesse momento, todo o seu estado de ser está no passado.

Lembranças de longo prazo são mais fortes quando a amplitude das emoções associadas ao acontecimento é alta. O fato de uma memória de longo prazo ser positiva ou negativa não exerce qualquer influência no modo como a mente processa a memória. Lembranças de traumas, traições e acontecimentos chocantes transmitem emoções igualmente poderosas, mas negativas em vez de alegres. Quando lembramos e revivemos a dor, o medo, a raiva, a tristeza e a intensidade das emoções conectadas a memórias traumáticas, o estado químico interno muda. Isso nos faz prestar mais atenção a quem ou o que criou as emoções originais no ambiente externo.

E se você pudesse criar um filme do seu futuro e associá-lo a uma canção que o motivasse e inspirasse tanto que o tirasse do estado de repouso, alterasse seu estado de ser e o conectasse à energia de suas memórias futuras? Se a música é a trilha sonora de sua vida, então, assim como algumas canções o transportam ao passado, não seria possível trazer o futuro à vida da mesma maneira?

É aí que entram os Mind Movie. Organizando deliberadamente imagens muito poderosas e emocionantes de seu futuro, acrescentando palavras e frases para reforçar o conteúdo e combinando-as com emoções elevadas e música inspiradora, você cria memórias de longo prazo que levam sua biologia do passado para o futuro. Em outras palavras, as imagens provocam sentimentos correlatos às experiências que você quer ter no futuro. Isso pode incluir imagens de casas onde você quer morar, férias que quer ter, uma nova carreira, liberdade de expressão, um relacionamento ou um corpo curados, experiências interdimensionais e assim por diante. Essas são apenas algumas das infinitas possibilidades existentes na sua linha do tempo futura. Quando assiste ao seu Mind Movie, enquanto se conecta aos sentimentos e às emoções do futuro, mais elevadas são as emoções que sente e mais atenção você presta às imagens que criaram essas emoções. Você cria memórias de longo prazo de seu futuro e traz esse futuro à vida. O componente mágico, interdimensional do futuro é sua música, porque são os sentimentos associados a ela que alteram sua energia para como você vai se sentir quando o futuro acontecer. Por isso é melhor escolher música inspiradora ou motivacional.

A seguir você acrescenta ao Mind Movie palavras de afirmação ou conhecimento que o façam lembrar quem você é e em que acredita sobre seu futuro. Você pode até adicionar uma linha do tempo, se quiser. Seguem alguns exemplos:

- As portas dimensionais se abrem para mim para que eu possa experimentar o místico.

- Meu corpo está se curando todos os dias.
- Minhas palavras são lei.
- Sinto-me profundamente amado no cotidiano.
- A riqueza flui para mim.
- Todas as minhas necessidades sempre são atendidas.
- Meu corpo se torna mais jovem a cada dia.
- O divino aparece em minha vida todos os dias.
- Meu parceiro de vida é meu semelhante e me ensina pelo exemplo.
- Sincronicidades acontecem comigo o tempo todo.
- Sinto-me mais inteiro a cada dia.
- Meu sistema imunológico fica mais forte a cada dia.
- Protagonizo minha vida com coragem.
- Sou um gênio ilimitado.
- Estou sempre consciente do poder dentro de mim e à minha volta.
- Acredito em mim.
- Acolho o desconhecido.
- Quando invoco o Espírito ele responde.

Se você pensar no seu videoclipe ou em uma cena de seu musical favorito, é provável que saiba toda a letra da canção, bem como as imagens que correspondem a cada nota, cadência, melodia e harmonia. Muito provavelmente, a força dessa combinação evoca um tempo e um lugar de sua vida povoados por um conjunto específico de pessoas, sentimentos, emoções e experiências. É exatamente o que você faz com seu Mind Movie; contudo, em vez de lembrar do passado, você cria memórias do futuro. Se ouvir sua canção por vezes suficientes enquanto observa as imagens de seu futuro, não será possível que, ao ouvir a música sem ver o Mind Movie, você seja automaticamente transportado para as imagens de um novo futuro, da mesma forma que era transportado para o passado? Com a prática, você não só sente as emoções que o conecta às memórias de seu futuro, como sua biologia também se alinha a esse futuro.

Você já sabe por que isso acontece: se seu corpo é a mente inconsciente e não conhece a diferença entre a experiência que cria a emoção e a emoção que você cria apenas com o pensamento, no momento presente seu corpo começa a acreditar que está vivendo na realidade futura. Como o ambiente sinaliza o gene e emoções são consequências de experiências no ambiente, ao acolher as emoções do acontecimento antes da experiência real, você começa a modificar seu corpo para ficar biologicamente alinhado ao futuro no momento presente. Como todos os genes produzem proteínas e as proteínas são responsáveis pela estrutura e pelo funcionamento do corpo, seu corpo começa a mudar biologicamente para parecer que seu futuro já está acontecendo.

Juntando tudo

E se você convidasse um grupo de pessoas para se afastar de suas vidas por quatro ou cinco dias e nesse processo removesse o estímulo constante do ambiente externo que as faz lembrar quem pensavam ser enquanto personalidade? Se as separasse por tempo suficiente das pessoas que conhecem, dos lugares aonde vão e das coisas que fazem todos os dias exatamente no mesmo horário, elas seriam lembradas de quem realmente são: seres humanos ilimitados. E se você passasse o primeiro dia ou os dois primeiros dias ensinando a elas como criar mais coerência no coração e no cérebro – e elas praticassem repetidamente o cultivo desses estados todos os dias – faz sentido que, mais cedo ou mais tarde, elas se tornariam mais hábeis em abrir o coração e fazer o cérebro funcionar de maneira mais proficiente. Na verdade, elas ficariam mais focadas na visão de um novo futuro sem se distrair e poderiam sentir com mais facilidade as emoções do novo futuro. Ao criar mais coerência no cérebro e no coração, criariam mais coerência no próprio campo de energia, e isso criaria uma assinatura eletromagnética mais nítida.

Ao trabalhar de maneira contínua na superação de si mesmas, do corpo, do ambiente e do tempo – desacelerando e alterando suas ondas cerebrais, se projetando para o campo unificado e transcendendo o ambiente tridimensional – seria cada vez mais fácil e mais familiar ativar o centro do coração e criar. Depois que praticassem superar o corpo, as emoções, hábitos, dor, doença, identidade, crenças limitadas, mente analítica e programas inconscientes, quando a prática do Mind Movie fosse introduzida elas estariam prontas para absorver um maior grau de informação compatível com quem estavam se tornando, o que aumentaria a capacidade de se conectar com seu futuro. É assim que usamos os Mind Movie em nossas oficinas.

Você pode pensar no Mind Movie como uma versão do século 21 de um quadro de visualização (uma ferramenta usada para esclarecer, enfocar e manter objetivos de vida específicos), com a diferença de ser dinâmico em vez de estático. Quando usada com o caleidoscópio, a tecnologia do Mind Movie é uma ótima ferramenta para ajudar a trazer seu futuro à vida experimentando-o repetidamente. É também uma ótima maneira de obter clareza sobre o que você quer desenvolver na vida, de lembrar todos os dias o que o futuro guarda para você. O nome disso é intenção.

Por ser tão versátil, a tecnologia Mind Movie pode ser usada em muitas aplicações e diversos cenários, não só para criar relacionamentos, saúde, riqueza, carreiras e outros itens materiais, como também tem sido empregada com crianças e adolescentes para ajudá-los a criar uma visão do futuro e sentir que têm algum controle sobre a própria vida. Hoje em dia muitos jovens se sentem sobrecarregados por causa do ritmo frenético, da pressão, das demandas da mídia social e da sociedade moderna. Suicídio é uma das principais causas de morte de adolescentes nos Estados Unidos, por isso os fundadores do Mind Movie estão usando a tecnologia em escolas para ajudar os jovens a ver um futuro mais brilhante e específico para eles.

Mind Movie também são usados em ambientes corporativos para formação de equipe e visualização. Empreendedores usam o *software* para desenvolver negócios, criar declarações de missão e planos de negócios e estratégias. Imagine uma equipe motivada não apenas pela leitura e intelectualização da declaração de missão, mas também por vê-la se desdobrar em formato dinâmico, visual, antes de acontecer.

Cura integrativa é outra área em que os praticantes usam a tecnologia Mind Movie para ajudar pacientes a vislumbrar a versão mais saudável de si, assistir no processo de cura e se manter engajado em um novo estilo de vida no dia a dia. Isso inclui tratamento de dependência e meios de reabilitação que ajudam os pacientes a ter clareza sobre o futuro que querem criar na próxima fase da recuperação. Mind Movie também ajudaram desempregados por questão de idade a encontrar novos empregos e carreiras e a viver de maneira mais produtiva e orientada para o futuro, não só para si, mas também para suas famílias.

Como você pode ver, as aplicações dessa tecnologia são infinitas. Seja qual for a aplicação, o poder dos Mind Movie reside em capacitar as pessoas a construir uma nova realidade lembrando-as das escolhas diárias que devem fazer, dos novos comportamentos que devem demonstrar e dos sentimentos pelos quais querem viver. Quando você programa esses sentimentos e comportamentos no subconsciente, pode romper a dependência de antigos hábitos, estilos de vida conhecidos e reações inconscientes. Cabe inteiramente a você decidir o quanto quer ser criativo ao juntar as peças de seu futuro.

Embora qualquer momento seja bom para assistir ao Mind Movie, sugiro assim que acordar e antes de dormir, porque é quando se está mais sugestionável. Se assistir ao filme assim que acordar, você vai começar o dia com um tom positivo, mantendo-se focado no que quer realizar nesse dia, bem como no futuro. Quando assistir ao filme à noite, antes de dormir, a mente subconsciente pode refletir a respeito enquanto você dorme, alinhar corpo e mente com seu futuro e encontrar soluções que o sistema nervoso autônomo pode pôr em prática enquanto você dorme. Basicamente, você pode usar o Mind Movie sempre que precisar de motivação ou fazer uma escolha diferente. A chave é ter certeza de que está completamente presente ao ver o filme.

Desde a implementação dos Mind Movie, vi nossos alunos manifestarem novas casas e ouvi histórias de casas vendidas depois de anos no mercado. Vi férias aparecerem espontaneamente e testemunhei o desenvolvimento de novos relacionamentos surgidos do nada. Ouvi inúmeros depoimentos de abundância, liberdade, novas carreiras, carros novos, curas de todos os tipos, alívio para dificuldades insuportáveis e, é claro, profundas experiências místicas que alteraram indivíduos de forma permanente. Mas não se trata de mágica ou feitiçaria. Trata-se de simplesmente aprender como se tornar um criador consciente, aprender a se alinhar ao próprio destino.

Pense em seu Mind Movie como um aparelho de radar para rastrear seu futuro. Então, enquanto visita repetidamente o futuro em seu coração e mente, todos os pensamentos, escolhas, ações, experiências e emoções que sente entre a realidade presente e a realidade futura se tornam correções de trajeto que o levam ao destino. Quanto mais você mantém o futuro vivo com intenção, atenção, energia e amor, mais ele começa a se desenvolver como uma nova realidade, porque você se lembra do futuro como se lembra do passado. Seu trabalho, então, é se apaixonar de maneira contínua por essa visão do futuro, manter a energia em alta e não deixar circunstâncias (ambiente), atitudes programadas, sentimentos negativos conhecidos ou hábitos inconscientes o desviarem dos objetivos.

O que torna essa tecnologia tão profunda é que percebemos a realidade com base em reconhecimento de padrão – ligações entre as redes neurais no cérebro e os objetos, pessoas e lugares no ambiente externo. Por exemplo, quando você vê alguém que reconhece, as redes neurais no cérebro recuperam instantaneamente memórias e experiências com aquela pessoa. Ao contrário, se alguém não está programado em seu cérebro, você provavelmente não a reconhece. Se o cérebro não tem o *hardware* (familiaridade com imagens, pensamentos e emoções do Mind Movie) instalado antes de o futuro se desenvolver, se você não tem a arquitetura neural instalada no cérebro, como vai reconhecer o novo parceiro, o novo emprego, a nova casa ou o novo corpo? (Pense nisso desta maneira: você não pode abrir um documento do Microsoft Word em um computador Mac a menos que já tenha instalado o *software* do Microsoft Word.) Se você não consegue sentir as emoções e criar a energia de sua realidade futura, pode não reconhecer ou confiar nessa experiência de futuro desconhecido quando ela o encontrar. Como sua energia e seu estado emocional não estão alinhados com a experiência, em vez de sentir certeza ou reconhecimento você pode sentir medo ou insegurança.

Muitos de meus alunos avançados contaram que estão no terceiro, quarto ou quinto Mind Movie porque tudo que havia nos filmes anteriores foi realizado. Sempre fico impressionado e comovido ao ouvir as histórias de como as criações podem acontecer. Por mais variadas que sejam as manifestações, todas têm uma coisa em comum: esses alunos treinaram o corpo para seguir a mente em direção a um futuro intencional. Isso faz sentido porque, se você dedica tempo a estudar, memorizar e criar as conexões neurais de seu futuro, é aí que você coloca sua atenção. E, como a essa altura você já sabe, a energia flui para onde a atenção vai.

Dê uma olhada no gráfico 10 do encarte colorido. Ele mostra a atividade cerebral de um aluno enquanto assiste ao seu Mind Movie. Há uma enorme quantidade de energia no cérebro porque ele está totalmente envolvido com a experiência.

Um passo adiante: dimensionar

Existe uma última maneira de usar a tecnologia do Mind Movie no nosso trabalho. Quando nossos alunos mapeiam neurologicamente todo o seu filme, peço a eles para escolher uma cena e desenvolvê-la em um espaço e tempo específicos, experimentando a cena em formato tridimensional durante a meditação. Se você prestar atenção, eu nunca uso a palavra "visualizar" em meus ensinamentos. Visualização costuma envolver apenas ver alguma coisa mentalmente, algo que aparece como uma imagem plana ou bidimensional. Por exemplo, se você visualiza a imagem de um carro, cria a imagem de um carro. Em vez disso, quero que você experimente tudo na cena usando os cinco sentidos, de forma que a sinta como uma experiência tridimensional, real.

Muitas pessoas apresentadas ao meu trabalho quiseram saber por que passo tanto tempo induzindo-as a tomar consciência do "espaço" que o corpo ocupa no espaço e também a abrir o foco para o espaço em torno do corpo e o espaço que a sala ocupa no espaço. Além das alterações coerentes que minhas pistas produzem no cérebro, isso tudo é treinamento para a atividade consciente de combinar o Mind Movie ao caleidoscópio durante a meditação.

Quando um aluno começa o processo de dimensionar, antes de ver alguma coisa mentalmente ele é orientado a se projetar como uma consciência na cena. Quero que o participante fique ciente de que está na cena apenas como consciência. Isso significa que ele não é seu corpo e não tem seus sentidos. Ele começa como uma consciência no vazio do espaço, como se fosse incapaz de ver, ouvir, sentir, saborear ou sentir cheiro de qualquer coisa.

Quando o aluno fica ciente de que é uma consciência, peço a ele para escolher uma cena de seu Mind Movie. Isso faz o cérebro começar naturalmente a adicionar informações sensoriais, o que começa a dar dimensão à cena em sua mente. Em seguida ele é instruído a começar a sentir o que está à direita, à esquerda, acima e abaixo. O ato de sentir preenche a cena com estruturas tridimensionais, formas e espaço. Por fim, quando a cena ganha vida na mente, no espaço e no tempo futuro daquela cena, o aluno começa a habitar o corpo, não o que está sentado na cadeira meditando, mas o corpo físico no futuro. O aluno é instruído a sentir os braços, as pernas, o tronco, os músculos e assim por diante até conseguir sentir o corpo todo naquela cena. Então ele está pronto para se mover pela cena e sentir a realidade.

Minha teoria é que, quando se ativa simultaneamente uma quantidade suficiente de redes neurais designadas aos objetos, coisas e pessoas em um espaço e tempo específicos, a possibilidade de se ter uma experiência completa, holográfica, do tipo IMAX, aumenta. Isso porque, quando o aluno se torna presente e se projeta em uma cena plenamente dimensional, uma grande parte do cérebro é acionada, inclusive a arquitetura neural alocada para os aspectos sensorial (sentimento) e motor (movimento) do corpo, bem como a propriocepção (consciência da posição do corpo) de onde ele está no espaço. Quando dá por si, o aluno tem uma experiência sensorial real de seu futuro com os olhos fechados no momento presente.

Dê uma olhada no gráfico 11 do encarte colorido. É a leitura do cérebro de uma aluna experimentando em meditação uma cena aparentemente real de um Mind Movie. Ela tem uma boa quantidade de energia no cérebro enquanto dimensiona a cena. Ela descreveu aquele momento como uma experiência virtual sensorial plena. Sua experiência subjetiva foi quantificada objetivamente na leitura.

Muitos de nossos alunos relataram que as experiências durante a meditação foram mais reais do que qualquer experiência externa passada. Seus sentidos foram ampliados sem estímulos externos, tudo que eles fizeram foi ficar sentados na cadeira de olhos fechados. Muitos contaram que na experiência lúcida sentiram certas fragrâncias como colônias, o aroma de flores específicas como jasmim e gardênia ou o cheiro conhecido de couro no carro novo em que estavam sentados. Também ouvi alunos relatarem memórias específicas como a aspereza do rosto não barbeado, o vento soprando os cabelos ou a sensação de que o corpo se enchia de uma poderosa energia. Alunos também deram depoimentos sobre sons específicos que conseguiram ouvir com clareza, como sinos ao longe em alguma igreja europeia no local onde passavam férias ou o latido do cachorro na nova casa. Vários alunos também disseram que as cores que viram eram incrivelmente nítidas e vívidas ou que sentiram sabores intensos de coco, chocolate ou canela. A combinação de todos os sentidos criou literalmente uma nova experiência para eles.

São os cinco sentidos que nos conectam à realidade externa. De maneira típica, quando temos uma nova experiência, tudo o que vemos, ouvimos, cheiramos, saboreamos e sentimos é enviado ao cérebro pelas cinco vias sensoriais. Quando toda essa informação chega ao cérebro, grupos de neurônios começam a se organizar em redes. No momento em que os neurônios se organizam, o cérebro límbico produz uma substância química chamada emoção. Como a experiência enriquece o cérebro e cria uma emoção que sinaliza novos genes no corpo, no rico momento sensorial da experiência interna, o aluno – sem usar seus sentidos externos – altera cérebro e corpo para parecer que o futuro já aconteceu. Não é isso que faz a experiência? Adoro ouvir uma pessoa que acabou de sair de uma dessas experiências me dizer: "Você não entende, eu estive lá! Sei que vai acontecer porque já aconteceu e já vivi a experiência". Isso é porque a experiência já aconteceu.

Quando experimentamos plenamente uma realidade nesse campo de consciência e energia sem um corpo, a energia da nova experiência serve de gabarito para a realidade física. Quanto mais energia você investe em seu futuro e quanto mais continua experimentando e acolhendo esse futuro antes de ele acontecer, mais você deixa uma marca energética nessa realidade futura. E seu corpo segue a mente para esse futuro desconhecido porque é lá que está sua energia. À medida que continua colocando sua atenção e energia no futuro, mais profundamente se apaixona por ele; como o amor une todas as coisas, você se liga a esse futuro, e ele é atraído para você.

Para mais informações sobre o Mind Movie e o caleidoscópio, acesse meu website, drjoedispenza.com/mindmovies ou drjoedispenza.com/kaleidoscope.

Meditação do caleidoscópio e Mind Movie

Em nossas oficinas avançadas, instruímos os alunos a criar um Mind Movie antes de chegar ao evento para poderem integrar seus filmes com o vídeo do caleidoscópio durante a meditação. Começamos com o centramento no coração, que você já aprendeu no Capítulo 7, mantendo as emoções elevadas por vários minutos e irradiando a energia além do corpo para o espaço. Depois os guiamos na meditação a seguir.

Projete-se no momento presente e, quando alcançar o estado de abertura, abra os olhos e fite o caleidoscópio. Quando estiver em transe, alterne para seu Mind Movie. Permaneça uns oito minutos com o caleidoscópio, depois oito minutos vendo seu Mind Movie, depois repita o ciclo. Quando tiver assistido ao Mind Movie o suficiente para conseguir prever a cena seguinte, você o terá mapeado neurologicamente. Com o tempo, você vai associar partes diferentes da canção que escolheu às diferentes imagens do seu Mind Movie.

Por fim, permaneça sete minutos olhando o caleidoscópio enquanto apenas ouve a música do seu Mind Movie. Enquanto olha para o caleidoscópio em transe e ouve sua canção, o cérebro, por associação, lembra automaticamente de diferentes imagens do Mind Movie. Isso faz você lembrar ainda mais do seu futuro biologicamente, acionando e programando redes neurais de maneira automática e repetida. Seu cérebro é programado para parecer que o novo futuro já aconteceu, enquanto as emoções sinalizam novos genes para alterar biologicamente seu corpo em preparação para o novo futuro.

Assista ao caleidoscópio e ao Mind Movie ao mesmo tempo todos os dias por um mês, ou pelo menos tente assistir ao Mind Movie duas vezes por dia, assim que acordar e imediatamente antes de dormir. Você pode até manter um diário para registrar todas as maravilhosas aventuras inesperadas e acontecimentos aleatórios que, ao olhar em retrospecto, verá como pontos em um mapa que o levou a manifestar aquele futuro. Pense na possibilidade de criar vários Mind Movie, um para saúde e bem-estar, por exemplo, e outro para romance, relacionamentos e riqueza.

Capítulo 9

Meditação caminhando

A maioria das tradições espirituais adota quatro posturas para meditação, e praticamos cada uma delas em nossas oficinas avançadas. A postura sentada espero que você esteja a caminho de dominar, em pé e caminhando são combinadas nas meditações que você vai aprender neste capítulo, e a postura deitada. Cada tipo de postura de meditação atende a um objetivo, lugar e tempo próprio, e uma se baseia na outra para ajudar a manter e regular nossos estados internos, independentemente do que esteja acontecendo no ambiente externo.

Mas qual poderia ser a relevância de unir a meditação sentada à meditação em pé e caminhando? Embora a prática da meditação ao despertar seja uma maneira ideal de começar o dia, se você não consegue manter essa energia e consciência ao longo do dia, provavelmente vai regredir aos programas inconscientes que comandam sua vida há anos.

Digamos que você acabou de concluir a meditação sentada. Quando abre os olhos, provavelmente se sente mais vivo, alerta, lúcido, fortalecido e pronto para começar o dia. Talvez sinta o coração aberto, expandido e conectado, ou talvez tenha acabado de superar um aspecto de si mesmo, modificado sua energia e acolhido emocionalmente um novo futuro. Contudo, o mais frequente é que você caia de novo nos programas inconscientes, e todo o trabalho que acabou de ter para criar um estado interno elevado se dissolve em uma interminável lista de tarefas: fazer os lanches e mandar as crianças para a escola, correr para o trabalho, se enfurecer com o motorista que fechou seu carro na rua, atender a telefonemas e responder e-mails, apressar-se para compromissos e assim por diante. Em outras palavras, você não está mais em um estado criativo porque acabou de retornar aos programas habituais e às emoções de sobrevivência do passado. Quando isso acontece, você se desconecta da energia de seu futuro e deixa a energia que criou lá aonde estava sentado meditando em vez de levá-la consigo por todo o dia. Energeticamente, você voltou ao passado.

Como eu também já fiz isso, comecei a pensar como nossos alunos poderiam levar a energia com eles e personificá-la ao longo do dia. Por isso criei uma meditação que inclui ficar em pé e caminhar; assim, quando você se torna perito em elevar sua energia ou frequência e associá-la a uma visão nítida, tem uma prática que lhe permite manter a energia elevada o dia todo, de forma que, com o tempo, esse se torne seu estado de ser natural. O propósito deste capítulo é ajudá-lo exatamente com isso.

Caminhe para o seu futuro

Você já aprendeu que ao longo de boa parte do dia você se comporta de maneira inconsciente, sem consciência do que está fazendo e por quê. Você pode não se lembrar de ter dirigido até o local de trabalho porque estava pensando em uma discussão que teve dias antes ou em como iria responder à mensagem furiosa do parceiro. Talvez esteja rodando três programas ao mesmo tempo, mandando mensagens, conversando e verificando e-mails. Você pode não ter consciência dos seus tiques nervosos e suas causas, de sua postura e como ela é percebida como tímida ou como sua fala, expressões faciais e energia que leva para dentro de uma sala afetam seus colegas de trabalho. Esses programas e comportamentos inconscientes ocorrem porque o corpo se tornou a mente, e é a combinação desses programas inconscientes que compõe quem somos. Você agora já sabe que, quando o corpo se torna a mente, você não vive mais no momento presente e, portanto, não está mais em um estado criativo, o que significa que se mantém afastado de seus objetivos, sonhos e visões.

Porém, ao ficar ciente desses comportamentos e programas inconscientes, você pode trabalhar para transmitir de maneira ativa uma nova assinatura eletromagnética alinhada com seu futuro, e, quanto mais transmitir essa assinatura eletromagnética para o campo, mais depressa você será ela, e ela será você. Quando há uma compatibilidade vibracional entre sua energia e o potencial futuro que já existe no campo quântico, o acontecimento futuro o encontrará ou, melhor ainda, seu corpo será atraído para uma nova realidade. Você vai se tornar um ímã para um novo destino, que vai se manifestar como uma experiência desconhecida, nova.

Por um momento, pense em sua realidade futura como se já existisse, vibrando como energia imaterializada no campo quântico. Imagine seu futuro como a vibração proveniente de um diapasão recém-acionado. O som que ele emite é uma vibração que viaja em uma certa frequência. Se você também existe como um diapasão, quando altera sua energia para ressoar dentro da mesma harmonia da possibilidade quântica do seu futuro, você se conecta e se alinha a essa frequência. Quanto mais tempo consegue manter e sintonizar sua energia com essa frequência, mais você vibra na mesma harmonia de energia. Você fica conectado à realidade futura porque opera na mesma frequência ou vibração. Quanto mais as frequências se aproximam no espaço e no tempo, mais se influenciam, até se entrelaçar em uma só frequência. É nesse momento que seu futuro o encontra. É assim que você cria novas realidades.

Faz sentido, então, que no instante em que sua energia muda por você estar sentindo emoções inferiores, de sobrevivências, haja dissonância e incoerência entre você e sua realidade futura. Você não mais ressoa na frequência daquela possibilidade, e isso o faz perder a sincronia com o futuro que está tentando criar. Se você não consegue abrir mão da reação por causa da dependência das emoções, acaba criando mais da mesma realidade, porque sua energia vibra de modo compatível à realidade a que você está reagindo.

No Capítulo 3, você aprendeu que todas as possibilidades existem no agora eterno e que, quando vai além de sua identidade como um corpo conectado a pessoas, objetos, lugares e tempo, você se torna pura consciência. Você se torna corpo nenhum, pessoa nenhuma, coisa nenhuma em lugar nenhum, em tempo nenhum. É nesse momento que transcende o reino da matéria e entra no campo quântico de informação e energia. Quando está além de suas associações com a realidade física, você cria a partir do campo unificado; portanto, cria a partir de um nível de energia que é maior do que a matéria. A maioria dos nossos alunos pratica essa etapa na posição sentada. O propósito da meditação em pé e caminhando é deixá-lo mais atento ao momento presente, ajudá-lo a manter e sustentar estados elevados ao longo do dia, mantê-lo mais conectado àquele futuro com os olhos abertos e auxiliá-lo a adentrar literalmente em seu novo futuro.

Quando começar a praticar meditações caminhando, é melhor procurar um lugar tranquilo na natureza para não se distrair com facilidade. Quanto menos gente e menos atividade ao redor, mais fácil manter o foco. Com o tempo, quando ficar mais habilidoso, você vai conseguir praticar em um shopping, passeando com o cachorro ou em qualquer outro local público.

Em muitos aspectos, meditar em pé e caminhando é como meditar sentado. Você começa ficando imóvel, fechando os olhos e repousando a atenção no coração, desacelerando a respiração e inspirando e expirando a partir desse centro. Quando sente o coração centrado, assim como na meditação sentada, você começa a cultivar emoções elevadas que o conectam ao seu futuro.

Quando se sentir plenamente assentado nas emoções elevadas, abra o foco e irradie essa energia para além do corpo, até senti-la dentro de si e à sua volta. Em seguida, assente sobre a energia das emoções elevadas a intenção do que quer para o seu dia ou seu futuro, seja irradiar sincronicidade, ter uma vida nobre, fazer diferença no mundo, criar um novo trabalho ou relacionamento ou alguma outra coisa. Aí você transmite uma nova assinatura eletromagnética para o campo. A única diferença é que, em vez de sentar com os olhos fechados e irradiar amor e emoções elevadas, você está em pé, de olhos fechados, de forma que, quando abrir os olhos e começar a caminhar, será capaz de incorporar a energia elevada.

Enquanto continua em pé, de olhos fechados, com o foco aberto, você retira sua atenção do mundo exterior, e suas ondas cerebrais desaceleram de beta para alfa. Isso faz pensamentos, análises e conversas em sua cabeça se aquietarem, induzindo um estado de transe e deixando-o mais sugestionável. Como você aprendeu no capítulo anterior, quanto mais tempo consegue permanecer nesse estado de transe, menor a resistência à nova informação que entra na mente subconsciente. Quando está em um estado emocional elevado que o alinha com seu futuro, você fica mais propenso a aceitar, acreditar em e render-se a pensamentos intencionais idênticos a essas emoções.

Isso significa que pensamentos, visões, cenas e imagens que sua mente cria podem passar pela mente analítica e você pode programar o sistema nervoso autônomo para criar a biologia de seu novo futuro.

Após criar a energia de seu novo futuro em pé e de olhos fechados, é hora de abrir os olhos e começar a caminhar. Não olhe para ninguém e não preste atenção a objetos, coisas e em nada à sua volta. Apenas mantenha o foco aberto, o olhar fixo no horizonte e permaneça em transe. Quanto mais em transe, menos propenso a pensar do jeito antigo, conhecido. Enquanto isso, a mente se conectará às imagens de seu novo futuro em vez de reprisar programas do passado. Você estará pronto para caminhar para o seu futuro como outra pessoa.

Como você caminha como seu futuro eu, é preciso tomar consciência de que o seu eu atual sempre caminhou de modo inconsciente. É hora de alterar o passo, o ritmo, a postura, a respiração e os movimentos. Você pode sorrir em vez de manter uma expressão neutra. Talvez tenha que imaginar como é caminhar sendo uma pessoa rica imitando uma pessoa rica. Você pode adotar a postura de uma pessoa corajosa que admira, caminhar na energia elevada de seu futuro corpo saudável ou como uma pessoa de coração aberto, amorosa, receptiva. Basicamente, você personifica de maneira consciente a pessoa que sempre sonhou que poderia ser, mas é imperativo caminhar como o seu futuro eu. Você pode imaginar que um ou dois anos se passaram e você já tem todas as coisas que quer. O ingrediente mais importante é personificar a futura pessoa agora. Se você já é essa identidade, não precisa mais desejar se tornar aquela pessoa porque isso já aconteceu, você já personifica as qualidades de seu futuro. Você simplesmente pensa, age e sente como o seu futuro eu.

Ao começar a praticar o caminhar diferente e continuar praticando dia após dia, você vai adquirir o hábito de caminhar como uma pessoa rica, pensar como uma pessoa rica, posicionar-se como uma pessoa confiante e sentir-se como uma pessoa livre, ilimitada e grata (gratidão significa que já aconteceu) em vez de, talvez, uma pessoa abatida, esgotada e estressada. Quanto mais pratica, mais o novo jeito de ser se torna um novo hábito, e os hábitos se tornarão seus novos padrões automáticos de pensamento, comportamento e emoções. Quando você começar a sentir e personificar naturalmente as emoções elevadas, elas vão existir em você, e você vai se tornar realmente a pessoa que quer ser. O gráfico 12 do encarte colorido mostra um aluno que muda seu cérebro cerca de uma hora depois de fazer uma meditação caminhando.

Prepare o cérebro para futuras memórias

A meditação caminhando também tem a ver com criar memórias de coisas que ainda não aconteceram no tempo linear, ou seja, lembrar do futuro. Quando você produz sentimentos elevados de olhos fechados, irradia essa energia além do campo do corpo, depois abre os olhos e começa a caminhar e agir com o coração (sentindo as emoções elevadas com os olhos abertos), quanto mais sentir a emoção, mais vai prestar atenção às cenas, imagens e pensamentos que geram seus sentimentos. Esse processo atualiza naturalmente seu circuito neural criando uma nova experiência interna. A experiência enriquece o cérebro e cria memórias. Seu cérebro não mais vive no passado, está vivendo no futuro. Quanto mais você personificar suas emoções elevadas corretamente, mais vai parecer em termos de cérebro e corpo que a experiência futura já aconteceu. Isso significa que tecnicamente você está lembrando do futuro.

Permanecer em transe é importante porque, quando alinha o corpo ao seu futuro e muda seu mundo interior, você cria memórias de longo prazo. Como onde você coloca sua atenção é onde coloca sua energia, você pode até projetar cenas de seu Mind Movie na cabeça enquanto vislumbra, personifica e sente seu futuro. Ao fazer isso, as cenas do Mind Movie vão se tornar os mapas energéticos e biológicos para o seu futuro. O ato de sentir as emoções de seu futuro (no momento atual) e combinar essas emoções com suas intenções faz duas coisas: instala novos circuitos para tornar seu cérebro um mapa intencional para o futuro e produz as substâncias químicas emocionais para esse evento futuro, que sinalizam novos genes de novas maneiras, condicionando assim o corpo a se preparar para um novo destino.

Lembre-se de que essa meditação não tem a ver com o que você obtém na vida; tem a ver com quem você se torna ou quem você é no processo de se tornar. Se está tentando "obter" riqueza, sucesso, saúde ou um novo relacionamento, ainda está condicionado a pensar que está separado de alguma coisa e precisa buscá-la. Mas a verdade é que, quanto mais você se tornar aquela pessoa, mais a realidade vai tomar forma e se moldar à semelhança de seu novo estado de ser. É o processo consciente de se tornar que o ajuda a manter o alinhamento com um destino diferente. Quanto mais você pratica a meditação caminhando e caminha como seu futuro eu, mais tem condições de alterar seu estado de ser de olhos abertos, como fez de olhos fechados. Praticando o número suficiente de vezes, você não só conserva essa energia ao longo do dia, como também a personifica. Esse tipo de repetição vai fazer com que você se sinta mais atento no período de vigília e, antes de se dar conta, você automaticamente vai começar a se comportar, pensar e sentir de maneira diferente. Isso é programar uma nova personalidade para uma nova realidade pessoal.

Com o tempo, quem sabe? Você pode se pegar caminhando naturalmente como uma pessoa feliz, comportando-se como um líder corajoso e compassivo, pensando como um gênio nobre e forte, sentindo-se como um empreendedor digno e próspero. No meio do dia, pode tomar consciência de que a dor no corpo se foi porque você se sente inteiro, ilimitado e apaixonado pela vida. Você criou o hábito de ser a pessoa que quer ser. Isso aconteceu porque você instalou o circuito e sinalizou o gene latente para pensar, agir e sentir de um jeito novo. Biologicamente, você se tornou aquela pessoa.

Ficar atento e personificar o futuro eu pode acontecer muitas vezes ao longo do dia. Imagine que está esperando um amigo que se atrasou e, em vez de se sentir frustrado e aborrecido, você gera a energia de seu futuro. Parado no trânsito, em vez de ficar impaciente e bravo, pratique sintonizar na energia do seu futuro de olhos abertos. Imagine que, quando está na fila do caixa no supermercado, julgando uma pessoa pelo que ela comprou, você redireciona os pensamentos para se sentir incrivelmente grato por sua nova vida, caminhando como o seu futuro eu. Imagine que, ao caminhar em direção ao carro no estacionamento ou até a caixa de correspondência, você é naturalmente fortalecido pelo pensamento de sua nova vida. Você então vai começar a aceitar, acreditar em e render-se a pensamentos que se equiparam àquele estado emocional; quando você se render a esses pensamentos, seu corpo vai produzir a química semelhante àquele estado emocional. É assim que você começa a programar seu sistema nervoso autônomo para um destino diferente, e, quanto mais pratica, menos propenso fica a voltar ao piloto automático e perder o momento presente.

A meditação caminhando

Comece encontrando um lugar tranquilo na natureza. Desconecte-se do ambiente externo e ancore-se no momento presente fechando os olhos. Reconheça o centro do coração, onde a alma e o coração se encontram com o campo unificado; traga emoções elevadas, como gratidão, alegria, inspiração, compaixão, amor e assim por diante, a esse centro. Para acreditar em seu novo futuro de todo o coração, é preciso que ele esteja aberto e ativado.

Repouse a atenção no coração, permitindo que a respiração flua para dentro e para fora desse centro – cada vez mais lenta, mais profunda e mais relaxada – por cerca de dois minutos. Volte a criar emoções elevadas dentro do coração por dois ou três minutos. Irradie essa energia para o espaço ao redor de seu corpo e permaneça presente com essa energia. Sintonize na energia de seu futuro.

Depois de alguns minutos, mantenha uma intenção clara no olho de sua mente. Você pode escolher um símbolo representativo que o conecte à energia do seu futuro, conforme aprendeu no Capítulo 3. Altere seu estado de ser com os sentimentos das emoções elevadas e enfoque a transmissão da nova assinatura eletromagnética para o campo. Permaneça nesse estado por dois ou três minutos.

Em seguida, abra os olhos, sem olhar para nada ou ninguém, abra o foco e mantenha a consciência no espaço ao redor do seu corpo enquanto mantém um estado de transe. Comece a caminhar de olhos abertos e em transe. A cada passo, personifique a nova energia, a nova frequência do que quer que esteja criando em seu futuro. Quando traz essa energia para o cotidiano em vigília, caminhando como seu novo eu, você ativa as mesmas redes neurológicas e produz o mesmo nível de mente de quando medita com os olhos fechados.

A seguir, lembre-se de seu futuro. Deixe as imagens chegarem, sinta-as e as personifique. Apodere-se delas. Torne-se essas imagens. Continue a caminhar por uns dez minutos, então pare para recalibrar. Feche os olhos de novo e eleve sua energia. Fique presente com essa energia por cinco a dez minutos. Nos dez minutos seguintes, de olhos abertos e em transe, caminhe de novo com intenção e propósito como seu futuro eu. A cada passo que dá, personificando a nova energia, você se aproxima de seu destino e ele se aproxima de você.

Faça esse ciclo duas vezes. Quando terminar a segunda rodada, pare e fique imóvel uma última vez, focando realmente em como se sente com o quarto centro de energia aberto. Você pode usar essa oportunidade para afirmar quem é baseado em como se sente. Se você se sente ilimitado, pode declarar literalmente: "Eu sou ilimitado". A seguir, ponha a mão sobre o seu belo coração e disponha-se a se sentir suficientemente valioso e digno de receber o que criou. Eleve sua energia ao ponto máximo e sinta gratidão, apreciação e reconhecimento.

Reconheça o divino dentro de você, a energia que o fortalece e dá origem a toda vida. Agradeça por uma nova vida antes de ser manifestada. Reconhecendo o poder dentro de você, peça que sua nova vida seja cheia de inesperadas maravilhas, sincronicidades e coincidências que gerem uma alegria pela existência. Irradie seu amor, enquanto esse amor traz sua nova vida à existência.

Capítulo 10

Estudos de caso: fazendo acontecer

Nos estudos de caso a seguir, você será apresentado a pessoas como você, que dedicaram tempo de vidas atarefadas para criar um novo futuro. Todos os dias, elas se definiram por uma visão de futuro em vez de memórias do passado. Pode-se dizer que estavam mais apaixonadas pelo futuro do que pelo passado. O ato de fazer o trabalho diariamente e transformar as práticas dos três últimos capítulos em uma habilidade tornou-as mais sobrenaturais. Preste atenção em como foi simples.

Tim pega a chave para seu futuro

Em uma oficina avançada em Seattle que normalmente coincide com o Halloween, pedimos aos nossos alunos para se vestirem como seu eu do futuro na primeira noite. Tim se vestiu como um *swami* sobrenatural. Ele sempre quis ser um *swami*, gostava do estilo de vida e na juventude saiu de sua cidade natal em Connecticut para estudar em um *ashram*. No começo do evento, os participantes também ganharam um presente da nossa empresa: uma chave para simbolizar a abertura do potencial do eu futuro de cada um deles.

Tim já havia participado de várias oficinas de nível avançado. Na primeira vez que fez um Mind Movie, adicionou uma foto de moedas de ouro e prata em uma de suas cenas. Durante anos havia tentado vencer a emoção do medo, a certa altura percebeu que por trás do medo havia a noção de ausência de valor; então as moedas eram um símbolo de valor para Tim.

"Todo mundo quer riqueza", ele disse. "Mas, como eu estava no caminho espiritual, na ioga e em tudo a ver com isso, acreditava que tinha que ser pobre e acolher a pobreza para realmente percorrer o caminho. Então, em vez de as moedas de ouro e prata representarem mera riqueza, elas representavam ser digno de receber."

No Mind Movie de Seattle, Tim acrescentou mais imagens para evoluir a ideia. Como outro símbolo de valor, usou um caractere chinês que significava "riqueza"; entretanto, por não desejar dinheiro, abaixo do símbolo colocou a palavra "afluência". Preferiu afluência porque, ao procurar a definição da palavra, descobriu que a raiz em latim significa "fluir para". Ele pensou: "Não seria ótimo se tudo que eu quisesse fluísse para mim?".

Embora Tim seja muito analítico, depois de assistir a seu Mind Movie continuamente junto com o caleidoscópio, descobriu que conseguia driblar a mente analítica rapidamente e entrar na mente subconsciente, no sistema operacional, para programar seu futuro.

Durante a oficina, quando chegou a hora de dimensionar uma cena do Mind Movie, ele teve uma experiência profunda. Começou a sentir alegria e um amor louco e entusiasmado pela vida, quase como uma queimação no coração. Disse que se sentia como se pudesse incendiar o mundo. A seguir, durante a meditação, eu disse aos alunos que era hora de se abrir e receber, e foi então que Tim disse que a energia começou a entrar em seu corpo.

"Não sei de onde veio", disse ele. "Mas foi como se alguém abrisse uma torneira. Lancei para cima. A energia entrou pelo topo da minha cabeça e saiu pelas minhas mãos. As palmas estavam viradas para baixo, mas a energia as fez virar para cima sem nenhum controle consciente. Perdi a noção do tempo e do espaço e não tinha ideia de onde estava, mas durante o restante da meditação fiquei em estado exaltado, extasiado. De algum modo, soube que tudo seria diferente e que eu não era mais a mesma pessoa."

Quando a energia o invadiu, Tim acreditou que ela trouxe uma mensagem de valor, porque nunca mais foi o mesmo depois disso.

"Estou convencido de que a nova informação que entrou em meu corpo reescreveu o DNA, apagando o velho eu, porque aquela parte de minha personalidade não existe mais", diz ele. Quando foi para casa em Phoenix, onde era dono e administrador de uma loja de futons, Tim retomou o trabalho como de costume na segunda-feira de manhã. Na quinta-feira, uma mulher que havia comprado um futons, anos atrás entra na loja. Eles haviam se tornado amigos desde o dia da compra do futon, e ela aparecia de vez em quando para conversar. Agora estava aposentada e tinha ido à loja para contar a Tim que acabara de fazer seu testamento. Ela queria que Tim fosse o executor. Tim se sentiu honrado e agradeceu.

"Aqui está", disse ela, colocando o documento sobre o balcão junto com uma chave. "Leia."

Tim começou a examinar o testamento e descobriu que, além de ser executor, ele herdaria US$ 110 mil em moedas de ouro e prata. A chave sobre o balcão era do cofre onde ela guardava as moedas (que, é claro, combinavam com a imagem no Mind Movie de Tim). Em um instante, Tim se lembrou da "chave para seu futuro" que tinha recebido na oficina avançada em Seattle. Isso sim era ser digno de receber!

Sarah não consegue achar o chão

No Dia do Trabalho de 2016, Sarah machucou as costas com gravidade tentando impedir um barco de cinco toneladas de se chocar contra uma doca. Por várias semanas, sofreu enquanto fazia fisioterapia, tomava um coquetel de medicamentos e fazia inúmeras visitas ao quiroprático. Depois de nada disso ajudá-la, os médicos marcaram uma cirurgia para Sarah. Mas ela decidiu ir primeiro a uma oficina avançada em Cancun.

Por causa da dor que Sarah sentia, o filho sugeriu que ela levasse uma cadeira de rodas. Ela decidiu não fazer isso; ao chegar ao hotel, desabou no chão de dor. Mais tarde, depois de passar um tempo boiando na piscina, teve espasmos severos ao tentar sair da água.

Sarah conhecia meu trabalho, por isso chegou a Cancun com sua almofada de meditação e seu Mind Movie. No filme ela estava saudável, forte e conseguia correr de novo. Podia jogar basquete com o filho e lacrosse com a filha. Cada vez que Sarah se via na cena praticando ioga aéreo, acolhia a alegria que sabia que iria sentir se conseguisse realmente fazer as posturas, e, quando ouvia a canção do Mind Movie, sua energia aumentava.

Durante os primeiros dias, ao contrair os músculos do core e puxar a energia coluna acima com a técnica de respiração, ela sentiu o nervo ciático pulsar. Era como se uma corrente elétrica morna percorresse o nervo. Ao mesmo tempo, Sarah manteve a intenção de que a energia fosse uma luz curativa subindo pela coluna.

No terceiro dia, ela começou a manhã pesquisando na internet até encontrar a imagem de uma mulher fazendo ioga aéreo. Sarah carregou a imagem na mente o dia todo. Naquela tarde, nossos alunos trabalharam com o caleidoscópio e os Mind Movie. Depois de se projetarem no campo quântico, pedi que dimensionassem uma cena do Mind Movie. Quando a meditação terminou, os instruí a deitar no chão, mas, como me contou mais tarde, Sarah não conseguiu achar o chão. Estendeu a mão mais e mais para baixo, procurando, mas o chão não estava mais lá. Quando se deu conta, ela estava em outra dimensão tendo uma completa experiência sensorial do tipo IMAX, mas sem os sentidos. Ela vivia uma cena futura de seu Mind Movie. Circuitos suficientes do cérebro tinham sido ligados para tornar a experiência interna tão real quanto qualquer experiência externa que Sarah já tinha vivido. Ela não visualizava a cena, ela estava nela, vivendo a cena.

"Percebi que estava em outra realidade, em tempo e espaço diferentes, no meu futuro", explicou. "E estava realmente praticando ioga aéreo. Estava pendurada de cabeça para baixo e não havia chão. Tentava tocá-lo, mas eu estava de cabeça para baixo, balançando em uma linda faixa de seda vermelha. Não sentia dor. Balançava livre no espaço." No fim Sarah se deitou, e lágrimas de alegria escorreram por seu rosto. Quando saiu da meditação, toda a dor havia sumido.

"Eu sabia que estava curada", disse ela. "Fiquei fascinada com o poder da minha mente e senti uma tremenda gratidão. Continuo manifestando coisas do meu Mind Movie. De fato, meu Mind Movie nem consegue acompanhar minha vida."

Terry anda para um novo futuro

Em setembro de 2016, enquanto meditava caminhando pela bela Costa do Sol na Austrália, Terry teve uma experiência profunda. Perto do fim da meditação, quando parou para a última parte, ela se sentia conectada, animada a expansiva. Seguindo minhas instruções, Terry se abriu para o campo com a intenção de ser digna de sua futura vida. Sem nenhum aviso, sentiu uma corrente elétrica entrar em seu corpo pelo topo da cabeça e fluir para o coração. Enquanto a energia percorria o resto do corpo, jorrando pelas coxas até os pés, as pernas começaram a tremer de maneira incontrolável.

"O único jeito de descrever é que havia um tremor intenso vindo de dentro", contou ela, "mas era uma voltagem de energia que meu corpo jamais havia experimentado. Pensei que ia cair. Foi nesse ponto que perdi todo o controle consciente sobre a parte inferior do meu corpo." Ela explodiu em lágrimas incontroláveis, e, com essa liberação, mente e corpo também começaram a relaxar. Foi como se o tempo parasse. Terry entendeu que o corpo estava abrindo mão de uma vida inteira de emoções não resolvidas do passado. Enquanto a onda de eletricidade continuava a se mover, ela sentiu enormes porções de matéria escura e densa desprender-se de seu corpo.

"Creio que essa matéria era trauma, não só da minha vida, mas também de vidas passadas", lembrou. "Meu pai quase morreu em uma tentativa de suicídio quando eu tinha 8 anos, e isso lançou sobre minha vida uma sombra que me impediu de receber amor incondicional." Terry sentiu todas as suas crenças limitadoras – muitas adquiridas por meio de profundo condicionamento emocional e de crenças inconscientes de outras pessoas – simplesmente se dissolverem.

"Tudo que não estava alinhado com quem eu realmente era se soltou", disse Terry. "Senti uma libertação verdadeira, algo que minha alma desejava havia muito tempo. Naquele momento soube que minha alma tinha me guiado até aquela praia, aquele exato momento, com todas aquelas pessoas, para fazer esse importante trabalho."

Terry caiu de joelhos, com uma quantidade avassaladora de amor fluindo por ela. Ajoelhada na areia, sentindo-se humilde diante desse poder, viu que todas as escolhas que fizera até ali haviam sido necessárias para chegar àquele momento pungente. Naquele instante, ela observou quem tinha sido no último ano, escolhendo fazer as meditações todos os dias de maneira consistente, sempre se apaixonando por si mesma. Soube que naquele momento seu eu futuro chamava seu eu passado para ter aquela experiência de amor profundo.

Quando Terry voltou à realidade tridimensional dos sentidos, sentiu imensa paz e unicidade com tudo que a cercava. Relatou uma profunda reconexão com seu eu físico, mental, emocional e espiritual e que se sentia mais "ela mesma" do que havia se sentido em muito tempo.

"A experiência me lembrou de que sou, como todos somos, um aspecto da energia divina", disse ela, "e que sou digna de recebê-la."

Capítulo 11

Espaço-tempo e tempo-espaço

Vivemos em um universo ("uni" significa "um") tridimensional onde tudo que existe é feito de pessoas, objetos, lugares e tempo. Em sua maior parte, é uma dimensão de partículas e matéria. Por meio dos sentidos, experimentamos essas coisas como forma, estrutura, massa e densidade. Se eu colocasse um cubo de gelo, seu celular ou uma torta de maçã na sua frente, por exemplo, você não poderia experimentar nenhum desses objetos sem os sentidos; são os sentidos que dão origem à experiência de realidade física.

Cubo de gelo, celular e torta de maçã têm peso, largura e profundidade, mas só existem para você porque você pode ver, sentir o gosto, sentir o cheiro e ouvir esses objetos. Se perdesse os cinco sentidos ou se eles fossem simultaneamente eliminados, você seria incapaz de experimentar objetos físicos porque não teria consciência deles, eles literalmente não existiriam para você, porque nessa realidade tridimensional você não pode experimentá-los sem seus sentidos – ou pode?

De acordo com a astrofísica, no reino de três dimensões – o universo conhecido (vamos chamá-lo de realidade espaço-tempo) – existe uma quantidade infinita de espaço. Pare um momento para pensar nesse conceito. Do banquinho onde sentamos para observar o céu à noite, vemos apenas uma pequena faixa do universo. Parece infinito, mas o infinito é ainda maior que isso. Em outras palavras, no reino do espaço-tempo, o espaço é eterno, não tem fim e continua para sempre. E o tempo?

Você e eu normalmente experimentamos o tempo movendo o corpo pelo espaço. Por exemplo, você pode levar cinco minutos para deixar o livro de lado, ir até a cozinha, encher um copo com água e voltar. Isso acontece porque um pensamento que se originou em sua mente criou uma visão do que você vai fazer na cozinha, você agiu a partir desse pensamento e consequentemente experimentou o tempo se deslocando de um ponto ao outro pelo espaço.

Antes de ir até a cozinha, enquanto estava na poltrona e tomou consciência da cozinha em relação ao local onde estava sentado, você experimentou uma separação de dois pontos de consciência: onde estava sentado e a cozinha. Para preencher a lacuna entre os dois pontos de consciência, você moveu seu corpo pelo espaço, e isso levou tempo. Faz sentido então que, quanto maior o espaço ou a distância entre dois pontos, maior o tempo que demora para ir de um ponto ao outro. Inversamente, quanto maior a velocidade com que você viaja entre esses dois pontos, menos tempo demora.

A medição do tempo que um objeto leva para se mover pelo espaço é a base da física newtoniana (ou mecânica clássica). No mundo newtoniano, se conhecemos certas propriedades de um objeto, tais como força, aceleração, direção, velocidade e a distância que vai percorrer, podemos fazer previsões baseadas no tempo; portanto, a física newtoniana é baseada em desfechos conhecidos e previsíveis. Podemos dizer que, quando há uma separação entre dois pontos de consciência, quando você se move de um ponto de consciência para outro ponto de consciência, você está colapsando espaço. Um resultado de colapsar espaço é que você experimenta o tempo. Dê uma olhada na figura 11.1 para entender melhor a relação entre espaço e tempo em nosso mundo tridimensional.

Outro exemplo: se estou escrevendo este livro e quero terminar este capítulo, isso vai levar um tempo. Posso não ter que deslocar meu corpo pelo espaço, mas ainda experimento o tempo. Por quê? Porque onde estou no presente enquanto escrevo este livro representa um ponto na consciência e terminar o capítulo representa outro. A conclusão deste capítulo representa um momento futuro separado do momento presente. O espaço entre os dois, o preenchimento da lacuna entre os dois pontos de consciência, é a experiência do tempo. Se você olhar a figura 11.1 de novo, terá uma compreensão melhor do tempo.

Para alcançar meu objetivo desejado de chegar ao fim do capítulo, tenho que fazer "alguma coisa" repetidamente. Isso requer que eu use os sentidos para interagir com o ambiente e me movimentar através dele com um conjunto coordenado de comportamentos, e isso leva tempo. Se paro de escrever e faço outra coisa, como assistir a um filme, vai levar mais tempo para eu chegar ao resultado pretendido; portanto, para alcançar meu objetivo de terminar o capítulo, preciso alinhar minhas ações de maneira coerente e compatível com minhas intenções.

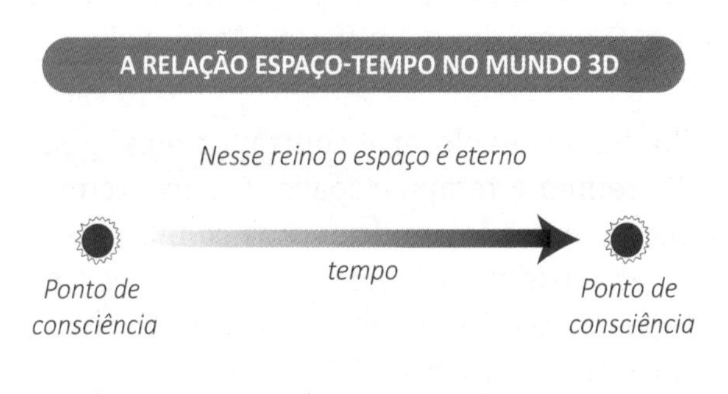

FIGURA 11.1

Quando nos movemos pelo espaço de um ponto de consciência a outro, experimentamos o tempo. Quando colapsamos espaço em nosso mundo 3D, o tempo é criado.

No mundo material de três dimensões, por usarmos os sentidos para navegar pelo espaço, colocamos a maior parte da atenção nas coisas físicas, como pessoas, objetos e lugares. Todas elas são feitas de matéria e localizadas (o que significa que ocupam uma posição no espaço e no tempo). Tudo isso representa pontos de consciência dos quais experimentamos separação. Por exemplo, quando você observa seu melhor amigo sentado à mesa na sua frente ou olha o seu carro estacionado na entrada da garagem, percebe o espaço entre você e seu amigo ou o carro. O resultado é que você se sente separado deles. Você está aqui, seu amigo ou seu carro estão lá. Além disso, se você tem sonhos e objetivos, o lugar onde está no momento presente e onde seus sonhos existem como realidade em seu futuro também criam a experiência de separação. Pode-se dizer então que:

1. Para navegar na realidade tridimensional, precisamos dos sentidos.
2. Quanto mais usamos os sentidos para definir realidade, mais experimentamos separação.
3. Como a maior parte da realidade tridimensional tem base sensorial, espaço e tempo criam a experiência de separação de todas as pessoas, todas as coisas, todos os lugares e todo corpo, em todo o tempo.
4. Todas as coisas materiais ocupam uma posição no espaço e no tempo. O nome disso em física é localidade.

Neste capítulo, vamos explorar e contrapor dois modelos de realidade: espaço-tempo e tempo-espaço. Espaço-tempo é o mundo físico newtoniano, baseado em desfechos conhecidos, previsíveis e matéria, o universo tridimensional em que vivemos (feito de espaço infinito). Tempo-espaço é o mundo quântico não físico, uma realidade inversa, baseada em possibilidades desconhecidas, infinitas e energia, o multiverso multidimensional onde também vivemos (que consiste em tempo infinito).

Vou desafiar sua compreensão e percepção da natureza da realidade, porque, para experimentar o mistério do eu como um ser dimensional, você vai precisar de um mapa para chegar lá.

Estresse e as consequências de viver em perpétuo estado de sobrevivência

Usamos nossos sentidos para observar e determinar a realidade física, por isso nos identificamos como um corpo vivendo no espaço e no tempo, separado de tudo no ambiente. Com o tempo, essa interação cria a experiência de identidade. Ao longo da vida, mediante as diferentes interações em determinados tempos e lugares com pessoas, coisas e objetos, nossa identidade evolui para uma personalidade. A qualidade das interações com o ambiente externo cria memórias duradouras, e as memórias formam quem nos tornamos. Chamamos esse processo de experiência, e são as experiências da vida que formam quem somos. Como você sabe, a maioria da personalidade da pessoa se baseia em experiências passadas.

Como você aprendeu no Capítulo 8, os objetos, coisas, pessoas e lugares que percebemos diariamente ocorrem como padrões para o cérebro, e o reconhecimento dos padrões é chamado de memória. Se o eu é criado a partir de memórias de experiências passadas, as memórias são baseadas em conhecidos; portanto, a maior parte de nosso mundo tridimensional é baseada em conhecidos. É nisso que a maioria de nós foca a atenção. Quando você alinha tudo que é material no mundo exterior com as memórias de suas experiências passadas, você as reconhece como familiares. Você combina uma realidade física com um conjunto de redes neurológicas no cérebro. O nome disso é reconhecimento de padrão, e é o processo pelo qual a maioria das pessoas percebe a realidade através de uma lente do passado.

Podemos dizer que somos materialistas não só vivendo nessa dimensão, mas também escravizados por ela e limitados a ela – porque nos definimos como um corpo, vivendo em um ambiente, em tempos determinados, e nosso foco é mais na matéria e menos na energia. De uma perspectiva quântica, mantemos a atenção na partícula física (matéria) em vez de na onda imaterial de possibilidades (energia). É assim que ficamos imersos na realidade tridimensional.

Quando o estresse entra na equação, o corpo começa a sugar do campo eletromagnético de energia invisível à nossa volta para produzir substâncias químicas. Quanto maior a frequência, intensidade e duração do estresse, mais energia o corpo consome. A própria natureza das substâncias químicas valida os sentidos, faz o indivíduo prestar atenção na matéria e nos conhecidos. Quando o campo de energia vital em torno do corpo encolhe, nos sentimos mais como matéria e menos como energia. Quando nossa frequência desacelera, o corpo se torna mais denso à medida que ficamos sem energia.

Como já discutimos, isso é bom em curto prazo, quando um perigo, uma crise ou um predador está à espreita – de fato, a resposta de lutar ou fugir foi um marco da nossa evolução. Nesse estado, a química do estresse aguça os sentidos, estreita o foco para qualquer matéria no ambiente que represente o perigo potencial. Quando isso acontece, o neocórtex, a parte do cérebro envolvida em percepção sensorial, comandos motores, raciocínio espacial e linguagem, dispara e fica excitado. Para fins de sobrevivência, isso estreita o foco no corpo e na ameaça externa, deixando-nos preocupados desde a percepção da ameaça até o momento em que chegamos à segurança física – ambos pontos de consciência. Quanto mais estresse, mais separação.

Como você leu no Capítulo 2, o efeito em longo prazo de viver em modo de sobrevivência é que começamos a viver movidos pela química do estresse e nos tornamos dependentes. Quanto mais dependentes, mais acreditamos que somos o corpo local, isto é, que vivemos em um lugar determinado no espaço e ocupamos uma posição determinada no tempo linear. O resultado é um estado maníaco, frenético, no qual mudamos continuamente a atenção de uma pessoa para um problema, para uma coisa, para um lugar no ambiente. A característica evolutiva que antes nos protegia agora age contra nós, e vivemos em constante alerta total, obcecados com o tempo. Vemos o ambiente como inseguro, por isso toda a nossa atenção está nele.

Com o mundo externo parecendo mais real que o mundo interno, ficamos viciados em alguém ou alguma coisa no ambiente externo; quanto mais tempo vivemos nesse estado, mais o cérebro se move para ondas beta altas. Como você sabe, beta alta prolongada provoca dor, ansiedade, preocupação, medo, raiva, frustração, julgamento, impaciência, agressividade e competitividade. O resultado é que as ondas cerebrais se tornam incoerentes e nós também.

Quando as emoções de sobrevivência nos dominam, é preciso que as condições no mundo externo (nossos problemas com diferentes pessoas, dificuldades financeiras, medo de terrorismo, desprezo pelo emprego) reafirmem nossa dependência dessas emoções. Essas dependências emocionais nos deixam preocupados com o que pensamos que possa causar preocupação no ambiente, seja "alguém" ou "alguma coisa"; consequentemente, os genes de sobrevivência são acionados. Aí vivemos em uma profecia autorrealizável.

Se você entende que onde coloca sua atenção é onde coloca sua energia, sabe que, quanto mais forte a reação emocional associada à causa, mais você vai colocar toda a sua atenção constantemente em uma pessoa, coisa ou problema no mundo externo. Quando faz isso, você concede um pouco do seu poder a alguém ou alguma coisa. Toda a sua atenção e toda a sua energia ficam ancoradas no reino tridimensional da matéria, e seu estado emocional o faz reafirmar continuamente a realidade presente. Você pode ficar emocionalmente ligado à realidade que quer mudar. Essa má administração de sua energia o mantém escravo do mundo dos conhecidos, tentando prever o futuro baseado no passado; além disso, quando você está em estado de sobrevivência, o desconhecido ou imprevisível é um lugar assustador. Para fazer mudanças de verdade em sua vida, você teria que entrar no desconhecido; e se não entrar, nada nunca muda para valer.

A realidade tempo-espaço newtoniana 3D: viver como alguém com alguma coisa, em algum lugar, em algum tempo

Se sentimentos e emoções são um registro do passado e os sentimentos direcionam seus pensamentos e comportamentos programados, você vai continuar repetindo o passado e, portanto, vai se tornar previsível. Você está firmemente acomodado no mundo newtoniano, porque a física newtoniana se baseia em desfechos previsíveis. Quanto mais vive em estresse, mais é simplesmente matéria tentando afetar matéria, matéria tentando lutar, forçar, manipular, prever, controlar e competir por desfechos. Tudo o que você quiser mudar, manifestar ou influenciar vai levar muito tempo, porque na realidade espaço-tempo você tem que mover seu corpo físico pelo espaço para criar os desfechos que quer.

Quanto mais você vive em sobrevivência e usa os sentidos para definir realidade, mais experimenta separação de um novo futuro. Entre onde você está no presente como um ponto de consciência e onde quer estar como outro ponto de consciência, há uma distância muito grande, sem mencionar que a constante obsessão com o que vai acontecer se baseia em como você pensa e prevê que deva acontecer. Só que, se você prevê, seu pensamento se baseia em conhecidos, e não há espaço para um desconhecido ou uma nova possibilidade em sua vida.

Se você está tentando comprar uma casa, por exemplo, precisa economizar para dar uma entrada, procurar um imóvel, fazer um financiamento, passar pelo processo de análise, superar outros compradores e depois passar trinta anos arrastando seu corpo para ir e voltar do trabalho (pelo espaço) tentando pagar as prestações. Os dois pontos de consciência – a ideia de comprar a casa e a casa quitada

– vão demorar muito para se encontrar. De maneira semelhante, se você quer um novo relacionamento, pode acessar a internet, criar um perfil, analisar inúmeros outros perfis, fazer uma lista de pessoas para entrar em contato, contatar uma por uma e ir a muitos encontros na esperança de encontrar alguém interessante. Se quer um novo emprego, pode dedicar um tempo a fazer um currículo, procurar vagas e ir a entrevistas.

O que esses processos têm em comum é que requerem tempo, que você experimenta como linear. Você pode ter o que quer, mas, quanto mais vive em sobrevivência, mais tempo vai demorar, porque você é matéria tentando influenciar matéria e há uma separação distinta no espaço e no tempo entre onde você está e onde quer estar.

Podemos concordar então que na realidade tridimensional, dentro da experiência de tempo, existem um passado, um presente e um futuro definidos. Como você vive em tempo linear, também experimenta uma separação do tempo porque passado, presente e futuro parecem momentos separados no tempo; você está aqui e seu futuro está lá. A figura 11.2 mostra como passado, presente e futuro existem como momentos distintos, descontinuados.

TEMPO LINEAR COM PASSADO, PRESENTE E FUTURO

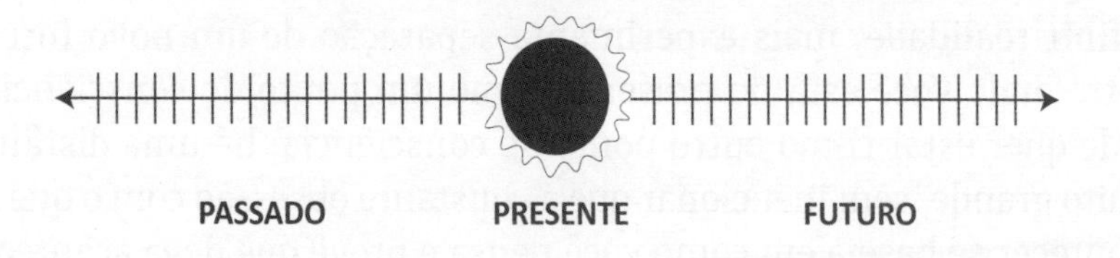

Tempo como momentos separados

FIGURA 11.2

Em nossa realidade 3D, passado, presente e futuro existem como momentos lineares, distintos, separados no tempo.

Como eu disse anteriormente, graças à física newtoniana desvendamos as leis naturais de força, aceleração e matéria, o que nos permite prever desfechos. Se conhecemos a direção geral, velocidade e rotação de um objeto que se move pelo espaço, na maioria das vezes podemos prever aonde ele vai parar e quanto tempo vai levar. Por isso podemos viajar de avião de Nova York a Los Angeles, prever quanto tempo vai demorar para chegar e saber aonde o avião vai pousar.

Dentro da compreensão da física newtoniana e do mundo tridimensional onde vivemos, muita gente passa a maior parte da vida com a atenção focada no exterior, na tentativa de se tornar alguém, ter alguém, possuir algumas coisas, ir a algum lugar e experimentar alguma coisa em algum tempo. Quando não temos as coisas que queremos, experimentamos falta, e falta e separação nos fazem viver em estado de dualidade e polaridade. É natural querer o que não se tem; na verdade, é assim que criamos coisas. Quando experimentamos separação dos nossos desejos futuros, pensamos e sonhamos com o que queremos e depois desempenhamos uma série de ações no tempo linear para obtê-las.

Se estamos sempre sob estresse financeiro, queremos dinheiro; se temos uma doença, queremos saúde; se nos sentimos solitários, queremos um relacionamento ou companhia. Por causa da experiência de dualidade e separação somos impelidos a criar e assim evoluímos e crescemos naturalmente na direção dos nossos sonhos. Mas se somos matéria focada em matéria, tentando influenciar matéria, ter dinheiro, saúde, amor e assim por diante, vai ser preciso um bocado de tempo e energia, como já vimos.

Quando enfim conseguimos o que queremos, a emoção que sentimos com a fruição de nossa criação (ou o encontro dos dois pontos de consciência) sacia a sensação de falta anterior. Quando o novo emprego chega, nos sentimos seguros; quando o novo relacionamento acontece, sentimos amor e alegria; quando somos curados, nos sentimos mais inteiros. Se vivemos nesse estado, esperamos "alguma coisa" ou "alguém" externo mudar o que sentimos internamente. Quando sentimos alívio para a sensação de falta porque acolhemos a emoção correlacionada à manifestação do evento externo, prestamos muita atenção a quem ou o que causou o alívio. Essa causa e efeito forma uma nova memória, e nós em alguma medida evoluímos.

Quando alguma coisa em nosso mundo não acontece ou parece demorar muito para acontecer, experimentamos mais falta, porque nos sentimos ainda mais separados daquilo que estamos tentando criar. Nosso estado emocional de falta, frustração, impaciência e separação mantém os sonhos longe, aumentando ainda mais o tempo para a realização do desfecho desejado.

> **De alguma pessoa para pessoa nenhuma, de alguém para ninguém, de alguma coisa para coisa nenhuma, de algum lugar para lugar nenhum, de algum tempo para tempo nenhum.**

Se as leis newtonianas são uma expressão externa das leis da física de espaço-tempo – uma dimensão onde há mais espaço que tempo –, podemos dizer que de certa forma as leis quânticas são o contrário. O quantum é uma expressão interna das leis da natureza, um campo invisível de informação e energia que unifica tudo que é material. Esse campo imaterial organiza, conecta e governa todas as leis da natureza. É uma dimensão onde há mais tempo que espaço, em outras palavras, é uma dimensão onde o tempo é eterno.

Como você aprendeu nos capítulos 2 e 3, quando retiramos nossa atenção das pessoas e coisas em certos lugares no mundo exterior, deixando de colocar a atenção no nosso corpo e parando de pensar sobre tempo e prazos, nos tornamos corpo nenhum, pessoa nenhuma, coisa nenhuma em lugar nenhum, em tempo nenhum. Isso se faz desconectando-se de corpo, identidade, gênero, doença, nome, problemas, relacionamentos pessoais, dor, passado e assim por diante. É o que significa ir além do eu: passar da consciência de algum corpo para corpo nenhum, da consciência de alguém para ninguém, da consciência de alguma coisa para coisa nenhuma, da consciência de algum lugar para lugar nenhum e da consciência de estar em algum tempo para estar em tempo nenhum (ver figura 11.3).

PASSAR DO MUNDO DOS SENTIDOS PARA OS MUNDOS ALÉM DOS SENTIDOS

Entrando no quantum

Realidade do mundo material newtoniano 3D		***A porta para o quantum como pura consciência***
Consciência de:		*Consciência de:*
• ***Algum corpo*** • ***Alguém*** • ***Alguma coisa*** • ***Algum lugar*** • ***Algum tempo***	→	• ***Corpo nenhum*** • ***Ninguém*** • ***Coisa nenhuma*** • ***Lugar nenhum*** • ***Tempo nenhum***

FIGURA 11.3

Quando tiramos a atenção do corpo, do ambiente e do tempo, vamos além do "eu" – do viver como um corpo físico, ser alguém como uma identidade, possuir algumas coisas, viver em algum lugar em algum tempo – e nos tornamos corpo nenhum, ninguém, coisa nenhuma em lugar nenhum e tempo nenhum. Aí deslocamos nossa consciência do mundo material da física newtoniana para o mundo imaterial do campo unificado.

Dê uma olhada na figura 11.4.

IR ALÉM DO EU

Quando vamos além do eu, nos deslocamos da seguinte forma:

Foco estreito	→	Foco aberto
Atenção em objetos, coisas, pessoas e lugares (partícula)	→	Atenção no espaço, energia, frequência e informação (onda)
Material (matéria)	→	Imaterial (antimatéria)
Mundo newtoniano 3D	→	Mundo quântico 5D
Previsível	→	Imprevisível
Espaço-tempo (um domínio do espaço eterno)	→	Tempo-espaço (um domínio do tempo eterno)
Estado de separação, dualidade, polaridade e localidade	→	Estado de unidade, unicidade, totalidade e não localidade
Conhecido	→	Desconhecido
Possibilidades limitadas	→	Possibilidades ilimitadas
Universo	→	Multiverso
Domínio dos sentidos	→	Domínio além dos sentidos

FIGURA 11.4

A distinção entre os mundos da matéria e da energia.

Quando passamos de um foco estreito para um foco aberto e começamos a abrir mão de todos os aspectos do eu, nos afastamos do mundo externo de pessoas, coisas, lugares, prazos, listas de afazeres e assim por diante e voltamos a atenção para o mundo interno de energia, vibração, frequência e consciência. Nossa pesquisa mostra que, quando retiramos nossa atenção de objetos e matéria e abrimos o foco para energia e informação, partes diferentes do cérebro trabalham juntas em harmonia. O resultado dessa unificação do cérebro é que nos sentimos mais inteiros.

Quando isso é feito de maneira apropriada, o coração começa a se abrir, bater de maneira mais rítmica, assim se torna mais coerente. Quando o coração entra em coerência, o cérebro o acompanha; como nossa identidade está fora do caminho – o que significa que fomos além do corpo, de um lugar determinado no ambiente conhecido e no tempo –, o ato de eliminar essas coisas nos faz entrar em padrões alfa e theta de ondas cerebrais, e nos conectamos com o sistema nervoso autônomo. Quando o SNA é ativado, seu trabalho é restaurar a ordem e o equilíbrio, gerando coerência e totalidade no coração, cérebro, corpo e campo de energia. Essa coerência então se reflete em todos os aspectos de nossa biologia.

É nesse estado que começamos a nos conectar com o campo quântico (ou unificado).

Da ilusão de separação à realidade de unicidade

Se a física newtoniana explica as leis físicas da natureza e do universo em grande escala – a força gravitacional do Sol sobre os planetas, a velocidade com que uma maçã cai da árvore e assim por diante –, o mundo quântico lida com a natureza fundamental das coisas em sua menor escala, como partículas atômicas e subatômicas. As leis newtonianas são constantes físicas da natureza, por isso o mundo newtoniano é um mundo objetivo de mensurabilidade e desfechos previsíveis.

As leis quânticas, porém, lidam com o imprevisível e o invisível, o mundo de energia, ondas, frequência, informação, consciência e todos os espectros de luz. Uma constante invisível governa esse mundo, um campo único de informação chamado de campo unificado. Podemos pensar no mundo newtoniano como algo que lida com o objetivo, onde mente e matéria são separados, e no mundo quântico como algo que lida com o subjetivo, onde mente e matéria são unificadas por energia, ou, melhor ainda, onde mente e matéria estão tão conectadas que é impossível separar as duas. No campo quântico ou unificado não há separação entre dois pontos de consciência. É o domínio da unicidade ou da consciência de unidade.

Enquanto na realidade tridimensional o espaço é infinito, no mundo quântico o tempo é infinito. Se o tempo é infinito e eterno, não é mais linear, o que significa que não há separação de passado ou futuro. Sem passado ou futuro, tudo acontece exatamente agora, no eterno momento presente. Como o tempo é infinito na realidade tempo-espaço, enquanto nos movemos pelo tempo experimentamos espaço (ou espaços).

No mundo material das coisas, quando nos movemos pelo espaço, experimentamos tempo; porém, no mundo quântico imaterial de energia e frequência, o oposto é verdadeiro:

- No mundo de espaço-tempo, quando aumentamos ou diminuímos a velocidade com que vamos do ponto A ao ponto B, o tempo que leva para chegar lá muda.
- No mundo do tempo-espaço, quando tomamos consciência de um aumento ou de uma diminuição na velocidade da frequência ou vibração da energia, podemos ir de um espaço a outro espaço ou de uma dimensão a outra dimensão.

Quando colapsamos espaço, experimentamos o tempo na realidade material. Quando colapsamos tempo, experimentamos espaços ou dimensões na realidade imaterial. Cada frequência individual transporta informação, ou um nível de consciência, que experimentamos como diferentes realidades à medida que tomamos consciência delas. Na figura 11.5, você pode ver que, à medida que se move pelo tempo, você experimenta diferentes dimensões no eterno momento presente.

A RELAÇÃO ENTRE TEMPO E ESPAÇO NO MUNDO 5D

Nesse reino o tempo é eterno

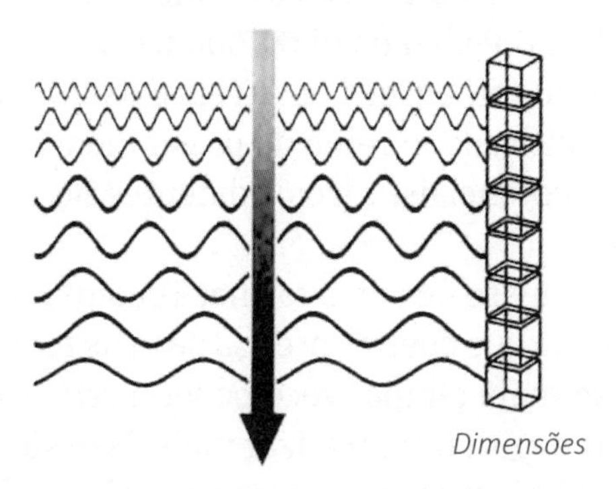

À medida que nos movemos pelo tempo (o agora eterno, onde todas as possibilidades existem), experimentamos diferentes espaços ou dimensões

FIGURA 11.5

No mundo do quantum, onde o tempo é eterno, tudo acontece no momento presente. Quando você se move pelo tempo, experimenta outro(s) espaço(s), outras dimensões, outros planos, outras realidades e infinitas possibilidades. Assim como ficar entre dois espelhos e se ver dos dois lados em dimensões infinitas, as caixas representam um número infinito de possíveis "vocês", todos vivendo no momento presente.

No espaço-tempo, você experimenta o ambiente com o corpo, os sentidos e o tempo. O tempo parece linear porque você está separado de objetos, coisas, pessoas e lugares, bem como de passado e futuro. No domínio do tempo-espaço, porém, você experimenta com a consciência – como uma consciência, não como um corpo com sentidos. Esse domínio existe além dos seus sentidos. Você acessa esse domínio quando está totalmente no momento presente, de forma que não há passado ou futuro, só um longo agora. Como sua consciência está além do reino da matéria, porque você tirou toda a sua atenção da matéria, você pode tomar consciência de diferentes frequências transportando informação, e essas frequências permitem que você tenha acesso a diferentes dimensões desconhecidas.

Se você está em um reino acima dos sentidos e se projeta como consciência para a energia do campo unificado, pode experimentar muitas realidades dimensionais possíveis. (Sei que isso é muita coisa para assimilar de uma vez só, então aguente aí. Se está confuso, significa que está prestes a aprender algo novo.)

Quando digo que você experimenta espaço ou espaços ao se mover pelo tempo, me refiro a todas as dimensões possíveis e todas as realidades possíveis. Podemos dizer que na realidade tempo-espaço todos os espaços ou dimensões possíveis existem no tempo infinito. Esse é o campo unificado: o reino de possibilidades, desconhecidos e novas realidades potenciais, todos existentes no tempo infinito, que é o tempo todo.

Vamos pensar nisso de outra forma. Todo mundo que eu conheço está sempre dizendo que quer ou precisa de mais tempo para fazer mais coisas. Se tivesse mais tempo, você poderia criar mais experiências, fazer mais coisas e, portanto, realizar mais. Isso significaria que mais possibilidades poderiam acontecer, e você poderia obter mais da vida.

Imagine que haja uma quantidade infinita de tempo (porque passado e futuro não existem mais, de modo que o tempo está parado) e você tenha todo o tempo de que precisa. Você concorda que poderia ter infinitas experiências possíveis e, portanto, viver muitas vidas? Poderíamos dizer então que um número infinito de experiências estaria disponível para você de acordo com a sua imaginação. Para colocar de outra maneira:

- Se o tempo é eterno, mais espaços podem existir nesse tempo infinito.
- Se continuamos prolongando ou criando mais tempo, faz sentido que possamos encaixar mais espaços no tempo.
- Se há um tempo infinito, então, há espaços infinitos que podemos encaixar no tempo – infinitas possibilidades, realidades potenciais, dimensões e experiências.

No campo quântico, não há separação de passado ou futuro porque tudo que é existe no eterno agora ou no eterno momento presente. Se tudo que é existe unificado ou conectado no campo quântico, então suas frequências infinitas contêm informações sobre todo corpo, todo o mundo, todas as coisas, todos os lugares e todo o tempo. Quando sua consciência começa a se fundir com a consciência e energia do campo unificado, você vai da consciência de algum corpo para a consciência de corpo nenhum e daí para a consciência de todos os corpos; da consciência de alguém para a consciência de ninguém e daí para a consciência de todo mundo; da consciência de alguma coisa para a consciência de coisa nenhuma e daí para a consciência de tudo; da consciência de algum lugar para a consciência de lugar nenhum e daí para a consciência de todos os lugares, da consciência de estar em algum tempo para a consciência de estar em tempo nenhum e daí para a consciência de estar em todo o tempo. (Dê uma olhada na figura 11.6.)

PERDER-SE EM NADA PARA SE TORNAR TUDO

Realidade material 3D do mundo newtoniano		*A porta para o quantum como consciência pura*		*Realidade imaterial 5D do campo unificado*
Consciência de:		Consciência de:		Consciência de:
• *Algum corpo* • *Alguém* • *Alguma coisa* • *Algum lugar* • *Algum tempo*	→	• *Corpo nenhum* • *Ninguém* • *Coisa nenhuma* • *Lugar nenhum* • *Tempo nenhum*	→	• *Todo corpo* • *Todo mundo* • *Todas as coisas* • *Todos os lugares* • *Todo tempo*

FIGURA 11.6

Quando sua consciência se funde com a consciência do campo unificado e você se projeta mais profundamente nela, você se torna a consciência de todo corpo, todas as pessoas, todas as coisas em todos os lugares e em todo tempo. Nesse domínio não há separação entre dois pontos de consciência, o que significa que só há unicidade.

O átomo: fato e ficção

Para ajudar a entender como o campo quântico é construído, primeiro você precisa rever as possibilidades que existem no átomo. Quando reduzimos a matéria à sua menor unidade de medida, temos o átomo, que vibra em uma frequência muito alta. Se pudéssemos descascar o átomo como uma laranja, encontraríamos um núcleo e partículas subatômicas como prótons, nêutrons e elétrons, mas a maior parte do que encontraríamos seria 99,9999% de espaço vazio, ou energia, como você leu anteriormente.

Dê uma olhada na figura 11.7. À esquerda vemos o modelo clássico de átomo que aprendemos na escola, mas trata-se de um modelo ultrapassado. Elétrons não se movem em rotações fixas em torno do núcleo como planetas orbitando o Sol. Como você vê à direita, o espaço em torno do núcleo é mais como um campo invisível ou uma nuvem de informação, e, como sabemos, toda informação é feita de luz, frequência e energia. Para ter uma ideia do quanto essas partículas são pequenas, se o núcleo de um átomo fosse aumentado até o tamanho de um Volkswagen Beetle, o tamanho do elétron seria o de uma ervilha. Mas o espaço onde o elétron poderia existir seria de 220 mil quilômetros quadrados, o dobro de Cuba. É muito espaço vazio para o elétron.

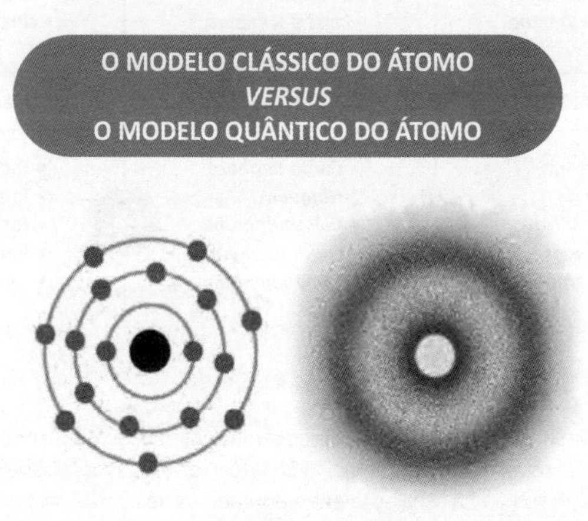

FIGURA 11.7

O modelo clássico do átomo, com elétrons rodando em uma órbita em torno do núcleo central, é ultrapassado. Elétrons existem como ondas de probabilidade em uma nuvem invisível de energia cercando o núcleo. Portanto, o átomo é principalmente energia imaterial e muito pouca matéria.

De acordo com o princípio da incerteza de Heisenberg, nunca sabemos onde o elétron vai aparecer na nuvem elétron, mas do nada vem alguma coisa. Por isso a física quântica é tão excitante e imprevisível: o elétron nem sempre é matéria física; pelo contrário, ele existe como energia ou probabilidade de onda. Só aparece pelo ato de observação de um observador. Quando um observador (mente) aparece e olha para ele, o ato de observação (energia dirigida) faz toda a energia potencial colapsar em um elétron (matéria); assim ele se manifesta a partir de um reino de infinitas possibilidades (um desconhecido) em um conhecido. Ele se torna local no espaço e no tempo. Quando o observador não o observa mais, o elétron volta à possibilidade – essa é a função de onda. Em outras palavras, ele retorna à energia, volta ao desconhecido. Quando retorna à energia e possibilidade, torna-se não local. No reino do quantum, mente e matéria são indivisíveis. Portanto, se a física newtoniana é o mundo do previsível, o quantum é o mundo do imprevisível.

Quando fechamos os olhos em meditação e abrimos o foco para o espaço infinito, é exatamente isso que estamos fazendo. Colocamos mais atenção na energia, no espaço, na informação e na possibilidade em vez de colocá-la na matéria. Nos tornando menos conscientes do reino material e mais conscientes do reino imaterial. Investimos energia no imprevisível e desconhecido e removemos nossa atenção e energia do previsível e conhecido. Cada vez que fazemos isso, desenvolvemos uma compreensão mais profunda do que é o campo unificado.

Antes de seguirmos em frente, vamos revisar rapidamente o que acabamos de aprender. Analise a figura 11.8. O mundo newtoniano tridimensional é feito de objetos, pessoas, lugares, matéria, partículas e tempo (basicamente, a maioria dos nomes de tudo que conhecemos no mundo externo), e nesse mundo há mais espaço do que tempo. Como um corpo, usamos os sentidos para definir o espaço infinito em que vivemos, um universo de forma, estrutura, dimensão e densidade. Esse é o reino do conhecido e previsível.

Espaço-tempo ***O DOMÍNIO DO ESPAÇO INFINITO*** ***Mundo newtoniano***	***O nexo*** ***do quantum*** ***A PONTE***
• Universo tridimensional *• Peso, altura e profundidade* *• Densidade, forma, estrutura* *• Matéria, partículas: corpos, pessoas, coisas, lugares, tempo* *• Tempo linear (passado – presente – futuro)* *• Os sentidos criam separação, dualidade, polaridade, localidade* *• Localidade: corpos, pessoas, coisas ocupando espaço e tempo* *• O conhecido-previsível* *• Consciência de:* ***Algum corpo*** ***Alguém*** ***Alguma coisa*** ***Algum lugar*** ***Algum tempo***	*Consciência de:* ***Corpo nenhum*** ***Ninguém*** ***Coisa nenhuma*** ***Lugar nenhum*** ***Tempo nenhum*** ***VELOCIDADE DA LUZ*** →

FIGURA 11.8

Um resumo de espaço-tempo em nosso mundo newtoniano 3D e a ponte que nos permite entrar como consciência no reino do tempo-espaço de nosso mundo quântico 5D.

Tempo-espaço ***DOMÍNIO DO TEMPO ETERNO*** ***Mundo quântico***	***Infinito*** ***DESCONHECIDO*** ***Possibilidades***
• Multiverso pentadimensional *• Não localidade, sem forma, sem estrutura* *• Antimatéria, ondas: energia e consciência, frequência e informação, vibração e pensamento* *• Tempo infinito, eterno e não linear* *• Tudo acontece no eterno agora* *• A ausência dos sentidos cria totalidade, unicidade, unidade, conexão, possibilidades* *• Desconhecido-imprevisível* *• Consciência de:* ***Todo corpo*** ***Todo mundo*** ***Toda coisa*** ***Todo lugar*** ***Todo tempo***	*Consciência de:* ***Qualquer corpo*** ***Qualquer um*** ***Qualquer coisa*** ***Qualquer lugar*** ***Qualquer tempo***

FIGURA 11.9

Um resumo da realidade tempo-espaço 5D no mundo quântico.

Por experimentarmos o universo material com os sentidos, estes nos fornecem informação que ocorrem como padrões no cérebro, que reconhecemos como estruturas, e é por meio desse processo que coisas no ambiente externo se tornam conhecidas. Também é por meio desse processo que nos tornamos um corpo, alguém, com algumas coisas em algum lugar e em algum tempo. Enfim, por experimentarmos o universo com os sentidos, experimentamos a separação; portanto, esse é um reino de dualidade e polaridade.

Agora analise a figura 11.9. Se o mundo newtoniano é um mundo material definido pelos sentidos, o mundo quântico é o oposto. É um mundo imaterial definido por ausência de sentidos; em outras palavras, não há nada baseado nos sentidos, e não há matéria. Se o mundo newtoniano é baseado em conhecidos previsíveis como matéria, partículas, pessoas, lugares, coisas, objetos e tempo, o quantum é uma dimensão imprevisível feita de luz, frequência, informação, vibração, energia e consciência.

Se nosso mundo tridimensional é uma dimensão de matéria onde há mais espaço que tempo, o mundo quântico é uma dimensão de antimatéria, um lugar onde há mais tempo que espaço. Por haver mais tempo que espaço, todas as possibilidades existem no eterno momento presente. Enquanto o mundo tridimensional é o nosso universo, que significa uma realidade, o mundo quântico é um multiverso, que significa muitas realidades. Se a realidade espaço-tempo é baseada em separação, o mundo quântico imaterial, ou campo unificado, é baseado em unicidade, conexão, totalidade e unidade (não localidade).

Para passarmos do nosso universo espaço-tempo conhecido (tridimensional), feito de matéria e onde experimentamos dualidade e polaridade, para o multiverso tempo-espaço desconhecido (pentadimensional), onde não há matéria, mas luz, informação, frequência, vibração, energia e consciência, temos que atravessar uma ponte. Essa ponte é a velocidade da luz. Quando nos tornamos pura consciência e somos corpo nenhum, ninguém, coisa nenhuma em lugar nenhum, em tempo nenhum, atravessamos a soleira da matéria para a energia.

Quando Einstein apresentou a equação $E=mc^2$ em sua teoria da relatividade restrita, demonstrou pela primeira vez na história da ciência, de um ponto de vista matemático, que energia e matéria estão relacionadas. O que converte matéria em energia é a velocidade da luz, o que significa que qualquer coisa material viajando mais rápido que a luz deixa nossa realidade tridimensional e se transforma em energia imaterial. Em outras palavras, no mundo tridimensional a velocidade da luz é a soleira para a matéria – ou qualquer coisa física – manter sua forma. Nenhuma "coisa" pode viajar além da velocidade da luz, nem mesmo informação. Qualquer coisa que se mova de um ponto a outro mais devagar que a luz vai levar tempo. Portanto, a quarta dimensão é o tempo. Tempo é o nexo que conecta o mundo tridimensional ao mundo da quinta dimensão e além. Quando uma coisa viaja em velocidade superior à da luz, não há tempo nem separação entre dois pontos de consciência, porque toda "coisa" material se torna energia. É assim que você passa das três dimensões para as cinco dimensões, de um universo para o multiverso, dessa dimensão para todas as dimensões.

Vou dar um exemplo para ajudar a simplificar essa ideia complexa. O físico francês Alain Aspect realizou um famoso experimento físico no começo dos anos de 1980 chamado testes de Bell.[55] No estudo, cientistas emaranharam dois fótons, fazendo-os se unir. Depois lançaram os dois fótons em direções opostas, criando distância e espaço entre eles. Quando fizeram um fóton desaparecer, o outro sumiu exatamente ao mesmo tempo. O experimento foi um marco na física quântica, porque provou que a teoria da relatividade de Einstein não era completamente correta.

Foi mostrado que existe um campo unificador de informação além do espaço e tempo tridimensional que conecta toda matéria. Se as duas partículas de luz não estivessem conectadas por algum campo invisível de energia, teria levado tempo para a informação viajar de um ponto local no espaço a outro ponto local no espaço. De acordo com a teoria de Einstein, se uma partícula desaparecesse, a outra deveria desaparecer um momento mais tarde, a menos que ocupassem o mesmo espaço ao mesmo tempo. Mesmo que o segundo fóton fosse afetado um milissegundo depois por estarem separados pelo espaço, o tempo teria desempenhado um papel na transmissão da informação. Isso teria afirmado que o teto da realidade física é a velocidade da luz e que tudo que é material e existe aqui é separado.

Como as duas partículas sumiram ao mesmo tempo, isso provou que toda matéria – corpos, pessoas, coisas, objetos, lugares – e até o tempo são conectados por frequência e informação em um reino além do tempo e da realidade tridimensional. Toda "coisa" além da matéria é unificada em um estado de unicidade. A informação foi comunicada entre os dois fótons de maneira não local. Como não há separação entre dois pontos de consciência na realidade pentadimensional, não há tempo linear. Só há todo(s) tempo(s).

O físico quântico místico David Bohm chamou o reino do quantum de ordem implícita, onde tudo está conectado; chamou de ordem explícita o reino material da separação.[56] Se você olhar novamente as figuras 11.8 e 11.9, vai conseguir entender melhor os dois mundos.

Quando remove a atenção de ser um corpo, alguém, alguma coisa em algum lugar e em algum tempo e se torna corpo nenhum, ninguém, coisa nenhuma em lugar nenhum e em tempo nenhum, você se torna consciência pura. Sua consciência se mistura ao campo unificado, feito apenas de consciência e energia, onde se conecta à consciência auto-organizadora de todo corpo, toda pessoa, toda coisa, todo lugar em todo o tempo. Portanto, quando você se entrega como consciência (sem os sentidos) no campo de unicidade onde não há separação e continua indo mais fundo no vácuo ou escuridão, porque nada físico existe lá, você como consciência se torna menos separado da consciência do campo unificado. Se você consegue ficar mais consciente dele e continua prestando atenção a ele, investe sua energia e sua atenção diretamente nele. Assim, se você continua se movendo na direção dele, sente menos separação e mais totalidade.

Enfim, como só existe o eterno momento presente no campo unificado, porque não há tempo linear (apenas todo o tempo), a consciência e energia do campo unificado que observa toda matéria se tornar forma está sempre no eterno momento presente. Portanto, a fim de se conectar e unificar com ele, você também terá que estar completamente no momento presente. Se analisar a figura 11.10, vai ver como pode colapsar sua separação e consciência individual para experimentar a unicidade e totalidade do campo unificado.

Uma última coisa sobre a velocidade da luz. No reino do mundo material, a luz visível é uma frequência baseada em polaridade (elétrons, pósitrons, fótons e assim por diante). Se você olhar a figura 11.11, a divisão da luz acontece aproximadamente um terço acima da frequência mais baixa de acordo com a escala. Acima dessa onda ou frequência, a matéria passa de forma para energia e singularidade; abaixo dessa frequência estão a divisão e a polaridade. Quando a divisão da luz acontece, fótons, elétrons e pósitrons passam a existir porque o campo da luz visível contém o gabarito de informação da matéria como frequência organizada em padrões de luz. O Big Bang ocorreu nessa divisão de luz, onde singularidade se tornou dualidade e polaridade, onde o universo acabou surgindo como informação organizada e matéria. Por isso o vazio é escuridão eterna: não há luz visível.[57]

A JORNADA PARA A UNICIDADE

Quando colapsamos dois pontos de consciência, experimentamos menos separação e mais unicidade e totalidade. Quando nossa consciência se funde à consciência do campo unificado (quando nos aproximamos mais dele), experimentamos tempo nenhum e espaço nenhum.

REALIDADE MATERIAL – ATENÇÃO AO EXTERIOR

Observador onipresente, fonte de energia, campo unificado

- ***Algum corpo***
- ***Alguém***
- ***Alguma coisa***
- ***Algum lugar***
- ***Algum tempo***

TORNANDO-SE CONSCIÊNCIA – ATENÇÃO NO MOMENTO

Estamos presentes nisso

- ***Corpo nenhum***
- ***Ninguém***
- ***Coisa nenhuma***
- ***Lugar nenhum***
- ***Tempo nenhum***

CONSCIÊNCIA DE UNICIDADE – ESPAÇO NENHUM E TEMPO NENHUM PARA TODO(S) O(S) ESPAÇO(S) E TODO(S) O(S) TEMPO(S)

Quando chegamos mais perto, nos tornamos ela!

- ***Todo corpo***
- ***Todo mundo***
- ***Todas as coisas***
- ***Todos os lugares***
- ***Todo tempo***

FIGURA 11.10

Quanto mais vivemos com a atenção no mundo exterior, vivendo como um corpo, sendo alguém, possuindo alguma coisa, vivendo em algum lugar e em algum tempo em nossa realidade 3D, mais experimentamos separação e falta. Quando transferimos a atenção do mundo externo para o mundo interno, para o momento presente, nossa consciência se alinha com a consciência do presente; ficamos presentes nele. Quando nos entregamos mais profundamente ao campo unificado como consciência, experimentamos menos separação ou falta e mais unicidade e totalidade. Se não há separação entre dois pontos de consciência, não há espaço e tempo, mas todo(s) o(s) tempo(s) e todo(s) o(s) espaço(s). Portanto, quanto mais inteiros nos sentimos e menos falta experimentamos, mais sentimos como se nosso futuro já tivesse acontecido. Já não criamos a partir da dualidade, mas da unicidade.

Como a matéria vibra em frequência tão baixa, para entrar na dimensão tempo-espaço ou no campo unificado, você não pode entrar como corpo ou matéria e deve se tornar corpo nenhum. Você não pode levar sua identidade, terá que se tornar ninguém. Não pode levar coisas, deve se tornar coisa nenhuma. Não pode estar em algum lugar, terá que chegar a lugar nenhum. Por fim, se vive conforme um passado conhecido ou futuro previsível no qual o tempo parece linear, para chegar ao lugar do tempo-espaço terá que experimentar tempo nenhum. Como se faz isso? Mantendo a atenção no campo unificado, não com os sentidos, mas com a consciência. À medida que altera sua consciência, você aumenta sua energia. Quanto mais ciente fica do campo invisível, mais se afasta da separação de matéria e mais se aproxima da unicidade.

Então você está no quantum ou campo unificado. Esse é o reino da informação que conecta todo corpo, todo mundo, toda coisa, todo lugar e todo o tempo.

O campo unificado: tornar-se todo corpo, todo mundo, toda coisa em todo lugar, em todo tempo

A matéria é muito densa; por causa da densidade, vibra na frequência mais lenta do universo. Na figura 11.11, você vê que, quando eleva a frequência, acelerando mais e mais a velocidade, a matéria como a conhecemos se desmaterializa em energia. Em algum ponto logo além do espectro de luz visível – acima do domínio de dualidade e polaridade – qualquer informação sobre matéria se converte em mais energia unificada. Como você pode ver, quanto mais alta a frequência, mais organizada e coerente a energia.

No nível de frequência e energia elevadas, dualidade e polaridade se unem em uma só. Chamamos isso de amor ou totalidade porque não há mais divisão ou separação. É onde positivo e negativo se juntam, homem e mulher se unem, passado e futuro se fundem, bem e mal não existem, certo e errado não se aplicam, os opostos se tornam um só.

À medida que você se afasta da matéria e da separação, experimenta graus cada vez maiores de totalidade, ordem e amor. A organização dessa energia mais coerente transporta informações, e essas informações são cada vez mais amor. Se você continuar a acelerar a matéria, com o tempo ela vai vibrar tão rápido quanto uma frequência em linha reta. Existem frequências infinitas nessa linha, o que significa que ali também existem infinitas possibilidades. Esse é o campo do ponto zero, ou o ponto da singularidade do quantum, um campo onipresente de informação que existe como energia e frequência que observa toda a realidade e a organiza a partir de um único ponto.

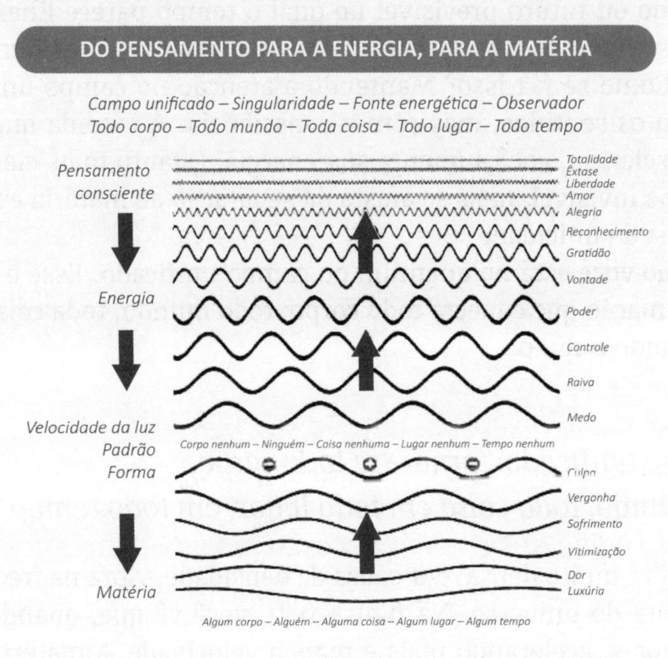

FIGURA 11.11

Tudo começa com um pensamento consciente. À medida que o pensamento consciente desacelera em frequência, desacelera em energia até finalmente assumir forma e se tornar matéria.

Na frequência da velocidade da luz, o padrão de toda matéria é refletido como um modelo para se tornar estrutura. É na velocidade da luz que a energia se divide em polaridade ou dualidade e elétrons e pósitrons etc. são criados. Acima da velocidade da luz, existem maiores graus de ordem que se refletem como maiores graus de totalidade.

À medida que viajamos em consciência a partir da matéria e superamos a nós mesmos, voltando nossa atenção para dentro, para o campo unificado, assim que cruzamos o plano da luz visível nos tornamos corpo nenhum, ninguém, coisa nenhuma em lugar nenhum, em tempo nenhum. É nesse domínio que experimentamos uma consciência de outras dimensões, outras realidades e outras possibilidades. Como a frequência carrega informações e há infinitas frequências no quantum, podemos experimentar outros planos que lá existem.

Se você observar as setas que vão da matéria em direção ao campo unificado – a linha reta no alto – representando todas as possibilidades, vai ver que precisa viajar pelas frequências mais baixas entre matéria e luz, que são níveis diferentes de pensamentos e emoções. Olhe os diferentes níveis de consciência pelos quais precisa passar para chegar à unicidade e você vai entender por que a maioria nunca faz a jornada.

Poderíamos chamar isso de mente de Deus, consciência da unidade, fonte de energia ou qualquer nomenclatura que você queira usar para definir o princípio de auto-organização do universo. É o lugar onde todos os potenciais ou possibilidades existem como um pensamento, a fonte última de uma inteligência amorosa e de um amor inteligente que observa e dá forma a toda realidade física. Portanto:

- Quanto maior a frequência que experimentamos, maior a energia.
- Quanto maior a energia, maior a informação a que temos acesso.
- Quanto maior a informação, maior a consciência.
- Quanto maior a consciência, maior a atenção.
- Quanto maior a atenção, maior a mente.
- Quanto maior a mente, maior a capacidade que temos de afetar a matéria.

Na hierarquia das leis universais, as leis quânticas superam as leis newtonianas (ou clássicas). Por isso Einstein disse: "O campo é a única agência governante da partícula"; o campo quântico governa, organiza e unifica todas as leis da natureza e está sempre orientando a energia para a ordem, modelando a luz em forma. Em nosso planeta, basta olhar a natureza para ver como a sequência de Fibonacci, também conhecida como proporção áurea (uma fórmula matemática recorrente encontrada em toda a natureza, que gera ordem e coerência) dá ordem à matéria. É o campo do ponto zero, feito de possibilidades ou pensamento (porque pensamentos são possibilidades), que desacelera a frequência, criando ordem e forma.

O campo unificado é uma inteligência auto-organizada que está sempre cuidando da ordem e forma do mundo material. Quanto mais você conseguir se render a ele, se aproximar dele e se unir a ele, menos separação e falta sentirá e, portanto, mais plenitude e unicidade experimentará. Quando você se projeta como consciência nesse reino infinito de possibilidades, começa a se sentir conectado à consciência de todo corpo, toda pessoa, todo lugar, toda coisa em todo tempo, inclusive seus sonhos futuros. Como consciência é percepção e percepção é prestar atenção, o primeiro passo para experimentar o campo unificado é tomar consciência dele, porque, se você não tem consciência dele, ele não existe. Assim, quanto mais você presta atenção ao campo, mais se conscientiza dele.

Contudo, há uma ressalva. Como vimos, a única maneira de entrar no reino da consciência pura é tornar-se consciência pura; em outras palavras, a única maneira de entrar nesse reino de pensamento é como pensamento. Isso significa que você precisa ir além dos sentidos, tirando a atenção da matéria e das partículas e colocando essa atenção na energia ou onda. Se conseguir se projetar como uma consciência neste reino imaterial invisível de escuridão infinita e perceber que é uma consciência na presença de uma consciência maior, sua consciência se fundirá com uma consciência maior.

Se você conseguir fazer isso, se conseguir sair do caminho e permanecer como uma consciência ou atenção neste campo, se conseguir se render a esse amor inteligente – à mesma inteligência inata que está criando o universo e dando vida a você – esse amor o consumirá. Essa inteligência amorosa é pessoal e universal, está dentro de você e ao seu redor; quando o consumir, ela vai criar e restaurar a ordem e o equilíbrio em sua biologia, porque a natureza dela é organizar a matéria de maneira mais coerente. Você passa pelo buraco da agulha, e do outro lado não há mais a separação de dois pontos de consciência. Há uma só consciência ou unicidade. É onde todas as possibilidades existem.

Como você entra no domínio da consciência, pensamento, informação, energia e frequência, a ponte que o leva do espaço-tempo para o tempo-espaço vai de algum corpo, alguém, alguma coisa em algum lugar, em algum tempo, para corpo nenhum, pessoa nenhuma, coisa nenhuma, lugar nenhum em tempo nenhum. Esse é o nexo, a soleira para o campo unificado ou campo quântico (volte e reveja as figuras 11.8 e 11.9).

No reino de infinitas possibilidades desconhecidas, novos e ilimitados potenciais e experiências esperam por você, não os velhos conhecidos de sempre que você experimentou várias vezes. Afinal, desconhecido não é isso? Um desconhecido é apenas uma possibilidade que existe para você como um novo pensamento. Quando você está no domínio do pensamento puro como um pensamento, a única coisa que o limita é sua imaginação. Contudo, se nesse domínio de pensamento você pensa em alguém, alguma coisa, algum corpo em algum lugar e em algum tempo conhecido, sua consciência (e, portanto, sua energia) volta à realidade conhecida do espaço e tempo tridimensional, ao reino da separação.

Como todo pensamento tem uma frequência, no momento em que começa a pensar sobre a dor em seu corpo, o avanço de sua doença, os problemas no trabalho, as dificuldades que tem com sua mãe ou as coisas que tem que fazer em um determinado período, você volta a este espaço e tempo. Sua consciência volta ao reino do mundo material, e seus pensamentos produzem a mesma frequência da matéria e das partículas (reveja a figura 11.10). Sua energia volta a vibrar no nível do mundo físico conhecido da realidade tridimensional, e você exerce um efeito menor sobre sua realidade pessoal. Você voltou a vibrar como matéria, e sabemos como é isso.

Com sua frequência entrando mais e mais na densidade, você se afasta mais e mais do campo unificado; o resultado é que se sente separado dele. Nesse cenário, se seus sonhos existem como pensamentos no campo unificado, vai levar muito tempo para que se realizem.

Se você está pensando em algum corpo, alguém, alguma coisa, em algum lugar, em algum tempo, não está superando sua identidade moldada pela totalidade das experiências passadas. Você ainda está literalmente nas mesmas memórias, pensamentos habituais e emoções condicionadas que associou a todas as pessoas e coisas familiares em determinados momentos e lugares da sua realidade conhecida, o que significa que sua atenção e energia estão ligadas à sua realidade pessoal passada-presente. Você está pensando à semelhança da sua identidade, por isso sua vida vai continuar igual. Você é a mesma personalidade tentando criar uma nova realidade pessoal.

Quando digo que você tem que ir além de si, significa esquecer de si, retirar a atenção da personalidade e da realidade passada-pessoal. Faz sentido então que, para curar seu corpo, você tenha que ir além do corpo. Para criar algo novo em sua vida, você tem que esquecer a velha vida de sempre. Para mudar algum problema no ambiente externo, você precisa superar sua memória e as emoções correspondentes relacionadas a esse problema. Se deseja criar um novo e inesperado evento em sua linha de tempo futura, tem que parar de antecipar inconscientemente o mesmo futuro previsível com base em memórias familiares do passado. Você vai ter que ir para um nível de consciência maior do que a consciência que criou qualquer uma dessas realidades.

No campo unificado não há para onde ir porque você está em todo lugar, não há nada que você possa querer porque você é tão inteiro e completo que sente que tem tudo, você não pode julgar ninguém porque você é todo mundo, e não é mais necessário se tornar um corpo porque você é todo corpo. Por que você ficaria preocupado com o fato de nunca haver tempo suficiente se você existe em um domínio onde há tempo infinito?

Quanto mais inteiro você se sente, menos falta experimenta, portanto, menos deseja. Como você pode querer ou sentir falta quando se sente inteiro? Se há menos carência, há menos necessidade de criar a partir da dualidade, da polaridade e da separação. Como você pode querer quando está completo? Quando cria a partir da totalidade, você sente que já tem. Não há mais querer, tentar, desejar, forçar, prever, lutar ou esperar, afinal, a esperança é uma pedinte. Quando você cria a partir de um estado de totalidade, só existe conhecimento e observação. Essa é a chave para manifestar realidade: estar conectado, não separado.

Se o tempo no seu mundo tridimensional é criado pela ilusão de espaço entre dois objetos ou dois pontos de consciência, quanto mais uno você estiver com o campo unificado, menos separação vai haver entre você e tudo o que é material. Quando sua consciência se funde ou se torna mais conectada ao campo unificado – ao reino da totalidade e da unidade – não há mais separação entre dois pontos de consciência. Essa totalidade então se reflete em sua biologia, química, circuitos, hormônios, genes, coração e cérebro, restaurando o equilíbrio de todo o sistema. Uma frequência ou energia maior se move através do sistema nervoso autônomo, sistema que lhe dá vida e cujo objetivo é criar equilíbrio e ordem. Essa energia transmite uma mensagem de totalidade, como resultado, você se torna mais sagrado. Quanto maior a frequência que você experimenta, menos tempo leva para essa frequência se projetar na realidade tridimensional do espaço-tempo.

Como aprendemos neste capítulo, quando diminui o espaço entre dois pontos de consciência, você colapsa o tempo. Quando a ilusão de separação não existe mais, você percebe menos espaço entre você (uma identidade vivendo em um corpo, em um ambiente físico, em tempo linear) e pessoas, objetos, coisas, lugares, matéria e até seus sonhos. Portanto, quanto mais você se aproxima do campo unificado, mais conectado se sente a todas as pessoas e todas as coisas.

Você como consciência está no reino da unidade; como não há separação, o tempo é eterno. Lembre-se: quando há tempo infinito, há infinitos espaços, dimensões possíveis e realidades a serem experimentadas. Onde quer que você "pense" estar, ou quem quer que você "pense" ser, você está e é. Não há nada para tentar criar, porque tudo já existe como um pensamento no reino de todos os pensamentos. Tudo que você precisa fazer é tomar consciência disso e fazer com que isso exista experimentando.

TORNANDO-SE POSSIBILIDADES ILIMITADAS

Realidade material 3D do mundo newtoniano	*A porta para o quantum como consciência pura*	*Realidade imaterial 5D do campo unificado*	*Reino das possibilidades ilimitadas*
Consciência de:	*Consciência de:*	*Consciência de:*	*Consciência de:*
• *Algum corpo* • *Alguém* • *Alguma coisa* • *Algum lugar* • *Algum tempo* →	• *Corpo nenhum* • *Ninguém* • *Coisa nenhuma* • *Lugar nenhum* • *Tempo nenhum* →	• *Todo corpo* • *Todo mundo* • *Todas as coisas* • *Todos os lugares* • *Todo tempo* →	• *Algum corpo* • *Alguém* • *Alguma coisa* • *Algum lugar* • *Algum tempo*

FIGURA 11.12

Quando nos tornamos a consciência de todo mundo, todo corpo, toda coisa em todo lugar, em todo tempo, do ponto de vista teórico podemos criar qualquer corpo, tornarmo-nos qualquer um, ter qualquer coisa, viver em qualquer lugar e estar a qualquer tempo.

Dê uma olhada na figura 11.12 para acompanhar. Quando leva sua atenção de ser um corpo para ser corpo nenhum e daí para se tornar todo corpo, você pode criar qualquer corpo. Quando deixa de viver como uma pessoa para se tornar ninguém e depois ser todo mundo, você pode se tornar qualquer pessoa. Quando consegue retirar sua atenção de alguma coisa para entrar no reino de coisa nenhuma, você se funde a todas as coisas, assim, pode ter qualquer coisa. Quando move sua consciência de algum lugar para lugar nenhum, você está em todo lugar e pode viver em qualquer lugar. Por fim, quando tira sua consciência de algum tempo para tempo nenhum, para se tornar todo tempo, você pode estar em qualquer tempo.

Isso é se tornar sobrenatural.

No trabalho que faço pelo mundo, há muitos anos ensino nossos alunos a ir além de si mesmos. Agora sei que o primeiro passo nesse processo é dominar o corpo, superar as condições do ambiente externo e transcender o tempo. Quando conseguem isso, eles estão prestes a experimentar o campo unificado. No entanto, quando chegam ao nexo, eles precisam aprender que ainda há mais a experimentar.

Se aprender significa fazer novas conexões sinápticas, quanto mais você aprende sobre alguma coisa, mais pode apreciá-la, conhecê-la e experimentá-la, porque pode abordá-la com um novo conjunto de redes neurais. É no ato de aprender que você altera ou enriquece ainda mais sua experiência, afinal, se você não aprende algo novo, sua experiência provavelmente permanece a mesma, pois você percebe a realidade com o mesmo circuito neural de sempre. Conhecimento é o precursor que faz evoluir sua experiência.

Por exemplo, adoro vinho tinto e faço várias excursões enológicas ao ano para diferentes partes do mundo. Muita gente que participa desses eventos de uma semana inicialmente diz que não "sabe" nada de vinho. O que penso dessa afirmação é que elas provavelmente nunca aprenderam nada sobre uvas fermentadas ou tiveram exposição limitada ao assunto. A verdade é que, como tiveram conhecimento e experiência limitados no passado, elas têm um circuito neural muito limitado para perceber qualquer sabor ou nuance. Poderíamos dizer então que simplesmente não sabem o que procurar para realmente aproveitar a experiência.

E se aprenderem como se produz vinho e conhecerem a história, o tipo de uvas que os produtores usam e por que são usadas? Depois aprenderiam como o vinho é armazenado em barris de carvalho, por quanto tempo e por quê. Isso as familiarizaria com todo o processo e os motivos que tornam um determinado vinho tão agradável.

Esse é o processo, mas agora pense naquele ótimo vinho engarrafado. Se as pessoas desconhecem o sabor da ameixa, as notas de cereja preta e groselha, as notas de baunilha e couro, o aroma floral, a porcentagem de taninos, se a bebida envelheceu em barris de carvalho ou tambores de aço inoxidável e por quanto tempo, não sabem o que procurar e não poderão experimentá-la completamente. Só no momento em que sabem o que procurar e do que tomar consciência é que tais elementos existem. Poderíamos dizer então que a consciência modifica a experiência.

Sei que isso é verdade porque em apenas uma semana as mesmas pessoas que inicialmente diziam não gostar de vinho tinto ou que não sabiam nada sobre o assunto vão embora com uma experiência totalmente nova de interação com a bebida. Depois de muitos dias cheios de aprendizado, descobrindo o que procurar – permanecendo presentes e focando toda a percepção em sabores e aromas específicos, experimentando dia após dia todos os tipos de vinhos e decidindo de quais gostam e não gostam, prestando atenção de modo consciente e, portanto, disparando, conectando e montando novas conexões neurais – essas pessoas se tornam muito específicas sobre o tipo de vinho de que gostam. Em uma semana, adquirem um novo nível de apreciação, percepção e compreensão. A experiência as transformou. O mesmo acontece com o campo unificado. Se você não tem consciência dele, ele não existe para você; todavia, quanto mais sabe sobre ele e mais consciência tem do que procurar, mais atenção pode prestar nele com sua consciência e mais profundamente pode experimentá-lo. E ele deve mudar você.

Desde o nascimento você é treinado para manter a atenção na matéria, não na energia. Você é condicionado a acreditar que precisa dos sentidos para experimentar a realidade; em outras palavras, se você não vê, ouve, sente, cheira, toca ou prova algo, a coisa não existe. Por causa disso, a maioria das pessoas coloca a maior parte da atenção na matéria, nos objetos e nas partículas, dedicando muito pouco tempo a colocar atenção na energia, na informação e nas ondas. Você não tem consciência do dedão do pé esquerdo até dar atenção a ele. O dedo sempre existiu, mas você não prestava atenção. Porém, no momento em que coloca a atenção no dedo, ele passa a existir. É assim com o campo unificado. Quanto mais tomar consciência dele, mais ele existirá em sua realidade. Ao focar apenas na matéria, as pessoas excluem de sua vida a possibilidade. A onda é isso, uma energia de possibilidade. Quanto mais você prestar atenção nela, mais possibilidades devem aparecer em sua vida.

Como onde você coloca a atenção é onde coloca sua energia, no momento em que fica ciente do campo unificado, sua atenção faz com que ele se expanda. Quando você coloca atenção e consciência na dor, ela se expande, porque você a experimenta mais. Se continuar dando atenção à dor e a experimentando cada vez mais, ela se tornará parte de sua vida. O mesmo acontece com o campo unificado; quando você coloca a atenção nele e se torna mais consciente dele, o campo se expande. E, assim como a dor, quando você o experimenta mais, ele existe como parte de sua vida.

Simplesmente por colocar a atenção nele – se conscientizar, perceber, experimentar, sentir, interagir e permanecer presente momento a momento –, o campo unificado aparece e se projeta em sua realidade no dia a dia. Como o campo aparece e se projeta? Como desconhecidos: serendipidades, sincronicidades, oportunidades, coincidências, sorte, estar no lugar certo na hora certa, momentos cheios de admiração.

A partir de minha experiência, a melhor descrição do campo unificado é como uma inteligência divina e amorosa e um amor inteligente que está dentro de você e ao seu redor; toda vez que você dirige sua atenção a ele, torna-se consciente da presença do divino dentro de você e ao seu redor. Ao colocar a atenção nele, o divino deve aparecer mais em sua vida. Como consciência é percepção e percepção é prestar atenção, quando você está consciente dele e prestando atenção a ele, começa a se fundir com ele. Sua experiência do divino o fará literalmente se tornar divino; à medida que você se projeta cada vez mais fundo dentro do campo unificado, há mais e mais a explorar e experimentar.

Volte à figura 11.11; ao se aproximar cada vez mais da linha reta que representa a fonte da energia ou a unicidade, faz sentido que a única maneira de se aproximar seja mantendo sua atenção nela e tornando-se mais consciente dela. Se fizer isso corretamente, à medida que se afasta da dualidade ou separação e se aproxima da unidade e unicidade, você deve sentir níveis cada vez maiores de amor, unidade e totalidade, uma vez que sentimentos são o produto final da experiência. Quando sente e experimenta mais amor inteligente, três coisas acontecem em sua vida.

A primeira coisa que acontece é que, ao colocar atenção e consciência no campo unificado à medida que se aproxima da fonte e se aprofunda nela, você o experimenta mais. Essa jornada cria uma via neurológica do cérebro pensante diretamente para o sistema nervoso autônomo. Cada vez que mergulha mais fundo, desacelerando as ondas cerebrais, você constrói uma via neurológica com mais faixas, e essa neurovia se torna mais larga porque você a usa mais. Com o tempo, isso lhe permite fundir-se ao campo com mais facilidade.

A segunda coisa que acontece é que, como a experiência enriquece o cérebro, cada vez que você interage com o campo unificado e o experimenta, seu cérebro se modifica. A experiência enriquece e refina os circuitos cerebrais. Você instala no cérebro o *hardware* para ficar mais consciente do campo na próxima vez que se fundir a ele. Como a experiência produz uma emoção, à medida que você sente o campo unificado, começa a personificá-lo; com isso, personifica mais do divino.

De acordo com o modelo quântico de realidade, uma vez que toda doença é uma diminuição e incoerência de frequência, no momento em que o corpo experimenta a nova frequência elevada e coerente, a energia desse acontecimento eleva a vibração do corpo para coerência e ordem. Inúmeras vezes em nossas oficinas avançadas pelo mundo testemunhamos mudanças instantâneas na saúde de nossos alunos quando o corpo foi atualizado por nova frequência e novas informações.

Como o propósito do sistema nervoso autônomo é criar equilíbrio e saúde, no instante em que saímos do caminho, paramos de analisar, deixamos de pensar e nos rendemos totalmente, essa inteligência entra em cena e cria ordem. Ela transmite uma mensagem nova, mais auto-organizada, com uma frequência mais elevada do campo unificado. A energia coerente aumenta a frequência da matéria. É como mudar a frequência de uma estação de rádio cheia de estática para uma que transmite com sinal claro. O corpo recebe um sinal mais coerente.

Quando isso acontece, você sente um amor intenso, uma profunda alegria de viver, uma sensação mais intensa de liberdade, uma felicidade indescritível, fascínio pela vida, níveis elevados de gratidão e um sentimento humilde de verdadeiro empoderamento. Nesse instante, a energia do campo unificado, na forma de emoção, recondiciona seu corpo para uma nova consciência e uma nova mente. Em um piscar de olhos, as emoções elevadas sinalizam novos genes de novas maneiras, modificando seu corpo e o retirando de seu passado biológico.

A terceira coisa que acontece quando você se aproxima do campo unificado é que começa a ouvir ou experimentar conhecimento e informação de maneira diferente. Isso porque você modificou os circuitos do cérebro e não é mais a mesma pessoa. Você vai encontrar a verdade em um nível totalmente novo, e as coisas que pensava saber parecerão totalmente novas. Sua experiência interior modifica a percepção do que acontece no mundo exterior. Em outras palavras, você acordou.

Depois que tem uma experiência, um sentimento ou uma melhor compreensão do campo unificado – depois que isso altera a circuitaria cerebral –, você pode experimentar e perceber a realidade de novas maneiras. Você vai ver um espectro de vida que seu cérebro não percebia antes por não ter os circuitos. Na próxima vez que seu cérebro disparar essas redes, você já terá o *hardware* para experimentar ainda mais da realidade. Você vai perceber mais de uma realidade que sempre existiu; antes você apenas não dispunha de circuitos para percebê-la.

Se conseguir realizar a jornada até a fonte (veja a Figura 11.11 de novo) e se conectar de modo constante, no momento em que realmente houver interação, você vai começar a se comportar mais como ela. A natureza da fonte se torna a sua natureza, e um amor mais inteligente se expressa através de você. Quais são suas qualidades inatas? Você vai se tornar mais paciente, clemente, presente, consciente, atento, determinado, generoso, altruísta, amoroso e perceptivo, para citar apenas algumas. Você percebe que o que você estava procurando está procurando por você. Você se torna a fonte, e a fonte se torna você.

A instrução é:

- Permitir que sua consciência se funda com uma consciência maior.
- Render-se mais profundamente ao amor inteligente.
- Confiar no desconhecido.
- Abrir mão continuamente de algum aspecto do eu limitado para se unir ao eu maior.
- Perder-se no nada para se tornar tudo.
- Relaxar em um mar infinito e profundo de energia coerente.
- Continuar se projetando cada vez mais fundo na unicidade.
- Abrir mão continuamente do controle.
- Sentir graus cada vez maiores de totalidade.
- Por fim, como consciência, momento a momento, tornar-se consciente, prestar atenção, experimentar, estar presente e sentir cada vez mais o campo unificado ao redor, sem devolver a consciência à realidade tridimensional.

Se fizer isso corretamente, você não usará nenhum dos sentidos porque estará além dos sentidos. Você será simplesmente consciência.

Meditação espaço-tempo, tempo-espaço

Comece colocando a consciência no coração; assim que estiver ancorado no espaço que seu coração ocupa no espaço, preste atenção à respiração. Permita que ela flua para dentro e para fora do coração, enquanto se aprofunda e relaxa. Mantendo a atenção no coração, evoque uma emoção elevada e mantenha esse sentimento por um tempo, prestando atenção à respiração. Irradie a energia para além do corpo, para o espaço.

A seguir, usando qualquer música que o inspire (como a que usou para a meditação no Capítulo 5), faça aquela meditação para tirar a mente do corpo. Pegue toda a energia armazenada no corpo como emoções de sobrevivência e libere-a em emoções elevadas, usando um nível de intensidade maior do que o do corpo como mente.

Nos próximos dez a quinze minutos, ouça uma ou duas músicas (sem letra) que induzam o transe. Torne-se consciência pura, ninguém, corpo nenhum, coisa nenhuma, em lugar nenhum, em tempo nenhum, projetando-se como consciência dentro do campo unificado.

É hora de se conectar à consciência de todas as pessoas, todos os corpos, todas as coisas, todos os lugares, em todo tempo, unificando-se com uma consciência maior no campo unificado. Tudo o que você precisa fazer é tomar consciência do campo, prestar atenção nele, permanecer presente nele e senti-lo momento a momento. Você vai começar a sentir mais totalidade e unicidade, o que vai se refletir em sua biologia, porque o corpo experimenta a energia mais coerente se movendo através dele, e você constrói seu campo de energia. Mantenha esse estado por dez a vinte minutos, entregando-se cada vez mais profundamente. Quando terminar, traga a consciência de volta para um novo corpo, um novo ambiente e um tempo totalmente novo.

Capítulo 12

A glândula pineal

Você já sabe que, quando transpomos como consciência o mundo dos sentidos da realidade tridimensional, podemos acessar frequências que transportam informações específicas além da vibração da matéria e da velocidade da luz. Quando isso acontece, o cérebro processa amplitudes extremamente altas de energia. Medimos e observamos esse fenômeno repetidamente nas leituras cerebrais de nossos alunos avançados. Você também aprendeu que, quando há um aumento de energia no cérebro, sempre há um aumento na consciência e na percepção e vice-versa. De fato, é muito difícil determinar se é a energia ou o nível de consciência que causa as mensurações extremas. Mas acho que não podemos separar os dois, porque você não pode ter uma alteração na energia sem uma alteração na consciência ou uma alteração na frequência sem uma alteração na informação.

À medida que você se conecta a níveis mais profundos do campo unificado, o cérebro é ativado por uma energia maior que transporta informações específicas na forma de pensamentos e imagens. O cérebro então literalmente rastreia e registra esse profundo acontecimento interno e, para a pessoa que vivencia a experiência, o que quer que aconteça na mente parece mais real do que qualquer acontecimento externo passado. Nesse momento, o aumento de energia na forma de uma emoção poderosíssima captura toda a atenção da mente. É nesse instante que cérebro e corpo recebem uma atualização biológica.

Se alguém pode sentar em uma cadeira com os olhos fechados em meditação e ter uma experiência sensorial significativamente aumentada sem os sentidos, isso levanta a questão: o que acontece no cérebro para explicar esse efeito sobrenatural? A pessoa sentada imóvel percebe a experiência como mais real do que qualquer outra experiência (definida pelos sentidos) que já teve. Isso leva a mais indagações: como podemos ter uma plena experiência sensorial amplificada sem os sentidos? Quais funções específicas do cérebro e do corpo traduzem as interações com o campo quântico em experiências interiores profundas?

Em outras palavras, se podemos interagir com um campo de informação mais coerente que cria acontecimentos internos tão estimulantes, deve haver uma explicação neurológica, química e biológica para essas ocorrências sobrenaturais. Quais sistemas, órgãos, glândulas, tecidos, substâncias químicas, neurotransmissores e células podem provocar experiências tão intensas e profundas? Pode haver componentes fisiológicos adormecidos, só esperando para ser ativados?

Quatro estados de consciência ajudam a estruturar as informações deste capítulo. O primeiro é o estado de vigília, no qual estamos acordados e conscientes. O seguinte é o sono, no qual estamos inconscientes e o corpo se restaura e repara. Depois vem o sonho, um estado alterado de consciência, no qual o corpo está catatônico, mas a mente está envolvida em imagens e simbolismo interiores. Por fim, há momentos transcendentais de consciência além da nossa compreensão da realidade. Esses eventos transcendentes parecem alterar a nós mesmos e a maneira como vemos o mundo para sempre. Quero transmitir o que sei a respeito da biologia, química e neurociência das experiências transcendentais. Vamos começar com a molécula de melatonina, responsável por tudo isso.

Melatonina: o neurotransmissor do sonho

Quando você acorda de manhã e volta ao mundo dos sentidos, no momento em que seu olho percebe a luz através da íris, os receptores no nervo óptico enviam um sinal para uma parte do cérebro chamada núcleo supraquiasmático. Este manda um sinal para a glândula pineal, que responde produzindo serotonina, o neurotransmissor diurno.

Como você deve lembrar, os neurotransmissores são mensageiros químicos que transmitem e comunicam informações entre as células nervosas. O neurotransmissor serotonina diz ao corpo que é hora de acordar e começar o dia. À medida que você integra informações entre todos os sentidos a fim de criar significado entre os mundos interior e exterior, a serotonina estimula as ondas cerebrais de delta para theta, para alfa até beta, fazendo com que você perceba novamente que está em um corpo físico no espaço e no tempo. Assim, quando o cérebro dispara em ondas beta, você dedica a maior parte da atenção ao ambiente externo, ao corpo e ao tempo. Isso é normal.

Quando a noite cai e escurece, ocorre um processo inverso semelhante. A inibição da luz envia um sinal pela mesma rota para a pineal, mas agora a glândula transmuta serotonina em melatonina, o neurotransmissor noturno. A produção e liberação de melatonina desacelera as ondas cerebrais de beta para alfa, deixando você sonolento, cansado e menos propenso a querer pensar ou analisar. À medida que as ondas desaceleram para alfa, você se interessa em voltar a atenção para o mundo interno em vez do externo. Quando o corpo enfim adormece e entra em estado catatônico, as ondas cerebrais passam de alfa para theta até delta, induzindo períodos de sonho e sono profundo e restaurador.

Ao viver no ritmo do ambiente externo, no padrão diário de vigília e sono (com base no local onde vivemos no mundo), o cérebro é automaticamente levado à produção diária dessas substâncias químicas em horários muito específicos, de manhã e à noite. Isso é chamado de ritmo circadiano. Muita gente sabe que, quando saímos desse ritmo natural, ficamos desorganizados, como quando viajamos para outra parte do mundo onde o sol nasce e se põe várias horas à frente do nosso fuso horário normal. Sentimos o *jet lag* e precisamos de algum tempo para recalibrar. Quando o corpo sai do ritmo circadiano natural, costuma levar alguns dias para se reajustar ao ritmo do nascer e pôr do sol do novo ambiente. Toda essa química é produzida a partir da interação com o mundo externo tridimensional, a partir da reação dos olhos ao sol e à frequência da luz visível.

A melatonina induz o movimento rápido dos olhos (REM), uma fase do ritmo circadiano que causa os sonhos. À medida que os pensamentos e o ruído mental diminuem, dando lugar ao sono e também aos sonhos, o cérebro começa a ver e perceber imagens e símbolos internos. Antes de entendermos por que a melatonina é tão importante, vamos dar uma olhada na estrutura molecular desse neurotransmissor do sonho.

O processo de criação de melatonina começa com o aminoácido essencial L-triptofano, matéria-prima responsável pela produção de serotonina e melatonina. Para ser convertido em melatonina, o aminoácido deve passar por uma série de alterações químicas conhecidas como metilação. Metilação é o processo da aplicação de um carbono e três hidrogênios (conhecido como grupo metil) a inúmeras funções críticas do corpo, como pensamento, reparo do DNA, ativação e desativação de genes, combate a infecções e assim por diante. Nesse caso, a metilação participa da produção de melatonina.

Na figura 12.1, vemos a metilação. Como o grupo metil é composto de elementos químicos muito estáveis, a estrutura básica dos anéis de cinco e seis lados permanece a mesma durante a série de reações químicas. No entanto, à medida que diferentes grupos de moléculas se ligam aos anéis, eles alteram as propriedades e características da molécula.

A glândula pineal começa transmutando o L-triptofano em 5-hidroxitriptofano (5-HTP), que então se torna serotonina. A serotonina é uma molécula mais estável que o 5-HTP, capaz de se sustentar no cérebro, e tem uma função mais útil, como veremos em breve. Por meio de outra reação química, a pineal converte a serotonina em N-acetilserotonina, e uma reação adicional a transforma em melatonina. Tudo isso acontece na glândula pineal. Em um ciclo de 24 horas, a produção de melatonina é mais alta entre a uma e as quatro horas. É importante lembrar disso.

PROCESSO DE METILAÇÃO DE SEROTONINA E MELATONINA

L-TRIPTOFANO

↓ *5-hidroxitriptofano*

5-HIDROXITRIPTOFANO

↓ *L-aminoácido aromático descarboxilase*

SEROTONINA

↓ *Serotonina N-acetiltransferase*

N-ACETIL-SEROTONINA

↓ *Hidroxi-indol-O-metiltransferase (HIOMT)*

MELATONINA

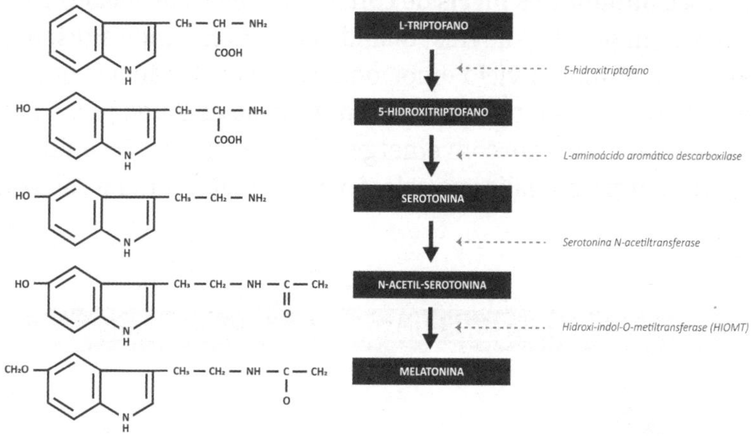

FIGURA 12.1

Processo de metilação do aminoácido L-triptofano em serotonina e melatonina.

Hoje sabemos que existe uma relação inversa entre os hormônios adrenais e a melatonina. À medida que os níveis de cortisol adrenal aumentam, os níveis de melatonina diminuem. Por isso não conseguimos dormir quando estamos estressados. Na antiguidade, isso servia como um mecanismo de segurança biológica. Por exemplo, se você fosse perseguido algumas vezes por um predador a caminho da fonte de água ou avistasse animais de grande porte em seu território, seu corpo, em sua inteligência inata, iria querer impedir que você se tornasse uma presa. Nesses casos, sono e restauração seriam menos importantes do que sobreviver. Para ser mais direto: passar a noite inteira acordado para permanecer vivo é mais valioso do que dormir e se arriscar a morrer.

Quando o corpo tenta descansar nesse estado vigilante, não chega ao sono restaurador de que precisa porque as substâncias químicas de sobrevivência, como o cortisol, ativaram os genes de sobrevivência. Mesmo que o estressor não seja um tigre-dentes-de-sabre, mas o relacionamento tenso com o ex-cônjuge, com quem você deve interagir diariamente, o estresse crônico mantém o sistema de sobrevivência ativado. Essa válvula de segurança não é mais adaptativa, é desadaptativa. Esse tipo de estresse crônico altera os níveis normais de melatonina (e até de serotonina), tirando o corpo da homeostase.

Se você diminuir os níveis de cortisol, os níveis de melatonina vão aumentar. Em outras palavras, quando você interrompe a resposta ao estresse, superando o vício emocional dessas substâncias químicas, seu corpo pode retomar projetos de construção de longo prazo em vez de lidar constantemente com emergências percebidas. Dê uma olhada na figura 12.2 para analisar a relação entre melatonina e cortisol.

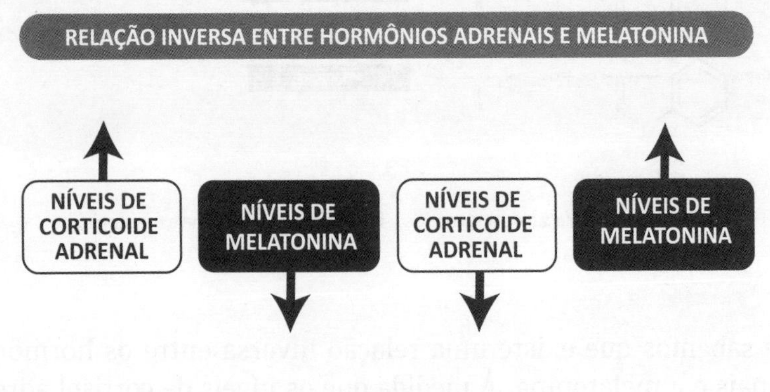

FIGURA 12.2

Quando os níveis de estresse aumentam, o nível de melatonina cai.
Quando os níveis de estresse caem, o nível de melatonina aumenta.

A melatonina tem muitas outras aplicações interessantes. Por exemplo, foi comprovado que melhora o metabolismo de carboidratos. Isso é importante porque, quando certas pessoas respondem ao estresse, o corpo armazena carboidratos como gordura, e gordura nada mais é do que energia armazenada. Isso é o resultado de genes primitivos sinalizando o corpo para armazenar energia, caso haja fome. A melatonina também é conhecida por ajudar em caso de depressão. Foi comprovado que ela até aumenta os níveis de DHEA, o hormônio antienvelhecimento. Para mais dados sobre a importância da melatonina, o neurotransmissor do sonho, veja a figura 12.3.[58]

FATOS CIENTÍFICOS SOBRE A MELATONINA

- *Interrompe o excesso de secreção de cortisol em resposta ao estresse.*
- *Melhora o metabolismo dos carboidratos.*
- *Reduz os níveis de triglicerídeos.*
- *Inibe a arteriosclerose (enrijecimento das artérias).*
- *Eleva a resposta imunológica (celular e metabólica).*
- *Diminui o desenvolvimento de certos tumores.*
- *Aumenta o tempo de vida de ratos de laboratório em 25%.*
- *Ativa o papel neuroprotetor no cérebro.*
- *Aumenta o sono REM (sono com sonhos).*
- *Estimula a remoção dos radicais livres (antienvelhecimento, antioxidante).*
- *Promove o reparo e a replicação de DNA.*

FIGURA 12.3

Alguns benefícios da melatonina.

Agora vamos aprofundar sua compreensão de todas as informações que estudou neste livro até aqui.

Ativação da glândula pineal

Durante anos, passei um tempo enorme estudando a glândula pineal e procurando pesquisadores que faziam medições detalhadas de seus metabólitos e tecidos. Meu interesse era relacionar minhas descobertas a alguns antigos mistérios. Um resumo em particular despertou meu interesse:

> A glândula pineal é um transdutor neuroendócrino que secreta melatonina, responsável pelo controle fisiológico do ritmo circadiano. Foi estudada uma nova forma de biomineralização na glândula pineal humana, que consiste em pequenos cristais com menos de 20 mícrons de comprimento. Esses cristais são responsáveis pelo mecanismo de transdução eletromecânica e biológica na glândula pineal, devido às propriedades estruturais e piezoelétricas.[59]

São muitas palavras para digerir, mas vamos dividir em dois pontos significativos. As palavras-chave aqui (em ordem inversa) são "propriedades piezoelétricas" e "transdutor".

O efeito piezoelétrico ocorre quando você aplica pressão em determinados materiais e o estresse mecânico é transformado em uma carga elétrica. Para simplificar, a glândula pineal contém cristais de calcita (feitos de cálcio, carbono e oxigênio) que, devido à sua estrutura, manifestam esse efeito. Como uma antena, a glândula pineal tem a capacidade de se ativar eletricamente e gerar campos eletromagnéticos que podem sintonizar em informações. Esse é o ponto número um. Além disso, da mesma maneira que uma antena pulsa em um ritmo ou frequência para corresponder à frequência de um sinal recebido, a glândula pineal recebe informações transportadas em campos eletromagnéticos invisíveis. Como toda frequência carrega informações, uma vez que a antena se conecta ao sinal exato do campo eletromagnético, deve haver uma maneira de converter e decodificar esse sinal em uma mensagem significativa. Isso é o que faz um transdutor, e esse é o segundo ponto.

Um transdutor é qualquer coisa que recebe um sinal na forma de um tipo de energia e o converte em um sinal em outra forma. Pare um momento e olhe em volta. O espaço em que você se encontra está cheio de ondas de TV, rádio e Wi-Fi, que são diferentes faixas de frequência de energia eletromagnética invisível. (Você não pode ver com os olhos, mas elas estão aí.) Por exemplo, uma antena capta uma série de frequências transmitindo um sinal que é transduzido em uma imagem na tela da sua TV. Quando você sintoniza uma estação de FM, está sintonizando sua antena em uma frequência eletromagnética específica. A informação transportada nessa faixa de frequência é então transduzida em um sinal coerente, que é a música que você ouve com os ouvidos.

O estudo que citei diz que a glândula pineal é um transdutor neuroendócrino, capaz de receber e converter sinais no cérebro. Quando a glândula pineal age como transdutor, pode captar frequências acima da realidade tridimensional do espaço-tempo, baseada nos sentidos. Uma vez ativada, a glândula pineal pode sintonizar nas dimensões mais altas do espaço e do tempo – o domínio do tempo-espaço, conforme aprendemos no capítulo anterior. E, como uma TV, a pineal pode transformar as informações transmitidas nessas frequências em imagens vívidas e experiências surreais, lúcidas e transcendentais em nossa mente, incluindo visões multissensoriais profundamente ampliadas, além do nosso vocabulário. É mais ou menos como experimentar um filme IMAX multidimensional.

Nesse ponto, você poderia pensar: "Essa pequena glândula está dentro do meu crânio; como vou exercer estresse mecânico sobre os cristais, criar um efeito piezoelétrico e ativar a glândula pineal para que ela funcione como uma antena? E como essa antena vai captar frequências e informações além da matéria e da luz e fazer a transdução dessas assinaturas eletromagnéticas em imagens significativas, como uma experiência transcendental além da realidade tridimensional?".

Para que a glândula pineal seja ativada, quatro coisas importantes devem acontecer. Vou abordar três delas agora e informarei o quarto passo na hora de ensinar a meditação.

1. O efeito piezoelétrico

Os cristais de calcita mencionados acima e mostrados na figura 12.4 são fundamentais para a criação do efeito piezoelétrico na glândula pineal. Lembre-se, os cristais são minúsculos, com cerca de 1 a 20 mícrons de comprimento. Para colocar em perspectiva, o tamanho pode variar de um centésimo a um quarto da espessura de um fio de cabelo humano. Na maior parte, são em formato de octaedro, hexaedro e romboedro.

Como já aprendemos no Capítulo 5, o objetivo da técnica de respiração que praticamos antes de muitas meditações é retirar a mente do corpo, liberando energia potencial (armazenada como emoções) dos três centros de energia inferiores. Enquanto inspiramos e contraímos os músculos intrínsecos, acompanhamos a respiração desde o períneo até o topo da cabeça, depois prendemos a respiração e comprimimos mais os músculos, aumentando a pressão intratecal. Como já mencionei, essa é a pressão criada quando você faz pressão interna contra as paredes do corpo, como, por exemplo, quando prende a respiração e ergue algo pesado.

A palavra "piezoelétrico" deriva das palavras gregas *piezein*, que significa "apertar ou pressionar", e *piezo*, que significa "empurrar". Não é por acaso que peço para prender a respiração e apertar os músculos intrínsecos. Quando faz isso, você empurra o líquido cefalorraquidiano contra a glândula pineal, exercendo estresse mecânico sobre ela. Esse estresse mecânico se traduz em uma carga elétrica, e é essa ação precisa que comprime os cristais empilhados na glândula pineal e cria um efeito piezoelétrico; os cristais da glândula pineal geram uma carga elétrica em resposta ao estresse que você aplica.

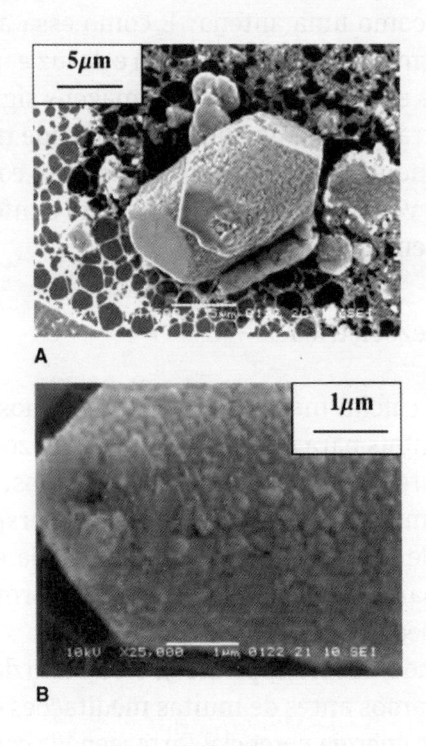

FIGURA 12.4

Foto de um cristal de calcita encontrado na glândula pineal.

Uma das características singulares do efeito piezoelétrico é ser reversível, o que significa que os materiais que exibem o efeito piezoelétrico direto (os cristais) também exibem um efeito piezoelétrico reverso. Quando os cristais na glândula são comprimidos e criam uma carga elétrica, o campo eletromagnético que emana da glândula pineal faz com que os cristais se estiquem à medida que o campo aumenta. Quando os cristais que geram o campo eletromagnético atingem seu limite e não podem se estender mais, se contraem, e o campo eletromagnético reverte a direção e se move em direção à glândula pineal. Quando o campo eletromagnético atinge os cristais da glândula pineal, comprime-os novamente, produzindo outro campo eletromagnético. Esse ciclo de expansão e reversão do campo perpetua um campo eletromagnético pulsante.

Não é de admirar que eu diga para prender a respiração, apertar e contrair os músculos – e não é surpresa que eu insista na repetição desse processo várias vezes. Enquanto você faz a respiração, prende o ar e contrai os músculos, continuadamente a cada ciclo da respiração você esta ativando as propriedades piezoelétricas da glândula pineal. Quanto mais faz isso, mais acelera os ciclos por segundo de expansão e contração do campo eletromagnético, tornando os pulsos cada vez mais rápidos. A glândula pineal se torna uma antena pulsante, capaz de captar frequências eletromagnéticas mais rápidas e mais e mais sutis.

Dê uma olhada na figura 12.5. Falamos sobre o movimento do líquido cefalorraquidiano durante a respiração no Capítulo 5, mas vamos expandir o ensinamento. Ao entrar no cérebro, o fluido se desloca pelo canal central, no espaço entre a coluna vertebral e a medula espinhal. A partir daí, flui em duas direções. Primeiro entra no quarto ventrículo, depois no terceiro ventrículo. Ao fluir do quarto para o terceiro ventrículo, passa por um caminho ou canal estreito, e aninhado bem atrás do terceiro ventrículo repousa o que parece uma pequena pinha (é isso que significa "pineal"). Trata-se da glândula pineal, do tamanho de um grão de arroz graúdo. O líquido cefalorraquidiano também flui em torno da parte posterior do cerebelo para o outro lado da glândula pineal, circundando-a com fluido pressurizado.

Ao aumentar a pressão intratecal, você canaliza um volume maior de líquido para a câmara do terceiro ventrículo e para o espaço ao redor do cerebelo. Então, você prende a respiração e contrai a musculatura, o volume extra de fluido exerce pressão das duas direções contra os cristais, fazendo com que se comprimam e criem o efeito piezoelétrico. Este é o primeiro evento que deve ocorrer para ativar a glândula pineal.

VENTRÍCULOS DO CÉREBRO

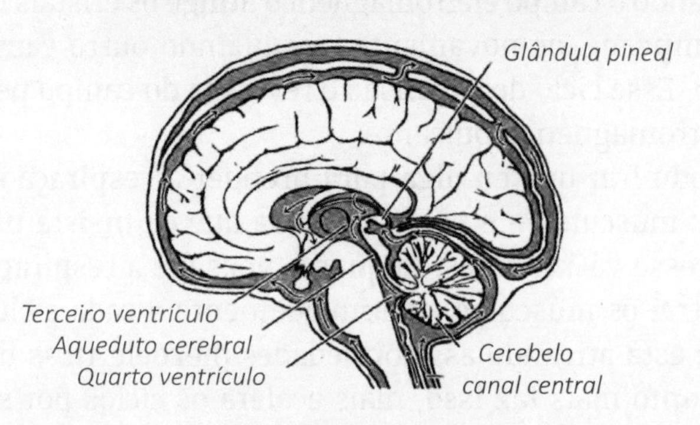

FIGURA 12.5

Quando inalamos pelo nariz e ao mesmo tempo comprimimos os músculos intrínsecos, aceleramos o líquido cefalorraquidiano para o cérebro. Ao seguirmos o movimento da energia até o topo de nossa cabeça, prendendo a respiração e apertando, aumentamos a pressão intratecal. O aumento da pressão move o líquido cefalorraquidiano do quarto ventrículo através de um pequeno canal para o terceiro ventrículo (setas). Ao mesmo tempo, o fluido em curso ao redor do cerebelo (setas) comprime os cristais da glândula pineal. O estresse mecânico aplicado produz uma carga elétrica na glândula pineal, criando um efeito piezoelétrico.

2. A glândula pineal libera seus metabólitos

O líquido cefalorraquidiano se move por um sistema fechado chamado sistema ventricular (consulte a figura 12.5). O sistema ventricular facilita o movimento do fluido desde a base da coluna vertebral, através dela, das quatro câmaras do cérebro (chamadas aquedutos ou ventrículos) e de volta ao sacro (base da coluna vertebral). Quando você inspira e acompanha a respiração até o topo da cabeça, prende a respiração e contrai para cima e para dentro, acelera o líquido cefalorraquidiano.

Na superfície da glândula pineal existem pequenos pelos, os cílios (veja a figura 12.6). O fluido acelerado, em movimento mais rápido do que o normal através das câmaras do sistema ventricular, roça nos cílios, que superestimulam a glândula pineal. Como a pineal tem a forma de um falo, a estimulação produzida pela aceleração do fluido, combinada com a ativação elétrica criada pelo aumento da pressão intratecal em um sistema fechado, faz a glândula ejacular alguns metabólitos aprimorados de melatonina no cérebro. Você fica um

CÍLIOS NA EXTREMIDADE DA GLÂNDULA PINEAL

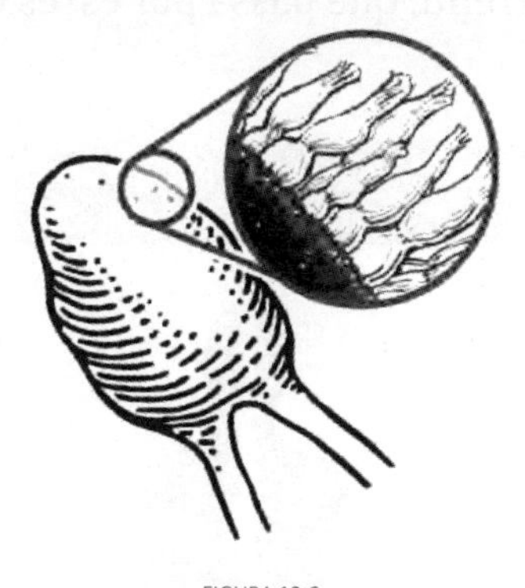

FIGURA 12.6

Os pequenos cílios da glândula pineal são estimulados quando o fluido cefalorraquidiano acelera através do sistema ventricular.

passo mais perto de ativar a glândula pineal e ter uma experiência transcendental.

3. A energia é distribuída diretamente no cérebro

Ao lançar um foguete no espaço, superar a gravidade para sair do chão é a parte que mais requer energia; de modo semelhante, mover a energia de nossos centros inferiores exige um bocado de intensidade e esforço. A respiração se torna a intenção apaixonada de nos libertar das emoções autolimitantes do passado. A coluna vertebral se torna o mecanismo de distribuição da energia, e o topo da cabeça se torna o alvo.

Como você já sabe, toda vez que executa a respiração, envia partículas carregadas coluna vertebral acima. À medida que essas partículas aumentam em velocidade e aceleração, criam o que é conhecido como campo de indutância (veja a figura 12.7). O campo de indutância reverte o fluxo de informações bidirecionais que facilita a comunicação do cérebro-corpo e corpo-cérebro. Semelhante ao vácuo, o campo de indutância extrai a energia dos centros inferiores – energia envolvida no orgasmo, absorção, digestão, estresse de lutar ou fugir e controle – e a distribui diretamente no tronco cerebral em movimento espiral. Quando a energia sobe através de cada vértebra, passa pelos nervos que saem da medula espinhal para diferentes pontos do corpo, e parte dessa energia escoa-se através dos nervos periféricos que influenciam tecidos e órgãos. A corrente que passa por esses canais nervosos ativa

ATIVAÇÃO DO SISTEMA NERVOSO PERIFÉRICO QUANDO A ENERGIA SE MOVE COLUNA ACIMA

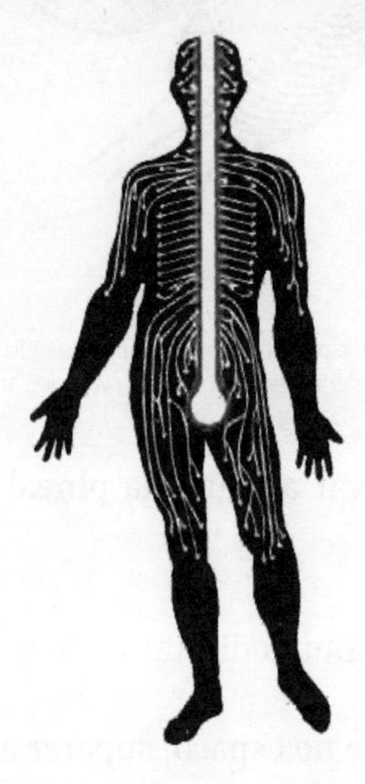

FIGURA 12.7

Quando a energia é liberada do corpo para o cérebro, passa por cada nervo espinhal existente entre cada vértebra. A excitação desse sistema ativa ainda mais os nervos periféricos, que transferem mais energia para diferentes tecidos e órgãos. Como resultado, mais energia é distribuída por todo o corpo.

o sistema de meridianos do corpo; com isso, todos os outros sistemas recebem mais energia.[60]

Quando a energia chega ao tronco cerebral, tem que passar pela formação reticular. O trabalho da formação reticular é editar constantemente as informações que vão do cérebro para o corpo, bem como do corpo para o cérebro. Essa formação faz parte de um sistema chamado sistema ativador reticular (SAR), responsável pelos níveis de vigília. Quando você acorda de um sono profundo porque ouve um som em sua casa, é o SAR que o alerta e desperta. Essa é a função rudimentar. No entanto, quando o sistema nervoso simpático é ativado e se funde com o sistema nervoso parassimpático, em vez de esgotar a energia armazenada do corpo, ele libera essa energia de volta ao cérebro. Quando a energia atinge o tronco cerebral, a porta talâmica se abre e a energia passa pela formação reticular para o tálamo, onde transmite informações ao neocórtex. A formação reticular fica aberta, e você experimenta maiores níveis de consciência. De certa forma, você fica mais consciente e desperto. (Pense no tálamo como uma grande estação de trem com trilhos que levam aos centros superiores do cérebro.) É assim que o cérebro entra em padrões de onda gama. Uma observação: existem dois tálamos individuais no mesencéfalo (um de cada lado), que alimentam cada hemisfério no neocórtex. A glândula pineal fica bem entre eles, voltada para a parte posterior do cérebro (ver figura 12.8). Quando a energia atinge cada junção talâmica (lembre-se de que o tálamo é como uma estação de retransmissão para todas as outras partes do cérebro), os tálamos enviam uma mensagem diretamente à glândula pineal para secretar seus metabólitos no cérebro. O neocórtex pensante é despertado e entra em padrões mais

OS DOIS TÁLAMOS NO MESENCÉFALO E A GLÂNDULA PINEAL NO MEIO, VOLTADA PARA A PARTE DE TRÁS DO CÉREBRO

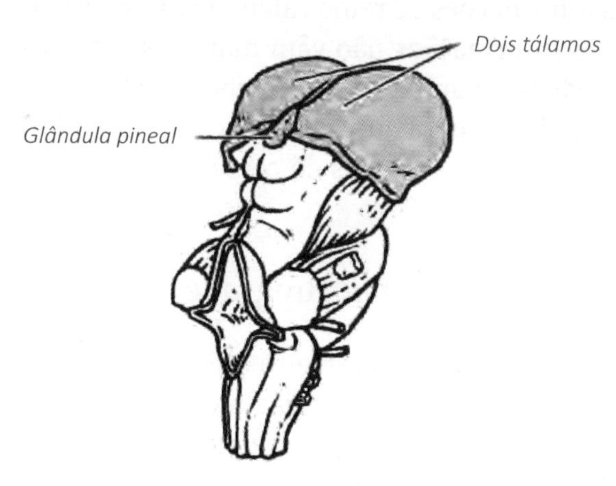

FIGURA 12.8

Bem entre os tálamos no mesencéfalo, situa-se a pequena glândula pineal, em forma de pinha, voltada para a parte de trás do cérebro.

elevados de onda, como gama. A natureza desses derivados químicos da melatonina relaxa o corpo e, ao mesmo tempo, desperta a mente.

Lembre-se, quando você está em ondas beta, o sistema nervoso simpático está alerta para uma emergência no mundo exterior e utiliza a energia para sobreviver. A diferença com as ondas gama é que, em vez de perder energia vital, você libera e cria mais energia no corpo. Você não está em estado de emergência ou sobrevivência quando isso ocorre; está em êxtase, e o sistema nervoso simpático é acionado para incitá-lo a prestar mais atenção ao que acontece em sua mente.

No Capítulo 5, eu disse que, quando a energia se move do corpo para o cérebro, um campo toro é criado ao redor do corpo. Quando você faz uma corrente subir pela coluna vertebral, acelerando o movimento do líquido cefalorraquidiano, seu corpo fica parecido com um ímã, e você cria um campo eletromagnético ao redor. Um campo toro representa um fluxo dinâmico de energia. Ao mesmo tempo que o campo toro se move para cima, para fora e ao redor do corpo, quando a glândula pineal é ativada, um campo toro reverso atrai energia para dentro do corpo pelo topo da sua cabeça. Como toda frequência carrega informações, a glândula pineal recebe informações além do campo de luz visível e além dos sentidos (veja a figura 12.9).

Quando as três coisas acontecem em conjunto, a sensação é de ter um orgasmo na cabeça. Você criou uma antena no cérebro, e essa antena capta informações de reinos além da matéria e além do espaço e do tempo. As informações não vêm mais dos sentidos ou da interação dos olhos com o ambiente. Você obtém informações do campo quântico movendo-se para outro olho – o terceiro olho – a partir da glândula pineal, na parte de trás do cérebro.

Quando a melatonina tem um upgrade, *a magia acontece*

Quando a glândula pineal (ou terceiro olho) é despertada por captar frequências mais altas, essas energias mais altas alteram a química da melatonina; quanto mais alta a frequência, maior a alteração. É a tradução da informação em substâncias químicas que lhe prepara para momentos místicos e transcendentais. Você abre a porta para dimensões mais elevadas de espaço e tempo. Por isso gosto de chamar

TORO REVERSO

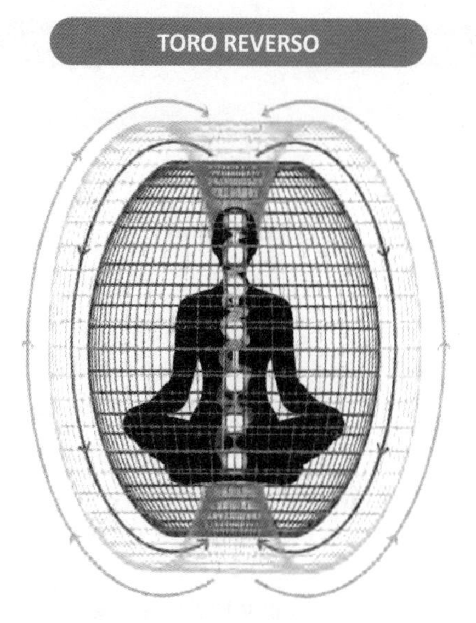

A energia se move do campo unificado para dentro do corpo.

FIGURA 12.9

Quando a energia dos três centros inferiores é ativada durante a respiração e sobe pela coluna até o cérebro, um campo toro de energia eletromagnética é criado ao redor do corpo. Quando a glândula pineal é ativada, um campo toro reverso de energia eletromagnética, movendo-se na direção oposta, extrai energia do campo unificado para dentro do corpo pelo topo da cabeça. Como energia é frequência e frequência transporta informações, a glândula pineal traduz essas informações em imagens vívidas.

a glândula pineal de alquimista, porque transmuta melatonina em neurotransmissores muito intensos, radicais.

Dê uma olhada na figura 12.10. Quando frequências mais altas e estados mais elevados de consciência interagem com a glândula pineal, uma das primeiras coisas que acontecem é que essas frequências transmutam melatonina em produtos químicos chamados benzodiazepínicos. Os benzodiazepínicos são uma classe de drogas, a partir das quais é produzido o Valium, que anestesiam a mente analítica; de repente, o cérebro pensante relaxa e para de analisar. De acordo com imagens cerebrais funcionais, os benzodiazepínicos suprimem a atividade neural na amídala, o centro de sobrevivência do cérebro. Isso limita as substâncias químicas que nos fazem sentir medo, raiva, agitação, agressividade, tristeza ou dor.[61] O corpo se sente calmo e relaxado, mas a mente está desperta.

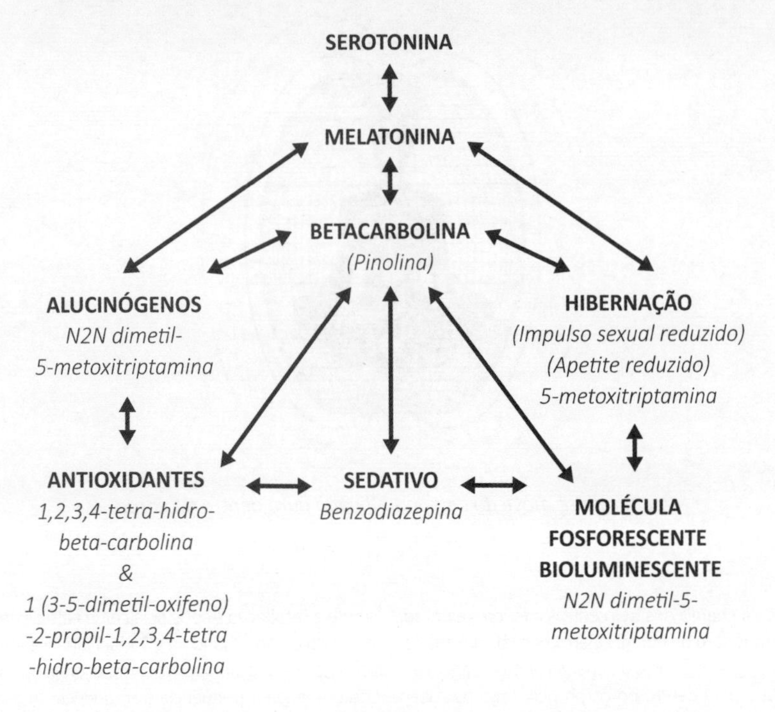

FIGURA 12.10

Veja os diferentes metabólitos da melatonina criados quando a glândula pineal se conecta a frequências mais rápidas que a luz visível normal e a molécula mística tem um *upgrade* biológico.

Outra substância química criada a partir da melatonina produz uma classe de antioxidantes muito poderosos chamados pinolinas (veja a figura 12.10). As pinolinas são importantes porque atacam os radicais livres que danificam as células e causam envelhecimento. Esses antioxidantes são anticâncer, antienvelhecimento, antidoenças cardíacas, antiderrame, antineurodegenerativos, anti-inflamatórios e antimicrobianos. São uma fórmula perfeita para aprimorar o papel normal da melatonina de antioxidante para o de antioxidante turbinado que restaura e cura o corpo em grau ainda maior do que a molécula de melatonina. (Veja os poderosos antioxidantes relacionados na figura 12.10, todos produzidos a partir de metabólitos da melatonina.)

Se você pegar essa molécula e a melhorar de novo, tornando-a uma prima da melatonina, vai encontrar a mesma substância química que faz os animais hibernarem. Quando a melatonina (que nos deixa sonolentos e propensos a sonhar) se altera levemente e se transforma nessa molécula mais poderosa, carrega uma mensagem para prolongar o descanso e reparar ainda mais. A mensagem também faz com que o metabolismo do corpo desacelere, em alguns casos por meses. Faz sentido, portanto, que, ao hibernar, os mamíferos quebrem hábitos típicos; por exemplo, perdem o desejo sexual, o apetite, o interesse ou necessidade de se movimentar no ambiente e a conexão com as redes sociais. Escondem-se para se proteger e se sentir seguros; durante o período de recolhimento, o corpo entra em estase. A mesma coisa pode valer para nós à medida que os valores aumentam. Como o corpo não é mais a mente, perdemos temporariamente o interesse pelo mundo exterior; como não temos impulsos biológicos e não nos distraímos com as necessidades corporais, somos capazes de entrar mais plenamente no momento presente e mergulhar fundo. Se você vai sonhar o sonho do futuro, não seria uma boa ideia tirar o corpo do caminho?

Se você pegar essa molécula e a refinar mais uma vez, produzirá a mesma substância química encontrada nas enguias elétricas, um elemento fosforescente e bioluminescente que amplifica a energia no sistema nervoso. Dê mais uma olhada na figura 12.10. Esse produto químico pode ser poderoso o suficiente para causar um choque significativo. Tenho um forte palpite de que esse é o extraordinário produto químico que influencia o cérebro a processar os aumentos de energia que medimos repetidamente em nossos alunos. Imagine uma enguia elétrica que literalmente se acende com energia quando estimulada. É o que acontece no cérebro quando ativado. Só que a energia e as informações criadas não provêm de uma experiência no ambiente percebida por meio dos sentidos, mas de dentro do cérebro, causada por um *upgrade* na frequência. Quando vemos níveis de alta energia no cérebro, sabemos que a pessoa está vivenciando uma experiência subjetiva profunda que pode ser medida objetivamente.

Pense um pouco. Com estímulo sensorial do ambiente através dos olhos, a glândula pineal produz serotonina e melatonina. A luz visível do Sol nos faz entrar em harmonia com o meio ambiente, o que chamamos de ritmo circadiano. Como resultado desse processo, serotonina e melatonina transportam informações iguais à frequência proveniente do mundo físico. Como percebemos a luz visível através dos sentidos, essas moléculas são inerentes aos humanos, são equivalentes ao reino de nossa realidade tridimensional.

Lembre-se de que, como disse Einstein, o teto do mundo material é a velocidade da luz. O que acontece quando o cérebro processa um aumento na frequência e na informação de um reino além dos sentidos e além da velocidade da luz? É possível que informação e energia provenientes do campo unificado alterem a química da melatonina para se tornar outra contraparte química no cérebro? E o cérebro poderia traduzir essas frequências em uma mensagem? Se a energia é o epifenômeno da matéria, faz sentido que as informações provenientes de uma frequência mais rápida que a luz visível possam alterar a estrutura molecular da melatonina em poderosos elixires em nosso cérebro. A glândula pineal é responsável por traduzir informações em uma variação química da melatonina; portanto, a molécula carrega uma mensagem igual à frequência. A nova frequência influencia uma substância química turbinada e aprimorada. Não é mais natural, é sobrenatural. A melatonina passar por um *upgrade*.

A substância química fosforescente e bioluminescente não só aumenta a energia no cérebro, como também realça as imagens que a mente percebe internamente, de modo que tudo parece feito de luz vívida, surreal e luminescente. Como resultado, as pessoas relatam experimentar cores que nunca viram antes, pois existem fora da experiência conhecida do espectro de luz visível. As cores aparecem como luzes de outro mundo, intensas e brilhantes em um mundo tecnicolor, lúcido e opalescente de beleza suspensa. Tudo parece emitir uma bela luz de energia vívida e radiante que se pode sentir. Esse mundo de auréolas douradas, cintilantes e brilhantes dentro e ao redor de tudo, parece mais iluminado do que a realidade sensorial. E, claro, será difícil tirar sua atenção de toda essa beleza. Como toda a sua atenção está na experiência, parece que você está realmente lá, totalmente presente nesse outro mundo ou dimensão.

Veja a figura 12.10 novamente. Altere a melatonina mais uma vez e você vai produzir a substância química dimetiltriptamina (DMT), uma das substâncias alucinógenas mais poderosas conhecidas pelo homem. É o elemento químico encontrado na *ayahuasca*, planta medicinal e espiritual tradicional usada em cerimônias pelos povos indígenas da Amazônia. Diz-se que o principal ingrediente ativo do DMT cria visões espirituais e *insights* profundos sobre o mistério do eu. Quando a *ayahuasca* ou outros produtos químicos vegetais que contêm essa molécula são ingeridos, o corpo recebe apenas DMT; porém, quando a glândula pineal é ativada, recebe toda a mistura de elementos químicos mencionados acima, e isso causa experiências internas muito profundas. Há relatos de experiências de imensa dilatação do tempo (o tempo parece infinito), viagens no tempo, viagens a reinos paranormais, visões de padrões geométricos complexos, encontros com seres espirituais e outras realidades interdimensionais místicas. Muitos de nossos alunos relatam encontros surpreendentes além do mundo físico conhecido durante a meditação da glândula pineal.

Quando essas substâncias químicas são liberadas no cérebro, a mente tem experiências que parecem mais reais do que qualquer coisa que a pessoa já tenha encontrado na realidade sensorial. É difícil expressar essa nova dimensão com a linguagem. A nova experiência ocorre como um completo desconhecido; caso você se renda, sempre vale a pena.

Sintonize em dimensões mais elevadas: a glândula pineal como transdutor

Dependendo da tradução utilizada, em Mateus 6:22, Jesus disse: "Se teus olhos forem bons, todo o teu corpo terá luz". Creio que ele falava sobre ativar a glândula pineal, porque isso nos permite experimentar um espectro mais amplo da realidade. Muitos de nossos alunos podem atestar o fato de que, quando a glândula pineal é ativada – quando eles se conectam plenamente ao campo unificado – todo o corpo fica cheio de energia e luz. A partir do campo cósmico, a energia além dos sentidos entra pelo topo da cabeça e percorre todo o corpo. Quando isso ocorre, experimentam-se informações armazenáveis além do banco de memória ou dos conhecidos previsíveis da vida diária – e tudo começa com a alteração química da melatonina na glândula pineal.

Em toda a minha pesquisa sobre a glândula pineal, desenvolvi uma compreensão própria até a seguinte definição: a glândula pineal é um supercondutor cristalino que envia e recebe informações por meio da transdução de sinais vibracionais energéticos (frequência além dos sentidos, também conhecida como campo quântico) e as traduz no tecido biológico (cérebro e mente) na forma de imagens significativas, da mesma maneira que uma antena traduz diferentes canais em uma tela de TV.

Quando a glândula pineal é ativada, porque você tem uma anteninha no cérebro; quanto maior a frequência captada, maior é a energia exercida para alterar e transmutar a química da melatonina. Como resultado dessa modificação química, você terá uma experiência muito diferente da que a melatonina costuma produzir. Talvez uma maneira melhor de explicar seja dizer que você terá uma imagem mais clara. Pense da seguinte maneira: quanto maior a frequência, mais sua experiência será semelhante a passar da imagem de uma tela de televisão dos anos 1960 para uma experiência IMAX 3D 360 graus, acompanhada de som *surround*. A melatonina, o neurotransmissor dos sonhos, evolui para um neurotransmissor mais poderoso e lúcido para tornar nossos sonhos mais reais.

Durante todo esse processo, a glândula pineal tem uma cúmplice chamada glândula pituitária. Com formato de pera, a glândula pituitária fica atrás da parte superior do nariz, bem no meio do cérebro. A região frontal (anterior) é responsável por produzir a maioria das substâncias químicas que influenciam as glândulas e os hormônios associados a cada um dos centros de energia. Quando a glândula pineal é ativada e libera certos metabólitos atualizados,[62] a parte posterior da pituitária desperta, o que a faz produzir duas substâncias químicas importantes: ocitocina e vasopressina.[63]

Sabe-se que a primeira substância química, a ocitocina, produz emoções elevadas que fazem o coração se encher de amor e alegria (é chamada de substância química da conexão emocional ou hormônio do vínculo). Quando os níveis de ocitocina ficam acima do normal, a maioria das pessoas experimenta sentimentos intensos de amor, perdão, compaixão, alegria, totalidade e empatia, um estado interno que você provavelmente não se disporia a trocar por algo externo. (Afinal, esses estados são o começo do amor incondicional.)

Quando os níveis de ocitocina ultrapassam um certo nível, pesquisas mostram que é difícil guardar rancor. Em um estudo realizado por cientistas da Universidade de Zurique, 49 participantes jogaram uma variação do que é conhecido como Trust Game (jogo da confiança) doze vezes consecutivas. Nesse jogo, um investidor com uma certa quantia deve decidir entre guardar o dinheiro ou compartilhar uma parte com outro jogador chamado depositário. Seja qual for a soma compartilhada pelo investidor com o depositário, ela é automaticamente triplicada. O depositário então tem que tomar uma decisão: ficar com todo o dinheiro, deixando o investidor sem nada ou compartilhar a quantia triplicada com o investidor, que obviamente espera obter lucro. Basicamente, a decisão se resume a traição. Um ato egoísta é uma vitória para o depositário, mas deixa o investidor no prejuízo.

E se a ocitocina for introduzida na equação? No estudo, os pesquisadores aplicaram um esguicho de ocitocina no nariz de alguns jogadores antes do jogo, dando aos outros um placebo. A seguir fizeram exames de ressonância magnética funcional (fMRI) no cérebro dos investidores enquanto tomavam suas decisões sobre o valor a investir e se confiavam ou não.

Depois das seis primeiras rodadas, os investidores receberam *feedback* sobre seus investimentos e foram informados de que sua confiança havia sido traída mais ou menos na metade do tempo. Os participantes que receberam o placebo antes de jogar sentiram-se com raiva e traídos, por isso investiram muito menos nas seis rodadas finais. Os participantes que receberam o esguicho de ocitocina, no entanto, investiram a mesma quantia que tinham investido nas primeiras rodadas, apesar de terem sido traídos. Os exames de ressonância magnética funcional mostraram que as principais áreas do cérebro afetadas foram a amídala (associada ao medo, ansiedade, estresse e agressividade) e o estriado dorsal (que orienta comportamentos futuros com base em *feedback* positivo). Os participantes que receberam a ocitocina tiveram uma atividade muito menor na amídala, o que equivale a menos raiva e medo de ser traído novamente, bem como menos medo de perdas financeiras. Também tiveram uma atividade muito menor no estriado dorsal, o que significa que não precisavam mais se basear em resultados positivos para tomar decisões.[64]

Como demonstra o estudo, no momento em que a pituitária posterior libera suas substâncias químicas e o nível de ocitocina sobe, os centros de sobrevivência na amídala do cérebro são desligados, o que arrefece os circuitos de medo, tristeza, dor, ansiedade, agressividade e raiva. Aí a única coisa que sentimos é amor pela vida. Medimos os níveis de ocitocina em nossos alunos antes e depois das oficinas. No encerramento, alguns haviam aumentado os níveis significativamente. Quando entrevistamos esses alunos, muitos repetiram: "Estou muito apaixonado pela minha vida e por todos que fazem parte dela. Não quero que esse sentimento desapareça nunca. Quero lembrar desse sentimento para sempre. Esse é quem eu realmente sou".

A outra substância química produzida pela glândula pituitária quando a glândula pineal é ativada chama-se vasopressina, ou hormônio antidiurético. À medida que os níveis de vasopressina aumentam, o corpo naturalmente retém líquidos, fazendo com que se torne ainda mais composto de água. Isso é importante porque, para processar uma frequência maior, é necessário que a água sirva de conduíte para lidar melhor com a frequência mais alta no corpo e traduzir essa frequência nas células. No momento em que a vasopressina aumenta, deixa a glândula tireoide mais estável, o que afeta o timo e o coração, o que afeta as adrenais, o que afeta o pâncreas, o que produz um efeito cascata positivo até os órgãos sexuais.[65]

Quando sintonizamos frequências mais altas, acessamos um tipo diferente de luz – uma frequência mais rápida que a luz visível – e de repente ativamos uma inteligência maior dentro de nós. Como a glândula pineal é ativada, podemos captar frequências mais altas, o que produz uma alteração química. Quanto maior a frequência que captamos, mais se altera nossa química, o que significa mais experiências visuais alucinógenas da energia mais elevada. Os cristais na glândula pineal, atuando como uma antena cósmica, são a porta de entrada para os reinos vibracionais superiores de luz e informação. É assim que temos experiências internas mais reais que as externas.

Os metabólitos químicos pineais se encaixam nos mesmos receptores de serotonina e melatonina, mas carregam uma mensagem química muito diferente, oriunda de um reino além da realidade material sensorial. Como resultado, o cérebro fica preparado para uma experiência mística, abrindo a porta para outras dimensões e levando o indivíduo de uma realidade espaço-tempo para uma realidade tempo-espaço. Como toda frequência carrega uma mensagem e essa mensagem é uma alteração química, uma vez que a glândula pineal é ativada e você começa a experimentar e processar níveis mais elevados de frequência, energia e consciência, estes muitas vezes se apresentam como padrões geométricos complexos cambiantes, geralmente percebidos pelo olho da mente. Isso é bom, é informação.

Quando você tem experiências místicas, seu sistema nervoso está tão coerente que consegue sintonizar em mensagens supercoerentes. Na escuridão do vácuo, a glândula pineal se torna o vórtice para padrões e pacotes de informações muito organizados, e, quando você coloca a atenção neles, eles se modificam e movimentam constantemente como um caleidoscópio. Do mesmo modo que uma TV capta frequências e as transforma em imagens na tela, a glândula pineal transduz quimicamente as frequências mais altas em imagens vívidas e surreais.

No gráfico 13 do encarte colorido, você pode ver alguns padrões geométricos chamados de geometria divina (ou sagrada). Esses padrões existem há milhares de anos. No Capítulo 8, mencionei que esses padrões assemelham-se a antigas mandalas. São energia e informação na forma de frequência; se você consegue se render a eles, o cérebro (por meio da glândula pineal) transduz as formas, mensagens e informações em cenas, imagens muito vívidas ou experiências lúcidas. A melhor coisa a fazer quando se vê ou experimenta esses padrões é render-se e não tentar fazer nada acontecer.

Os padrões e formas geralmente não são bidimensionais ou estáticos; ao contrário, são vivos, têm profundidade e compreendem infindáveis fractais matemáticos muito coerentes e infinitamente complexos. Outra maneira de ver isso é por meio do conceito de cimática. Derivada da palavra grega para "onda", cimática refere-se a fenômenos baseados em vibração ou frequência. Funciona assim: imagine retirar a tampa de uma caixa de alto-falante antiga. Se você enchesse o alto-falante com líquido, colocasse uma luz sobre ele e começasse a tocar música clássica através do equipamento, a frequência e a vibração do som acabariam criando ondas estacionárias coerentes. Essas ondas interfeririam umas nas outras e acabariam criando padrões geométricos dentro de padrões. Como em um caleidoscópio, você veria esses arranjos geométricos em evolução se tornando mais organizados. A diferença entre as imagens do caleidoscópio e da cimática é que as do caleidoscópio são bidimensionais. Padrões geométricos cimáticos parecem vivos e são tridimensionais ou mesmo multidimensionais. Além da água, os efeitos vibracionais da cimática são traduzíveis em areia e ar; em outras palavras, esses três meios captam vibração e frequência e os transformam em padrões geométricos coerentes. (Se você pesquisar, vai encontrar vários vídeos mostrando isso no YouTube.)

Quando a glândula pineal capta informações, capta os mesmos tipos de ondas no ambiente ao redor. Essas ondas estacionárias coerentes e altamente organizadas que existem além do espectro de luz visível são constantemente consolidadas em pacotes de informações e transformadas em imagens pela glândula pineal. São apenas padrões de informação que se cruzam de maneira muito coerente e, quando você coloca a consciência neles, mudam e evoluem, ficando cada vez mais fractais, intrincados, belos e divinos. São informações, e, como um transdutor, a glândula pineal capta as informações e as decodifica em imagens. Essa é uma das razões pelas quais decidi usar o caleidoscópio como ferramenta em nossos eventos avançados, para treinar o cérebro dos alunos, desarmá-los para quando experimentassem esse sistema de imagens complexas, bem como para reconhecê-las com mais facilidade e se abrir para receber esse tipo de informação. Além disso, como o caleidoscópio faz o cérebro entrar em ondas alfa ou theta e o deixa mais sugestionável, dá para ver como olhar as imagens em estado de transe prepara a mente subconsciente para uma experiência mística.

Quando a glândula pineal captar as imagens, aperte o cinto de segurança, porque as coisas vão ficar emocionantes. Você pode sair do corpo e viajar por um túnel de luz ou todo o seu corpo pode ficar cheio de luz. Você pode até sentir que se tornou o universo inteiro e, ao olhar para o seu corpo, indagar como vai voltar para ele.

Ao começar a ter essas experiências muito profundas e desconhecidas, você tem duas opções: pode se contrair com medo porque é o desconhecido ou pode se render e confiar porque é o desconhecido. Quanto mais se render e confiar, mais profundas serão as experiências; como a experiência é muito profunda, você não vai querer voltar à vigília, alterando as ondas cerebrais para beta. É o momento de se render, relaxar e se aprofundar ainda mais no estado transcendental de consciência. Você não está dormindo, não está acordado, não está sonhando, está transcendendo esta realidade. Se a química do seu cérebro estiver correta, seu corpo estará completamente sedado. É para isso que treinamos, para experimentar níveis mais altos de totalidade, unicidade, amor e consciência.

Mas tem mais.

Alteração química cria uma nova realidade

Imagine se nesse momento todos os seus sentidos fossem aumentados em 25%. Nesse caso, tudo o que visse, ouvisse, provasse, cheirasse e sentisse o tornaria mais consciente de tudo ao redor. Se percepção e consciência são a mesma coisa, à medida que a consciência é intensificada, a energia que o cérebro recebe também aumenta (porque você não pode ter uma mudança de consciência sem uma mudança de energia ou vice-versa). À medida que o cérebro se conecta a uma frequência diferente que processa um novo fluxo de consciência, ele literalmente se liga e, por ter os sentidos amplificados, você produz um nível elevado de consciência. Quanto maior a energia ou a frequência, maior a alteração na sua química; quanto maior a alteração na sua química, mais lúcida a sua experiência. Então, quando você está nesse estado transcendental, sente-se mais desperto e mais consciente do que na realidade do dia a dia. À medida que sua consciência se amplifica, você se sente como se estivesse verdadeiramente na realidade transcendental.

Se você capta informações além dos sentidos, informações que não são originárias da luz visível ou do Sol, faz sentido falar em "terceiro olho". Por ter uma experiência interna tão profunda e novas experiências montarem novas redes neurais, essa experiência enriquece os circuitos do cérebro. À medida que o corpo processa energias superiores, essa energia altera sua química; se o resultado final de uma experiência é uma emoção, essa experiência cria sentimentos e emoções elevadas. Você ativa e enxerga com um olho diferente, com uma visão interior.

Se o acúmulo de sentimentos é uma emoção, e emoção é energia, sabemos que, quando experimenta emoções de sobrevivência, você se sente mais semelhante à densidade da matéria e das substâncias químicas, pois essas emoções diminuem a frequência. À medida que experimenta estados mais elevados de consciência, você começa a se sentir menos como matéria ou substância química e mais como energia, pois esses estados vibram com frequência mais alta. Por isso chamo essa energia em forma de sentimentos de emoções elevadas.

Se o ambiente sinaliza os genes em uma célula, se experiências no ambiente criam emoções – e emoções são o *feedback* químico da experiência no ambiente –, então, se nada muda no ambiente externo, nada muda no ambiente interno do corpo (que é o ambiente externo da célula). Quando você vive com as mesmas emoções autolimitantes por anos, seu corpo nunca muda biologicamente porque não sabe a diferença entre a emoção oriunda do ambiente externo e a emoção proveniente do ambiente interno. O corpo acredita que vive nas mesmas condições ambientais porque as mesmas emoções produzem os mesmos sinais químicos. Assim como o corpo vive em um ambiente externo no qual nada muda, a célula também vive em um ambiente químico no qual nada muda.

Quando você começa a ter experiências internas de percepção ampliada e consciência expandida – experiências mais reais e sensoriais do que qualquer outra no passado –, no momento em que sente a nova emoção elevada ou energia extática, você altera seu estado interno e, como resultado, presta mais atenção às imagens da realidade criada dentro de si. Se você tem uma nova experiência tão real que capta toda a atenção do cérebro, a nova experiência (ou despertar) grava o evento neurologicamente no cérebro. A nova emoção cria uma memória de longo prazo, e as novas emoções sinalizam novos genes, mas dessa vez a experiência que cria a memória de longo prazo não vem do ambiente externo, vem do ambiente interno que é o ambiente externo da célula.

Como o evento é tão poderoso que você não pode não estar ciente, então:

- Quanto maior a energia, maior a consciência.
- Quanto maior a consciência, maior a percepção.
- Quanto maior a percepção, mais ampla a experiência de realidade que você tem.

Como sabemos, toda percepção se baseia em como o cérebro é conectado a partir de experiências do passado. Não percebemos as coisas em nossa realidade como elas são, percebemos a realidade como nós somos. Se você acabou de ter uma experiência interna na qual viu seres místicos impressionantes, testemunhou um brilho, uma auréola ou luz ao redor de tudo, sentiu a totalidade, a unicidade e a interconexão de tudo e de todos ou experimentou um tempo e espaço completamente diferentes, quando abre os olhos depois da experiência seu espectro de realidade no estado de vigília estará ampliado.

Isso porque a experiência interna modificou seu cérebro, e você está neurologicamente preparado para perceber uma expressão maior da realidade. É assim que você começa a mudar quem você é de dentro para fora. É assim que você altera sua experiência no mundo tridimensional da matéria.

A evolução, tanto individual quanto em nível de espécie, é um processo lento. Você tem experiências, se machuca, aprende a lição, cresce um pouco. Então sente mais um pouco de dor, aprende a próxima lição, passa para o desafio seguinte, obtém sucesso e alcança metas, define mais metas, cresce novamente, e o ciclo continua. É um processo lento porque você não recebe muitas informações novas do ambiente externo.

Depois dessas experiências internas desconhecidas que são mais reais do que qualquer coisa no mundo externo, você nunca mais conseguirá ver a realidade da mesma maneira, porque a experiência o modifica muito profundamente. Outra maneira de colocar é que você recebe um *upgrade* ou uma atualização de *software*. Se toda a realidade que você percebe se baseia em experiências e você acabou de ter uma experiência interdimensional, o cérebro agora será capaz de perceber o que sempre existiu, mas que você não tinha circuito cerebral para perceber.

Se você tiver essas experiências expansivas continuamente, vai experimentar um espectro de realidade cada vez mais amplo. Isso ergue o véu da ilusão; quando o véu é levantado, você pode ver a realidade como ela realmente é – vibrante, brilhante, conectada e radiante em luz luminescente –, e a energia conduz todo o processo. Você sintoniza em um espectro maior de informações, no qual de repente tudo parece e é sentido de modo diferente do que quando você via simplesmente como matéria, e seu relacionamento muda. É assim que místicos e mestres trilharam o caminho – sintonizando no mundo interior e ampliando a percepção da natureza da realidade no mundo exterior. Imagine quem você poderia se tornar se deixasse de viver pelas características dos três centros energéticos inferiores (como sobrevivência, medo, dor, separação, raiva e competição) e vivesse a partir do coração e agisse movido pelo amor, pela unicidade e conexão com todas as coisas, visíveis e invisíveis.

Por terem experiências interdimensionais suficientes a partir de informações além dos sentidos, místicos e mestres deixavam de ver conforme seus genes de nascença. Não mais processavam as coisas conforme o cérebro com que nasceram estava conectado – conforme o cérebro humano foi gravado por milhares de anos. Por causa da interação com o campo, eles criavam a consciência, o circuito e a mente para perceber uma realidade diferente, uma realidade que sempre esteve lá.

As propriedades míticas e mágicas da glândula pineal, a alquimista do cérebro, com certeza não são novidade, embora pareça que a ciência moderna agora esteja descobrindo o que civilizações antigas sempre souberam.

Melatonina, matemática, símbolos antigos e a glândula pineal

Em 23 de julho de 2011, um agroglifo muito parecido com a estrutura química da melatonina apareceu no interior da Inglaterra, em Roundway, perto de Devizes, Wiltshire. (Veja a figura 12.11.) O círculo na plantação seria uma pegadinha elaborada? Ou alguém em algum lugar de outra dimensão está tentando dizer alguma coisa? Ao ler

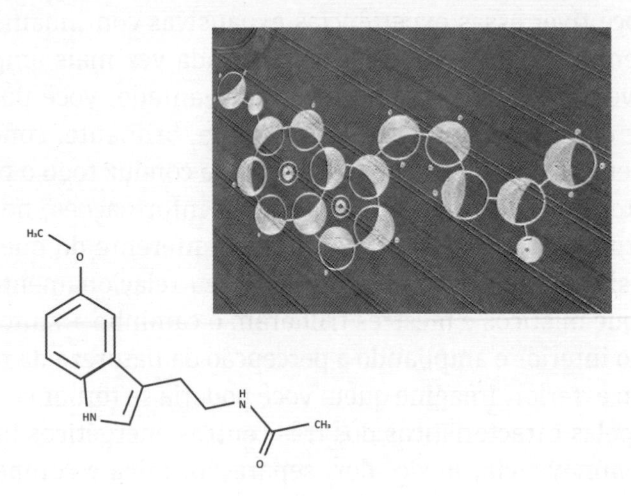

FIGURA 12.11

Esses círculos encontrados em plantações em Roundway, Reino Unido, em 23 de julho de 2011, mostram a estrutura química da melatonina. Talvez alguém esteja tentando nos dizer alguma coisa.

esta seção, você pode decidir por si se essas coisas são coincidências ou uma criação inteligente.

O cérebro tem dois hemisférios; se você os separasse, cortando o cérebro ao meio, faria o que é conhecido como corte sagital. Ao observar o corte sagital na figura 12.12, preste atenção especial à localização e formato coletivo da glândula pineal, tálamo, hipotálamo, glândula pituitária e corpo caloso. O formato lembra alguma coisa? Com o significado de proteção, poder e boa saúde, esse é o antigo símbolo egípcio chamado Olho de Hórus. Seria possível haver um antigo ensinamento sobre o sistema nervoso autônomo, o sistema ativador reticular, a porta talâmica e a glândula pineal? Os egípcios devem ter conhecido o significado do sistema nervoso autônomo e percebido que ativar a glândula pineal permitia entrar no outro mundo ou em outras dimensões.[66]

No sistema egípcio de medição, o Olho de Hórus também representava um sistema de quantificação fracionário para medir partes do todo. Na matemática moderna, chamamos isso de constante de Fibonacci, ou sequência de Fibonacci. Como já mencionei, essa é uma fórmula matemática que aparece por toda parte da natureza, em padrões que podem ser vistos em girassóis, conchas, abacaxis, pinhas,

O OLHO DE HÓRUS, O CÉREBRO LÍMBICO E A GLÂNDULA PINEAL

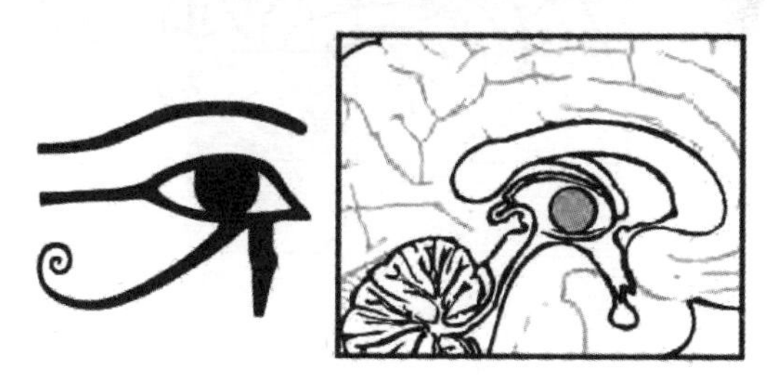

FIGURA 12.12

Se você cortar o cérebro ao meio, poderá ver o cérebro límbico. Dê uma olhada e vai notar uma semelhança impressionante com o olho de Hórus.

ovos e até mesmo na estrutura de nossa galáxia, a Via Láctea. Também conhecida como espiral dourada, média dourada ou proporção áurea, a constante de Fibonacci é caracterizada pelo fato de que todo número após os dois primeiros é a soma dos dois anteriores.

Se você sobrepuser essa fórmula ao cérebro e começar a dividir quadrados adicionando mais e mais quadrados, vai obter um padrão fractal, um padrão infinito que se repete em todas as escalas.

Começando na glândula pineal, essa fórmula desenha a estrutura exata do cérebro (veja a figura 12.13). Você está começando a pensar que pode haver algo de especial na glândula pineal?

Na mitologia grega, Hermes era um mensageiro dos deuses que podia entrar e sair dos reinos terrestre e divino. Ele era considerado um deus das transições e dimensões, bem como um guia para a vida após a morte. Seu símbolo principal era o caduceu, que consiste em duas cobras enroladas em uma haste cujo topo se desdobra em asas ou pássaros. (Veja a figura 12.14.) O caduceu usado por Hermes como cajado é frequentemente considerado um símbolo de saúde. Você acha que as cobras que se movem cajado acima representam o mo-

CONSTANTE DE FIBONACCI

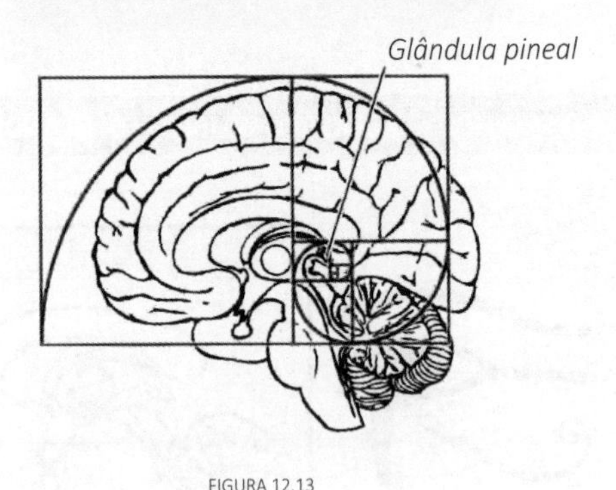

FIGURA 12.13

Se você seguir a proporção áurea, a constante de Fibonacci, em torno da circunferência do cérebro, a espiral terminará no ponto exato da glândula pineal.

vimento da energia na coluna do corpo para o cérebro e que as asas são a libertação do eu quando a energia chega na glândula pineal para significar iluminação? A coroa representa nosso maior potencial e nossa maior expressão do divino quando ativamos a glândula pineal (representada pela pinha). A coroação do Eu é a conquista do eu. Por isso escolhi essa imagem para a capa deste livro.

Meditação para sintonizar dimensões mais elevadas de tempo e espaço

Como os níveis de melatonina chegam ao pico entre a uma e as quatro horas, esse é o melhor horário para fazer essa meditação. Comece ativando o centro cardíaco com uma música. Em seguida, abençoe seus centros de energia, começando pelo mais baixo, como aprendeu na meditação da Bênção dos Centros de Energia no Capítulo 4. Abençoe esse centro de energia repousando a atenção primeiro no espaço do centro de energia e depois no espaço ao redor dele. Faça isso com o primeiro, depois com o segundo centro de energia; em seguida concentre a atenção no primeiro e no segundo centros ao mesmo tempo. Continue esse processo com cada centro de energia, criando um campo maior conectando cada novo centro de energia aos centros anteriores. No fim você vai alinhar os oito centros e a energia

CADUCEU: A ALQUIMIA DO *SELF*

FIGURA 12.14

Sintonizando dimensões superiores da meditação no tempo e no espaço.

ao redor de seu corpo inteiro simultaneamente. Isso deve levar uns 45

minutos. A seguir fique deitado por vinte minutos e deixe o sistema nervoso cumprir as ordens para equilibrar o corpo.
Sente-se e faça a respiração, levando a energia até o topo da cabeça. Segure a respiração e contraia, comprimindo os cristais da glândula pineal, ativando-a e criando um campo eletromagnético. Esse campo vai se distender ao máximo e depois reverter e comprimir os cristais. À medida que aumenta a frequência, você capta domínios vibracionais cada vez mais altos, seu cérebro pega as informações e as transforma em imagens. Um último ponto sobre a respiração: quero enfatizar que não é necessário respirar fundo e rápido, contrair os músculos intrínsecos e prender a respiração até ficar roxo. Quero que sua respiração seja bem lenta, longa, constante e que você a coordene com a contração dos músculos intrínsecos ao inspirar e levar lentamente a respiração até o topo da cabeça.

Essa é a quarta maneira de ativar a glândula pineal. Quando encerrar a respiração, repouse a atenção entre a parte posterior da garganta e a parte de trás da cabeça no espaço – você está localizando a pineal e, colocando a atenção ali, coloca sua energia ali. Mantenha a atenção nesse local por cinco a dez minutos. Como pensamento, percepção e consciência, fique minúsculo, entre na câmara da pineal e sinta o espaço da câmara, no centro da glândula, no espaço. Permaneça por cinco a dez minutos. Depois sinta a frequência e o espaço além dos limites da glândula. Irradie a energia para além da câmara, para o grande espaço negro. Direcione a energia para transportar a intenção de que a glândula libere seus metabólitos sagrados para a experiência mística. Transmita a informação para o espaço além de sua cabeça no espaço.

Abra-se, sintonize na energia além de sua cabeça no vasto e eterno espaço negro e apenas receba. Quanto mais você estiver consciente da energia e quanto mais receber a frequência, mais irá alterar e aprimorar a melatonina em metabólitos radicais. Não espere que algo aconteça, não tente antecipar, apenas continue recebendo. Por fim deite-se de novo e deixe o sistema nervoso autônomo assumir o controle. Aprecie a paisagem!

Capítulo 13

Projeto Coerência: por um mundo melhor

Vivemos em um tempo de extremos, e esses extremos são reflexo de uma velha consciência que não pode mais sobreviver e de uma futura consciência na qual a própria Terra e todos no planeta estão se transformando. A velha consciência é movida por emoções de sobrevivência como ódio, violência, preconceito, raiva, medo, sofrimento, competitividade e dor, que servem para nos induzir a acreditar que estamos separados um do outro. A ilusão de separação sobrecarrega e divide indivíduos, comunidades, sociedades, países e a Mãe Natureza. A desatenção, o descuido, a ganância e o desrespeito à atividade humana ameaçam a vida como a conhecemos. Por simples questão de lógica e razão, esse tipo de consciência não pode se sustentar por muito mais tempo.

Como tudo caminha para polaridades extremas, é inegável que muitos dos sistemas atuais – políticos, econômicos, religiosos, culturais, educacionais, médicos ou ambientais – são desmontados à medida que paradigmas antiquados caem. Podemos ver isso de forma mais proeminente no jornalismo, em que ninguém mais sabe em que acreditar. Algumas mudanças refletem escolhas das pessoas, outras refletem níveis crescentes de consciência pessoal. Uma coisa é óbvia: nessa era da informação, tudo o que não está alinhado com a evolução da nova consciência vem à tona.

Se você não está ciente de que ocorre um aumento na frequência e energia neste momento – um aumento na ansiedade, tensão e paixão –, talvez não esteja prestando atenção ao seu estado de ser e à interconexão da humanidade com essa energia. Além de agitações nos ambientes políticos, sociais, econômicos e pessoais, altamente carregados, muita gente também sente o tempo acelerando, ou que acontecimentos importantes estão ocorrendo a intervalos de tempo menores. Dependendo do ponto de vista, pode ser um momento histórico emocionante de despertar ou indutor de ansiedade. Independentemente disso, o velho deve desaparecer ou desmoronar para que algo mais funcional possa surgir. É assim que pessoas, espécies, consciência e o próprio planeta evoluem.

A excitação energética nos seres humanos e na natureza gera várias perguntas: será que estão em cena influências maiores, que afetam a correlação da humanidade com violência, guerra, crime, terrorismo e, inversamente, paz, unidade, coerência e amor? Será que existe uma razão para tudo isso estar acontecendo neste momento específico?

A história de projetos de reuniões pela paz

Até o momento, o poder dos projetos temporários de reuniões pela paz já foi exibido e minuciosamente testado em campo em mais de cinquenta demonstrações e 23 estudos científicos revisados por especialistas acadêmicos independentes no mundo todo.[67] Os resultados demonstraram de forma consistente um efeito positivo na redução imediata de crimes, guerra e terrorismo em uma média superior a 70%.[68] Pense um pouco. Quando um grupo se reúne com a intenção específica ou a consciência coletiva de mudar alguma "coisa" ou produzir um resultado, com energia e emoções de paz, unicidade ou união – mas sem fazer nada fisicamente –, o campo unificado consegue produzir mudanças em 70% do tempo. Para quantificar os resultados desses estudos, os cientistas usam uma medida chamada análise *lead-lag*.

O objetivo da análise *lead-lag* é descobrir correlações entre pessoas e incidentes. Por exemplo, a análise *lead-lag* de alguém que fuma um cigarro atrás do outro mostraria que, quanto mais a pessoa fuma, maior a chance de desenvolver câncer de pulmão. Sobre os projetos de reunião pela paz, os estudos descobriram que, quanto maior o número de meditadores ou pessoas reunidos pela paz (combinado com a quantidade de tempo que meditam), maior a influência da reunião sobre a diminuição da criminalidade e violência na sociedade.

Um exemplo poderoso é o projeto de paz no Líbano, que reuniu um grupo de meditadores em Jerusalém em agosto e setembro de 1983 para demonstrar a "influência radiante da paz". Embora o número de meditadores flutuasse ao longo do tempo, foi grande o suficiente para alcançar o efeito super-radiância para Israel e o vizinho Líbano. O efeito ocorre quando um grupo de meditadores especialmente treinados se reúne diariamente ao mesmo tempo para criar e irradiar um efeito positivo na sociedade. Os resultados do estudo de dois meses mostraram que, nos dias em que houve alta participação de meditadores, ocorreu redução de 76% de mortes na guerra. Outros efeitos incluíram a redução de crimes e incêndios, diminuição de acidentes de trânsito, menos terrorismo e aumento do crescimento econômico. Os resultados foram replicados em sete experimentos consecutivos durante um período de dois anos no auge da guerra do Líbano.[69] Tudo isso foi alcançado simplesmente combinando a intenção das pessoas por paz e coerência com as emoções elevadas de amor e compaixão. Isso demonstra claramente que, quanto mais unificada a consciência de um grupo de pessoas dentro de uma energia elevada específica, mais ela pode mudar a consciência e a energia de outras pessoas de maneira não local.

Naquele que é considerado um dos três principais estudos de reuniões pela paz no hemisfério ocidental, a RAND Corporation reuniu quase oito mil (e às vezes mais) meditadores treinados para se concentrar na paz e coerência mundial durante três períodos de oito a onze dias cada, de 1983 a 1985. Os resultados mostraram que nesses períodos o terrorismo mundial diminuiu 72%.[70] Você consegue imaginar os resultados e efeitos positivos, bem como a velocidade com que ocorreriam, se esse tipo de meditação e atenção plena fizesse parte do currículo educacional?

Ainda em outro estudo, dessa vez na Índia, sete mil pessoas se reuniram para se concentrar na paz mundial de 1987 a 1990. Durante esses três anos, o mundo testemunhou transformações notáveis rumo à paz mundial: a Guerra Fria acabou, o Muro de Berlim caiu, a guerra Irã-Iraque terminou, a África do Sul começou a avançar para a abolição do *apartheid*, e os ataques terroristas diminuíram. O que surpreendeu a todos foi a rapidez com que essas mudanças globais ocorreram, todas de forma relativamente pacífica.[71]

De 7 de junho a 30 de julho de 1993, cerca de 2,5 mil meditadores se reuniram em Washington, D.C., em um experimento altamente controlado, para se concentrar na paz e na energia coerente. Nos primeiros cinco meses do ano, os crimes violentos haviam registrado elevação constante; logo após o início do estudo, porém, começou a ocorrer significativa redução na violência (medida pelos relatórios do programa Uniform Crime Reports do FBI), na criminalidade e no estresse em Washington, D.C.[72] Esses resultados apontam para o fato de que um grupo relativamente pequeno reunido em amor e propósito pode ter significativo efeito estatístico em uma população diversa.

Em 11 de setembro de 2001, seres humanos de todo o planeta assistiram em horror, choque, medo, terror e tristeza a cobertura imediata dos meios de comunicação quando aviões colidiram contra o World Trade Center em Nova York, o Pentágono em Washington, D.C., e um campo perto de Shanksville na Pensilvânia. Em um instante, a consciência coletiva mundial sintonizou naquele evento. Poderosas manifestações emocionais ocorreram ao redor do mundo à medida que as pessoas se uniam para cuidar umas das outras.

No desenrolar dos eventos de 11 de setembro, os cientistas do Projeto de Consciência Global da Universidade de Princeton coletaram dados via internet de mais de quarenta dispositivos pelo mundo. Quando os dados chegaram a um servidor central em Princeton, Nova Jersey, os cientistas testemunharam mudanças drásticas de padrões em seu gerador de eventos aleatórios. (Pense em um gerador de eventos aleatórios como um sorteio computadorizado. Ele mede cara ou coroa, ou uns e zeros; portanto, de acordo com as estatísticas, deve produzir resultados quase meio a meio.) As mudanças drásticas nos padrões logo após o evento levaram os cientistas a determinar que a resposta emocional coletiva da comoção foi suficiente para ser medida no campo magnético da Terra.[73]

Todos esses estudos apontam para evidências significativas de que meditações em grupo do tamanho certo, com meditadores qualificados que mudam as próprias emoções e energia, podem influenciar e criar efeitos mensuráveis e não localizados sobre a paz e a coerência global. Se esses projetos de reuniões pela paz são uma força de coerência em toda a sociedade, haveria forças antitéticas trabalhando contra os seres humanos para produzir incoerência?

O relacionamento da Terra com os ciclos solares

À medida que a Terra gira todos os dias em torno de seu eixo, a cada manhã o Sol traz luz para a escuridão, calor e conforto para o frio da noite, fotossíntese para as plantas e segurança para os seres humanos. Por isso, já em 14.000 a.C. a adoração ao Sol era esboçada em lâminas de pedra e paredes de cavernas. Inúmeras mitologias (do antigo Egito e Mesopotâmia, dos maias, astecas e aborígines australianos, para citar apenas algumas) exaltaram o Sol como digno de adoração, bem como fonte de esclarecimento, iluminação e sabedoria. Independentemente da localização, a maioria das culturas reconheceu o Sol como o principal controlador de toda a vida na Terra porque sem ele a vida aqui não poderia existir.

Os humanos são em larga medida seres eletromagnéticos (entidades que enviam e recebem mensagens via energias vibracionais constantemente) cujo corpo é composto de luz e informação organizadas gravitacionalmente. (De fato, todo material deste mundo tridimensional é luz e informação organizadas gravitacionalmente.) Somos seres eletromagnéticos individuais bem como pequenos elos na cadeia de um mundo eletromagnético cujas partes individuais não podem ser separadas do todo.

Em grande escala, é impossível negar a interconectividade entre a energia do Sol, a energia da Terra e a energia de todas as espécies vivas. Em um micronível, você só precisa observar o ciclo de vida de uma fruta ou vegetal para entender a interdependência. O vegetal ou fruta começa como uma semente; quando condições ambientais como água, temperatura, solo rico em nutrientes e fotossíntese conspiram, permitem que a semente germine. Com o tempo, o broto da semente se torna parte de um ecossistema, bem como fonte de sustento e alimento para várias formas de vida. Essa cadeia complexa e o delicado equilíbrio de eventos começam pela singular localização da Terra no sistema solar. A Terra situa-se na chamada zona habitável circunstelar, uma faixa de distância orbital em torno de uma estrela na qual um planeta pode manter água na forma líquida.

Embora o Sol esteja a quase 150 milhões de quilômetros de distância, quando se torna ativo, tem consequências significativas para a vida na Terra, porque Terra e Sol se relacionam por campos eletromagnéticos. O objetivo do campo eletromagnético da Terra (veja a figura 13.1) é protegê-la dos efeitos nocivos da radiação solar, das manchas solares, raios cósmicos e outras formas de clima espacial. Embora não sejam totalmente compreendidas, as manchas solares são áreas relativamente escuras e frias do Sol causadas por interações

CAMPO ELETROMAGNÉTICO DA TERRA

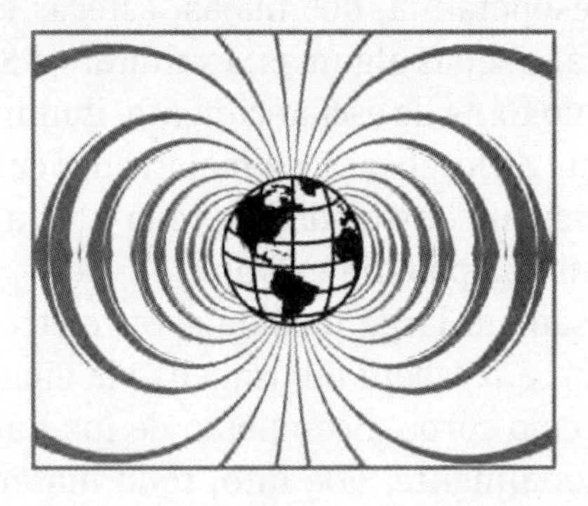

FIGURA 13.1

O campo eletromagnético da Terra.

dentro de seu campo magnético; podem ter até 51 mil quilômetros de diâmetro. Você pode pensar em manchas solares como uma tampa em uma garrafa de líquido com gás; se você agitar a garrafa e remover a tampa, ela produzirá uma grande liberação de fótons (luz) e outras formas de radiação de alta frequência.[74]

Sem a proteção e o isolamento dos campos eletromagnéticos da Terra, a vida como a conhecemos não poderia existir, pois seríamos constantemente bombardeados por um fluxo de partículas mortais. Por exemplo, quando ocorrem explosões solares, o campo eletromagnético da Terra protege o planeta desviando trilhões de toneladas de emissões fotônicas chamadas de ejeção coronal em massa. As ejeções coronais em massa são enormes explosões de plasma e campos magnéticos da coroa solar que podem se projetar por milhões de quilômetros no espaço. Seus efeitos tendem a atingir a Terra cerca de 24 a 36 horas após a ocorrência.

As ejeções comprimem o campo da Terra, aquecendo seu núcleo de ferro. Quando o núcleo é alterado, altera o campo eletromagnético do planeta. As ejeções fazem parte dos ciclos solares que ocorrem aproximadamente a cada onze anos com potencial para perturbar todos os organismos vivos da Terra.

O registro dos ciclos solares teve início em 1755; em 1915, um garoto russo de dezoito anos chamado Alexander Chizhevsky levou a compreensão da humanidade sobre o Sol e sua relação com a Terra a outro nível ao passar o verão observando o Sol. Naquele verão, Chizhevsky começou a conjeturar que períodos de atividade solar poderiam ter efeitos no mundo orgânico. Um ano depois, foi recrutado na Primeira Guerra Mundial; quando não estava lutando pela Rússia, seguia na observação do Sol. Chizhevsky notou que as batalhas tendiam a aumentar ou diminuir conforme a força das explosões solares (ver gráfico 14 do encarte colorido).[75] Mais tarde compilou a história de 72 países de 1749 a 1926, comparando o número anual de eventos políticos e sociais importantes (início de guerras, revoluções, surtos de doenças e violência) com o aumento da atividade solar, demonstrando uma correlação entre a atividade solar e a excitabilidade humana. É interessante que a atividade solar também foi associada ao florescimento humano, incluindo inovações em arquitetura, ciência, artes e mudanças sociais.[76]

Todo ponto onde a linha vermelha sobe no gráfico representa uma erupção solar ou mancha solar ocorridas entre 1750 e 1922. As linhas azuis representam eventos históricos importantes ocorridos no mesmo período. Chizhevsky por fim determinou que 80% dos eventos mais significativos dos países examinados ocorreram durante eventos solares e períodos de atividade geomagnética.[77] A liberação de energia solar carregada de informações parece em perfeita coerência com as atividades, a energia e a consciência do nosso planeta. No momento da redação deste texto, em 2017, estamos no meio de um ciclo solar muito ativo.

Na última década, muito se falou sobre como a energia solar afeta o planeta e toda a vida que o habita. Em 2012, os pessimistas pensaram que o fim do calendário maia, correlacionado ao solstício de dezembro, significava que o fim do mundo estava próximo. Os astrólogos atuais falam sobre a Era de Aquário (uma era astrológica consiste em cerca de 2.150 anos, correspondentes ao período para o equinócio vernal passar de uma constelação do zodíaco para a próxima) como o início de uma nova consciência para a humanidade. Astrônomos e cosmologistas falam sobre alinhamento galáctico, evento astronômico que ocorre a cada 12.960 anos, quando o Sol se alinha ao centro da Via Láctea.

Independentemente daquilo em que você acredita, todas essas ocorrências apontam para ciclos solares que aumentam a energia do Sol que chega à Terra. Como somos seres eletromagnéticos, conectados à Terra por campos eletromagnéticos e protegidos do Sol por campos eletromagnéticos, o aumento da energia solar vai modificar tanto a energia da Terra quanto nossa energia pessoal. Isso significa que essa nova energia tem o potencial de influenciar os seres humanos de maneira positiva ou negativa, dependendo da energia individual. Por exemplo, se você está sentindo separação, vivendo por emoções de sobrevivência e escravizado pelos hormônios e substâncias químicas do estresse, seu cérebro e coração serão acionados de maneira incoerente. Isso vai causar divisão e desequilíbrio em sua energia e consciência, e o aumento de energia solar vai intensificar esse estado de ser. Portanto, se você está vivendo em incoerência, essa incoerência será amplificada.

Da mesma forma, se você estiver vivendo em alinhamento coerente de cabeça e do coração, trabalhando todos os dias em suas meditações para se conectar ao campo unificado e para superar crenças e atitudes limitadas, será impulsionado ainda mais em direção à verdade e à compreensão de quem é e de qual é o seu propósito.

Em suma, estamos no meio de uma iniciação, e será necessária uma tremenda dose de vontade, percepção e consciência para manter o foco a fim de não sucumbir a essas energias excitáveis. Se conseguirmos manter o foco em vez de sermos vítimas da incerteza, poderemos transmutar essa energia em maiores graus de ordem, coerência e até de paz, tanto pessoal quanto global. Nos termos mais simples, essa energia endossará quem você está sendo, isto é, como está pensando e sentindo.

Ressonância Schumann

Em 1952, o físico e professor alemão W. O. Schumann levantou a hipótese de que havia ondas eletromagnéticas mensuráveis na atmosfera, na cavidade (ou espaço) entre a superfície da Terra e a ionosfera. De acordo com a NASA, a ionosfera é uma camada abundante de elétrons, átomos ionizados e moléculas que se estende a partir de uns cinquenta quilômetros acima da superfície da Terra até o limite do espaço, cerca de novecentos quilômetros acima. Essa região dinâmica cresce e encolhe (e se divide em sub-regiões) com base nas condições solares e é um elo crítico na cadeia de interações Sol-Terra.[78] É essa "estação de energia celestial" que possibilita as comunicações por rádio.

Em 1954, Schumann e H. L. König confirmaram a hipótese de Schumann detectando ressonâncias na frequência principal de 7,83Hz; assim, a "ressonância Schumann" foi estabelecida medindo-se as ressonâncias eletromagnéticas globais geradas e provocadas por descargas atmosféricas na ionosfera. Você pode pensar nessa frequência como um diapasão da vida. Em outras palavras, como uma frequência de fundo que influencia o circuito biológico do cérebro dos mamíferos (o cérebro subconsciente abaixo do neocórtex, que também é o lar do sistema nervoso autônomo). A frequência Schumann afeta o equilíbrio, a saúde e a natureza de nosso corpo mamífero. De fato, a ausência da ressonância Schumann pode causar sérios problemas de saúde mental e física no corpo humano.

Isso foi demonstrado pela pesquisa do cientista alemão Rutger Wever, do Instituto Max Planck de Fisiologia Comportamental, em Erling-Andechs, Alemanha. No estudo, ele manteve voluntários jovens e saudáveis por quatro semanas em *bunkers* subterrâneos hermeticamente fechados, que filtravam a frequência Schumann. Ao longo das quatro semanas, o ritmo circadiano dos alunos foi alterado, provocando sofrimento emocional e enxaquecas. Quando Wever introduziu a frequência Schumann de volta nos *bunkers*, após apenas uma breve exposição a 7,83Hz a saúde dos voluntários voltou ao normal.[79]

Até onde sabemos, o campo eletromagnético da Terra tem protegido e sustentado todas as coisas vivas com essa pulsação de frequência natural de 7,83Hz. Você pode pensar na ressonância Schumann como o batimento cardíaco da Terra. Os antigos *rishis* indianos se referiam a isso como OM, ou a encarnação do som puro. Por coincidência ou não, 7,83Hz também é uma frequência muito poderosa usada no arrastamento das ondas cerebrais, pois está associada a baixos níveis de alfa e à faixa superior dos estados de onda theta. É essa faixa de ondas cerebrais que nos permite ir além da mente analítica e entrar no subconsciente. Assim, essa frequência também tem sido associada a altos níveis de sugestionabilidade, meditação, aumento dos níveis do hormônio do crescimento e do fluxo sanguíneo cerebral.[80] Parece então que a frequência da Terra e a frequência do cérebro têm ressonâncias muito semelhantes e que o sistema nervoso pode ser influenciado pelo campo eletromagnético da Terra. Talvez seja por isso que sair da cidade e fazer contato com a natureza muitas vezes proporcione um efeito tão calmante.

O conceito de emergência

Em 1996, pesquisadores do Instituto HeartMath descobriram que, quando o coração de um indivíduo está em estado de coerência ou ritmo harmonioso, irradia um sinal eletromagnético mais coerente para o ambiente e esse sinal pode ser detectado pelo sistema nervoso de outras pessoas, assim como por animais. Como você já sabe, o coração gera o campo magnético mais forte do corpo, que pode ser medido a vários metros de distância.[81] Isso proporciona uma explicação crível para o fato de, quando alguém entra em uma sala, você conseguir sentir ou captar o humor ou estado emocional do indivíduo, independentemente de sua linguagem corporal.[82] Do ponto de vista puramente científico, podemos então perguntar: se esse fenômeno funciona em nível individual, pode funcionar em nível global?

Em 2008, mais de uma década depois, o HeartMath Institute lançou a Global Coherence Initiative (GCI) (Iniciativa de Coerência Global), um esforço internacional baseado na ciência para ajudar a ativar o coração da humanidade a promover a paz, a harmonia e uma mudança na consciência global. A GCI se baseia nas seguintes crenças:

4. Saúde, pensamentos, comportamentos e emoções humanos são influenciados pela atividade geomagnética solar (campo magnético da Terra).
5. O campo magnético da Terra é um mensageiro de informações biologicamente relevantes que conectam todos os sistemas vivos.
6. Todos os seres humanos influenciam o campo eletromagnético de informações vitais da Terra.
7. A consciência humana coletiva, na qual um grande número de pessoas está intencionalmente focado em estados centrados no coração, cria ou afeta o campo de informação global. Portanto, emoções elevadas de cuidado, amor e paz podem gerar um ambiente de campo mais coerente que pode beneficiar outras pessoas e ajudar a compensar a discórdia e a incoerência planetárias atuais.[83]

Como o ritmo cardíaco e as frequências cerebrais humanos (bem como os sistemas cardiovascular e nervoso autônomo) se sobrepõem ao campo de ressonância da Terra, os cientistas da GCI sugerem que fazemos parte de um ciclo de *feedback* biológico no qual não apenas recebemos informações biológicas relevantes do campo, mas também alimentamos esse campo com informações.[84] Em outras palavras, os pensamentos (consciência) e emoções (energia) humanos interagem com e codificam informações no campo magnético da Terra, e essas informações são distribuídas em ondas portadoras (sinal no qual as informações são gravadas ou carregadas) ao redor do globo.

Para aprofundar a pesquisa e testar a hipótese, usando sensores de última geração localizados em vários pontos do mundo, o HeartMath Institute criou o Global Coherence Monitoring System (GCMS – Sistema de Monitoramento da Coerência Global) para observar mudanças no campo magnético da Terra. Projetado para medir a coerência global, o GCMS usa um sistema de magnetômetros altamente sensíveis para medir continuamente sinais magnéticos que ocorrem na mesma faixa das frequências fisiológicas humanas, incluindo cérebro e sistema cardiovascular. Também monitoram continuamente a atividade causada por tempestades solares, explosões e a velocidade do vento solar resultante de tempestades solares, perturbações de ressonâncias

Schumann e potencialmente as assinaturas de grandes eventos globais de forte componente emocional.[85]

Por que estão fazendo isso e o que a pesquisa sugere? Se você pode criar intencionalmente um campo eletromagnético coerente ao redor do corpo e está relacionado ou conectado a alguém que também está intencionalmente criando um campo eletromagnético ao redor do corpo, as ondas desse campo compartilhado começam a se sincronizar de maneira não localizada. À medida que as ondas de ambos são sincronizadas, geram ondas maiores e campos magnéticos mais fortes ao seu redor, conectando-o ao campo eletromagnético da Terra com um campo de influência aumentado.

Se pudéssemos criar uma comunidade de pessoas espalhadas por todo o mundo, com cada uma intencionalmente elevando a energia de seu campo pessoal em direção à paz maior, não seria possível essa comunidade começar a produzir um efeito global no campo eletromagnético da Terra? Essa comunidade intencional poderia criar coerência onde há incoerência e ordem onde tem havido desordem.

As evidências dos estudos de reuniões pela paz sugerem que nossos pensamentos e sentimentos têm um efeito mensurável em todos os sistemas vivos. Você pode ter ouvido falar nisso como o conceito de emergência. Visualize a sincronicidade de um cardume de peixes ou um bando de pássaros voando em uníssono, em que todas as criaturas parecem operar a partir de uma só mente, conectadas por um campo invisível de energia de modo não localizado. A singularidade desses fenômenos é que não são de cima para baixo, não há um líder. São fenômenos de baixo para cima, todos lideram porque agem como uma mente única. Quando uma comunidade global se reúne em nome da paz, do amor e da coerência, de acordo com a emergência devemos ser capazes de produzir um efeito no campo eletromagnético da Terra, bem como no campo uns dos outros. Imagine então como seria se todos nos comportássemos, vivêssemos, prosperássemos e operássemos como um só. Se entendêssemos que somos uma só mente – um organismo conectado e unido pela consciência –, entenderíamos que ferir o outro ou afetar o outro de qualquer maneira é fazer a mesma coisa conosco. Esse novo paradigma de pensamento seria o maior salto evolutivo já dado por nossa espécie, tornando a necessidade de guerra, luta, competição, medo e sofrimento um conceito antiquado. Mas como essa possibilidade pode se tornar realidade?

Coerência versus *incoerência*

Como você pode imaginar, temos que ativar dois centros significativos no corpo humano – coração e cérebro – para criar algum tipo de efeito no campo da Terra (que por sua vez pode influenciar o campo de outro indivíduo). Como aprendemos no Capítulo 4, enquanto o cérebro naturalmente é o centro da consciência e da percepção, o coração – centro da unidade, da totalidade e de nossa conexão com o campo unificado – tem um cérebro próprio. Quando as pessoas conseguem regular seus estados internos de cuidado, bondade, paz, amor, gratidão, apreciação e reconhecimento, à medida que o coração se torna mais coerente e equilibrado, envia um sinal muito forte ao cérebro, fazendo com que este fique mais coerente e equilibrado. Isso ocorre porque coração e cérebro mantêm comunicação contínua.

Da mesma forma, quando alguém vai além da associação com seu corpo, ambiente e tempo e retira a atenção da matéria e dos objetos, torna-se corpo nenhum, pessoa nenhuma, coisa nenhuma em lugar nenhum, em tempo nenhum. Como você bem sabe a essa altura, quando as pessoas superam a si mesmas e colocam a consciência no mundo imaterial da energia, conectam-se ao campo unificado, lugar onde não há mais separação entre qualquer corpo, qualquer pessoa, qualquer coisa, qualquer lugar e qualquer tempo. Isso faz com que se unifiquem com a consciência de todo corpo, toda pessoa, toda coisa, todo lugar e todo tempo. Como consciência, entram no campo quântico de energia e informação, lugar onde a consciência e a energia podem influenciar o mundo material de forma não localizada.

O efeito colateral desse processo produz mais coerência no cérebro e na energia, de modo que nossa biologia fica mais íntegra. Em nossa pesquisa, descobrimos que, quando o cérebro fica mais coerente, afeta o sistema nervoso autônomo e o coração. O coração – conexão com o campo unificado – age como um catalisador para amplificar o processo de coerência cerebral. Como o coração envia mais informações ao cérebro do que o cérebro envia ao coração, quanto mais coerência você obtém por meio das emoções elevadas do coração, mais o cérebro e o coração se sincronizam. A sincronização produz efeitos mensuráveis não apenas dentro do corpo, mas também no campo eletromagnético ao redor do corpo; quanto maior o campo que produzimos ao redor do corpo, mais podemos afetar outras pessoas de maneira não local.

Como sabemos disso? Porque vimos acontecer repetidamente nas medições de VFC de nossos alunos.

Evidências da influência do campo eletromagnético do coração no campo de outro coração também podem ser vistas em um estudo do HeartMath no qual quarenta participantes foram divididos em grupos de quatro em torno de dez mesas de cartas. Embora o ritmo cardíaco dos quatro participantes da mesa fosse medido, apenas três eram treinados para elevar as emoções por meio das técnicas do HeartMath. Quando os três participantes treinados aumentaram sua energia e enviaram sentimentos positivos ao participante não treinado, este também entrou em estados mais elevados de coerência. Os autores do estudo concluíram: "Foram encontradas evidências de sincronização de coração para coração entre os indivíduos, o que dá crédito à possibilidade de biocomunicações de coração para coração".[86]

A chave do processo de coerência é ir além da mente analítica. (Sabemos disso pelas várias análises das imagens cerebrais de nossos alunos. A participação deles também demonstrou que, com prática suficiente, a coerência pode ser alcançada em um período relativamente curto.) Quando o cérebro pensante fica quieto, entra nos estados de ondas alfa ou theta, e isso abre a porta entre a mente consciente e a subconsciente. O sistema nervoso autônomo fica mais receptivo à informação. Ao elevar nossa energia com sentimentos de emoções elevadas, nos tornamos menos matéria e mais energia, menos partícula e mais onda. Quanto maior o campo que conseguimos criar com essas energias – como energia, percepção e consciência – mais podemos influenciar os outros de maneira não local.

Quanto mais energia você conseguir criar com as emoções elevadas do coração, mais se conectará ao campo unificado, o que significa que experimentará mais totalidade, conexão e unidade. Mas você não pode experimentar a conexão quando está incoerente, se sentindo separado ou vivendo pelos hormônios do estresse. Quando as substâncias químicas liberadas pelo estresse incitam o cérebro, nos sentimos desconectados do campo unificado e tendemos a fazer escolhas menos evoluídas. Sabemos sem dúvida que as emoções de competitividade, medo, raiva, indignidade, culpa e vergonha nos mantêm separados uns dos outros porque produzem frequências mais lentas e mais baixas do que emoções elevadas como amor, gratidão, carinho e bondade, que produzem frequências mais altas e mais rápidas. Também sabemos que, quanto mais rápida a frequência, mais energia presente. Isso nos levou a fazer várias perguntas:

- E se reuníssemos várias centenas de pessoas em uma sala, as orientássemos a abrir o coração e gerar estados energéticos elevados e depois lhes pedíssemos para enviar a intenção para o maior bem de um grupo selecionado de pessoas reunidas na mesma sala?
- O que aconteceria se o campo eletromagnético ao redor do corpo de cada pessoa se fundisse com o campo da pessoa sentada a seu lado?
- Esses estados emocionais elevados poderiam começar a produzir uma mudança de energia na sala?
- Seria possível que todos que experimentassem emoções e energia elevadas pudessem começar a criar coerência dentro de uma comunidade?

Construção de um campo coerente coletivo

No início de 2013, estabelecemos uma parceria com os amigos do HeartMath Institute para aprofundar nossa pesquisa. Desde que começamos a medir os estados fisiológicos de nossos alunos, examinamos milhares de cérebros e corações, resultando em uma quantidade significativa de informações. Ficamos impressionados e intrigados com alguns dados que coletamos quando pessoas comuns começam a fazer o incomum.

Ao longo dessa jornada em colaboração com o HeartMath, vimos medições incríveis em nossos alunos. Fizemos medições igualmente surpreendentes da energia coletiva nas salas onde os alunos se reuniram, medições que mostram aumentos consistentes e diários de energia, usando um sofisticado sensor russo chamado Sputnik (mencionado brevemente no Capítulo 2).

Como emoções elevadas relacionadas à atividade do sistema nervoso autônomo produzem campos eletromagnéticos, o aumento dessas emoções resulta em alterações na microcirculação sanguínea, transpiração e outras funções do corpo. Por ser muito sensível, o Sputnik pode quantificar flutuações ambientais medindo mudanças barométricas, umidade relativa, temperatura do ar, campos eletromagnéticos e muito mais.[87]

Veja os gráficos 15A e 15B do encarte colorido. Nessas medições em nossas oficinas, você pode ver uma tendência de aumento na energia coletiva da sala. A primeira linha em vermelho é o valor basal, da energia da sala antes do início do evento. Ao observar as linhas vermelha, azul, verde e por fim marrom (cada cor representa um dia diferente), você pode ver que a energia aumenta constantemente a cada dia. Nos gráficos 15C e 15D, a escala de cores é a mesma, mas reflete intervalos específicos durante as meditações matinais de cada dia e representa a melhora do desempenho dos alunos em aumentar a energia da sala, criando mais coerência unificada.

As leituras do Sputnik demonstram que a energia coletiva criada pelos alunos do primeiro ao último dia de oficina aumenta de modo constante. Dentro dessa tendência, descobrimos que a maioria dos grupos é extremamente focada e que a energia aumenta todos os dias. Cerca de um quarto do tempo, a energia permanece relativamente igual nos primeiros um ou dois dias, mas a seguir aumenta de modo significativo. Acreditamos que isso ocorre porque no primeiro e segundo dia os alunos trabalham para quebrar os laços emocionais energéticos que os mantêm conectados à realidade presente-passado. Portanto, nesse período utilizam o campo unificado para construir os campos eletromagnéticos pessoais. Essa retirada de energia do campo unificado tende a causar a queda da energia coletiva na sala. Porém, quando os campos individuais ficam maiores, mais intensos e mais coerentes, se entrelaçam uns nos outros, e é aí que vemos aumentos drásticos na energia da sala.

A figura 13.2 mostra que, quando duas ondas coerentes se juntam, criam uma onda maior. Isso é chamado de interferência construtiva. Quanto maior a onda, maior a amplitude de energia. Como resultado das ondas mais coerentes dos nossos alunos se formando durante as nossas oficinas, a energia do campo do grupo aumenta e em seguida há mais energia para curar e criar ou acessar níveis de mente superiores, o que às vezes leva a experiências místicas.

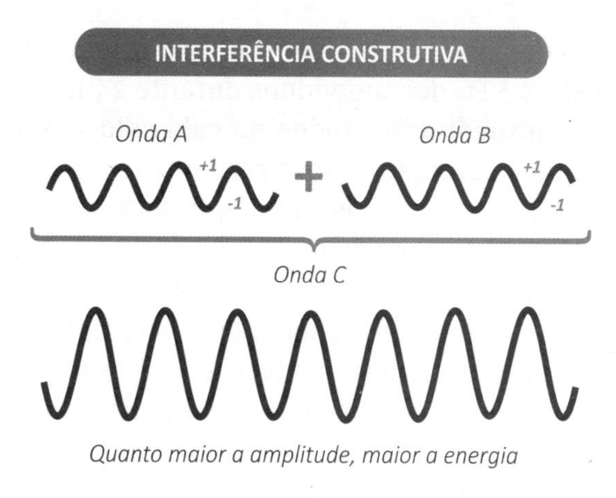

FIGURA 13.2

A interferência construtiva ocorre quando duas ondas coerentes se unem para criar uma onda maior. Amplitude é a medida da altura de uma onda. Quanto maior a amplitude, maior a energia. Se uma comunidade de pessoas está reunida e criando campos eletromagnéticos coerentes, quando suas energias interferem, faz sentido que a energia da sala aumente.

Minha equipe e eu nos impressionamos constantemente com as curas profundas de nossos alunos, a capacidade deles de aumentar e regular estados elevados e os relatos de experiências místicas ou *insights* perspicazes sobre a própria vida como resultado de aprender a regular as ondas cerebrais, abrir o coração e entrar em coerência. Alguns episódios podem ser rotulados como milagre, mas acreditamos que apenas faça parte do processo de se tornar sobrenatural. Isso nos levou a indagar se nossos alunos poderiam afetar o sistema nervoso de outras pessoas e, em caso afirmativo, quais seriam as implicações. Essas perguntas acabariam por promover o nascimento do Projeto Coerência.

Projeto Coerência

Em colaboração com o HeartMath Institute, realizamos inúmeras experiências em nossas oficinas avançadas com uma pequena amostra aleatória de cerca de 50 a 75 pessoas; conectamos monitores de VFC no peito destas e as colocamos na primeira fila da sala para três meditações ao longo de 24 horas. Como a VFC não só fornece informações sobre a coerência do coração, mas também sobre o cérebro e as emoções, queríamos medir a VFC dos indivíduos durante 24 horas.

Para iniciar a meditação, todos na sala colocam a atenção no centro do coração e começam a respirar lenta e profundamente por esse centro, como você aprendeu no Capítulo 7. Depois cultivam e sustentam uma emoção elevada por dois a três minutos, ampliando os campos eletromagnéticos do coração e passando de um estado de egoísmo para um estado de altruísmo. Então pedimos ao grupo de 550 a 1,5 mil alunos para transmitir a energia de suas emoções elevadas para além do corpo, para o espaço da sala inteira. A seguir pedimos que coloquem o pensamento intencional dessa frequência no bem maior dos alunos sentados na frente da sala, que usam os monitores de VFC; que suas vidas sejam enriquecidas, que seus corpos sejam curados e que experiências místicas os encontrem.

Nosso objetivo era medir a energia coletiva na sala e seu potencial efeito não local nas pessoas com os monitores de VFC. Será que os níveis elevados de energia e frequência em forma de amor, gratidão, plenitude e alegria poderiam levar o coração de outra pessoa a entrar em coerência, mesmo do outro lado da sala? Os resultados confirmaram nossa hipótese. Não só a energia transmitida produziu um efeito de coerência nas pessoas que usavam os monitores de VFC, como cada coração entrou em coerência exatamente no mesmo momento, na mesma meditação, no mesmo dia. Não foi uma ocorrência isolada. Encontramos resultados constantes em nossos eventos. O que isso significa?

Nossos dados sustentam a crença da HeartMath Global Coherence Initiative de que existe um campo invisível pelo qual informações são comunicadas. Esse campo liga e influencia todos os sistemas vivos, bem como a consciência humana coletiva. Por causa desse campo, as informações são comunicadas entre pessoas de maneira não local em nível subconsciente, por meio do sistema nervoso autônomo.[88] Em outras palavras, estamos vinculados e conectados por um campo de energia invisível, e esse campo energético pode afetar o comportamento, estados emocionais e pensamentos conscientes e inconscientes de todo mundo.

Como toda frequência transporta informações, os campos magnéticos produzidos no coração dos alunos atuavam como ondas portadoras de informação. Se em nossas oficinas podemos produzir efeitos não locais sobre os outros, será que emoções elevadas e centradas no coração poderiam produzir efeitos não locais sobre filhos, parceiros, colegas de trabalho ou qualquer pessoa com quem tenhamos um relacionamento ou uma conexão?

Se você observar a figura 13.3, verá dezessete pessoas entrando em coerência cardíaca exatamente no mesmo horário, no mesmo dia, durante a mesma meditação. Todos os alunos que entraram em coerência cardíaca foram arrastados pela energia dos outros. Os que enviaram a energia adotaram a intenção pelo bem maior daqueles que usavam os monitores de frequência cardíaca. Os resultados mostram que, quando deixamos de nos atrapalhar, podemos nos tornar uma só mente e nos conectar uns com os outros de maneira não local. Através dessa conexão, podemos influenciar o sistema nervoso autônomo de outras pessoas para que se sintam mais equilibradas, coerentes e completas. Imagine o que poderia acontecer se milhares de pessoas fizessem a mesma coisa em favor do mundo inteiro.

Logo após esses eventos de meditação, nossos alunos começaram a mandar e-mails perguntando se, já que mostramos que de fato poderíamos criar uma mudança mensurável na energia de uma sala onde se reuniam 550 a 1,5 mil pessoas, poderíamos produzir o mesmo efeito em escala global? Assim, foram nossos alunos que pediram para organizarmos meditações globais, dando à luz o Projeto Coerência. Transmitimos o primeiro Projeto Coerência pelo Facebook em novembro de 2015, com mais de seis mil pessoas de todo o mundo se unindo *on-line* para criar coletivamente um mundo mais amoroso e pacífico. Em nossa segunda meditação, mais de 36 mil espectadores *on-line* participaram; em nossa terceira meditação global, foram mais de 43 mil unindo forças. Nossa intenção é continuar organizando eventos do Projeto Coerência, criando uma influência radiante de paz e amor sobre o planeta mais forte a cada ocasião. Com o tempo, esperamos medir esses efeitos.

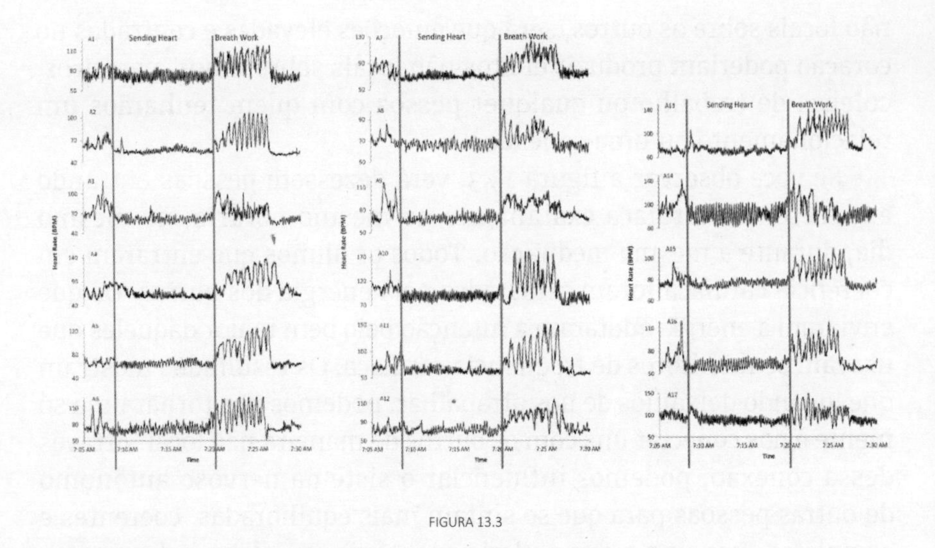

FIGURA 13.3

Esse gráfico mostra dezessete pessoas entrando em coerência cardíaca exatamente ao mesmo tempo, no mesmo dia, durante a mesma meditação. A área entre as linhas verticais mostra todos entrando em coerência cardíaca.

Meditação do Projeto Coerência

Comece reconhecendo seu centro do coração. Com foco e consciência, prenda-se a esse centro, abra o foco e comece a perceber o espaço que ocupa no espaço, bem como o espaço ao redor do espaço que seu coração ocupa no espaço.

Então mova-se como pensamento e consciência para o centro da Terra e irradie sua luz para além da Terra, para o espaço. Tudo que eu quero que você faça é elevar sua frequência e manter essa emoção. Ainda como consciência e percepção, afaste-se lentamente da Terra, depois pegue a Terra como um pensamento e coloque-a em seu coração. Enquanto segura o planeta inteiro em seu coração, eleve a frequência da Terra como pensamento e transmita essa energia para além do seu corpo, para o espaço. Irradie seu amor para a Terra.

Capítulo 14

Estudos de caso: pode acontecer com você

Neste último grupo de estudos de caso sobrenaturais, perceba que nenhuma das pessoas tentou fazer alguma coisa acontecer. Simplesmente tinham uma intenção e ao mesmo tempo deixaram o resultado a cargo de algo maior. Quando atingiram aquele momento – seja uma cura, seja uma experiência mística – a personalidade delas não estava criando a experiência. Algo maior agiu através delas e fez por elas. Essas pessoas se conectaram ao campo unificado, e foi a interação com essa inteligência que as moveu de alguma maneira. Como já sabe depois de tudo o que leu neste livro, essa inteligência também vive dentro de você.

Divino, está me ouvindo?

Em 2014, Stacy começou a sentir fortes dores de cabeça. Ela trabalhou durante 25 anos na área da saúde como enfermeira registrada e acupunturista. Sempre manteve um estilo de vida saudável e raramente tomava remédios; o aparecimento repentino de dores de cabeça tão insuportáveis que quase provocavam desmaio foi alarmante. Depois de um ano tentando diversas terapias alternativas, enfim foi a um médico que pediu uma tomografia computadorizada.

O diagnóstico foi um meningioma, tumor benigno que envolve determinado tecido nervoso nos nervos espinhais. O de Stacy estava em cima ou perto do oitavo nervo craniano e começou a obstruir o nervo acústico e criar mudanças significativas nas funções neurológicas. O nervo acústico tem dois ramos – um para a audição e outro para o equilíbrio –, por isso, além da dor que não passava e da perda de audição, ela sentia náusea e tontura. À medida que crescia, a lesão também começou a pressionar outro nervo craniano que passava pelo rosto e se prolongava até o ombro, resultando em diagnóstico de ombro do arremessador. Logo ela também sentia dor nos olhos.

Segundo o médico, a única solução era uma craniotomia, que basicamente consistia em perfurar um grande orifício na parte posterior da cabeça para remoção do tumor. Stacy não queria seguir esse caminho, por isso continuou tentando outras modalidades de cura. Na época em que participou da primeira oficina de fim de semana em Seattle, em 2015, ela estimava perda de 70% da audição no ouvido esquerdo. No outono de 2016, participou da primeira oficina avançada em Cancun, onde sentiu uma entrega em nível totalmente novo. No inverno de 2017, participou de outra oficina avançada em Tampa.

Na quinta-feira, ela chegou com uma dor de ouvido muito intensa, que piorou ainda mais no dia seguinte. Stacy disse ter a sensação de que o ouvido estava se fechando. No fim daquele dia, depois da meditação da Bênção dos Centros de Energia, a dor de ouvido curiosamente sumiu. Então, no domingo de manhã, durante a meditação da glândula pineal, Stacy perdeu a noção de tempo e espaço.

“Senti quase como se fosse cair da cadeira”, disse ela. “Naquele momento, um clarão incrível engoliu o lado esquerdo da minha cabeça. Imagine juntar mil diamantes e lançar uma luz sobre eles – não chega nem perto daquele brilho. Então... bum!” O corpo de Stacy se projetou para cima e uma luz branca azulada, diferente de tudo que ela já tinha visto ou experimentado, entrou em seu ouvido.

“Foi a sensação mais divina e amorosa que já tive”, relatou ela. “Foi como se a mão de Deus me acariciasse com graça. Foi tão poderoso e incrível que me esforço para colocar em palavras, mas toda vez que penso nisso ainda choro.”

Primeiro, os seios da face ficaram limpos, depois todo o lado esquerdo da cabeça, depois o ombro esquerdo relaxou e se soltou.

Finalmente, pela primeira vez em três anos, ela conseguiu escutar pelo ouvido esquerdo.

"Fiquei ali sentada, maravilhada, rindo e chorando enquanto lágrimas escorriam por meu rosto", disse ela. "Tinha música tocando, e eu conseguia ouvir claramente. Era como se eu pudesse ouvir o som celestial de anjos cantando acima da música. Eu sabia que o que estava ouvindo estava além do alcance auditivo normal. A energia continuou a se mover pela parte de trás do lado esquerdo da minha cabeça, que durante anos tinha parecido cimento."

Quando pedi para todo mundo deitar, relaxar e deixar o sistema nervoso autônomo acatar as ordens, a energia continuou se movendo por todo o corpo de Stacy, descendo pelos braços até as mãos. Ela começou a tremer incontrolavelmente.

"Era como se eu pudesse sentir todas as sinapses e músculos do meu corpo, nos dedos dos pés, nas pernas, na cabeça, no pescoço e no peito. O centro do coração estava aberto. Só lembro de pensar: 'Seja o que for, vou nessa'." Ela se rendeu completamente ao desconhecido e mais uma vez perdeu a noção de tempo e espaço.

Quando essa parte da meditação acabou, ela se viu sentada na cadeira, com a energia desacelerando e se acalmando. Seu cérebro pensante começou a funcionar. Embora pudesse ouvir, ela começou a duvidar do que acabara de acontecer; talvez o ouvido não estivesse totalmente curado, talvez o tumor ainda estivesse presente ou talvez ela nem fosse digna de se curar. Mal teve esse pensamento, a energia e a luz apareceram à sua frente. Mas a energia era diferente.

"Era vermelha como o coração e azul como energia e era tridimensional", lembrou Stacy. "Tinha mais ou menos meio metro, estava na minha frente e deslizava quase como uma cobra. Tudo acontecia enquanto eu mantinha os olhos fechados. Era multidimensional, bonito, louco, lindo, fractal e veio na direção do meu rosto. Era quase como se a energia quisesse dizer: 'Você tem dúvidas? Vamos lhe mostrar!' A energia se arremessou para dentro do meu coração, meu peito se abriu, recostei na cadeira, meus braços se abriram. Eu sabia que era a energia de tudo, a energia do chi, do Espírito, do divino, do universo."

Ela concluiu: "A vida agora é diferente. Para começar, minha audição está perfeita. Mas é mais do que isso. É difícil explicar com palavras, mas sei que, aconteça o que acontecer, vou ficar bem. A vida nunca mais será a mesma, porque sei que por trás de tudo está o Espírito querendo ser ouvido e curado".

Janet escuta "Você é minha"

Janet meditava de vez em quando, mas nunca foi um hábito regular. Porém, em uma tarde há 25 anos, durante uma meditação, ela teve o que chama de experiência espontânea. Com os olhos fechados, de repente se viu na presença de uma luz incrivelmente brilhante, mas que tinha uma suavidade que não feria seus olhos. Ela descreveu tal luz como o amor mais puro, mais intenso e perfeito que já havia experimentado. Nos 25 anos seguintes, Janet orou, meditou e fez tudo o que pôde para tentar repetir a experiência transcendental.

Na primavera de 2015, Janet participou de uma oficina avançada em Carefree, Arizona. Estava em profunda depressão e exaustão, incapaz de encontrar soluções para os problemas da vida, mas determinada a ter uma cura ou algum progresso. Acima de tudo, estava animada por estar com mais de quinhentas pessoas unidas na crença de que eram maiores do que seus corpos físicos.

Durante a oficina, Janet procurou o místico com um nível de intensidade maior do que a depressão. Na meditação da pineal, sentada na posição de lótus, ela repousou a intenção amorosa no espaço da glândula. De repente, a glândula se ativou, e uma luz branca e brilhante que vinha de dentro de sua cabeça iluminou a pineal. Era a mesma luz que ela experimentara 25 anos antes.

"A luz entrou no espaço da minha glândula pineal e iluminou todos os cristais na pequena cavidade dessa glândula minúscula", explicou ela mais tarde. "A luz iluminou todo o meu ser até o nível celular. Minha coluna então se endireitou, minha cabeça se inclinou para trás, e eu apenas aceitei, deixei tudo acontecer. Estava ao mesmo tempo em êxtase, felicidade, gratidão e amor."

Em seguida, um triângulo invertido de luz desceu pelo topo de sua cabeça. Ela sabia que o triângulo era a presença de uma inteligência amorosa. A ponta do triângulo invertido se uniu ao topo da glândula pineal, criando uma forma geométrica dupla. A intensa frequência de luz coerente transmitia uma mensagem para Janet. A luz disse várias vezes "você é minha, você é minha", o que Janet interpretou como "eu te amo mais do que qualquer coisa no mundo".

"Por favor, entre e assuma o controle da minha vida", respondeu Janet e, ao se render, começou a experimentar um *download* de informações que chegavam pelo topo da cabeça sob a forma de luz brilhante. A luz era entremeada de fios que pareciam pérolas luminosas azul-cobalto. A luz se moveu lentamente e desceu por todo o corpo. A energia era resultado de um campo de toro reverso (o campo que se move em direção oposta ao campo ascendente criado durante a respiração) e era energia do campo unificado, além do espectro de luz visível e além dos sentidos. A experiência interior foi tão real que reprogramou o cérebro e enviou um novo sinal energético emocional ao corpo, e em um instante o passado de Janet foi removido. O *download* da frequência de coerência e totalidade deu ao corpo um *upgrade* biológico. Quando ela saiu da oficina, a depressão e a exaustão haviam desaparecido completamente. "Essa experiência extática", disse ela, "mudou minha vida para sempre."

Conectados além do tempo e do espaço pelo amor

Durante uma meditação do Projeto Coerência transmitida de Lake Garda, Itália, participantes de todo o mundo se juntaram a nós na crença de que somos mais que matéria, corpos e partículas e que a consciência influencia a matéria e o mundo. Durante a meditação, Sasha estava em Nova Jersey visualizando trazer a Terra para seu coração.

"Quando fomos para o coração, senti todos aqueles ramos e folhas brotando do centro do meu coração e do corpo", disse ela. "Havia galhos, folhas e flores saindo dos meus braços, dedos e orelhas, bem como flores brancas por todo o meu rosto. Eu literalmente me tornei a superfície do jardim da Terra."

Assim que a meditação terminou, Sasha olhou para o telefone e viu que sua melhor amiga, Heather, havia mandado uma foto da Irlanda. Enquanto fazíamos a meditação, Heather caminhava por um jardim. Por acaso, olhou para baixo e viu musgo crescendo em uma pedra em formato de coração. Heather tirou uma foto do musgo com o celular e enviou para Sasha com uma mensagem que dizia: "Vi isso e tive uma sensação muito forte da sua presença. Amo você".

Donna ajuda espíritos na travessia

Quando Donna participou de sua primeira oficina de fim de semana em 2014 em Long Beach, Califórnia, não se considerava uma meditadora. Havia meditado algumas poucas vezes antes. Redatora técnica, tinha uma mente muito analítica. Mas essa é a beleza desse trabalho: quando você não tem expectativas, geralmente fica mais aberto para ir aonde quer que a experiência o leve. Então, ela foi totalmente surpreendida quando, em algum momento de uma das meditações naquele fim de semana, saiu da consciência cotidiana e se viu cercada por centenas de seres interdimensionais.

"Eles não eram bravos ou maus", disse Donna, "mas ficou muito claro que queriam algo de mim. Alguns eram bem jovens, tinham uns 12 ou 13 anos. Soube imediatamente que eram as pessoas que meu noivo havia matado."

O noivo de Donna foi membro da elite do exército dos Estados Unidos e serviu no Iraque como atirador. Quando Donna voltou para casa depois da oficina e contou ao noivo sobre a experiência, ele confirmou que algumas pessoas que havia matado para proteger os colegas soldados eram bem jovens. Embora achasse a conexão curiosa e fascinante, ela não sabia o que fazer com as informações, mas não tinha dúvida de que a experiência havia sido real, porque estava além de qualquer coisa que pudesse ter simplesmente inventado.

Dois anos depois, Donna participou de uma oficina avançada em Carefree, Arizona. Após completar a primeira meditação, ela se virou aturdida para uma amiga sentada a seu lado e, sem nem perceber o que estava falando, disse: "Existem seres nesta sala, e eles estão aqui para nos ajudar".

No início da manhã de domingo, para a meditação da glândula pineal, Donna estava entre os que teriam o cérebro submetido a leitura. Mais uma vez, em algum momento da meditação, Donna de repente se viu na companhia dos mesmos seres interdimensionais que a cercaram durante a primeira oficina, dois anos antes. Dessa vez eles estavam enfileirados à sua direita.

"Novamente senti que eles queriam algo de mim, mas não sabia o que era", disse. "Então, na minha mente, como se estivesse olhando através de óculos de realidade virtual, vi outra fila se formando à minha esquerda. Havia dois tipos de seres nessa fileira. Uns tinham aparência humana, mas eram muito grandes, com um brilho dourado; os outros tinham um tom azulado."

Donna soube que, se pegasse as pessoas mortas pelo noivo na guerra, enfileiradas à direita, e as entregasse aos seres à esquerda, elas receberiam aquilo de que precisavam. Como as pessoas atingidas pelos atiradores de elite morreram subitamente, sem aviso, algumas ficaram confusas sobre estar vivas ou mortas. Umas não sabiam ao certo para onde ir ou o que fazer, outras tentavam permanecer nesta dimensão porque estavam apegadas aos seus entes queridos e não conseguiam seguir em frente. Estavam presas entre a matéria e a luz, mas, de alguma forma, reconheceram Donna como a ponte ou facilitadora que poderia ajudá-las a atravessar. Tudo acontecia como uma experiência muito real e muito lúcida.

"Dizer que eu as entreguei aos outros seres não é correto", explicou ela, "mas foi como se eu os passasse para o outro lado. Não tem como colocar em palavras, mas, quando elas passaram para o outro lado, foi como se atravessassem os outros seres. E então eu as vi correndo por um campo de névoa vermelha na altura da cintura. Pude sentir toda a liberdade, alegria e felicidade que elas experimentaram ao correr por aquele campo."

Como se olhasse de novo por óculos de realidade virtual, Donna virou à direita e, com o olho da mente, viu uma estrada de terra sinuosa estendendo-se à distância cheia de pessoas. Sentiu que eram da Bósnia e da Sérvia, o que não conseguiu entender.

"A sensação era quase como se a notícia tivesse se espalhado. Não tive a sensação de que elas não soubessem que estavam mortas. Era mais como se estivessem presas no limbo, sem saber como chegar ao outro lado." Essa foi a meditação mais longa da oficina, duas ou três horas talvez, mas, para Donna, pareceram dez minutos.

Donna participou de outra oficina avançada em Cancun no outono de 2016. Dessa vez, quando pedi aos alunos que renunciassem à consciência para se fundir com a consciência do campo unificado, Donna teve a experiência de se tornar o universo. Passou da consciência de algum corpo, alguma coisa, alguma pessoa em algum lugar, em algum tempo, para a consciência de corpo nenhum, coisa nenhuma, pessoa nenhuma em lugar nenhum, em tempo nenhum, e daí para a consciência de todo corpo, toda coisa, toda as pessoas em todo lugar, em todo tempo. No instante em que sua consciência se conectou ao campo unificado, o campo de informação que governa as leis e as forças do universo, ela se tornou o universo. Ficou em êxtase.

"Depois dessa experiência, minha vida se tornou mágica, e experimento uma energia e vitalidade que nunca senti antes", relatou ela mais tarde. "Continuo tendo uma experiência poderosa depois da outra e nunca mais poderei voltar à vida de antes de começar essa prática."

Jerry volta da quase morte

Em 14 de agosto de 2015, Jerry estava montando um projeto no deque atrás de sua casa. Enquanto lia as instruções, sentiu uma dor súbita e aguda logo abaixo do esterno. Pensou que talvez fossem gases e tomou alguns remédios, mas a dor não desapareceu. Pelo contrário, ele se deitou para descansar e piorou.

Quando tentou se levantar, começou a perder a capacidade de ficar de pé e pensou que poderia desmaiar. Quando a dor ficou mais intensa e a respiração mais ofegante, chamou uma ambulância. Com muito esforço, se arrastou cerca de um metro e meio até a entrada da garagem para que os paramédicos não tivessem que arrombar a porta da casa. Ajoelhado na calçada, desmaiou enquanto esperava o atendimento de emergência. Quando os paramédicos chegaram, deduziram que ele estava infartando e imediatamente começaram a seguir o protocolo para esse atendimento.

"Vocês não entendem. Estou com muita dificuldade para respirar", disse ele aos paramédicos. "Temos que ir para o hospital imediatamente." Jerry sabia o que estava dizendo. Tinha trabalhado durante 34 anos como técnico em atendimento médico no pronto-socorro para onde o levariam.

Jerry conhecia todo mundo no pronto-socorro; assim que chegou, médicos, enfermeiros, técnicos e especialistas começaram a fazer exames de laboratório em ritmo frenético. Quando um médico amigo disse que todos os exames mostravam alterações graves, Jerry soube que a coisa era séria. Um exame era particularmente alarmante: os níveis de protease, amilase e lipase (enzimas produzidas pelo pâncreas) eram de quatro mil a cinco mil unidades por litro, muito acima do normal de cem a duzentos. Transferiram Jerry para a unidade de terapia intensiva.

"Logo a dor piorou, e nenhum medicamento que davam fazia efeito", disse Jerry. "Disseram que um ducto da vesícula biliar tinha entupido e estava causando problemas no pâncreas. Pior, havia líquido se acumulando nos pulmões. Fiquei com menos de 80% da capacidade respiratória nos dois pulmões. Então os médicos me colocaram no ventilador, e eu soube que a coisa estava realmente ruim." O médico pediu à equipe para "ligar a TV com Boston", para uma teleconferência imediata com outros médicos em um hospital maior na cidade grande mais próxima.

"Durante todo o tempo em que trabalhei no hospital, vi a TV ser ligada com Boston poucas vezes, só para os traumas mais graves ou quando os pacientes estavam morrendo", disse Jerry. "Significava que eles não tinham ideia do que estava acontecendo. Quando um médico em quem você confia há anos diz que não sabe o que está acontecendo... Bem, meus hormônios do estresse entraram em ação com força máxima." Enquanto tudo isso acontecia, a equipe médica disse à esposa de Jerry que, se havia papelada para o caso de morte que ela precisasse organizar, era o momento de ir para casa tratar disso. Ela saiu chorando.

Jerry logo percebeu que precisava começar a cuidar de si. Ele soube que, se deixasse os hormônios do estresse assumir o controle, não venceria a batalha.

"De repente, passei de alguém que não adoecia em muitos anos, fazia ioga o tempo todo e comia bem, para um homem na UTI. Repetia a mim mesmo: 'Não posso seguir esse caminho. Não posso ceder ao medo', então não fiz nada disso." Como havia lido *Você é o placebo* recentemente, Jerry começou a pensar: "Preciso mudar o padrão de pensamento. Não posso permitir que meus pensamentos produzam mais cortisol para encharcar meu corpo e causar mais danos ao que resta de mim".

Os médicos acabaram descobrindo que Jerry tinha uma grande massa bloqueando um ducto do pâncreas. A massa não permitia a drenagem do muco, e tudo que havia na glândula estava recuando e transbordando na corrente sanguínea.

"Os médicos ficaram comigo por três dias seguidos", contou ele. "Colocaram uma máscara de oxigênio porque eu não conseguia respirar. Eu tinha tubos intravenosos dos dois lados e, enquanto isso, pensava: 'Vigie seus pensamentos, relaxe, coloque no campo quântico alguma coisa que vá ajudar e não atrapalhar porque você já está com o pé na cova. Eu vou ficar bem. Isso também vai passar. Vou ficar bem'." Sempre que estava consciente, Jerry usava sua energia para ir além de si mesmo, mudar seu estado de ser e criar um desfecho diferente, sintonizando constantemente em um potencial diferente no campo unificado. Felizmente ele estava em um quarto particular, tendo oportunidade de fazer suas meditações sempre que quisesse.

Jerry passou uma semana na UTI; no fim desse período, quando foi transferido para uma unidade de tratamento progressivo, a máscara de oxigênio havia sido removida e Jerry conseguia caminhar. Mesmo assim, não conseguiu comer nem beber nada por nove semanas. (Se comesse alguma coisa ou mesmo bebesse água, o pâncreas liberaria ácido, o que o mataria com o tempo.) A única alimentação que ele recebia era intravenosa.

Quando Jerry foi internado no hospital, pesava 66 quilos. Quando recebeu alta, pesava 54. Quando enfim voltou para casa (ainda com um equipamento de soro), continuou fazendo o trabalho. Outubro se aproximava, e a obstrução persistia. Os médicos sugeriram uma consulta com um especialista em Boston para uma cirurgia. Como Jerry era um profissional da saúde, dois dias antes da cirurgia sugeriu que a equipe médica fizesse mais alguns exames e varreduras para terem informações atualizadas.

"Conheço todos os técnicos de radiografia; mesmo assim, quando disseram que não havia mais nenhuma massa, não acreditei. Chamei os radiologistas e os médicos. Eles repetiam: 'Jerry, estamos vendo as imagens agora. É isso aí, não há nada lá. Vamos telefonar para os caras em Boston e avisar que não vai ter cirurgia'."

Mais tarde Jerry percebeu que, aumentando sua energia de modo constante, migrando para um sentimento de saúde e modificando os pensamentos e a crença de que estava doente para pensamentos e crença de que ficaria bem, a frequência mais alta promoveu a cura.

"Não permitia pensamentos como: 'Ai de mim. Vai dar ruim'. Continuei trabalhando nisso todos os dias, tanto quanto podia. Coloquei a mensagem, a intenção e a energia certas no campo quântico para me curar. E no fim me curei."

Posfácio

Ser paz

O que espero que você leve deste livro é que não basta mudar seu estado de ser apenas quando medita. Não basta pensar e sentir a paz com os olhos fechados, abri-los e continuar o dia em estados limitados e inconscientes da mente e do corpo. Em muitos projetos e estudos de reunião pela paz mencionados no Capítulo 13, quando os experimentos foram concluídos, os índices de violência e crime retornaram aos níveis basais. Isso significa que realmente temos que demonstrar a paz, o que requer que nosso corpo seja envolvido, e para isso precisamos sair do pensar para o fazer.

Toda vez que modificamos nosso estado de ser e começamos o dia abrindo o coração para estados elevados que nos conectam ao amor pela vida, à alegria de viver, à inspiração por estar vivo, à gratidão por nosso futuro já ter acontecido e à bondade em relação aos outros, precisamos levar, manter e demonstrar essa energia e esse estado de ser ao longo do dia, seja sentado, em pé, andando ou deitado. Assim, quando eventos perturbadores acontecerem em nossa vida ou no mundo, se demonstrarmos paz em vez de agir de modo inconsciente, previsível e reacionário supostamente natural (expressando raiva, frustração, violência, medo, sofrimento ou agressividade), não mais contribuiremos para a velha consciência do mundo. Ao quebrar o ciclo e demonstrar paz pelo exemplo, possibilitamos que outros façam a mesma coisa. Como o conhecimento é para a mente e a experiência é para o corpo, quando passamos do pensar para o fazer – e experimentamos as emoções de paz e equilíbrio interior –, no momento em que começamos a incorporar a paz, realmente começamos a mudar o programa.

Ao conter os comportamentos reativos e com isso deixar de criar experiências e emoções redundantes, não mais disparamos e programamos os mesmos circuitos no cérebro. É assim que deixamos de condicionar o corpo a viver nas emoções autolimitantes da mente e é assim que mudamos a nós mesmos e nosso relacionamento com o mundo ao redor. Toda vez que fazemos isso, literalmente ensinamos o corpo a entender quimicamente o que a mente entendeu intelectualmente. É assim que selecionamos e instruímos os genes latentes que nos fazem prosperar, não só sobreviver. A paz então está dentro de nós e batemos na porta genética para ficar biologicamente assim. Não é isso que todo grande líder carismático, santo, místico e mestre da história pregou continuamente?

É claro que no começo é antinatural ir contra anos de condicionamento automático, hábitos inconscientes, reações emocionais reflexivas, atitudes programadas e gerações de programação genética, mas é exatamente assim que nos tornamos sobrenaturais. Fazer o que parece antinatural significa ir contra tudo aquilo que fomos geneticamente programados ou socialmente condicionados a viver quando ameaçados de alguma forma. Tenho certeza de que qualquer criatura que rompeu com a consciência de tribo, matilha, cardume ou rebanho para se adaptar a um ambiente em transformação deve ter sentido o desconforto e a incerteza do desconhecido. Mas não devemos esquecer que viver no desconhecido significa estar no reino das possibilidades.

O verdadeiro desafio é não retornar ao nível de mediocridade com que a consciência social predominante concorda só porque não vemos mais ninguém fazendo o que fazemos. A verdadeira liderança nunca precisa da confirmação dos outros. Requer apenas uma visão clara e uma mudança na energia – ou seja, um novo estado de ser – sustentadas por tempo suficientemente longo e executadas com uma vontade forte o bastante para que outras pessoas elevem a própria energia e sejam inspiradas a fazer o mesmo. Quando se elevam de seu estado limitado de ser para uma nova energia, elas veem o mesmo futuro que o líder vê. Existe força nos números.

Depois de tantos anos ensinando sobre transformação pessoal, sei que ninguém muda enquanto não muda sua energia. De fato, quando alguém está realmente envolvido em mudanças, é menos provável que fale sobre isso e mais provável que demonstre. Essas pessoas trabalham para viver a mudança. Isso requer consciência, intenção, permanência no presente e atenção constante aos estados internos. Talvez a maior dificuldade não seja se sentir desconfortável, mas se sentir bem com o desconforto, porque desconforto é o que nos desafia a crescer. Nos faz sentir mais vivos.

Afinal, se estresse e resposta de sobrevivência resultam de não conseguirmos prever nosso futuro (pensar ou acreditar que somos incapazes de controlar um desfecho ou que as coisas vão piorar), abrir a mente e o coração para acreditar nas possibilidades requer ir contra milhares de anos de características de sobrevivência geneticamente programadas. Devemos abrir mão do que sempre usamos para conseguir o que queremos para que algo muito melhor aconteça. Para mim, isso é a verdadeira grandeza.

Se conseguimos fazer isso uma vez, desestabilizar as redes neurais de raiva, ressentimento e vingança e ativar redes neurais relacionadas a cuidado, generosidade e apoio (e assim criar as emoções correspondentes), devemos ser capazes de fazer de novo, e a repetição das escolhas vai condicionar mente e corpo neuroquimicamente a se tornarem um só. Quando corpo e mente sabem como fazer, o processo se torna inato, familiar, fácil e natural. Pensar e demonstrar paz, que antes exigia consciência focada, torna-se um programa subconsciente. Criamos um novo estado de ser pacífico e automático, o que significa que agora a paz está dentro de nós.

É assim que memorizamos uma nova ordem neuroquímica interna maior do que qualquer condição no ambiente externo. Agora não só somos a paz, mas a dominamos, bem como dominamos a nós mesmos e o ambiente. Quando um número suficiente de pessoas alcançar esse estado de ser, quando todo mundo estiver fechado com a mesma energia, frequência e consciência elevada, assim como cardumes de peixe ou bandos de aves se movendo em uma ordem unida, vamos começar a agir como uma só mente e emergir como uma nova espécie. Porém, se continuarmos agindo como um organismo canceroso em guerra contra si mesmo, nossa espécie não sobreviverá, e a evolução vai continuar seu grande experimento.

Reserve tempo em sua vida ocupada para investir em si porque ao fazer isso estará investindo no seu futuro. Se o ambiente familiar controla como você pensa e sente, é hora de se afastar de sua vida e se voltar para dentro a fim de reverter o processo de ser vítima da vida e em vez disso se tornar criador dela. Depois de ler este livro, você sabe que é possível mudar a si mesmo de dentro para fora e que, quando fizer essa mudança, ela se refletirá no mundo externo.

Este é um momento da história em que não basta simplesmente saber, é hora de saber como. De acordo com a compreensão filosófica e os princípios científicos da física quântica, da neurociência e da epigenética, agora entendemos que a mente subjetiva influencia o mundo objetivo. Como a mente influencia a matéria, somos obrigados a estudar a natureza da mente, nosso entendimento nos permite atribuir significado ao que fazemos. Se o conhecimento é o precursor da experiência, quanto mais conhecimento tivermos sobre o quanto somos poderosos, além de entender a ciência por trás de como as coisas funcionam, mais entenderemos o quanto nosso potencial é ilimitado, tanto como indivíduos quanto como um coletivo.

Como aprofundamos e ampliamos constantemente a compreensão da interconectividade de todos os sistemas vivos e cada um de nós é um colaborador do campo da Terra, acredito que podemos criar e orientar coletivamente um futuro novo, pacífico e próspero neste planeta. Tudo começa com o hábito de se guiar pelo coração, elevar a energia e sintonizar-se com maior informação e frequências de amor e plenitude. Com esforço e intenção, devemos começar a produzir uma assinatura eletromagnética coerente. Assim como quando jogamos pedras em um lago tranquilo repetidamente, à medida que continuamos elevando a energia e abrindo o coração, produzimos campos eletromagnéticos cada vez maiores. Essa energia é informação, e cada um de nós tem o poder de dirigir sua energia com o intuito de produzir efeitos não locais sobre a natureza da realidade.

Quando direcionamos a energia como observador, consciência ou pensamento, podemos começar a afetar uma causação descendente da matéria ou, em outras palavras, podemos literalmente fazer a mente ser matéria. Quando praticamos esses conceitos de maneira constante, mudando nossos níveis de energia de estados de sobrevivência para maiores níveis de consciência, compaixão, amor, gratidão e outras emoções elevadas, as assinaturas eletromagnéticas coerentes arrastam umas às outras. O efeito então é podermos unificar comunidades antes separadas pela crença de que somos apenas matéria. Depois de fazer a transição do nosso estado de ser de sobrevivência para amor, gratidão e criação, em vez de reagir com violência, terrorismo, medo, preconceito, competição, egoísmo e separação (de acordo com os quais, a propósito, a mídia, os comerciais, videogames e todos os tipos de estímulos estão constantemente nos lembrando e programando para viver), podemos nos manter juntos na crise. Não teremos mais necessidade de dividir, atribuir culpa ou buscar vingança.

Cada vez que meditamos como uma comunidade global, projetamos uma onda coerente, maior e mais forte de amor e altruísmo para todo o mundo. Se isso for feito vezes suficientes, devemos ser capazes não só de medir as mudanças de energia e frequência em todo o mundo, mas também de medir nossos esforços pelas mudanças positivas nos eventos que ocorrerão no futuro.

Para defender a justiça e a paz você tem primeiro que encontrar a paz dentro de si. Depois deve demonstrar paz aos outros, o que significa que não pode defender a paz ou estar em paz enquanto estiver em guerra com o vizinho, odiando o colega de trabalho ou julgando seu chefe.

Se todo mundo (e todo mundo mesmo) escolhesse a paz, e se nos juntássemos exatamente ao mesmo tempo, imagine o tipo de mudança positiva que poderíamos criar no futuro coletivo. Não haveria conflito. O que é igualmente poderoso é que, quando somos a personificação viva da paz, aparecemos para os outros como imprevisíveis, e então eles prestam atenção. Graças aos neurônios-espelho (uma classe especial de células cerebrais acionada quando vemos alguém executar uma ação), somos biologicamente programados para imitar o comportamento uns dos outros. Ser modelo de paz, justiça, amor, bondade, cuidado, compreensão e compaixão permite que outras pessoas abram o coração e passem de estados de sobrevivência agressivos e temerosos para o sentimento de totalidade e conexão. Pense no que aconteceria se todos nós compreendêssemos como estamos interconectados uns com os outros e com o campo, em vez de nos sentirmos separados e isolados; poderíamos realmente começar a assumir a responsabilidade por nossos pensamentos e emoções, porque finalmente entenderíamos como nosso estado de ser afeta toda a vida. É assim que começamos a mudar o mundo, mudando primeiro a nós mesmos.

O futuro da humanidade não depende de uma pessoa, um líder ou messias com uma consciência maior para nos mostrar o caminho. Pelo contrário, requer uma nova consciência coletiva, porque é pelo reconhecimento e aplicação da interconectividade da consciência humana que podemos mudar o curso da história.

Embora pareça que estruturas e paradigmas antigos estão entrando em colapso, não devemos encarar isso com medo, raiva ou tristeza, porque esse é o processo pelo qual a evolução e as coisas novas ocorrem. Devemos encarar o futuro com uma nova luz, energia e consciência. Como mencionei, o velho precisa desmoronar e desaparecer antes que algo novo floresça. Importante nesse processo é não desperdiçar energia reagindo emocionalmente a líderes ou pessoas no poder. Quando capturam nossas emoções, capturam nossa atenção e com isso capturam nossa energia. É assim que as pessoas ganham poder sobre nós. Devemos defender princípios, valores e imperativos morais como liberdade, justiça, verdade e igualdade. Quando alcançarmos tudo isso mediante o poder do coletivo, nos uniremos amparados pela energia da unicidade em vez de sermos controlados pela ideia de separação. Defender a verdade não é mais pessoal, mediante a unificação e construção da comunidade, torna-se universal.

Acredito que estamos à beira de um grande salto evolutivo. Outra maneira de dizer isso é que estamos passando por uma iniciação. Afinal, uma iniciação não é um rito de passagem de um nível de consciência para outro e não é projetada para desafiar a estrutura de quem somos, a fim de que possamos crescer para um potencial maior? Talvez ao ver, lembrar e despertar para quem realmente são, os seres humanos possam se mover como uma consciência coletiva de um estado de sobrevivência para um estado de prosperidade. Então poderemos emergir para nossa verdadeira natureza e ter pleno acesso à nossa capacidade inata como seres humanos, que é dar, amar, servir e cuidar uns dos outros e da Terra.

Assim, por que não se perguntar todos os dias: O que o amor faria?

Isso é quem realmente somos, e esse é o futuro que estou criando, um futuro no qual cada um de nós se torna sobrenatural.

Agradecimentos

A concepção de *Como se tornar sobrenatural* surgiu de uma conversa informal com a diretoria da Hay House alguns anos atrás. Mal sabia eu, enquanto dividia uma refeição com o CEO Reid Tracy, a COO Margarete Nielsen e a vice-presidente Patty Gift que eu falaria sobre algumas ideias que cogitava para um novo livro.

Pensando bem, acho que pode ter sido uma armação. Agora está claro.

Algo que eu disse deve tê-los impressionado porque, uma semana depois, concordei em dar à luz um livro que se basearia em novos paradigmas que, na minha opinião, exigiriam uma quantidade enorme de esforço para escrever de maneira simples e coerente. O acúmulo de pesquisas contínuas, a coleta constante de dados, medições e análises rigorosas, logística organizacional concisa, planejamento de eventos, agendamento de milhares de exames de imagens com fins científicos durante nossos eventos e horas incansáveis de diálogo intenso com os cientistas e com minha equipe sobre nossas medições não são para os fracos. Como grande parte do que estávamos observando não se enquadrava nas convenções científicas, era necessário dedicar muito tempo às reuniões, e era preciso um compromisso apaixonado de nossa parte com a compreensão dessa novidade.

É preciso ser um tipo especial de pessoa para manter o curso e acreditar em uma visão que existe na mente de outra pessoa, especialmente quando essa abstração pode nem ser clara na própria mente. Contudo, quando existe uma firme convicção na possibilidade associada a uma paixão por transformar algo em realidade tangível, a magia acontece. E foi assim que tive o privilégio de trabalhar com pessoas incríveis que se uniram como uma equipe. Para mim foi uma verdadeira bênção fazer parte de um grupo tão incrível.

Mais uma vez, gostaria de expressar meus sinceros agradecimentos à família Hay House por sua confiança em mim. É uma alegria fazer parte de uma comunidade de espíritos semelhantes que demonstram tanta bondade, apoio e competência. Obrigado, Reid Tracy, Patty Gift, Margarete Nielsen, Stacey Smith, Richelle Fredson, Lindsay McGinty, Blaine Todfield, Perry Crowe, Celeste Phillips, Tricia Breidenthal, Diane Thomas, Sheridan McCarthy, Caroline DiNofia, Karim Garcia, Marlene Robinson, Lisa Bernier, Michael Goldstein, Joan D. Shapiro e restante da família. Espero que todos tenhamos crescido trabalhando juntos.

Um agradecimento especial à minha editora da Hay House, Anne Barthel, que vive a vida com tanta elegância e graça. Obrigado pelas infinitas horas de carinho e *expertise* e por sua resistência ao meu lado. Sua humildade me ensina a ser humilde.

Gostaria de agradecer aos meus editores Katy Koontz e Tim Shields por tanta generosidade. Sua contribuição para o meu trabalho foi excelente. Obrigado por se disponibilizarem a ir tão fundo.

Também gostaria de citar todas as pessoas que participaram da minha equipe Encephalon pelo serviço contínuo me assistindo. Obrigado, Paula Meyer, Katina Dispenza, Rhadell Hovda, Adam Boyce, Kristen Michaelis, Belinda Dawson, Donna Flanagan, Reilly Hovda, Janet Therese, Shashanin Quackenbush, Amber Lordier, Andrew Wright, Lisa Fitkin, Aaron Brown, Justin Kerrihard, Johan Pool e Ariel Maguire. Quero agradecer também aos cônjuges e parceiros dos membros da equipe por serem tão compreensivos e incondicionais e por permitirem que seus companheiros dediquem tanto tempo a mudar a vida das pessoas comigo.

Uma dose especial de gratidão para Barry Goldstein, o fabuloso compositor da maior parte de nossas músicas de meditação. Obrigado por me fazer me apaixonar pela música novamente.

Natalie Ledwell, da Mind Movie, contribuiu muito com nossa causa. Agradeço por sua paixão por transformação e também por nossa amizade. Você me ajudou a mudar muitas vidas.

Gostaria de expressar minha mais profunda gratidão a Roberta Brittingham. Obrigado por sua visão e pelo belo trabalho de criação do caleidoscópio. Ninguém além de você poderia tê-lo transformado em uma obra de arte tão viva.

Gostaria de agradecer ao meu melhor amigo, John Dispenza. Obrigado pela paciência e pelo entusiasmo. Adoro a arte interna, as ilustrações e o fabuloso design da capa. Seu talento é verdadeiramente estelar.

Meu muito obrigado à nossa excelente e brilhante equipe de neurociência. Eles são Danijela Debelic, Thomas Feiner, diretor do Instituto para EEG-neuro*feedback*, Normen Schack, Frank Hegger, Claudia Ruiz; e Judi Stivers. Quero agradecer pelo excelente trabalho, pela capacidade de se doar e servir com tanta energia vital, pela paixão por fazer a diferença no mundo e por terem mente e coração abertos. Sou abençoado por conhecer todos vocês. Também gostaria de agradecer por sua contribuição no fornecimento de todas as imagens e leituras do cérebro, fornecimento de equipamentos de última geração, excelente análise, coleta de todos os dados e por terem encontrado tempo, mesmo sendo tão ocupados, para ter longas conversas comigo sobre o que é natural e o que é sobrenatural. Mais importante, obrigado por me ensinarem e acreditarem em mim. Vocês todos são um sopro de ar fresco e pertencem ao futuro.

Além disso, quero agradecer a Melissa Waterman por sua *expertise* em nossas medições GDV e Sputnik. Obrigado por contribuir tanto e disponibilizar a pesquisa para mim. E por estar sempre por perto e disponível.

Um grande obrigado a Dawson Church por sua genialidade e amizade. Foi você quem também acreditou que poderíamos mudar a expressão genética em pessoas comuns em apenas alguns dias em nossas oficinas. Sou grato por você estar na equipe e por ser esse recurso de praticidade científica. Sou abençoado por conhecer você.

Minha especial gratidão a Rollin McCraty, Jackie Waterman, Howard Martin e toda a equipe do HeartMath Institute. Vocês foram muito importantes em nossa pesquisa e muito altruístas em tudo que ofereceram. Sou abençoado por nosso relacionamento.

Quero expressar minha gratidão à equipe que gerencia minha empresa de treinamento corporativo. Suzanne Qualia, Beth Wolfson e Florence Yaeger. Obrigado por compartilharem uma ideia comigo. Além disso, minha especial gratidão aos demais treinadores corporativos de todo o mundo que trabalham com tanta diligência para se tornarem o exemplo vivo de mudança e liderança para muita gente.

Gostaria de agradecer a Justine Ruszczyk, que realmente se dedicou a entender esse trabalho em um nível muito profundo. Obrigado por me ajudar com o desenvolvimento de alguns programas de treinamento. Estou ansioso para que nossos caminhos se cruzem de novo.

Sou muito grato a Vicki Higgins. Obrigado pelo apoio altruísta, pelos conselhos práticos e todo o seu amor incondicional. É uma grande honra conhecer você. Que seus esforços sejam mil vezes retribuídos.

Agradeço a Gregg Braden por escrever um prefácio tão poderoso e centrado no coração. Você é um exemplo da vida real. Nossa amizade é muito importante para mim.

Meus filhos Jace, Gianna e Shen, jovens adultos únicos e saudáveis, obrigado por serem tão generosos me concedendo tempo para seguir minha paixão.

Finalmente, gostaria de agradecer à nossa comunidade de alunos envolvidos neste trabalho. Muitos de vocês me inspiram. Você estão se tornando sobrenaturais.

Sobre o autor

Joe Dispenza, doutor em quiropraxia, é palestrante internacional, pesquisador, consultor corporativo, autor e educador convidado para falar em mais de 32 países nos cinco continentes. Como professor e educador, é motivado pela convicção de que cada um de nós tem potencial para grandeza e habilidades ilimitadas. Com seu estilo fácil de entender, incentivador e compassivo, educou milhares de pessoas, detalhando como elas podem reprogramar o cérebro e recondicionar o corpo para fazer mudanças duradouras.

Além de oferecer uma variedade de cursos *on-line* e aulas à distância, leciona pessoalmente em oficinas progressivas de três dias e oficinas avançadas de cinco dias nos Estados Unidos e outros países. Desde 2018, suas oficinas se tornaram de uma semana e o conteúdo das oficinas avançadas está disponível *on-line*. (Para saber mais, visite a seção de eventos em www.drjoedispenza.com.) O Dr. Joe é membro do corpo docente da Universidade Quântica em Honolulu, Havaí, do Instituto Ômega de Estudos Holísticos em Rhinebeck, Nova York, e do Centro de Ioga e Saúde Kripalu em Stockbridge, Massachusetts. Também é membro convidado do comitê de pesquisa da Life University em Atlanta, Geórgia.

Como pesquisador, a paixão do Dr. Joe está na intersecção das últimas descobertas dos campos da neurociência, epigenética e física quântica para explorar a ciência por trás das remissões espontâneas. Ele usa esse conhecimento para ajudar pessoas a se curarem de enfermidades, condições crônicas e até doenças terminais, para que possam desfrutar de uma vida mais feliz e plena, bem como desenvolver a consciência. Em suas oficinas avançadas em todo o mundo, se associou a outros cientistas para realizar uma extensa pesquisa sobre os efeitos da meditação, incluindo testes epigenéticos, mapeamento cerebral com eletroencefalogramas (EEGs) e testes individuais de campo de energia com uma máquina de visualização de descarga de gás (GDV). Sua pesquisa também inclui a medição da coerência cardíaca com os monitores HeartMath e da energia presente no ambiente das oficinas antes, durante e depois dos eventos com um sensor GDV Sputnik.

Como consultor corporativo, o Dr. Joe dá palestras e oficinas em empresas e corporações interessadas em usar princípios neurocientíficos para aumentar a criatividade, inovação, produtividade e muito mais dos funcionários. Seu programa corporativo também inclui treinamento privado para o alto escalão. O Dr. Joe treinou e formou pessoalmente um grupo de mais de setenta treinadores corporativos que ensinam seu modelo de transformação para empresas no mundo todo. Recentemente, também começou a formar treinadores independentes para usar seu modelo de mudança com os próprios clientes.

Autor *best-seller* do *The New York Times*, escreveu *Você é o placebo*, que explora nossa capacidade de nos curarmos sem drogas ou cirurgia, apenas pelo pensamento. Também escreveu *Quebrando o hábito de ser você mesmo* e *Evolve Your Brain*, que detalham a neurociência de mudança e epigenética. *Como se tornar sobrenatural* é o quarto livro do Dr. Joe. Suas aparições no cinema incluem *HEAL* (2017), *E-Motion* (2014), *Sacred Journey of the Heart* (2012), *People v. State of Illusion* (2011), *What IF – The Movie* (2010), *Unleashing Creativity* (2009) e *What the #$*! Do We Know? & Down the Rabbit Hole*, versão estendida em DVD (2005).

O Dr. Joe é bacharel pela Evergreen State College e doutor em quiropraxia pela Life University, onde se formou com honras. Seus cursos de pós-graduação abrangem neurologia, neurociência, função cerebral e química, biologia celular, formação de memória e envelhecimento e longevidade. É possível fazer contato com o Dr. Joe em www.drjoedispenza.com.

Notas

Introdução

1 Global Union of Scientists for Peace, "Defusing World Crises: A Scientific Approach", https://www.gusp.org/defusing-world-crises/scientific-research/.

2 F. A. Popp, W. Nagl, K. H. Li *et al.*, "Biophoton Emission: New Evidence for Coherence and DNA as Source", *Cell Biophysics*, vol. 6, n. 1: p. 33–52 (1984).

Capítulo 1

3 R. M. Sapolsky, *Why Zebras Don't Get Ulcers* (Nova York: Times Books, 2004). Vício emocional também é um conceito ensinado na Escola de Iluminação de Ramtha; ver JZK Publishing, uma subdivisão da JZK, Inc., editora da EIR.

Capítulo 2

4 Também conhecido como regra ou lei de Hebb; ver D. O. Hebb, *The Organization of Behavior: A Neuropsychological Theory* (Nova York: John Wiley & Sons, 1949).

5 L. Song, G. Schwartz e L. Russek, "Heart-Focused Attention and Heart-Brain Synchronization: Energetic and Physiological Mechanisms", *Alternative Therapies in Health and Medicine*, vol. 4, n. 5: p. 44–52, 54–60, 62 (1998); D. L. Childre, H. Martin e D. Beech, *The HeartMath Solution: The Institute of HeartMath's Revolutionary Program for Engaging the Power of the Heart's Intelligence* (San Francisco: HarperSanFrancisco, 1999), p. 33.

6 A. Pascual-Leone, D. Nguyet, L. G. Cohen, *et al.*, "Modulation of Muscle Responses Evoked by Transcranial Magnetic Stimulation During the Acquisition of New Fine Motor Skills", *Journal of Neurophysiology*, vol. 74, n. 3: p. 1037–1045 (1995).

7 P. Cohen, "Mental Gymnastics Increase Bicep Strength", *New Scientist*, vol. 172, n. 2.318: p. 17 (2001).

8 W. X. Yao, V. K. Ranganathan, D. Allexandre *et al.*, "Kinesthetic Imagery Training of Forceful Muscle Contractions Increases Brain Signal and Muscle Strength", *Frontiers in Human Neuroscience*, vol. 7: p. 561 (2013).

9 B. C. Clark, N. Mahato, M. Nakazawa *et al.*, "The Power of the Mind: The Cortex as a Critical Determinant of Muscle Strength/Weakness,", *Journal of Neurophysiology*, vol. 112, n. 12: p. 3.219–3.226 (2014).

10 D. Church, A. Yang, J. Fannin *et al.*, "The Biological Dimensions of Transcendent States: A Randomized Controlled Trial", apresentado na Conferência de Psicologia da Energia de Lyon, França, 18 de março de 2017.

Capítulo 3

11 N. Bohr, "On the Constitution of Atoms and Molecules", *Philosophical Magazine*, vol. 26, n. 151: p. 1–25 (1913).

12 Church, Yang, Fannin *et al.*, "The Biological Dimensions of Transcendent States: A Randomized Controlled Trial".

13 Childre, Martin e Beech, *The HeartMath Solution*.

14 "Mind over Matter", *Wired* (1º de abril de 1995).

Capítulo 4

15 Popp, Nagl, Li *et al.*, "Biophoton Emission: New Evidence for Coherence and DNA as Source".

16 L. Fehmi e J. Robbins, *The Open-Focus Brain: Harnessing the Power of Attention to Heal Mind and Body* (Boston: Trumpeter Books, 2007).

17 A. Hadhazy, "Think Twice: How the Gut's 'Second Brain' Influences Mood and Well-Being", *Scientific American Global RSS* (12 de fevereiro de 2010).

18 C. B. Pert, *Molecules of Emotion* (Nova York: Scribner, 1997).

19 F. A. Popp, "Biophotons and Their Regulatory Role in Cells", *Frontier Perspectives*, vol. 7, n. 2: p. 13–22 (1988).

20 C. Sylvia com W. Novak, *A Change of Heart: A Memoir* (Nova York: Warner Books, 1997).

21 P. Pearsall, *The Heart's Code: Tapping the Wisdom and Power of Our Heart Energy* (Nova York: Broadway Books, 1998), p. 7.

Capítulo 5

22 M. Szegedy-Maszak, "Mysteries of the Mind: Your Unconscious Is Making Your Everyday Decisions", *U.S. News & World Report* (28 de fevereiro de 2005).

23 M. B. DeJarnette, "Cornerstone", *The American Chiropractor*, p. 22, 23, 28, 34 (julho/agosto de 1982).

24 *Ibid.*

25 D. Church, G. Yount, S. Marohn *et al.*, "The Epigenetic and Psychological Dimensions of Meditation", apresentado no Instituto Ômega, 26 de agosto de 2017. Enviado para publicação.

Capítulo 6

26 "Electromagnetic Fields and Public Health: Electromagnetic Sensitivity", Organização Mundial de Saúde (dezembro de 2005), http://www.who.int/peh-emf/publications/facts/fs296/en/; "WHO International Seminar and Working Group meeting on EMF Hypersensitivity" (25 a 27 de outubro de 2004).

Capítulo 7

27 D. Mozzaffarian, E. Benjamin, A. S. Go, *et al.*, em nome do comitê de estatística e do subcomitê de estatística de acidentes

vasculares da Associação Americana do Coração, "Heart Disease and Stroke Statistics – 2016 Update: A Report from the American Heart Association", *Circulation*, 133:e38–e360 (2016).

28 Childre, Martin e Beech, *The HeartMath Solution*.

29 HeartMath Institute, "The Heart's Intuitive Intelligence: A Path to Personal, Social and Global Coherence" (abril de 2002).

30 Church, Yang, Fannin *et al.*, "The Biological Dimensions of Transcendent States: A Randomized Controlled Trial"; Church, Yount, Marohn *et al.*, "The Epigenetic and Psychological Dimensions of Meditation".

31 R. McCraty, M. Atkinson, D. Tomasino *et al.*, "The Coherent Heart: Heart-Brain Interactions, Psychophysiological Coherence, and the Emergence of System-Wide Order", *Integral Review*, vol. 5, n. 2: p.10–115 (2009).

32 T. Allison, D. Williams, T. Miller *et al.*, "Medical and Economic Costs of Psychologic Distress in Patients with Coronary Artery Disease", *Mayo Clinic Proceedings*, vol. 70, n. 8: p. 734–742 (agosto de 1995).

33 R. McCraty e M. Atkinson, "Resilience Training Program Reduces Physiological and Psychological Stress in Police Officers", *Global Advances in Health and Medicine*, vol. 1, n. 5: p. 44–66 (2012).

34 M. Gazzaniga, "The Ethical Brain", *The New York Times* (19 de junho de 2005).

35 R. McCraty, "Advanced Workshop with Dr. Joe Dispenza", Carefree Resort and Conference Center, Carefree, Arizona (23 de fevereiro de 2014).

36 W. Tiller, R. McCraty e M. Atkinson, "Cardiac Coherence: A New, Noninvasive Measure of Autonomic Nervous System Order", *Alternative Therapies in Health and Medicine*, vol. 2, n. 1: p. 52–65 (1996).

37 McCraty, Atkinson, Tomasino *et al.*, "The Coherent Heart: Heart-Brain Interactions, Psychophysiological Coherence, and the Emergence of System-Wide Order".

38 R. McCraty e F. Shaffer, "Heart Rate Variability: New Perspectives on Physiological Mechanisms, Assessment of Self-Regulatory Capacity, and Health Risk", *Global Advances in Health and Medicine*, vol. 4, n. 1: p. 46–61 (2015); S. Segerstrom e L. Nes, "Heart Rate Variability Reflects Self-Regulatory Strength, Effort, and Fatigue", *Psychological Science*, vol. 18, n. 3: p. 275–281 (2007); R. McCraty e M. Zayas, "Cardiac Coherence, Self-Regulation, Autonomic Stability,

and Psychosocial Well-Being", *Frontiers in Psychology*, vol. 5: p. 1–13 (setembro de 2014).

39 K. Umetani, D. Singer, R. McCraty *et al.*, "Twenty-Four Hour Time Domain Heart Rate Variability and Heart Rate: Relations to Age and Gender over Nine Decades", *Journal of the American College of Cardiology*, vol. 31, n. 3: p. 593–601 (1º de março de 1998).

40 D. Childre, H. Martin, D. Rozman e R. McCraty, *Heart Intelligence: Connecting with the Intuitive Guidance of the Heart* (Waterfront Digital Press, 2016), p. 76.

41 R. McCraty, M. Atkinson, W. A. Tiller *et al.*, "The Effects of Emotions on Short-Term Power Spectrum Analysis of Heart Rate Variability", *The American Journal of Cardiology*, vol. 76, n. 14 (1995): p. 1089–1093.

42 Pert, *Molecules of Emotion*.

43 Ibid.

44 Song, Schwartz e Russek, "Heart-Focused Attention and Heart-Brain Synchronization".

45 Childre, Martin e Beech, *The HeartMath Solution*, p. 33.

46 Song, Schwartz e Russek, "Heart-Focused Attention and Heart-Brain Synchronization".

47 Childre, Martin e Beech, *The HeartMath Solution*.

48 J. A. Armour, "Anatomy and Function of the Intrathoracic Neurons Regulating the Mammalian Heart", em I. H. Zucker e J. P. Gilmore, eds., *Reflex Control of the Circulation* (Boca Raton: CRC Press, 1998), p. 1–37.

49 O. G. Cameron, *Visceral Sensory Neuroscience: Interoception* (Nova York: Oxford University Press, 2002).

50 McCraty e Shaffer, "Heart Rate Variability: New Perspectives on Physiological Mechanisms, Assessment of Self-Regulatory Capacity, and Health Risk".

51 H. Martin, "TEDxSantaCruz: Engaging the Intelligence of the Heart", Cabrillo College Music Recital Hall, Aptos, Califórnia, 11 de junho de 2011.

52 J. A. Armour, "Peripheral Autonomic Neuronal Interactions in Cardiac Regulation", em J. A. Armour e J. L. Ardell, eds., *Neurocardiology* (Nova York: Oxford University Press, 1994), p. 219–44; J. A. Armour, "Anatomy and Function of the Intrathoracic Neurons Regulating the

Mammalian Heart", em Zucker e Gilmore, eds., *Reflex Control of the Circulation*, p. 1–37.

53 McCraty, Atkinson, Tomasino *et al.*, "The Coherent Heart".

Capítulo 8

54 E. Goldberg e L. D. Costa, "Hemisphere Differences in the Acquisition and Use of Descriptive Systems", *Brain Language*, vol. 14, n. 1 (1981), p. 144–73.

Capítulo 11

55 A. Aspect, P. Grangier e G Roger, "Experimental Realization of Einstein-Podolsky-Rosen-Bohm Gedankenexperiment: A New Violation of Bell's Inequalities", *Physical Review Letters*, vol. 49, n. 2 (1982): p. 91–94; A. Aspect, J. Dalibard e G. Roger, "Experimental Test of Bell's Inequalities Using Time-Varying Analyzers", *Physical Review Letters*, vol. 49, no. 25 (9182): p. 1.804–1.807; A. Aspect, "Quantum Mechanics: To Be or Not to Be Local", *Nature*, vol. 446, n. 7.138 (19 de abril de 2007): p. 866–867.

56 D. Bohm, *Wholeness and the Implicate Order* (Nova York: Routledge, 2002).

57 I. Bentov, *Stalking the Wild Pendulum: On the Mechanics of Consciousness* (Nova York: E. P. Dutton, 1977); Ramtha, *A Beginner's Guide to Creating Reality* (Yelm: JZK Publishing, 2005).

Capítulo 12

58 W. Pierpaoli, *The Melatonin Miracle: Nature's Age-Reversing, Disease-Fighting, Sex-Enhancing Hormone* (Nova York: Pocket Books, 1996); R. Reiter e J. Robinson, *Melatonin: Breakthrough Discoveries that Can Help You Combat Aging, Boost Your Immune System, Reduce Your Risk of Cancer and Heart Disease, Get a Better Night's Sleep* (Nova York: Bantam, 1996).

59 S. Baconnier, S. B. Lang e R. Seze, "New Crystal in the Pineal Gland: Characterization and Potential Role in Electromechano-Transduction", assembleia geral da URSI, Maastricht, Holanda, agosto de 2002.

60 T. Kenyon e V. Essene, *The Hathor Material: Messages from an Ascended Civilization* (Santa Clara: S.E.E. Publishing Co., 1996).

61 R. Hardeland, R. J. Reiter, B. Poeggeler e D. X. Tan, "The Significance of the Metabolism of the Neurohormone Melatonin: Antioxidative Protection and Formation of Bioactive Substances", *Neuroscience & Biobehavioral Reviews*, vol. 17, n. 3: p. 347–57 (outono de 1993); A. C. Rovescalli, N. Brunello, C. Franzetti e G. Racagni, "Interaction of Putative Endogenous Tryptolines with the Hypothalamic Serotonergic System and Prolactin Secretion in Adult Male Rats", *Neuroendocrinology*, vol. 43, n. 5: p. 603–10 (1986); G. A. Smythe, M. W. Duncan, J. E. Bradshaw e M. V. Nicholson, "Effects of 6-methoxy-1,2,3,4-tetrahydro-beta-carboline and yohimbine on hypothalamic monoamine status and pituitary hormone release in the rat," *Australian Journal of Biological Sciences*, vol. 36, n. 4: p. 379–86 (1983).

62 S. A. Barker, J. Borjigin, I. Lomnicka, R. Strassman, "LC/MS/MS Analysis of the Endogenous Dimethyltryptamine Hallucinogens, Their Precursors, and Major Metabolites in Rat Pineal Gland Microdialysate", *Biomedical Chromatography*, vol. 27, n. 12: p. 1.690–1.700 (dezembro de 2013).

63 Hardeland, Reiter, Poeggeler e Tan, "The Significance of the Metabolism of the Neurohormone Melatonin".

64 David R. Hamilton, *Why Kindness Is Good for You* (Londres: Hay House UK, 2010), p. 62–67.

65 R. Acher e J. Chauvet, "The Neurohypophysial Endocrine Regulatory Cascade: Precursors, Mediators, Receptors, and Effectors", *Frontiers in Neuroendocrinology*, vol. 16: p. 237–289 (julho de 1995).

66 David Wilcock, "Understanding Sacred Geometry & the Pineal Gland Consciousness", https://www.kansascity-comiccon.com/documentary-pineal-gland-consciousness-amp-sacred-geometry-vid-lA6JMU4iUMgHd.

Capítulo 13

67 Global Union of Scientists for Peace, "Defusing World Crises: A Scientific Approach".

68 *Ibid.*

69 D. W. Orme-Johnson, C. N. Alexander, J. L. Davies *et al.*, "International Peace Project in the Middle East: The Effects of the Maharishi Technology of the Unified Field", *Journal of Conflict Resolution*, vol. 32, n. 4 (4 de dezembro de 1988).

70 D. W. Orme-Johnson, M. C. Dillbeck e C. N. Alexander, "Preventing Terrorism and International Conflict: Effects of Large Assemblies of Participants in the Transcendental Meditation and TM-Sidhi Programs", *Journal of Offender Rehabilitation*, vol. 36, n. 1-4: p. 283-302 (2003).

71 "Global Peace-End of the Cold War", Global Peace Initiative, http://globalpeaceproject.net/proven-results/case-studies/global-peace-end-of-the-cold-war/.

72 J. S. Hagelin, M. V. Rainforth, K. L. C. Cavanaugh *et al.*, "Effects of Group Practice of Transcendental Meditation Program on Preventing Violent Crime in Washington, D.C.: Results of the National Demonstration Project, June-July 1993", *Social Indicators Research*, vol. 47, n. 2: p. 153-201 (junho de 1999).

73 R. D. Nelson, "Coherent Consciousness and Reduced Randomness: Correlations on September 11, 2001", *Journal of Scientific Exploration*, vol. 16, n. 4: p. 549-70 (2002).

74 "What Are Sunspots?", Space.com, http://www.space.com/14736-sunspots-sun-spots-explained.html (29 de fevereiro de 2012).

75 A. L. Tchijevsky, "Physical Factors of the Historical Process", *Cycles*, vol. 22: p. 11-27 (janeiro de 1971).

76 S. Ertel, "Cosmophysical Correlations of Creative Activity in Cultural History", *Biophysics*, vol. 43, n. 4: p. 696-702 (1998).

77 C. W. Adams, *The Science of Truth* (Wilmington: Sacred Earth Publishing, 2012), p. 241.

78 "Earth's Atmospheric Layers", (21 de janeiro de 2013), https://www.nasa.gov/mission_pages/sunearth/science/atmosphere-layers2.html.

79 R. Wever, "The Effects of Electric Fields on Circadian Rhythmicity in Men", *Life Sciences in Space Research*, vol. 8: p. 177–87 (1970).

80 Iona Miller, "Schumann Resonance", *Nexus Magazine*, vol. 10, n. 3 (abril/maio de 2003).

81 Childre, Martin, Rozman e McCraty, *Heart Intelligence: Connecting with the Intuitive Guidance of the Heart*.

82 R. McCraty, "The Energetic Heart: Bioelectromagnetic Communication Within and Between People, in Bioelectromagnetic and Subtle Energy Medicine", em P. J. Rosch e M. S. Markov, eds., *Clinical Applications of Bioelectromagnetic Medicine* (Nova York: Marcel Dekker, 2004).

83 Childre, Martin, Rozman e McCraty, *Heart Intelligence: Connecting with the Intuitive Guidance of the Heart*.

84 R. McCraty, "The Global Coherence Initiative: Measuring Human-Earth Energetic Interactions", Heart as King of Organs Conference, Hofuf, Arábia Saudita (2010); R. McCraty, A. Deyhle e D. Childre, "The Global Coherence Initiative: Creating a Coherent Planetary Standing Wave", *Global Advances in Health and Medicine*, 1(1): p. 64–77 (2012); R. McCraty, "The Energetic Heart", em *Clinical Applications of Bioelectromagnetic Medicine*.

85 HeartMath Institute, "Global Coherence Research", https://www.heartmath.org/research/global-coherence/.

86 S. M. Morris, "Facilitating Collective Coherence: Group Effects on Heart Rate Variability Coherence and Heart Rhythm Synchronization", *Alternative Therapies in Health and Medicine*, vol. 16, n. 4: p. 62–72 (julho/agosto de 2010).

87 Korotkov, *Energy Fields Electrophotonic Analysis in Humans and Nature: Electrophotonic Analysis*, 2ª edição (CreateSpace Independent Publishing Platform, 2014).

88 Radin, J. Stone, E. Levine *et al.*, "Compassionate Intention as a Therapeutic Intervention by Partners of Cancer Patients: Effects of Distant Intention of the Patients' Autonomic Nervous System", *Explore*, vol. 4, n. 4 (julho/agosto de 2008).

Outras obras

VOCÊ NÃO ESTÁ CONDENADO POR SEUS GENES E EQUIPADO PARA SER DE UMA DETERMINADA MANEIRA PELO RESTO DA VIDA.

Está surgindo uma nova ciência que habilita todos os seres humanos a criar a realidade que preferirem. Neste livro, o renomado autor, palestrante, pesquisador e quiroprático Dr. Joe Dispenza combina os campos da física quântica, neurociência, química cerebral, biologia e genética para mostrar o que é verdadeiramente possível.

Você não só vai obter o conhecimento necessário para alterar qualquer aspecto de si mesmo, como também receberá as ferramentas para aplicar passo a passo o que aprendeu, de modo a promover as mudanças necessárias em qualquer área de sua vida. Dr. Dispenza desmistifica antigas compreensões e preenche a lacuna entre ciência e espiritualidade. Mediante seus eficazes *workshops* e palestras, milhares de pessoas em 24 países utilizaram esses princípios para mudar de dentro para fora. Quando você quebrar o hábito de ser você mesmo e verdadeiramente mudar sua mente, sua vida jamais será a mesma!

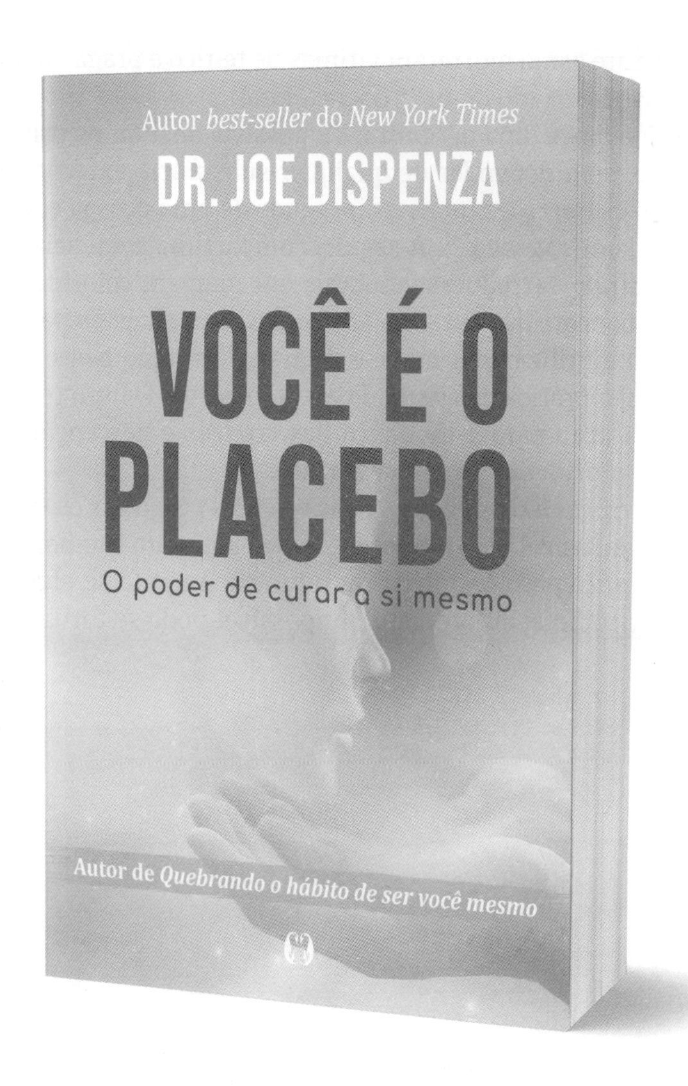

É POSSÍVEL CURAR APENAS PELO PENSAMENTO, SEM DROGAS OU CIRURGIA?

A verdade é que isso acontece mais do que você imagina. Em *Você é o placebo*, Dr. Joe Dispenza compartilha diversos casos documentados de pessoas que reverteram doença cardíaca, depressão, artrite incapacitante e até mesmo os tremores da doença de Parkinson por acreditar em um placebo. Também relata casos de pessoas que ficaram doentes e até esmo morreram vítimas de feitiço e praga vodu ou após o diagnóstico errado de uma doença fatal.

Dr. Joe lança uma pergunta: "É possível ensinar os princípios do placebo e, sem depender de qualquer substância externa, produzir as mesmas alterações internas na saúde de uma pessoa e, em última instância, em sua vida?". A seguir, compartilha evidências científicas (incluindo varreduras cerebrais em imagem colorida) de curas espantosas ocorridas em seus *workshops*, nos quais os participantes aprendem a utilizar seu modelo de transformação pessoal, baseado na aplicação prática do chamado efeito placebo. O livro termina com uma meditação para a mudança das crenças e percepções que nos detêm – o primeiro passo para a cura.

Você é o placebo combina as mais recentes pesquisas em neurociência, biologia, psicologia, hipnose, condicionamento comportamental e física quântica para desmistificar o funcionamento do efeito placebo e mostrar como aparentemente impossível pode se tornar possível.

MODIFICAÇÕES NA ENERGIA DURANTE UMA OFICINA AVANÇADA

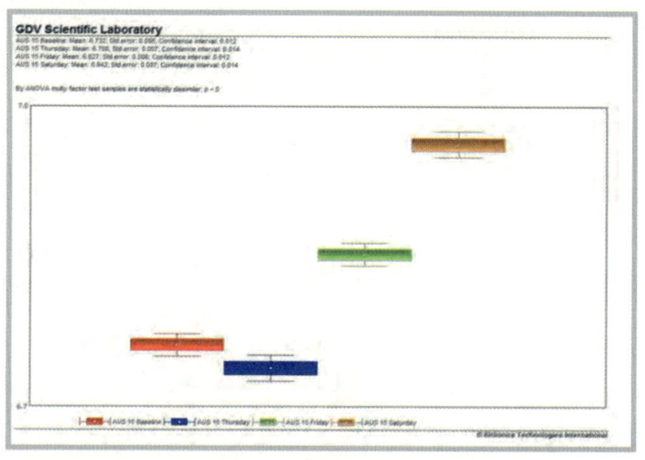

GRÁFICO 1A

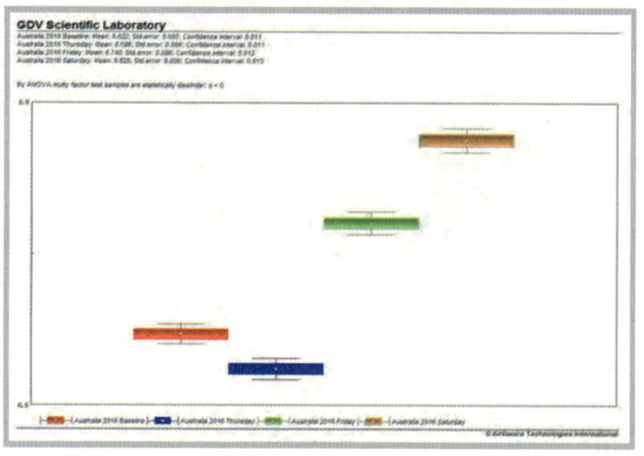

GRÁFICO 1B

Em algumas de nossas oficinas avançadas, quando os alunos rompem os vínculos energéticos com tudo e todos em sua realidade passado-presente, recorrem ao campo do ambiente para construir o campo eletromagnético próprio. Quando isso ocorre, a energia da sala pode baixar. As duas ilustrações demonstram o fenômeno em duas oficinas avançadas na Austrália em 2015 e 2016. A linha vermelha é a medida de base na quarta-feira, véspera do começo do evento, quando não havia ninguém na sala. A linha azul é a quinta-feira, o primeiro dia. Você pode ver que a energia na sala diminuiu ligeiramente. A linha verde é a sexta-feira, o segundo dia. Você pode observar que a energia sobe à medida que os alunos rompem seus vínculos na sexta-feira. A essa altura, em vez de retirar energia do campo, eles contribuem com essa energia ao campo.

COERÊNCIA *VERSUS* INCOERÊNCIA

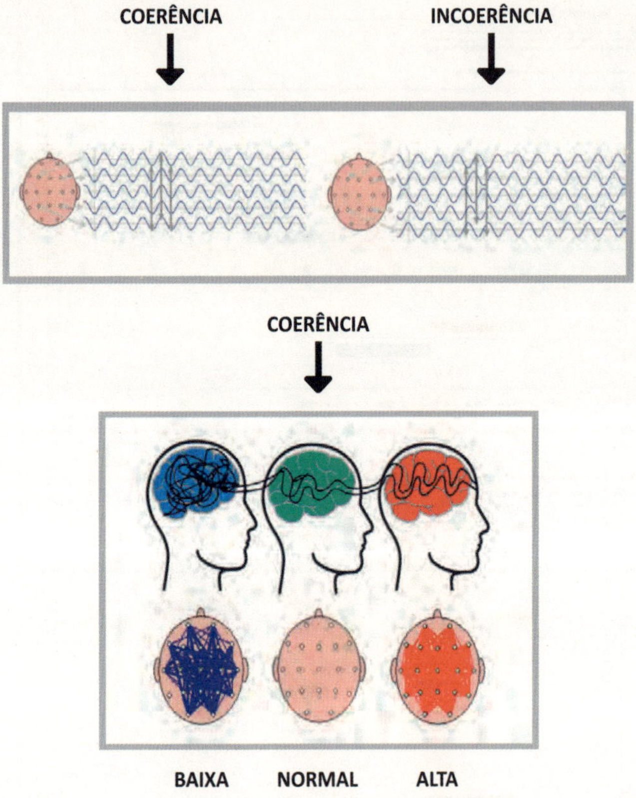

COERÊNCIA

INCOERÊNCIA

COERÊNCIA

BAIXA **NORMAL** **ALTA**

GRÁFICO 2

Na primeira imagem, os dois círculos representam a vista de cima de uma pessoa usando uma touca de EEG. A cabeça está voltada para a frente, de modo que o nariz aponta para o topo da página e as orelhas estão nas laterais. Os círculos brancos pequenos representam diferentes compartimentos cerebrais nos quais podemos medir as ondas cerebrais. À esquerda você pode ver que as setas estão alinhadas em perfeita ordem, mostrando as ondas em fase. Isso é coerência. À direita você pode ver que as ondas não estão em fase e as setas não se alinham com os picos e vales. Isso é incoerência.

Como mostrarei diferentes exames cerebrais nas páginas a seguir, quero familiarizá-lo com o modo como medimos coerência e incoerência. Veja o segundo conjunto de imagens. Muito azul significa baixa coerência (hipocoerência), as diferentes áreas do cérebro se comunicam menos umas com as outras. Muito vermelho significa alta coerência (hipercoerência), as áreas diferentes se comunicam mais umas com as outras. Se não há azul e vermelho, a coerência é normal ou média.

ONDAS CEREBRAIS BETA NORMAIS

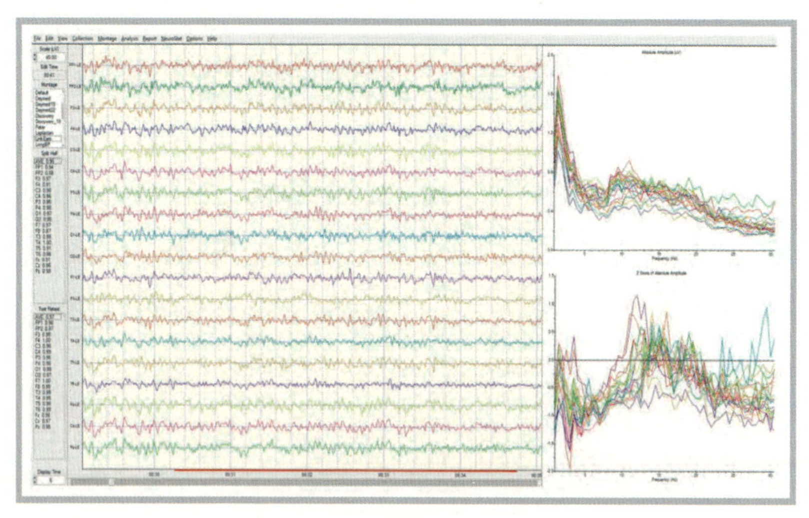

GRÁFICO 3A

ONDAS CEREBRAIS ALFA COERENTES E SINCRONIZADAS

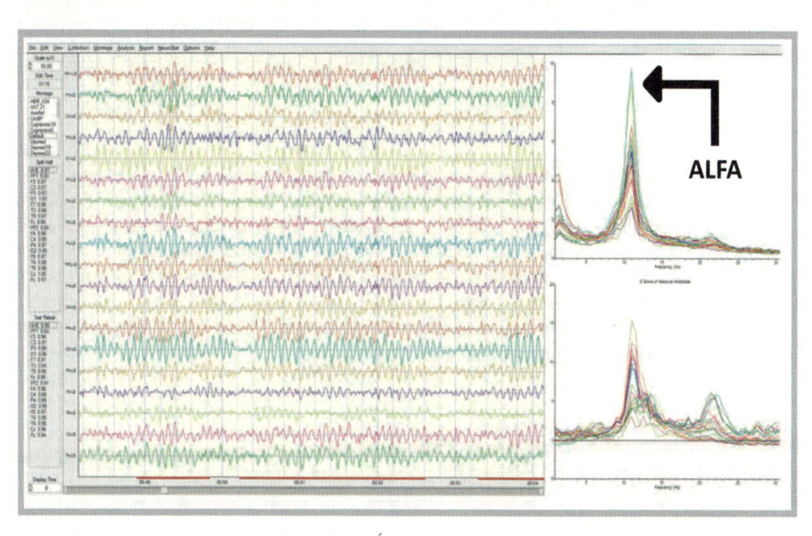

GRÁFICO 3B

ONDAS CEREBRAIS THETA COERENTES E SINCRONIZADAS

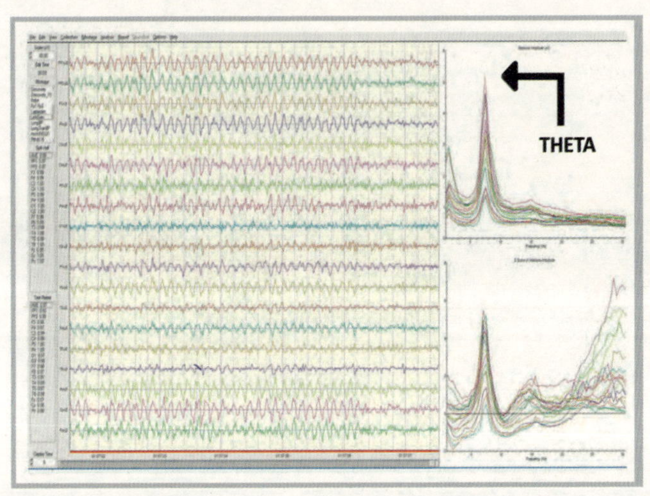

GRÁFICO 3C

Olhe cada uma das linhas verticais azuis nos gráficos acima e acompanhe-as até embaixo. Elas representam intervalos de um segundo. Cada uma das 19 linhas onduladas horizontais se relaciona a um compartimento do cérebro que é medido – frente, dois lados, parte superior e a parte de trás. Se você contar o número de ciclos (de um topo de onda até o topo seguinte) entre duas linhas verticais azuis, saberá quais as ondas em cada área do cérebro. É assim que identificamos as ondas beta, alfa, theta, delta e gama. Se você precisar revisar as diferentes frequências de ondas cerebrais, consulte a figura 2.7.

Quando você passa de um foco estreito para um foco aberto e desvia a atenção da matéria (alguma coisa) e concentra a atenção no espaço ou na energia (coisa nenhuma), suas ondas mudam de beta para alfa ou theta. O primeiro gráfico mostra um cérebro pensante ocupado normal em ondas beta. O segundo gráfico mostra uma pessoa em ondas alfa globais coerentes. Observe a bela sincronia de cada parte do cérebro quando a pessoa abre o foco. A seta azul apontando para os picos indica que o cérebro inteiro está coerente em ondas alfa de 12 ciclos por segundo. O terceiro gráfico mostra uma pessoa em ondas theta coerentes. A seta azul apontando para os picos indica que o cérebro inteiro está sincronizado em cerca de sete ciclos por segundo, que é o comprimento de ondas theta.

ALTERAÇÕES NA ENERGIA COM A MEDITAÇÃO DE BÊNÇÃO DOS CENTROS DE ENERGIA

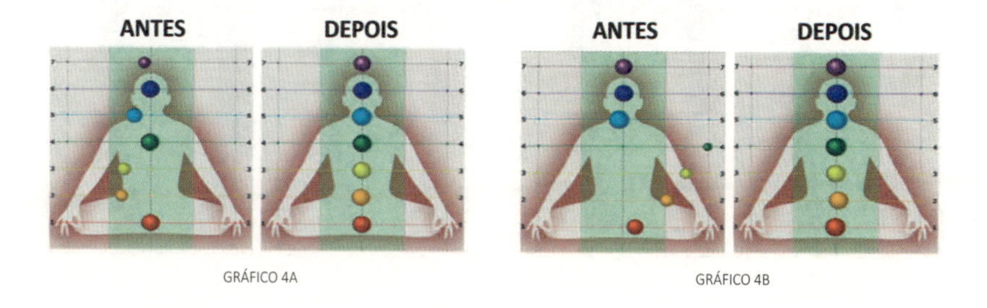

GRÁFICO 4A

GRÁFICO 4B

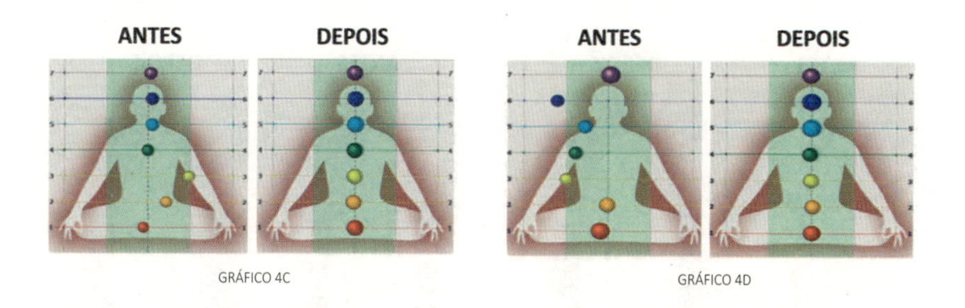

GRÁFICO 4C

GRÁFICO 4D

As imagens à esquerda mostram medições de GVD dos centros de energia dos alunos antes de começarem uma oficina avançada. As imagens à direita mostram as mudanças poucos dias depois da meditação da Bênção dos Centros de Energia. Note a diferença no tamanho e alinhamento dos centros.

ALTERAÇÕES NA ENERGIA COM A MEDITAÇÃO DE BÊNÇÃO DOS CENTROS DE ENERGIA

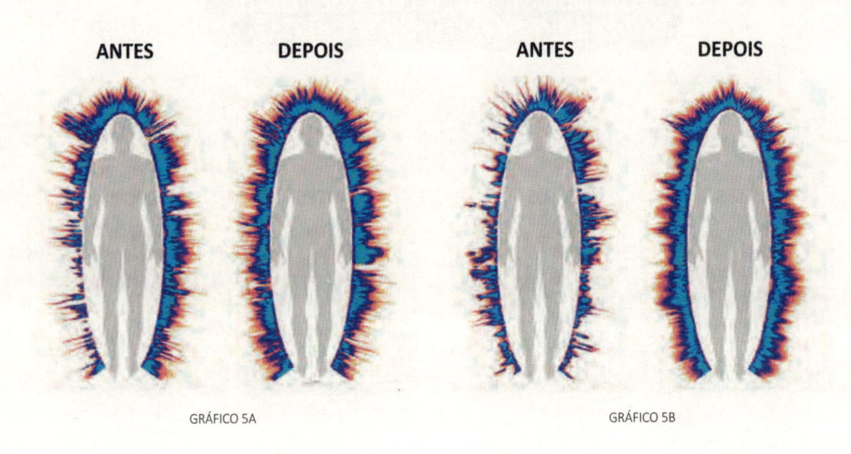

GRÁFICO 5A

GRÁFICO 5B

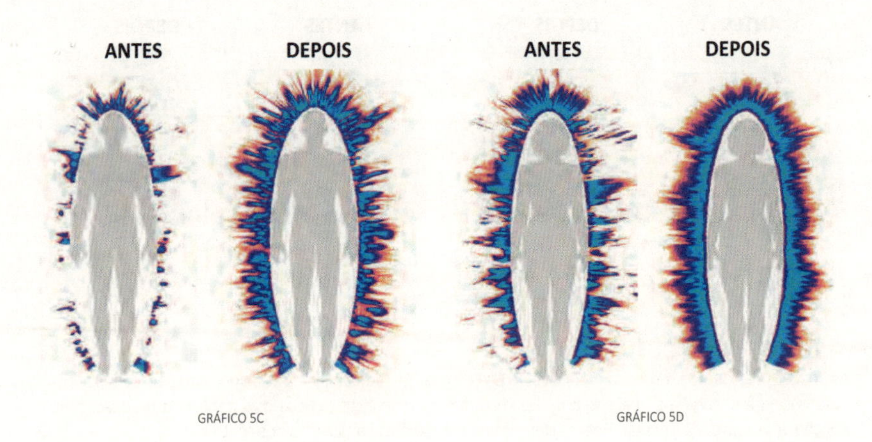

GRÁFICO 5C

GRÁFICO 5D

As imagens à esquerda mostram algumas medições de GDV da energia dos alunos antes de começarem uma oficina avançada. As imagens à direita mostram as alterações na energia vital poucos dias depois da oficina.

ALUNO ENTRANDO EM ONDAS GAMA PELA RESPIRAÇÃO

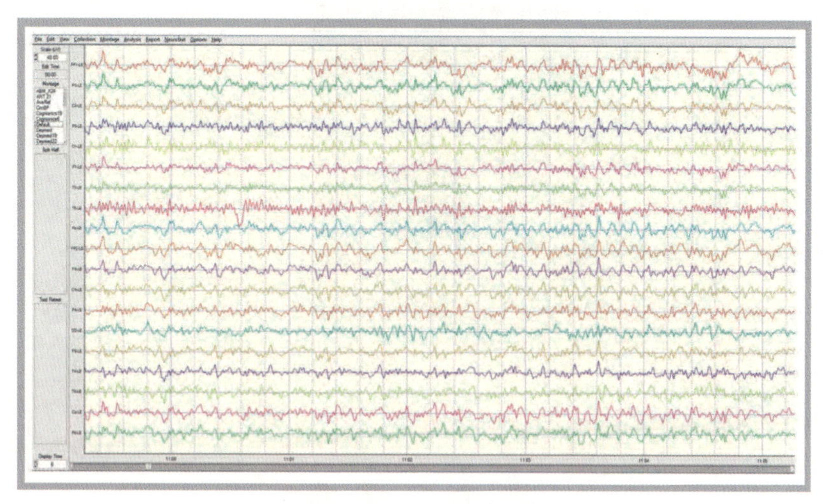

GRÁFICO 6A(1)

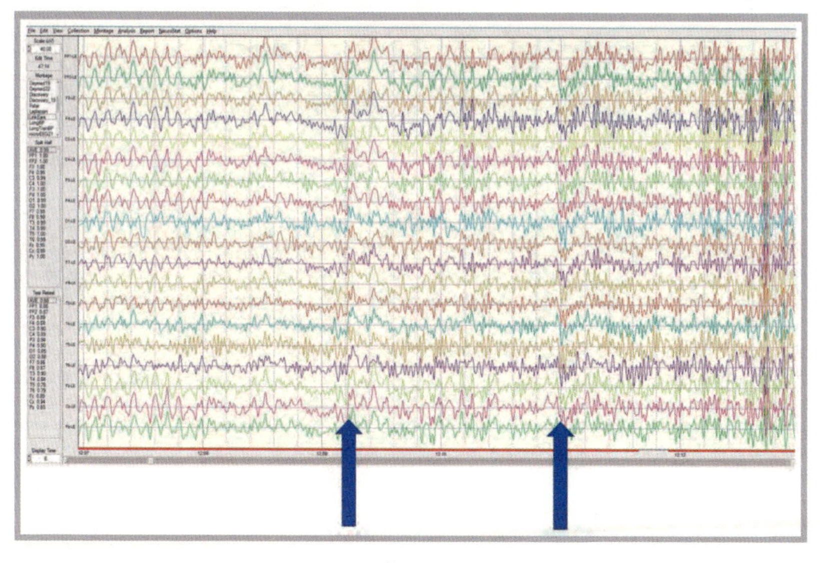

GRÁFICO 6A(2)

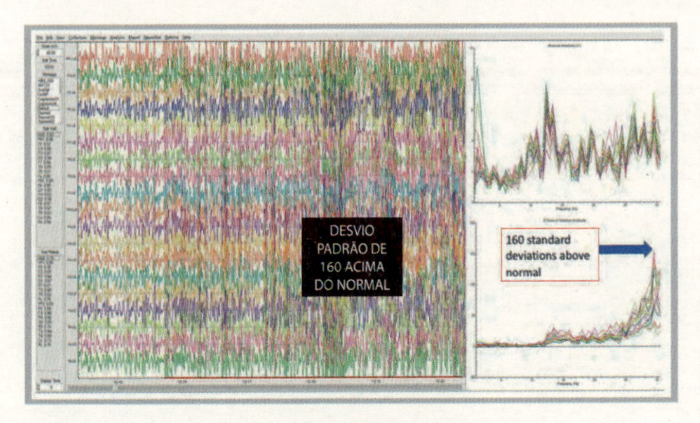

GRÁFICO 6A(3)

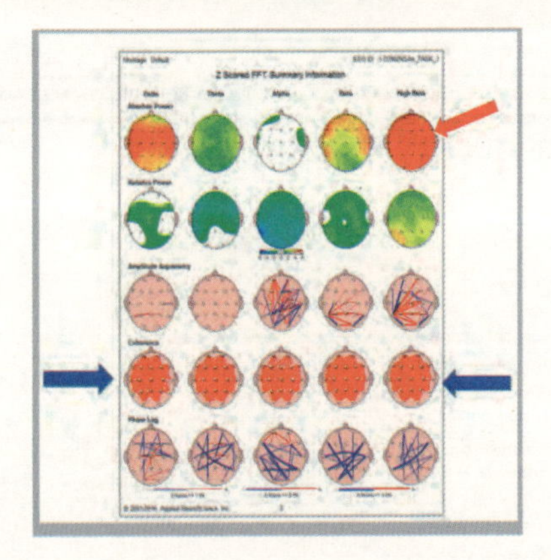

GRÁFICO 6A(4)

Os gráficos 6A(1), 6A(2) e 6A(3) mostram um aluno em transição para ondas gama, passando por beta alta, como resultado da respiração. O cérebro está muito excitado com energia. Você pode ver uma mudança óbvia na frequência cerebral quando isso ocorre (indicado pelas setas azuis). A quantidade de energia no cérebro chega a 160 de desvio padrão acima do normal. Agora veja o gráfico 6A(4). Muito vermelho no cérebro significa muita energia. Azul no cérebro significa muito pouca energia. Portanto, a seta vermelha que aponta para o círculo totalmente vermelho indica uma enorme quantidade de energia no estado beta alto enquanto ele entra em gama. O *software* usado aqui não registra as ondas gama em si, mas por visualizar as outras medições nos gráficos acima sabemos que a quantidade de energia no círculo totalmente vermelho indica gama e beta alto. As setas azuis apontando para a linha intitulada Coherence (coerência) mostram que há comunicação intensa junto com a energia elevada em todas as frequências cerebrais medidas.

OUTRO ALUNO ENTRANDO EM ONDAS GAMA PELA RESPIRAÇÃO

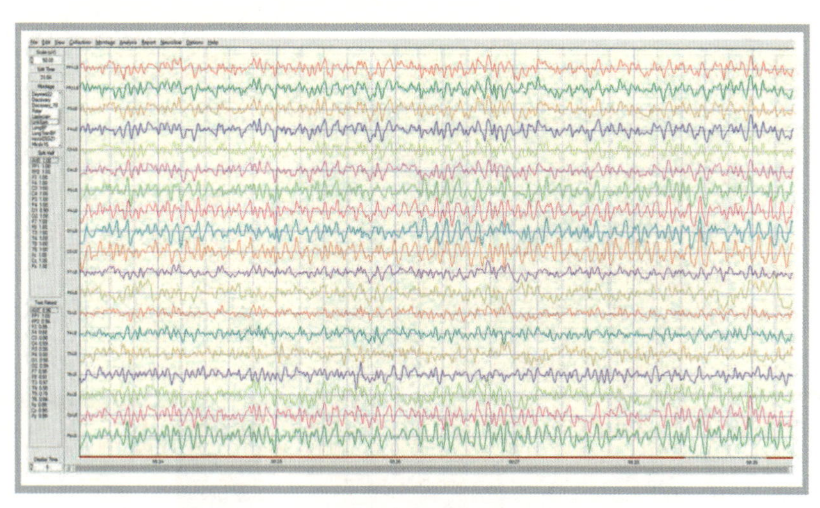

GRÁFICO 6B(1)

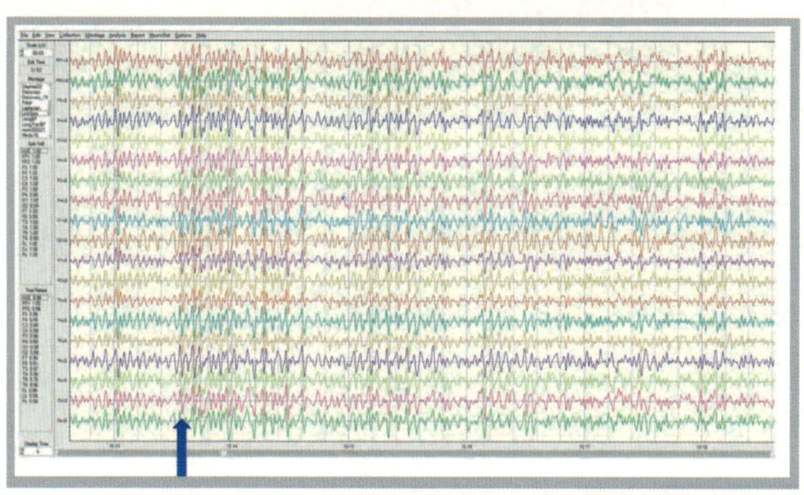

GRÁFICO 6B(2)

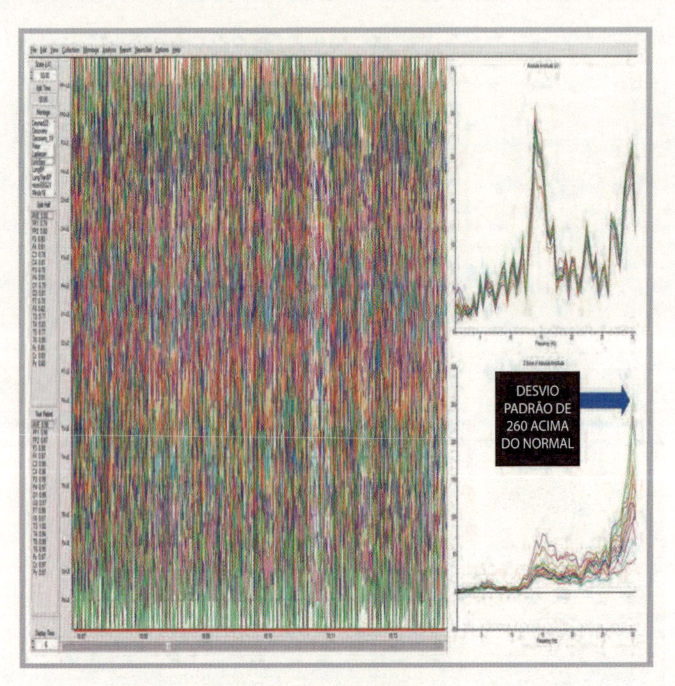

GRÁFICO 6B(3)

Você pode observar transições semelhantes nesses gráficos. A seta azul na parte de baixo do gráfico 6B(2) mostra o momento em que o cérebro vai de beta para gama. O gráfico 6B(3) mostra que a energia no cérebro tem desvio padrão de 260 acima do normal. Para dar o contexto, 99,7% da população situa-se em desvios padrões de três acima ou abaixo do normal. Qualquer coisa fora dos desvios padrões de três é sobrenatural.

IMAGENS MOSTRANDO A ÁREA EM TORNO DA GLÂNDULA PINEAL ATIVADA

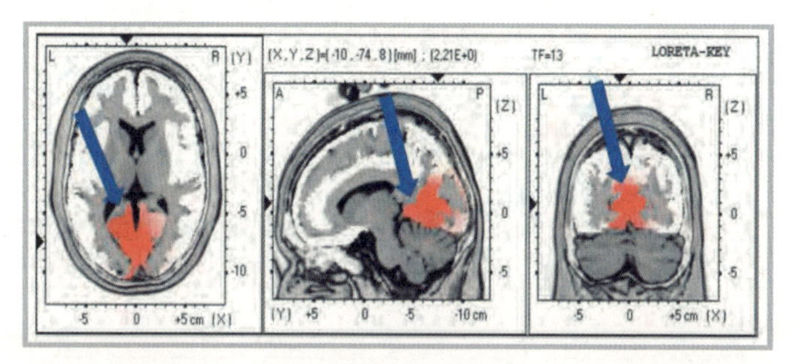

GRÁFICO 6B(4)

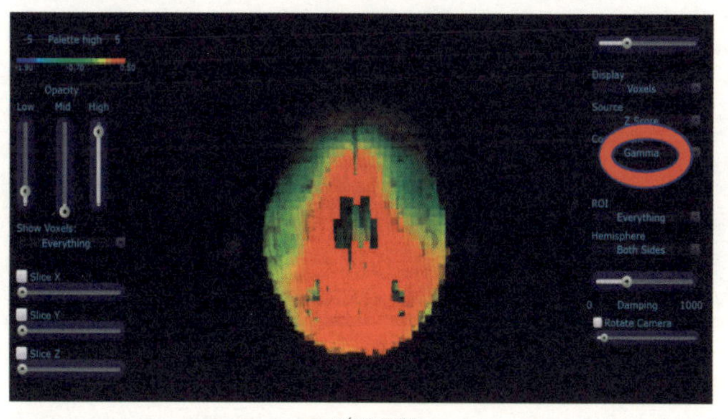

GRÁFICO 6B(5)

A área vermelha indicada por setas azuis no gráfico 6B(4) é a região que circunda a glândula pineal e uma região chamada área 30 de Brodmann, associada a fortes emoções e formação de novas memórias. Nossa equipe vê seguidamente esse padrão nessas áreas do cérebro quando os alunos produzem ondas gama. O gráfico 6B(5) é uma imagem tridimensional da parte de baixo do cérebro do mesmo aluno, mostrando uma quantidade significativa de energia proveniente do cérebro límbico.

MAPEAMENTO CEREBRAL DE FELÍCIA

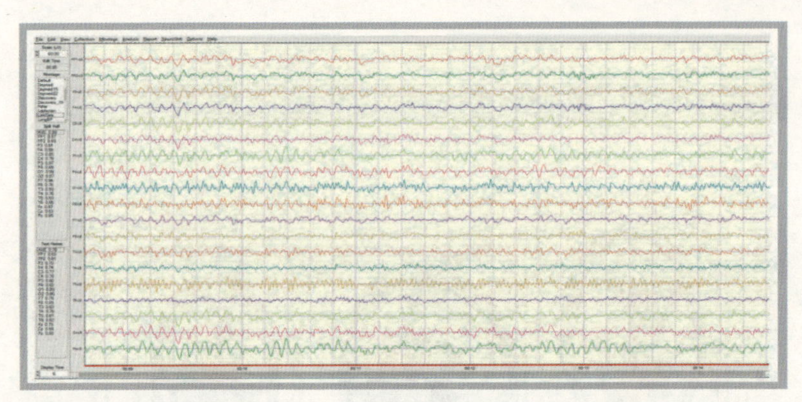

GRÁFICO 7A(1)

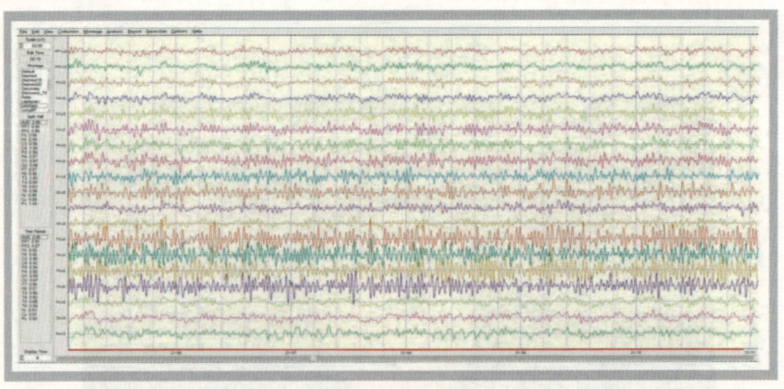

GRÁFICO 7A(2)

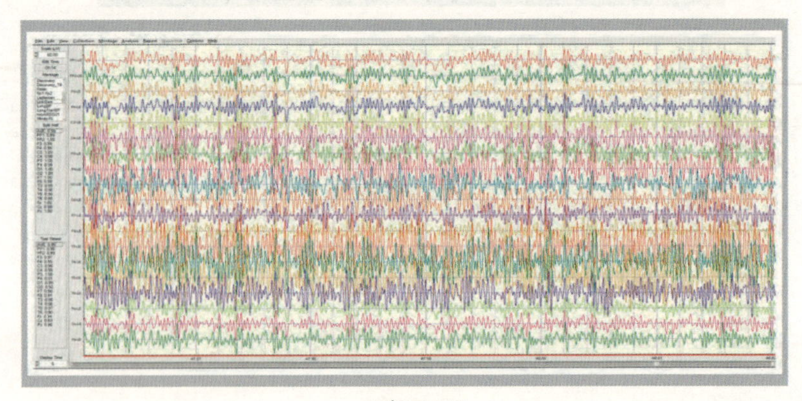

GRÁFICO 7A(3)

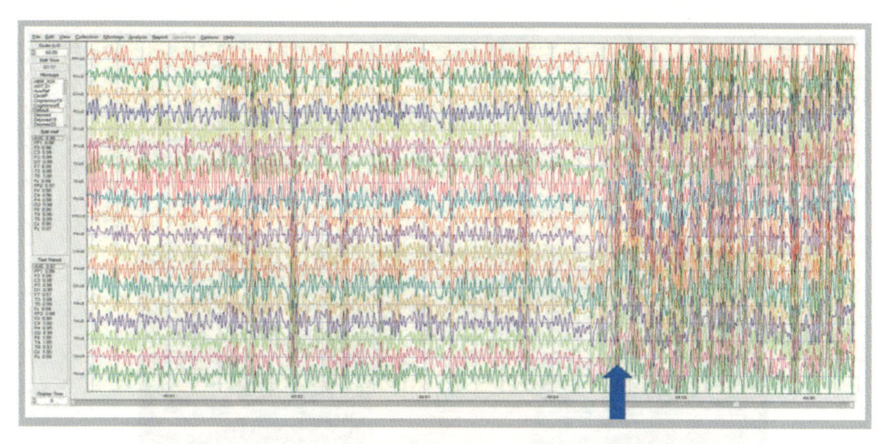

GRÁFICO 7A(4)

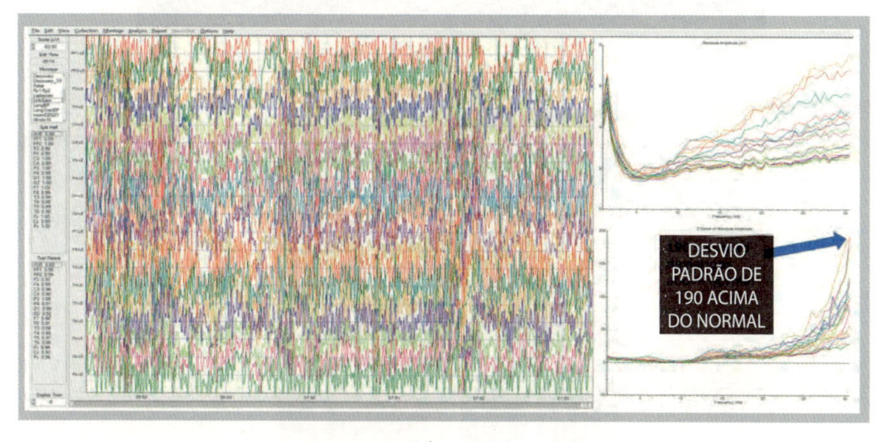

GRÁFICO 7A(5)

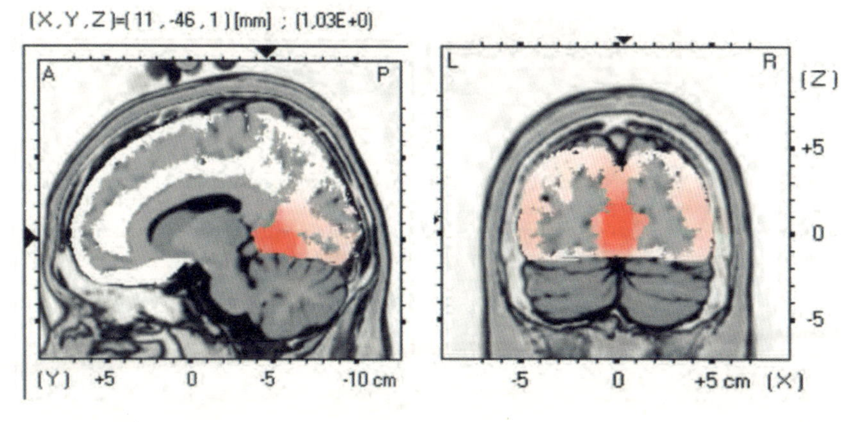

GRÁFICO 7B

CONTINUAÇÃO DA HISTÓRIA DE FELÍCIA

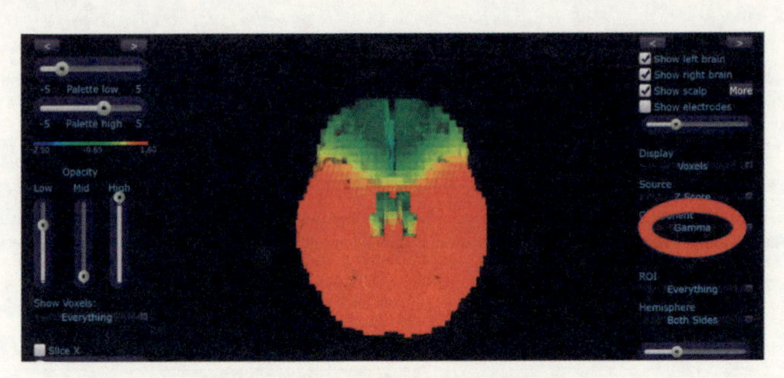

GRÁFICO 7C

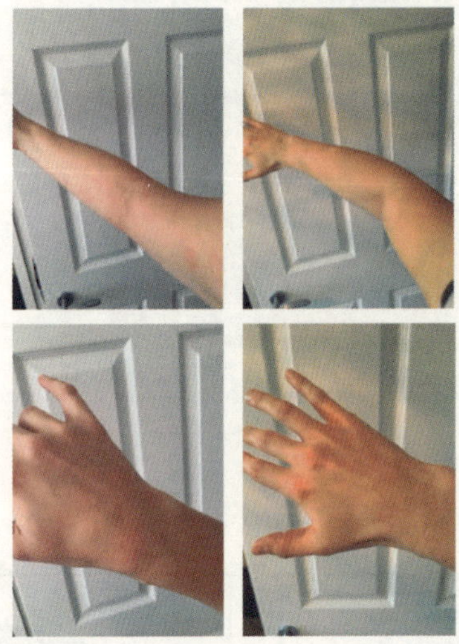

IMAGENS 7D

Os gráficos 7A mostram o cérebro de Felícia em transição de beta normal para beta alta antes de entrar no estado gama de energia elevada. (A seta azul indica transição.) A energia em gama tem desvio padrão de 190 acima do normal quando Felícia se conecta ao campo unificado. A área da glândula pineal, bem como a parte do cérebro que processa fortes emoções está altamente ativada, como se vê no gráfico 7B. A imagem em 7C é o lado de baixo do cérebro. A região vermelha mostra que a energia em gama provém do cérebro límbico. Dê uma olhada nas imagens em 7D para ver as mudanças na pele de Felícia um dia depois de ela receber um *upgrade* do campo unificado.

COERÊNCIA CARDÍACA E COERÊNCIA CEREBRAL

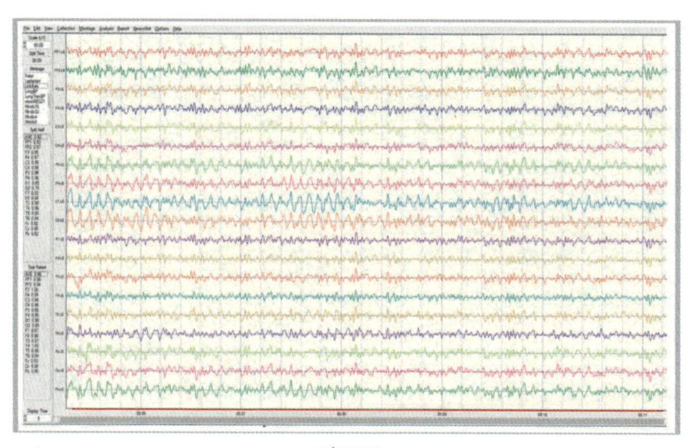

GRÁFICO 8A

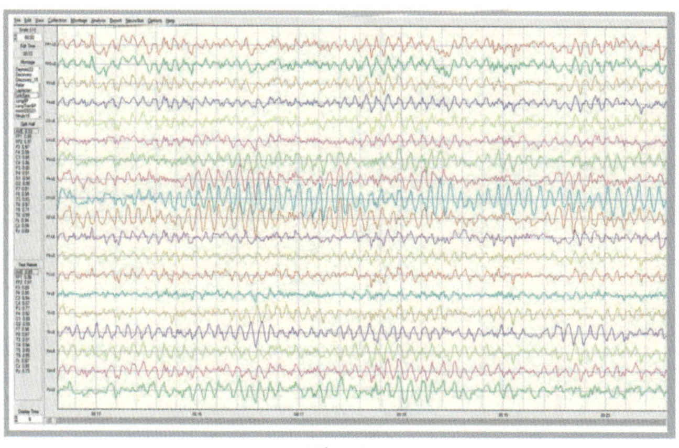

GRÁFICO 8B

A primeira imagem é a medição do cérebro de uma mulher antes de ela ativar o centro do coração. O cérebro está em uma frequência dominante de ondas beta dessincronizadas, indicando um cérebro ocupado e distraído. A segunda imagem mostra o cérebro dez segundos depois da aluna entrar em coerência cardíaca. O cérebro inteiro entra em um estado de onda alfa coerente.

ONDAS ALFA E THETA COERENTES DEVIDO AO CALEIDOSCÓPIO

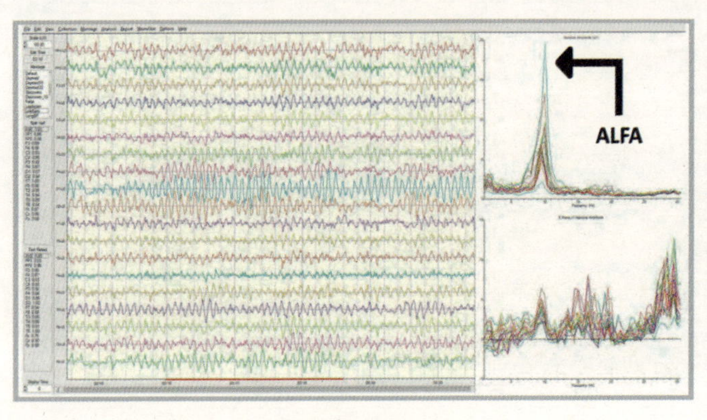

GRÁFICO 9A(1)

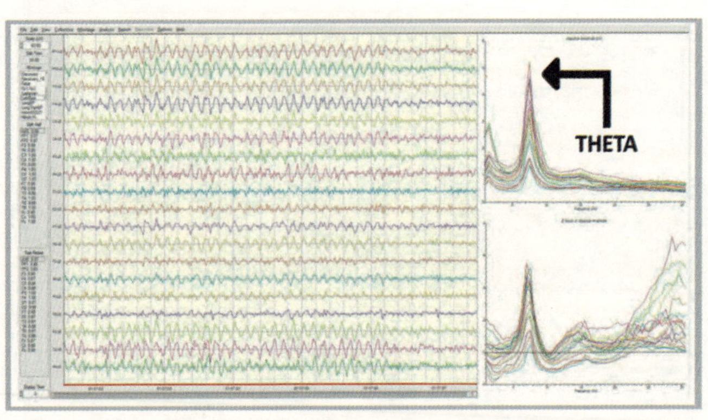

GRÁFICO 9A(2)

O gráfico 9A(1) mostra a varredura cerebral de um aluno em ondas alfa coerentes enquanto assiste ao caleidoscópio. O gráfico 9A(2) registra uma pessoa em estados coerentes de ondas theta vendo o caleidoscópio em transe.

ALTERAÇÕES NA ATIVIDADE CEREBRAL AO ASSISTIR AO CALEIDOSCÓPIO

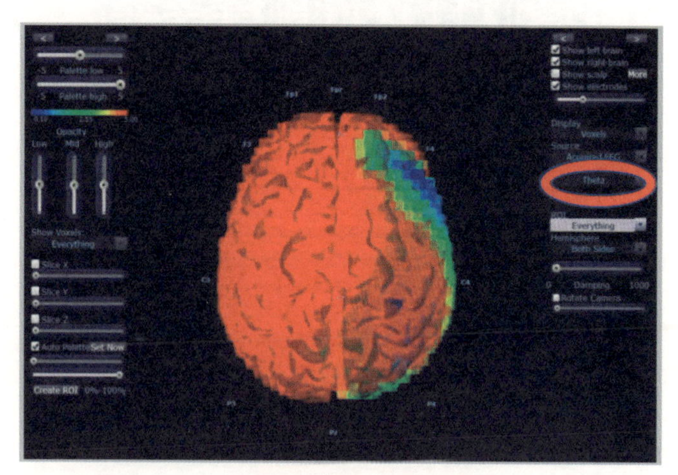

GRÁFICO 9A(3)

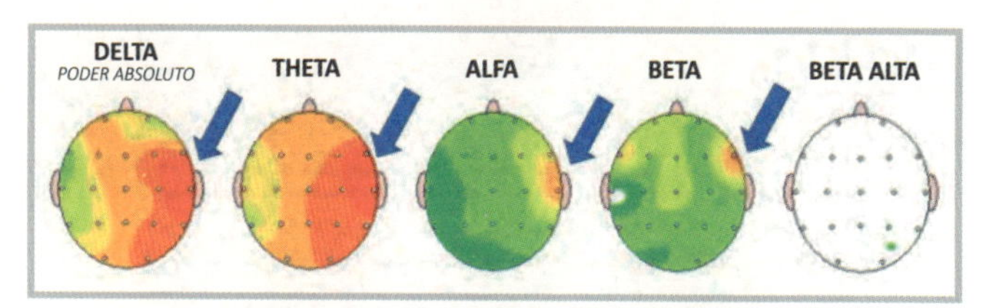

GRÁFICO 9A(4)

O gráfico 9A(3) é uma imagem tridimensional do cérebro (todo em vermelho) de outro aluno, indicando que quase todo o cérebro está em estado theta. O oval vermelho à direita mostra que o cérebro é medido em theta. O gráfico 9A(4) mostra a varredura cerebral de um aluno em diferentes frequências de ondas assistindo ao caleidoscópio. As áreas vermelha e laranja indicadas com setas azuis à direita de cada cérebro representam uma forte quantidade de atividade de ondas delta, theta, alfa e beta.

ALTA ENERGIA NO CÉREBRO AO ASSISTIR AO MIND MOVIE

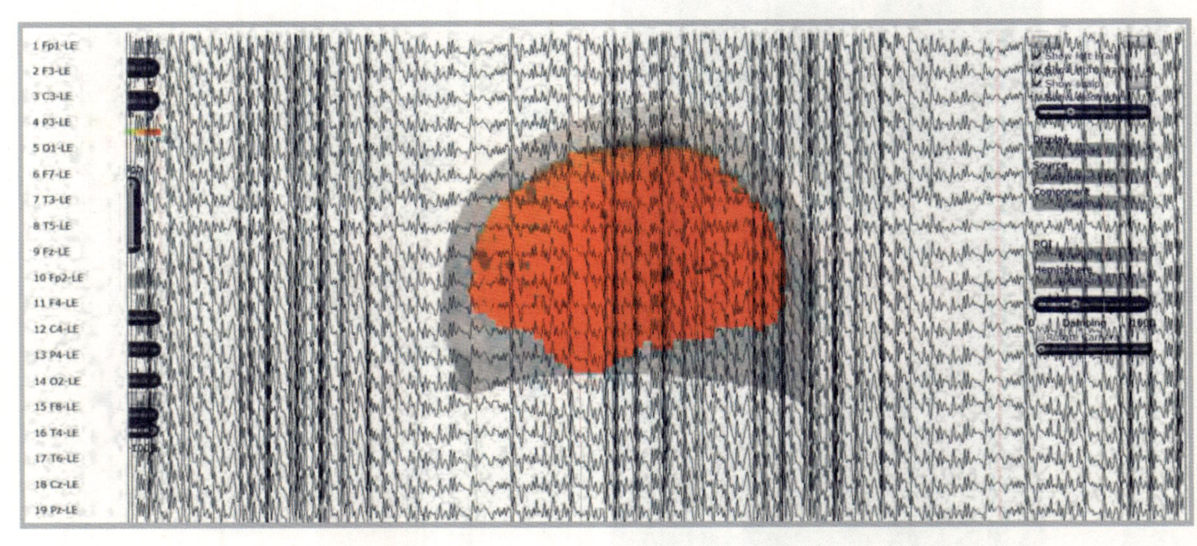

GRÁFICO 10

Este é um cérebro totalmente absorto na experiência do Mind Movie. Há uma quantidade significativa de ondas beta alta e gama ativando o cérebro inteiro.

ATIVIDADE CEREBRAL AO DIMENSIONAR UMA CENA DO MIND MOVIE

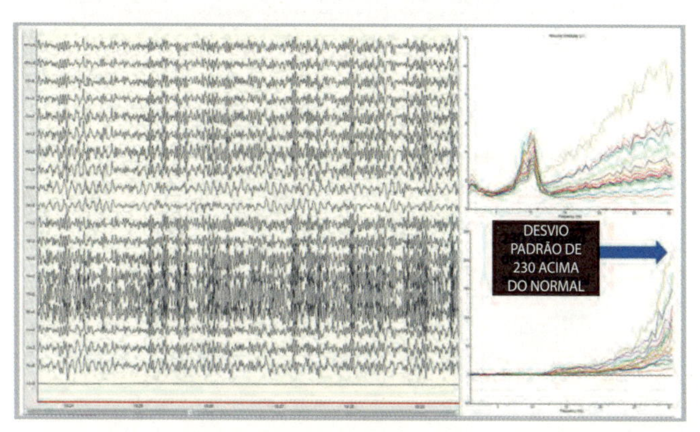

GRÁFICO 11A

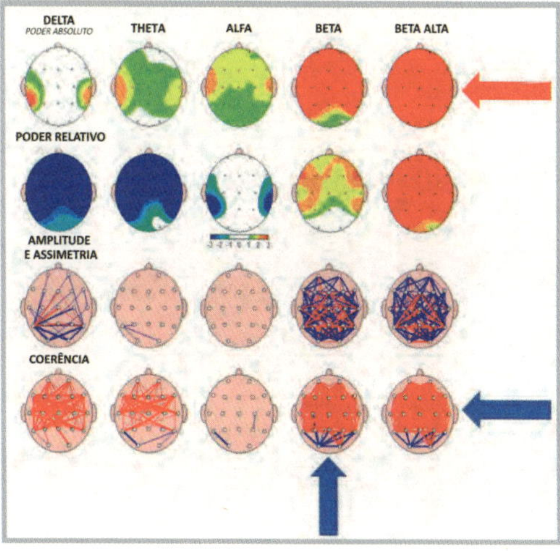

GRÁFICO 11B

Esta aluna dimensionou uma cena de seu Mind Movie durante uma meditação e relatou ter uma experiência sensorial plena sem os sentidos físicos. No gráfico 11A você pode ver que o cérebro está em beta alta e gama coerentes. A energia no cérebro está em desvio padrão de cerca de 230 acima do normal. A seta vermelha no gráfico 11B indica a grande quantidade de energia em beta alta enquanto a aluna entra em gama. As setas azuis indicam que também há muita coerência no cérebro. É importante observar que a aluna não pode fazer o cérebro executar isso. A experiência acontece com ela.

ALTERAÇÕES NO CÉREBRO ANTES E DEPOIS DE UMA MEDITAÇÃO CAMINHANDO

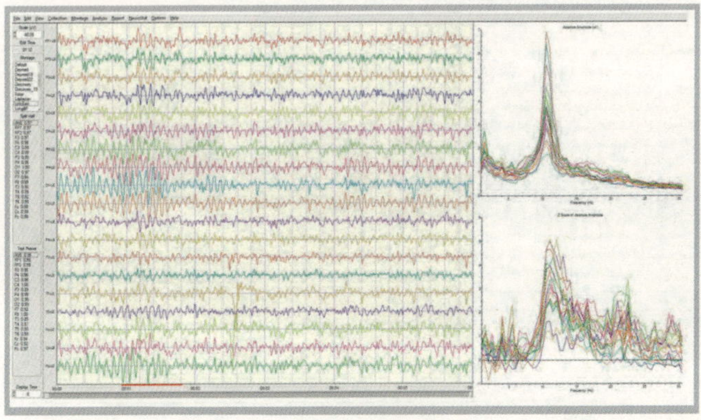

GRÁFICO 12A

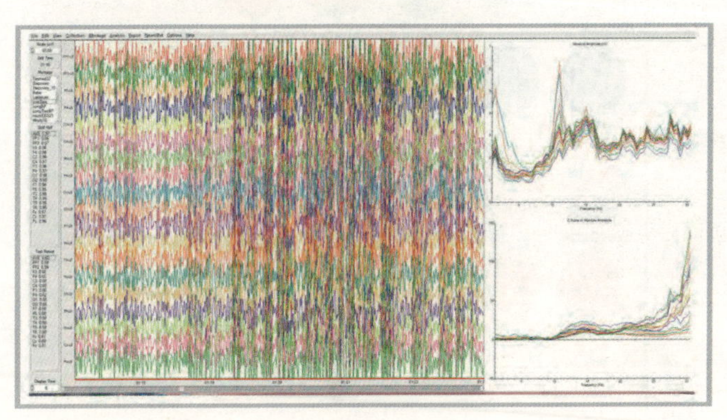

GRÁFICO 12B

O gráfico 12A mostra uma medida de base de uma pessoa com ondas beta e alfa normais antes da meditação andando. No gráfico 12B, uma hora e vinte minutos depois, você pode ver que o aluno alterou o cérebro para um estado gama de alta energia.

ONDAS ESTACIONÁRIAS DE INFORMAÇÃO

GRÁFICO 13A

Os padrões fractais em configurações geométricas complexas são ondas estacionárias de frequência e informações que podem ser desmembradas pelo cérebro em imagens muito poderosas. Embora sejam bidimensionais, essas imagens dão uma ideia de como os padrões parecem.

CORRELAÇÃO ENTRE ATIVIDADE SOLAR E EVENTOS HUMANOS

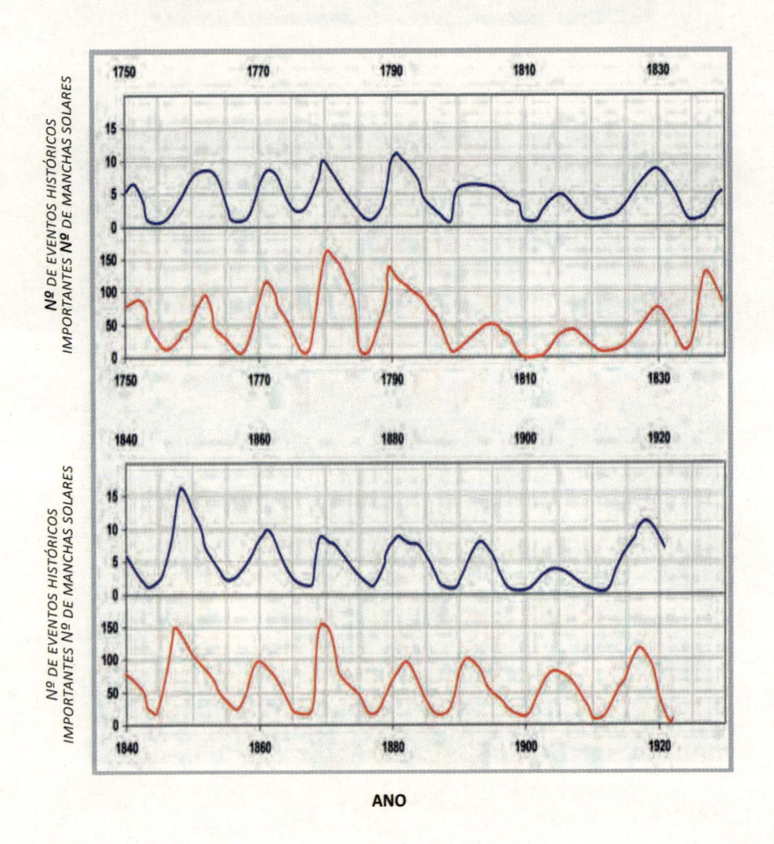

GRÁFICO 14

Alexander Chizhevsky comparou o número anual de eventos políticos e sociais importantes com o aumento da atividade solar entre 1749 e 1926. No gráfico, a linha azul ilustra as labaredas solares e a linha vermelha refere-se à excitabilidade humana. Observe que toda vez que há grande atividade solar há uma correlação com eventos humanos impactantes.

COMPARAÇÃO DA ENERGIA DO DIA INTEIRO NA QUARTA, QUINTA, SEXTA E SÁBADO EM TACOMA, WASHINGTON, 2016

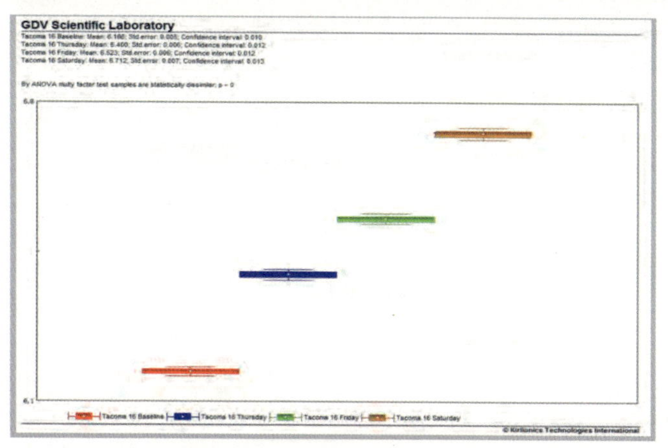

GRÁFICO 15A

COMPARAÇÃO DA ENERGIA DO DIA INTEIRO NA QUARTA, QUINTA, SEXTA E SÁBADO EM CAREFREE, ARIZONA, 2015

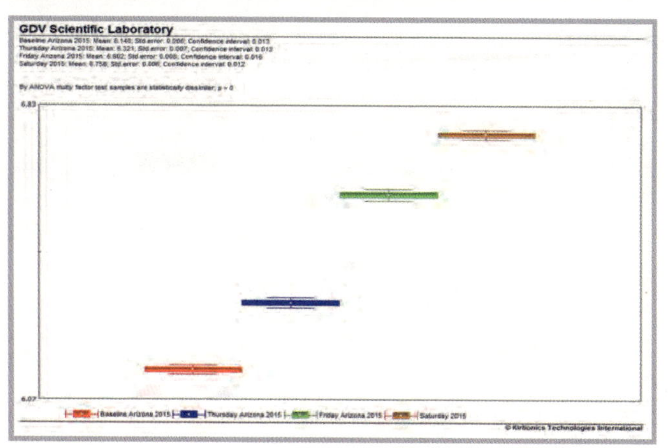

GRÁFICO 15B

Os gráficos 15A e 15B mostram o aumento na energia coletiva da sala ao longo de três dias em nossas oficinas avançadas. A primeira linha, em vermelho, é a medida de base, da energia antes do início do evento na quarta-feira. Ao olhar as linhas vermelha, azul, verde e marrom (cada cor representa um dia), você verá que a energia aumenta de modo constante a cada dia.

COMPARAÇÃO DA ENERGIA NAS MEDITAÇÕES MATINAIS DE QUARTA, QUINTA, SEXTA E SÁBADO EM CANCUN, MÉXICO, 2014

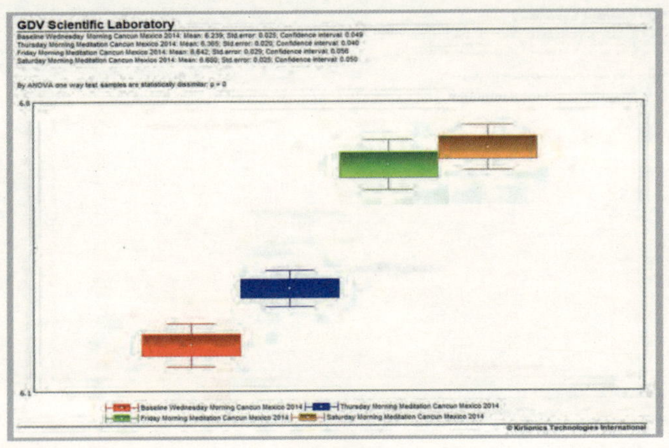

GRÁFICO 15C

COMPARAÇÃO DA ENERGIA NAS MEDITAÇÕES MATINAIS DE QUARTA, QUINTA, SEXTA, SÁBADO E DOMINGO EM MUNIQUE, ALEMANHA, 2014

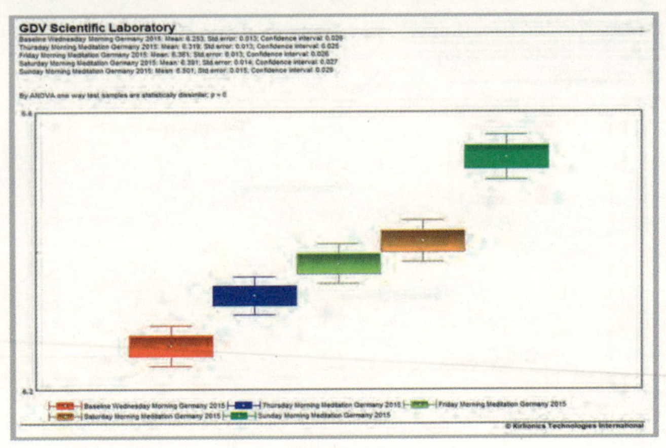

GRÁFICO 15D

Nos gráficos 15C e 15D a escala de cores é a mesma; no entanto, as medidas referem-se às meditações matinais de cada dia. O gráfico 15D possui uma linha verde-clara extra porque medimos a energia da sala durante a meditação da glândula pineal às quatro da manhã. Como você pode ver, a energia estava muito alta naquela ocasião.